圖一　王三慶教授與潘石禪老師合影

圖二　王三慶教授與潘院長參加學生畢業典禮，時王老師為系主任

圖三　偷閒看書，時為文大中文系系主任的王三慶教授

圖四　全家共遊梨山，上清境農場的王三慶教授全家福

圖五　暑期陽明山道留影，時編纂《龍龕手鑑新書及索引》，
一家大小千里尋夫

圖六　日本長谷寺賞牡丹，時任職天理大學

圖七　臺北青田家居，全家留影

圖八　鍾肇政先生指定搭王老師（時任成大文學院院長）的野狼125

圖九　王三慶教授與夫人參加成大中文系杉林溪郊遊，合影於鹿谷茶藝館

圖十　有了他，我的鬍子才不是假的（與夫人、孫兒合照）

圖十一　大觀音亭祀典興濟宮致贈賀禮
左起：高美華、鄭阿財、王三慶、侯明福、陳玉女、吳福春

圖十二　成大中文系高美華主任致贈賀禮

圖十三　王偉勇教授吟詩祝壽

圖十四　范文俊手書賀禮（王偉勇教授詩句）

圖十五　臺南場 A 場次

圖十六　臺南場 B 場次

圖十七　金門場開幕式
左起：洪集輝、陳益源、李立信、侯明福

圖十八　金門場閉幕式
左起：陳益源、王三慶、鄭阿財、李立信、吳福春

圖十九　金門場會場實況

圖二十　全體學者於金門大學合影

圖二十一　王秋桂教授主持王三慶教授主題演講

圖二十二　與會學者合影
左起：蘇慧霜、鍾鳳鳴、陳益源、李立信、詹杭倫

圖二十三　與會學者參訪金合利鋼刀

圖二十四　金合利鋼刀致贈番刀一支

圖二十五　本次會議為四位學者共同慶生
左起：山本孝子、鄭阿財、王三慶、鍾鳳鳴

圖二十六　本次會議全體學者晚宴合影

圖二十七　王秋桂教授致贈賀禮

圖二十八　范文俊手書喃文「壽比南山」致贈鄭阿財教授

圖二十九　國文天地雜誌刊登王三慶教授賀壽專輯封面書影

圖三十　金門日報報導「漢學與東亞文化國際學術研討會」剪影

圖三十一　漢學與東亞文化國際學術研討會海報

學術論文集叢書

漢學與東亞文化研究

——王三慶教授七秩華誕祝壽論文集

陳益源　主編

本書得到「府城觀興文化藝術基金會」
暨王三慶教授師友資助出版，謹此致謝。

目次

附錄

會長序

　　緣於本會理事──成功大學特聘教授、金門大學人文社會學院陳益源院長引薦，讓本會有幸得參與合辦第九屆「漢學與東亞文化國際學術研討會」，個人欣慶之餘，特假此代表基金會，謹向承辦人陳院長與所有合辦單位誠致由衷謝忱。

　　本屆研討會合辦單位有成功大學、金門大學、南華大學、香港珠海學院……等六個學術單位，陳院長卻特別叮囑本人務須撰寫序文，著實叫人殊感誠惶誠恐、惴惴難安。唯由於成大、金大皆為本會正式結盟之學術合作單位，且此次研討會尚具另一重大意涵，為：「慶祝成大文學院前院長王三慶名譽教授七十大壽」，自然意義非凡。是以本次研討會有來自日本、越南、馬來西亞、中國大陸、香港、臺灣等地漢學學者六十多位，針對王三慶教授長時以來的研究專長，發表橫跨敦煌學、佛學、古典詩文、小說戲曲、民間文學、民俗文化等領域多達四十五篇的學術論文，並由王三慶、鄭阿財、李立信、高田時雄等碩儒擔任主題演講主講人，堪稱集漢學研究之菁英於一堂，內容精采而成果豐碩。

　　王院長三慶為個人素所敬重之漢學重要學者，且本會多年來舉辦國際學術研討會，王院長屢屢義不容辭，歷次鼎力襄助、情義相挺，故個人迺敢不惴鄙陋，斗膽狗尾續貂，並將序文內容著重於個人對王教授的認知與景仰。

　　和多數人一樣，初見王教授的第一印象，應該就是他兩腮與下巴那一大撮雪白亮眼的美髯，讓人的感覺就十足已形塑出大文學家的風範與大藝術家的氣質，事實亦然。蓋生長於偏鄉小漁村的王教授，自從就讀左營高中時閱讀一本購自舊書攤的《文心雕龍》始，即觸動了他埋藏心底對漢學狂熱的種子；博士班得遇敦煌學與紅學權威的潘重規教授，更開啟了他深入漢學堂奧

的鎖鑰，並因之繼潘教授之後成為大家，為國內外敦煌學與古典小說研究的權威學者與大文學家，更屢獲金鼎獎、中興文藝獎等國家級文學獎項殊榮。

其次，王教授研究的觸角與面向至廣，於聲韻、詩詞、戲曲、民間文學、民俗文化等方面亦多所涉獵，而上述領域即歸屬藝術範疇中的文學藝術與語言藝術，故曰王教授乃不折不扣的大藝術家，實不為過。

如此一位大文學家與大藝術家，雖已年屆古稀，卻仍然臉色紅潤、神采奕奕，於敦煌學研究依舊勤耕不輟、屢有創作；他尚且認為：敦煌洞窟就像一座完整的歷代美術館與世界最大的畫廊，是取之不盡、用之不竭的文學與美學寶藏。也因此，雖然此一具附加祝壽意涵的學術盛會落幕了，但相信來年的「漢學與東亞文化國際學術研討會」及國內外重要學術論壇，他仍將貢獻智慧，持續不斷地推出他的研究精粹以饗學界，吾輩可拭目以待！

府城觀興文化藝術基金會　會長　侯明福

謹誌於二○二○年四月八日

主編序

　　二〇一〇年，時任香港珠海學院中文系主任的李立信教授，曾邀請臺灣東海大學、韓國檀國大學、中國大陸南京大學等校學者召開第一屆「漢學與東亞文化國際學術研討會」，之後逐年陸續由南京大學（2011）、東海大學（2012）、香港珠海學院（2013）、韓國全北大學（2014、2016）、西北師範大學（2017）、四川師範大學（2018）主辦，碩果纍纍。二〇一九年第九屆「漢學與東亞文化國際學術研討會」要在哪裡舉辦以延續此一優秀傳統呢？彰化師範大學國文系蘇慧霜主任向李立信教授建議找我，因為我正從成功大學借調金門大學擔任人文社會學院院長，大家很少到金門，應該會有興趣與會才對。

　　蘇主任說得沒錯，學界師友的確太少到金門了，但她可能未必曉得李立信教授五十年前就曾在金門服過兵役，當年他的部隊駐紮地所刻「建功嶼」三個字還是出自他的墨寶呢。我也是後來到香港與李立信教授伉儷當面溝通會務時才知道的，難怪他會這麼爽快就同意第九屆「漢學與東亞文化國際學術研討會」可以在金門召開。

　　不過，要在金門召開「漢學與東亞文化國際學術研討會」所費不貲，經費的籌措大有困難。承蒙李立信教授充分授權由我做主，我於是徵詢了鄭阿財教授、朱鳳玉教授的高見，最後決定把我的恩師王三慶教授搬出來，兼以祝壽為名，協助募款！

　　於是，一項「為了提供東亞各國以及海峽兩岸三地漢學與東亞文化之研究學者一個學術交流平臺，同時也為了慶賀著名漢學家、敦煌學家、東亞文化研究專家國立成功大學名譽教授王三慶先生七十華誕」的「漢學與東亞文化國際學術研討會」，便由國立成功大學中國文學系、國立金門大學人文社

會學院、南華大學敦煌學研究中心、香港珠海學院、府城觀興文化藝術基金會、萬卷樓圖書股份有限公司等單位共同合辦，於二〇一九年十一月十四至十六日在臺南、金門二地接力舉行，計有來自東亞各地六十多位學者與會，發表主題演講、學術論文共四十九篇。

感謝科技部「國內舉辦國際學術研討會」項目的補助獎勵，以及上述合辦單位的出錢出力，第九屆「漢學與東亞文化國際學術研討會」終於順利完成，李立信教授和與會學者也大都表示滿意。我個人很高興有此機會讓各國學者齊聚金門，認識金門與金門大學，並在李立信教授居間斡旋下，促成香港珠海學院李焯芬校長與國立金門大學陳建民校長於二〇二〇年一月八日簽訂了兩校的「學術交流合作意願書」，正式締結姊妹校關係。

學術研討會經費的籌措的確不易，所以我在金門場閉幕式曾公開宣布「漢學與東亞文化國際學術研討會」恐怕沒有經費出版會後論文集，作者們可以自行安排提交的論文。後來，王三慶教授的師友、弟子與再傳弟子們紛紛表示他們願意出資贊助出版，期待可以看到祝壽論文集的正式出版。

所以，繼《國文天地》第四一五期「漢學與東亞文化 —— 王三慶教授賀壽專輯」之後，由萬卷樓圖書股份有限公司承印的《漢學與東亞文化研究 —— 王三慶教授七秩華誕祝壽論文集》於焉誕生，特此說明。謹此感謝大家，讓我有機會與大家一同恭祝王三慶教授健康快樂，並向他在漢學與東亞文化研究的卓越貢獻致敬。

國立成功大學中國文學系特聘教授

陳益源

二〇二〇年四月八日

主題演講

我接觸「漢學與東亞文化」的經過

王三慶

成功大學中國文學系名譽教授

提要

　　當我初上大學，到中研院找我高中時景仰的啟蒙老師李榮村先生，他帶著我們幾位小蘿蔔頭在史語所內打轉，跟我們介紹正在綴合的甲骨殘片，給我留下深刻的印象。加上當日的政治氛圍，從小學通經學的乾嘉學風，正是學界所當行，否則即是走向詩文的研究，其他研究領域都被視作少數的異類。尤其隨著大陸文革期間的內鬥，臺灣以中國文化的復興基地自居，也是海內外漢籍的重要產製中心，於是鋌而走險，印製所謂的禁書也適時出現，讓我們能夠讀到姜亮夫先生的《瀛涯敦煌韻輯》，隨後又有潘石禪師的《瀛涯敦煌韻輯新編》及補輯的大作。這些林林總總，影響了我對新出土文獻的興趣及後來研究，從《紅樓夢》到中國古典小說，以迄域外典藏的漢文獻；也由長安出發，再一路往西北的絲綢之路，出敦煌陽關或玉門關之後，直到吐魯番等相關文獻上打轉；更留意從五臺山往東的草原民族西夏、遼、金到韓國，最後到達了日本，並與遣唐使所帶去的古寫本和舶載文物匯合。也因如此，影響了筆者的視野與後來所從事的相關研究。

關鍵詞：漢學　東亞　紅樓夢　敦煌學

一 考據時代的學風

　　當我初上大學，與高中班上的幾位同學連袂到中央研究院歷史語言研究所拜訪我們共同景仰的一位啟蒙老師李榮村先生，他帶著剛考上大學的幾位小蘿蔔頭在史語所內打轉，跟我們簡單介紹院所環境和相關的書籍文物，尤其看到學者拿著小鑷，正在一堆灰白色的碎片中綴合整理著甲骨殘片，的確給我們留下深刻的印象。加上當日臺灣的政治猶帶肅殺氛圍，而大陸又處在文革武鬥當中，自然影響了學術研究的走向，因此從小學通經學的乾嘉學風，正是學界倡議的當行路線，否則即是走向傳統的詩文研究，若論詞曲論文的撰寫已是少數，研究小說更是寥若晨星，甚至被視作異類。

　　也因如此，臺灣大學幾乎是以北大學風自居，力求自由嚴謹，成立文學所較晚；而臺灣師大及稍後成立的政治大學，則在潘石禪、林景伊、高仲華幾位先生的主持下，率先成立中國文學所，倡議師承章炳麟、黃季剛，更上溯明末清初顧炎武、戴震、段玉裁、王念孫，以迄俞曲園的學術統緒。由於早期老師具有無上權威，學生論文的研究方向幾乎接受指定，自己能夠選擇的空間有限。所以一部《說文解字》、一部《廣韻》不知造就了多少碩博士學位。在此背景下，臺灣師大可說獨佔先機，學生卒業後位居國內各大學的中國文學系，文字、聲韻、訓詁等課程成為系裡重要的核心學分，而我的老師陳伯元在初拿博士學位後即教授我們文字學、聲韻學，對我們的要求和訓練皆十分的嚴格與紮實。也因如此，在進入碩士班時，我所走的學術路線是文字聲韻學的研究與運用，但是到了臺灣師大碩士班就讀，由於教授指導學生的名額限制，我被分發到許世瑛教授門下。許先生用的課本是董同龢的《漢語音韻學》，師從趙元潤等西方語言學的研究路線，的確使我眼界拓寬不少，深覺侷限於明清考據，章黃小學的餘緒下，難得成就一家之學，也無法超越清儒的崇高地位，除非有了新的研究資料或在研究方法上有所突破，否則只好另闢蹊徑。其實章黃在小學獨占鰲頭之外，舉如佛學、《文心雕龍》、《文選》及詩詞，仍有一己的新領域。

　　由於許世瑛先生晚年深度近視，影響了視力，在雷射技術未出現之前，

經過幾次的手術，最後還是以失敗告終，使他晚年過的有如陳寅恪之生涯，教書寫作都需要助理的口讀協助或翻書查閱，所以著作或發表的文章是以國語音及唐詩押韻的歸納及擬音分析。至於個人也在分配入門之後，開始接受初淺的語言學訓練，並以《杜甫詩韻考》為碩士學位論文。也因在這個訓練過程中，讓我原本可以動筆寫作舊詩的功力又復增進不少，而且使用統計歸納的研究方法稍有認識，對於後來研究的確有了深遠的影響。

二　敦煌文獻的招引更上層樓

　　原本以為若要再從語言學上繼續發展，必須到國外再行深造，接受不同於國內的學科訓練；哪裡想到寫作碩士論文期間，無意間看到兩本大作的出現，一是姜亮夫先生的《瀛涯敦煌韻輯》，這在當時是一本違禁之書，居然有人敢大冒不諱放膽盜印，嘉惠學界。另外一本則是潘師石禪在新亞研究所出版的大作《瀛涯敦煌韻輯新編》及後來再續的《補編》，這是他在香港教學時的研究成果，可說接續他在民國二十七年（1938）從姜亮夫那兒借到敦煌本《尚書》寫卷後，涉及敦煌文獻的研究撰文；以及一九五七年在南洋大學教書時，閱讀到林語堂接任校長之後，為學校採購英倫一套顯微膠卷的後續研究成果。他們兩人對於新出土文獻注目的焦點與著作，無疑讓我了解這類出土文獻的重要性，也是在當日環境及比較保守的學科中，從事人文研究還有可以稍加著墨之處。

　　也因如此，一九七三年卒業後，接受政府兩年的役期義務，也很幸運地聽到潘先生從香港新亞研究所退職，轉聘華岡教授。所以，特地利用機會，上山聽他講授了一兩次的《詩經》課程，並升起我再次想回學校深造的願望，特委託朋友從東京大學東洋文化研究所購來敦煌文獻研究委員會編印的《西域出土漢文文獻分類目錄初稿》及金岡照光的《敦煌出土文學文獻分類目錄附解說》等書，準備全力投入此方研究。奈何潘師當日興緻勃勃於《乾隆抄本百二十回本紅樓夢稿》的整理工作，一來接續香江「紅樓夢小組」讀書會的組織型態，二者在與趙彥濱從容客氣氣對《紅樓夢》作者、思想和抄

刻版本及脂硯齋評語等諸多問題上的討論已經遇到了瓶頸，並進入了報章雜誌上公開又緊張的學問檯爭鋒，於是從關鍵證據的蒐集歸納，到證據力的判準分析，以及詮釋上各種問題的延伸和演繹，在在都是學術上力爭之地。由於我進來就讀研究所博士班以後，年紀癡長這些學弟妹幾歲，於是在博士資格考通過之後，他即設法幫我籌畫一個講師兼中國文學研究所秘書的職務，對他負責所務及帶領同學們每周一次的「《紅樓夢》讀書會」，最後成就了兩色套印的新校本《乾隆抄本百二十回本紅樓夢稿》的出版。由於幾年時光的投入，我也就在三年之內完成了《紅樓夢版本研究》一書，取得了「國家文學博士」的學位。這本論文對於《紅樓夢》抄、刻本相關問題的論述，不但平息了趙彥濱教授與潘老師的爭論，並且在趙先生回國之後還特別約我見面，討論也就此打住了。

以小說作為博士學位在當時的確難得一見，卻與整個臺灣經濟的飛躍，學術思潮的轉移密切相關，也是在潘老師、柳存仁、美國趙彥濱、周策縱、高陽等對於中國古典小說及《紅樓夢》的研究所帶動的風潮。再者聯合報、中國時報、中央日報等報紙張數的擴增，從副刊的學術藝文發展到出版社的成立，印製圖書，以及各種文學及小說專刊的成立，無疑也都具有推波助瀾的作用。由於《紅樓夢》乃是中國文學史上一部卓越的經典著作，飽含中國文化中的微型縮影及精華，卻又受到政治風氣所左右，時時刻刻相與浮沉。從問世之後，便與順治皇帝或各大家族的傳說掛鉤，新文化運動胡適又向新青年推介，認為《水滸》、《紅樓》等名著乃中國傳統白話文中的典範，因此到各大學演講、撰文，推介二書，並且鼓勵亞東書局汪原放將新制定的標點符號施作於此二書，一下子連印了十幾版，的確對於白話文運動的推展，以及古典文學之繼承與轉移，都有無比巨大的貢獻。隨著中國政治的易幟。打倒新青年導師胡適及他的《紅樓夢》研究又是解放初期的重要工作，於是在人民日報及諸多雜誌上便開始發難，以至於全國所有的學術和政治單位紛紛成立了「《紅樓夢》小組」，在學習研討上對胡適展開無情的批判和攻擊。加以上層政治人物對於該書又有特殊的癖好及為某一目的性而服務，在文化大革命時，便作了充分的展現。於是該書每每成為階級鬥爭的工具，一切政治

批判的術語及風向都是最先於《紅樓夢》研究的篇章發聲，或先行帶動。當然最主要的原因還是《紅樓夢》一書具有無比迷人的魅力，使得凡是略識之無的讀者，以及學界各領域的專家，都為之所傾倒，然後侃侃而談，轉成著作，自然成為百花齊放的學術園地。因此《紅樓夢》既是一個開放性的學術空間，也是多元價值紛呈之所在，從反清復明、曹家自傳、行者參禪及清初諸大家族的影射描寫或階級鬥爭，爭鋒而起。或從歷史、考據、義理、文學、美學各個角度切入；研究方法既有文獻學、敘述學、語言學、統計學、數學集合、譜錄學、方志學、美學、歷史學、民間文學等不同方法的切入研究，或者進行口述歷史及在墓地間作田野調查，看似異端紛陳，卻是群峰競秀，直讓人眼花撩亂。這些相互的論辯爭鋒，不但積累了大批的研究書籍和篇章，也讓人感喟而嘆：「眼前無路想回頭」。

臺灣電子業及資訊業發展較早，為了正體字的延續問題，特地趕在大陸動亂時刻，電子資訊產業還未起飛的階段，趕快將漢字編碼註冊，而我們就在潘老師領導下，成為工業資訊策進會國字整理小組中的部分成員，並於一九八四年三月，該會與國內十三家廠商簽定「五大中文套裝軟體」開發計畫，BIG5成為「五大中文套裝軟體」所設計之中文內碼，共有一三〇五三個字與四四一個符號，這就是漢字最早出現的電腦碼。由於當時個人 PC 電腦 XT 或 AT 使用的硬碟或軟盤的空間受到容量的限制，想要放入太多的資料進行檢索或運用於研究工作，還有很大的困難。早期語言學家所用的語料都是依據炭針記錄的聲紋及調查所得的卡片，然後進行歸納分析，統計其數據而給予論述，但是這種繁複瑣碎的工作都被既快速又累不死的電腦所取代，尤其文史工作者面對著淵遠流長，既龐大又複雜的資料，如何化繁為簡，然後再由簡生繁，進行奪胎換骨的深層論述，這是必要的工作轉換。也因如此，我們曾經委請中研院資訊所謝清俊教授幫我們設計《紅樓夢》文本各回用字的檢索及人名統計，的確可見各回敘述的重點及語言風格。可是當時我們在私立學校，資源有限，僅能作到這個地步，反而中研院配合歷史語言研究所完成了二十五史的檢索及後續不少資料庫的建成，嘉惠了學界，十分可喜。至於我們個人僅能用 Acer 的 XT 硬體 PC 及 DBASEIII的軟體，建立《王

梵志詩》的程式檢索及分析研究，進而對《全唐五代詞》、《全宋詞》、《敦煌詞》的資料庫建立與分析，然後看全宋詞人婉約與豪放語言風格的異同討論及比較，以及詩人遣詞用字的結構分析和文化系統的核心問題等，完全是將索緒爾（法語：Ferdinand de Saussure，1857年11月26日-1913年2月22日）《普通語言學教程》的兩軸理論和雅克慎（俄語：РоманÓсиповичЯкобсон 1896年11月11日-1982年7月18日）對語言所主張的對等原理及詩學上六面溝通功能的延伸運用。

三　值得關注的域外漢文學

　　東亞文化的核心不外是各國自身的原始神道、儒家、佛教三者結合而成的文化共象，且因時因地因人而有所變易，又都受到紀錄時使用的漢字所左右，然後從強勢文化的中國向周邊國家延展，東北面起自日韓，迄於東南亞各國，每都隨著季節風的迎送，形成東亞文化往來交流的重要媒介，而筆者之關注此方，也是因緣際會下所使然，這可從《域外漢文小說大系》說起。

　　《域外漢文小說大系》的收集整理，緣起於陳慶浩教授，由於他和石禪師的密切關係，每回香港，輾轉來到臺灣以後，自然上陽明山文化大學拜訪潘先生，而我們在談話之間也會從《紅樓夢》聊到古典小說的研究概況，以及國外典藏的敦煌文獻等。在這談話之中，我們有感於西歐企盼重建二戰後的損失，以及擔憂再度陷入戰爭的覆轍，於是從一九五二年起由六個成員國所建立的歐洲煤鋼共同體，逐漸向世界上第二大經濟實體發展，期使整個拉丁文化底蘊的歐洲經濟能夠達到規模化，以與美、日抗衡。那麼，東亞各國能否在漢字的文化底層下建立一個比較鬆散的共同體，互相融通與互利。身為一個文化人，我們能做的是從各國歷史的交流中，了解各國文化之間的受容。也因如此，在當時個人握有行政資源之下，為了加強學生的訓練，擴充他們的國際視野，我與慶浩先生開始整理法國遠東學院從越南撤退時攝製的那批漢文小說膠卷，經過師生三年的共同努力，終於出版了《越南漢文小說

叢刊》第一輯[1]。至於還有部分作了一半的未完之作，則交給鄭阿財教授接手整理，後來更由陳益源教授繼續收集，然後與上海師大孫遜教授合作，由上海古籍出版社印製匯集了共有二十一巨冊的套書，得到海內外的重視。

其實《越南漢文小說叢刊》第一輯的整理工作不過是個初步，對於韓國及日本相關的漢文獻則處在懵懂未知的情況。斯時，筆者為著擺脫系主任的行政職務，於是透過姐妹學校的交換轉赴日本執教，一則蒐集日本漢文小說和中國小說的相關文獻，另一方面也瞭解如火如荼發展的日本敦煌學，並蒐集有關敦煌文獻和研究篇章。在天理期間，每天泡在大學圖書館裡，從一樓到五樓，翻遍了非善本部分的圖書，的確收集了不少未曾經眼的文獻材料，反而遠赴京都人文所及大阪中之島府立圖書館所能借閱及獲得的資料不多，至於成果則是後來總結而成五冊的《日本漢文小說叢刊》第一輯[2]。此後，又利用休假時間，專程再赴日本東京大學東洋文化研究所訪問三個月、京都大學人文科學研究所七個月，及東北大學東北亞研究所一個月，也赴關西大學及中之島府立圖書館、高岡圖書館的尋訪，這些都是日本學者池田溫、高田時雄、磯部彰及祐子、玄幸子教授等的協助。如今收集的材料更倍勝於前，正等待著陳慶浩、王國良、上海師大孫遜三位教授與韓國相關學者的共同努力，接續上海古籍出版社排版印行《韓國漢文小說》以後，才能上線印製我們共同收集勘校的《日本漢文小說》。幾年來的倡議，有關日本或東南亞方面的研究，已經受到大家的重視，勿論中央研究院為配合政府的南進政策所成立的相關研究單位或計畫，或者如臺灣大學、政治大學、臺灣師範大學等，也都設立了東亞相關的研究單位，以及立下了相關的項目，增聘這方面的研究學者，這與以往僅著重語言，或者以社會政經方面的研究重點已有所不同了。這點發展的走向，我們不敢邀功，但是在無經費支援的黑夜中曾經出現一盞小小的燈火，可說值得用「難得」二字嘉許。

1　臺北市：臺灣學生書局出版，7冊，1987年4月，2122頁。（與陳慶浩合著，獲76年度行政院新聞局圖書類圖書主編金鼎獎）。

2　臺北市：臺灣學生書局出版，共5冊，2003年10月，約2600頁（與莊雅州、陳慶浩、內山知也合作編輯。筆者負責全部資料之收集、編纂、部分小說之標點、總序、各書作者及出版說明之撰寫、最後一校等工作，故排第一位。）。

四 縱容馳騁的敦煌文獻

當博士論文《紅樓夢版本研究》即將告一段落的前一年，潘先生不再講授《文心雕龍》，轉而開講「敦煌學」課程，每年暑假伊始，他就束裝赴歐，歸來以後則面授心得發現，喜形於色，不時溢於言表。尤其當時他向學校創辦人爭取了一筆經費，購置了倫敦典藏的敦煌卷子7599號顯微膠卷一套，我們也就每天閱讀撰寫提要，這是我們研讀敦煌文獻的初步。加上學校涵江樓文庫存放了一批羅振玉早期印行的西域圖書、流沙墜簡等，而《劉申叔遺書》、《王觀堂全集》及《敦煌總目遺書索引》、《敦煌古籍續錄》等也都被一一的印製出版。這在書禁的時代，無疑為研究者開拓了一扇天窗，而文化大學當時因編輯《中文大辭典》的關係，也透過創辦人張其昀的名義進口了不少的禁書。歷史系也從楊家駱等幾位老先生處獲得不少所謂的秘本，而潘老師每次回來，總會隨手帶上幾本有用的圖書。直到一九八七年我去日本執教之後，所採購的圖書都是秋桂教授的協助，直接寄到俞大維先生處，再由益源去把這些書拿出來。有趣的是老先生也會檢視寄來的一些圖書，然後留下自己感興趣而想看的，甚至還會送給你一兩本他認為值得一讀的好書，並告訴你看完後下次再來討論。

其實，這時我們應該可以趁機多寫一些敦煌學相關的論文，只是為了要把整套英倫微卷的提要做完，又在從事《越南漢文小說叢刊》的校點，更有個人升等教授論文的撰寫，所以日以繼夜，多管齊下，學術與行政常常兩頭燒。然而所以咬緊牙根硬撐，不外是潘老師曾經以鐵線篆書贈一副林琴南的聯語：「艱難立業差能久；憂患為文始覺真。」談到太老師蘄春黃季剛、餘杭章太炎他們死的時候，自己太年輕，羽翼未豐，所以很多書都是在四川躲空襲的時候，在防空洞中聽著轟炸機的呼嘯聲，伴隨著讀書聲，平心靜氣地把它讀了進去。也因如此，這時候應該是我最積極的時候，不但教授升等評過了，《越南漢文小說叢刊》第一輯，也獲得行政院新聞局的金鼎獎。

由於《敦煌本古類書語對研究》[3]一書的完成，進而涉及到類林系類書

---

3 王三慶：《敦煌本古類書語對研究》，臺北市：文史哲出版社，1985年6月。

的探索，於是撰寫了〈《重刊增廣分門類林雜說》傳本考及其價值試論〉[4]，
除了藉著三卷敦煌殘本的P.2635、Дx00970+Дx06116號于立政的《類林》及其
相關文獻，找出全書幾盡存藏於國家圖書館而被改名增編的《重刊增廣類林
雜說》一書之中，並且理清現存幾本抄印本之間的關係，得出如下的簡表：

王朋壽《重刊增廣分門類林　→
雜說》李子文刊本

　　↗→皕宋樓鈔本（又以張月霄藏本校勘）
　↗張蓉鏡藏影鈔本→嘉業堂刊本

　　↘張月霄藏影鈔本→鐵琴銅劍樓影鈔本

又在《重刊增廣分門類林雜說》及西夏本《類林》的雙重證據下，類林系類
書諸本間的關係也可以畫出以下的簡表：

　　　　　　　→敦煌本《類林》（節本、Дx970+Дx6116+P. 2635）
　　　　　　　→《珥玉集》（改編本）
　于立政原本《類林》→敦煌本《珥玉集》（節本、S. 2072）
　　　　　　　→西夏本《類林》（翻譯本）
　　　　　　　→王朋壽《重刊增廣分門類林雜說》（增廣本）

至於《類林雜說》一書既然存載于立政《類林》之原本卷篇、條目及事文，
則其價值凡有以下數點：

　　一可藉以恢復《類林》之原篇卷目、條次、事文。
　　次可藉以解讀西夏文本《類林》之窒礙難明或漫漶，補充西夏文字
　　書、韻書上之不足，增加了西夏文的詞彙用字，更有助於西夏語音、
　　語法及意義的研究。
　　三則藉以判斷敦煌本《類林》為刪節本。並可藉以研究《類林》系類
　　書的改編實情，以及敦煌一地通俗類書解讀的重要參考資料，也是證

4　《中央研究院第二屆國際漢學會議論文集》（臺北市：中央研究院歷史語言研究所，
　　1989年6月），頁549-568。

明敦煌一地諸類書編纂的重要參考底本，更是敦煌文學小說撰寫時的素材來源。可說是輯佚、校勘六朝小說以及唐以前存佚書籍的重要類書之一。

也因有如此重要讀書心得，在中央研究院主辦第二屆國際漢學會議時發表了此文，得到饒宗頤先生評驚為該次會議中的一篇力作，而龔煌城教授原來已經翻譯大半的西夏文本《類林》認為原本既已找到，無須再多費力氣而未續譯，實屬可惜。再者，也得到池田溫教授的青睞，命我為他主編的《講座敦煌第五卷～敦煌漢文文獻》[5] 撰寫「敦煌類書」一節，奉命之餘，直讓我汗流浹背，愧不敢當。

沒想到〈敦煌類書〉由篇擴充成書後，擬名「類語體類書」第三種的P.3965、接抄 P.2678，在臨將退休之際，居然從李盛鐸的後人李滂轉售給羽田亨杏雨書屋《敦煌秘笈》的藏品中發現了《文場秀句》書名及其對應文字。書志學對該書之歸類，《新唐志》四總集有「王起《文場秀句》一卷」，鄭樵《通志》〈藝文略‧八詩評〉同。《宋史》〈藝文志‧六子部類事類〉同，《日本國見在書目》入小學類，二者不著撰人。唯《宋秘書省續編到四庫闕書目》二類書有「孟獻子撰《文場秀句》一卷，闕。」與本卷為「孟憲子作」當屬同人。此外，日本國傳本〈遊仙窟〉注本引《文場秀句》直署作者孟獻忠，而以漢文編撰作為童蒙教育之幼學教材《注好選》引用《文場秀句》文字相同，若再輔以另傳古註《言泉集》〈兄弟姊妹帖〉所引《文場秀句》文字，則拙著《敦煌類書》中以 P.2524號等七種英、法、俄諸國寫本整理而成，並擬題作《語對》一書，應有改編或存有不少《文場秀句》之原來內容，至於《籯金》則為其後裔。足見敦煌文獻存有不少中土佚失的典籍外，往往也與國外存留之古文獻可以互證，呈現中日兩國一東一西文本資料的互通性，並相互輝映。

到了日本天理大學一年，除了把收集印回的敦煌寫卷作一編目報導外，

5　池田溫編：《講座敦煌5　敦煌漢文文獻》（東京都：大東出版社，1992年3月），頁357-400。

重要的還是討論國畫大師張大千於敦煌莫高窟作畫時獲取的數件文物，在裝裱後賣到日本天理圖書館的大概，並論述其學術價值。還有出自張大千之手販售，而回歸敦煌研究院的〈景雲二年張君義告身〉可能是一件贋品，這也是當年日本學者遲疑不買的原因。儘管此一說法學界多持異議，當年國際敦煌學會議上也曾舌辯群儒，並希望敦煌研究院能夠將張君義的頭骨與手指腕，連同此一藏卷上留下的血漬送給有關單位檢驗 DNA，以明真假，可惜這一呼籲，至今遲遲未能實現，不免感到些許的遺憾。此外，非十七號洞窟出土的《般若波羅蜜多心經》註本是道光七年（1827）敦煌塔倒塌後的出土文物，除了說明內容的特殊性外，並與同時代的諸多敦煌寫本內容相呼應，從抄寫行款書跡幾近兄弟本，可以勘校成為一本完整的古佚《心經註本》，清人許乃普以五十金買到之後，讚許該卷內容頗具真實意，至於卷子的書法絕對是盛唐名跡，後來題跋的幾位人物也都是嘉道年間的書法名家。許乃普得到本卷之後，每逢新春上朝團拜回家，必拿出一讀，直許我佛保佑。這個卷子在道光年間（1827）敦煌塔倒塌之後問世，早已為敦煌學拉開了序幕。然後伴隨著清朝逐漸走下坡的坎坷國運同行，舉如見證了道光、咸豐、同治幾位皇帝的身體狀況外，還有英、法、美、俄列強的環伺欺凌，以及太平天國時幾位戰將朋友的為國捐軀。至於售出者則是近代史上名人盛宣懷之後裔，又經臺灣板橋林家老三熊光（字朗庵，1897-1971）之手。凡此，盡是這部寫卷生命史的展現。

此外，對於敦煌書儀的涉及除了藉著敦煌本《朋友書儀》一卷的研究，探討月儀書的相關淵源及流變，並且發現其與故宮藏本、及鬱岡齋本《唐人十二月相聞書》的密切關係，以及書道博物館《中村不折舊藏禹域墨書集成》的〈月儀書〉間的異同問題，進行深入的討論。更涉及到光明皇后抄寫給娘家的《杜家立成雜書要略》及五山時代偽託蘇軾玄孫蘇轍所編寫的《婦人寐寤艷簡集》月儀書。

最後則是有關佛教文獻的整理，首先將敦煌文獻比較完整的齋會文本，進行研究，整理合校，以《敦煌佛教齋願文本研究》[6]一書匯集出版，其餘

6　王三慶：《敦煌佛教齋願文本研究》（臺北市：新文豐出版公司，2009年2月），共360頁（國科會人文學研究中心補助出版）。

零篇斷簡數百種則猶待來日。不過也因藉此整理文本選擇數類有關佛教齋會與民俗有關的篇章，討論佛教在地化與中國文化兼容並蓄的成長過程，以《從敦煌齋願文獻看佛教與中國民俗的融合》[7]匯集出版。當然討論敦煌的佛教文獻，漢字文化圈內日、韓、越各國所留存的佛典絕對不可忽視，尤其日本大正年間編纂的《大藏經》及《續藏經》，存有中土已經佚失的多種佛典或異本，恰可復原中世佛教的面貌與互相補正的文字，如《咒食施一切面然餓鬼飲食水法》或啟請文及日本聖武天皇宸翰《雜集》等，皆存在著無與倫比的價值，並與敦煌文獻可以互相證補。

有趣的是五代南唐釋應之編撰的《五杉練若新學備用》一書乃為桑門學習而撰。胡適一九四六年四月二十八至三十日讀北宋釋道誠集《釋氏要覽》時，曾經留下如此的記錄，其中第五則云：

> 服制：釋氏之喪服，讀《涅槃經》並諸律，並無其制。今準《增輝記》引禮云：服有三：一正服，二義服，三降服。《白虎通》曰：弟子於師有君臣父子朋友之道，故生則尊敬而親之，死則哀痛之。恩深義重，故為降服○《釋氏喪儀》云：若受業和尚，同於父母，訓育恩深，例皆三年服。……《增輝》云：但染蒼皴之色，稍異於常爾。有人呼墨黲衣為衰服，蓋昧之也。……。此可見佛教的華化。《增輝記》與《釋氏喪儀》，我都未見，當考之。此書末篇（送終）引四部書最多：一、《南山鈔》（道宣），二、《增輝記》（不著作者），三、《釋氏喪儀》（普通子遠大師？），四十九《五枚集》（我初不識此書名，又不認得「枚」字，後在頁四十九見二條：其一云：『應之大師五柩集』，其二云：『應之五枚集』，我始知此書名是《五柩集》，作者為『應之大師』，當更考之。）此篇所引諸書，若都存在，當可考得佛教徒漸行喪禮的歷史。將來當作一專文研究這個有趣的問題。[8]

7　王三慶：《從敦煌齋願文獻看佛教與中國民俗的融合》（臺北市：新文豐出版公司，2009年8月），共432頁（國科會人文學研究中心補助出版）。

8　《胡適的日記》（手稿本）（臺北市：遠流出版事業公司，1990年12月初版）1946年4月28至30日記。

可惜胡適始終無緣看到諸書，以至於大陸易幟，流亡美國，在紐約遇到了楊聯陞還特地談起這事，故楊聯陞在致胡適（1949年12月1日）函的第三段中曾云：

> ……（第一二段略）《釋氏要覽》所引《南山鈔》、《增輝記》、《釋氏喪儀》、《五樞集》，恐怕都不存在了。我還沒有細查，將來有功夫也許作個〈釋氏要覽引書考〉，之類的文章，《增輝記》不限於喪禮，如《要覽》卷中濾水囊條，「《增輝記》云：觀其狀雖輕小，察其功用，為護生命，即悲慈之意，其在此也。中華鮮有受持，今准律標，示備於有間爾。……《南山鈔》有式樣，文多不錄。《道宣律》中聽者名式極多，非今所用，故不注之。」此類書大略以注律為主。（下略）[9]

凡此，足見胡適、楊聯陞都深深的了解到這書的重要價值，然而本書卻倖存於韓國，並由執教於東国大學校前身中央仏教專門學校的江田俊雄獲得，除了撰有〈李朝刊經都監と其の刊行仏典〉[10]一文加以報導外，以私人藏書而存放於架上，大家始終無緣獲睹。直到歿後，其子江田和雄始於一九九六年寄贈日本東京駒沢大學図書館。敦煌學界也因在座的山本孝子教授首先報導，並針對卷中書儀的部分做了一連串的探討[11]，後續也有多篇，對於此書可說貢獻厥偉。至於筆者也有《中國佛教古佚書五杉練若新學備用研究》一

9　余英時：《論學談詩二十年：胡適楊聯陞往來書札》（臺北市：聯經出版事業公司，1998年3月10日出版），頁95。

10　《朝鮮仏教史研究》（同書田行会，1977年），頁313-314。

11　〔日〕山本孝子所撰數篇依次為〈應之《五杉練若新學備用》卷中所收書儀文獻初探──以其與敦煌寫本書儀比較為中心〉《敦煌學輯刊》（2012年）第4期，頁50-59；〈應之『五杉練若新學備用』卷中における「十二月節令往還書樣」「四季捴敘」の位置付け──その製作年代と利用對象者を中心として〉《桃會論集～小南一郎先生古稀紀念論集》（桃の會發行，2013年10月）第6集，頁161-176；〈唐五代時期書信的物質形狀與禮儀〉，《敦煌學》（南華大學敦煌學研究中心，2015年3月）第31期，頁1-10。〈唐五代時期の書簡文「短封」について〉《敦煌研究年報》（京都大學人文所中國中世紀寫本研究班，2016年3月）第10集，頁109-124。

書的出版，除了探討卷中僧人喪禮三年之喪涉及宗法制度禮俗的血統、師生之間的道統、國君臣民之間的政統、和僧道之間的法統問題。此外，也對卷上的類書、家教、卷下的法會齋願文獻多所著墨，並與日本的表白文及中國傳統法會願文、敦煌文獻等多所比較。[12]

　　由於《五杉練若新學備用》一書的研究，曾經涉及宗賾個人及《禪苑清規》的喪葬禮俗問題，特讓筆者注意到慈覺禪師宗賾的生平與資料，而在《俄藏黑水城文獻》的前六冊[13]漢文部分的出版中，居然出現了《慈覺禪師勸化集》一書。過去日本學者因擁有佛學研究的優良傳統，又有《卍新纂大日本續藏經》第六十三冊之便利[14]，所以展現出卓越的研究成果。如今，在此書問世後，拓展了新的研究視野；加上大足寶頂勸孝石刻及雲南在地發現的民間佛教材料，的確為此學術研究做了不少新的突破點。只是既為禪師，又被尊稱為蓮宗六祖或八祖的宗賾，如此崇高地位與聲望，何以其著作除了現存最早的《禪苑清規》外，其他僅見歷來佛典零星的援引，斯乃不免令人生疑。如今此書的出現，時代既接近於秦七黃九，而其以詩寓禪與宋人以禪入詩的手法也相為表裡；至於有關佛教之世俗化，亦可從該書書名及內容文字中略窺一二。故筆者特地撰述短文在復旦大學歷史系主辦「絲綢之路寫本文化與多元文明國際學術研討會」上發表，說明從東南沿海隨著信風南北往來的一帶和以長安為中心走向西北出發的一路之外，穿越草原，經過五臺的西夏、遼、金到韓、日的東亞絲路也是不可忽略，用以略補學者歷來考述之不足，此須探討論述者猶多，非本篇短講可以詳盡說明。

---

12 臺北市：新文豐出版公司，2018年10月。ISBN：978-957-17-2291-7）。科技部：104-2410H-006-095。

13 俄羅斯科學院東方研究所聖彼德堡分所、中國社會科學院民族研究所、上海古籍出版社編，上海市：上海古籍出版社，1996-2000年。

14 《（重雕補註）禪苑清規》卷1：「卍新纂大日本續藏經第63冊 No. 1245《（重雕補註）禪苑清規》」（CBETA 2019.Q2, X63, no. 1245, p. 527a12 // Z 2:16, p. 442d17 // R111, p. 884b17）。

五 家鄉俚俗曲調的召喚

　　臺灣鄉鎮各個村落每到迎神賽會時節，總會組織一些業餘的文武社團，從宋江陣、龍陣獅團，以及車鼓戲弄及南管樂團、東華皮影、掌中布袋及大陳居民遷臺之後的紹興戲等，一一行走於大街小巷，或在廟前搭置棚臺，盡情的表演，既是娛神，也是娛人的隊伍陣頭。平常白日黑夜裡，廣場樹下也有以說書走唱等技藝雜耍，藉以招徠觀眾，然後賣起狗皮膏藥等秘方的隊伍，這些都是我們孩童時奔走觀賞的遊藝節目，尤其祖母又是一個戲迷，常常帶我往戲院跑，因此小腦袋瓜中常常裝滿了這一類的記憶。直到上了大學，接受中國文學知識的訓練，這些記憶才被一一的重新喚起。聽了崑曲社的演唱和上海音樂學院楊蔭瀏復原張炎《詞源》一書載錄姜白石〈暗香〉〈疏影〉的曲式唱法，雖然還存有些狐疑，卻讓我重新想起村中父執輩們高唱的南管音樂，更讓我學彈了近一學期的琵琶，也稍能看懂一些南管簿錄中的指法、工尺及節拍。這些學而未用的技巧，直到南下以後，為了增加成功大學文學院的研究面向，以及考慮臺南地區的人文特性，於是找來施炳華教授從一九九四年八月一日迄於一九九六年七月三十一日提出了「臺南及鹿港地區南管音樂調查研究（一）、（二）」及二〇〇六「臺灣說唱數位典藏網站建置計畫」。當時所做的部分成果直到退休之前，才用科技部的結餘款出版了《南管曲詞現代化之整理研究》（一）、（二）[15]，以及《汕尾本車鼓戲弄曲詞現代化研究》[16]。也因主持這些計畫的過程中，使我能夠上承筆者赴天理大學教授閩南語時，得見圖書館金子和正教授惠贈館藏景印的明嘉靖刊本《荔鏡記》，又續見龍彼得（P.van der Loon）教授歷年收集之《新刻增補戲隊錦曲大全滿天春》、《集芳居主人精選新曲鈺妍麗錦》及《新刊絃管時尚摘要集》彙集景刊，並加以研究，是為南管曲本最重要之研究成果。至於筆者

---

15 2014年12月、2015年6月，（成功大學人文社會科學中心出版），共348、416頁，（與魏金泉編著）。

16 2014年12月，（成功大學人文社會科學中心出版），共254頁。

也受高田時雄教授惠贈有關此方書籍，並赴該書典藏地親自檢閱，又得以再作此方的後續研究矣。

六　一點點的小結論與感謝

　　以長安為中心，面向西北的絲綢之路和東北走向的草原絲路、以及隨著季節信風吹動於海上的福建、寧波、南京、廣州的船舶，飄洋過海，或西南陸路的茶馬古道，過去曾經留下不少人類行走的遺跡，如今文獻多所闕如，然而禮失求之野，這是必然的現象。就漢字文化的觀點來看，其與周邊國家或民族的往來所留下的眾多文獻，無疑都是我們「上窮碧落下黃泉」永無止盡所必須追索而發掘的。勿論東方學者的研究，或者西方學者的探討，在已是地球村的今天，漢學國際化乃勢所必然，我們絕對不能故步自封，而需相互的交往與了解，才有可能把學問作開作大。筆者以古稀之齡，將自身的研究經驗，略作報告，如果還有一點可以聽聽的話，都要感謝師長和朋友的導引，尤其曾經獲得不少日本朋友的鼎力協助，從池田溫、塚本昭和、下村作次郎、金子和正、高田時雄、磯部彰、磯部祐子、玄幸子、山本孝子等諸位教授的引介和幫忙，才有上面這些對漢學研究的小報告。至於若有不成熟或錯誤的地方，只好向大家說聲抱歉，浪費大家不少的時間，敬請原諒。

從敦煌文獻論蒙書在釋門的接受與運用

鄭阿財

南華大學文學系退休教授兼敦煌學研究中心榮譽主任

提要

敦煌藏經洞的重見天日，保存了三十多種，近三百件寫卷的唐五代蒙書寫本，如：《開蒙要訓》、《俗務要名林》、《碎金》、《白家碎金》、《雜抄》、《古賢集》、《兔園策府》、《新集文詞九經鈔》、《文詞教林》、《百行章》、《孔子備問書》……等，這些材料的整理與研究實具有：豐富唐、五代通俗讀物文獻；探討通俗讀物發展源流以及考察唐五代敦煌地方民間通俗教育實況等意義。

此類蒙書頗多為寺學學郎所使用，既有以世俗百姓的子弟為教學對象，所以內容繼承傳統家教的思想內容，以品德陶冶與行為規範為主；也有兼教釋門子弟的蒙書，其內容多雜糅佛教義理，形式上採取的是佛經偈頌的形式。這不但是唐五代敦煌這一佛教聖地寺學發達下較為特殊的一種童蒙教材，同時也是傳統蒙學漸為釋門所接受，陸續出現釋門大德參與編撰之各類蒙書。其內容雜糅儒釋，既為佛教的弘傳，教化世俗百姓，又可凝聚釋門，會通儒佛，展現佛教的包容與關懷，出世而不離世，進而入世。其跨儒釋的編撰用意，在考察佛教中國化、世俗化的歷程是不可忽視的一環。

關鍵詞：敦煌寫本　蒙書　辯才家教　太公家教　五杉集　家誨

一　前言

　　益源學弟長年為「漢學與東亞文化」學術的發展而努力，舉辦過無數的學術會議，這一次在金門舉辦尤具深意。既為提昇金門大學在人文學科研究的進展，又是慶祝三慶教授欣開七十的榮慶。

　　遙想民國六十二年秋，三慶學長為了追隨石禪師研習敦煌學，捨師大而上華岡就讀博士班，我正好進碩士班，從此我們共同參與了老師所主持的紅樓夢研究小組、敦煌學研究小組、國字整理小組等，還有慶浩兄的域外漢文小說整理團隊的工作，這期間學習、工作、生活朝夕相處，倏忽已近五十年了。學長多才多藝，學術多方，從紅樓夢版本研究到敦煌類書，在中國古典小說、域外漢文小說、臺灣民俗、南管俗曲等領域均有所成；課餘橋牌、桌球、口琴亦不遑多讓。我生性駑鈍，只能固守敦煌佛教文學文獻之一隅。對其成就只有讚嘆。他整理類書，我投入蒙書，二者偶有交叉。我從中學習，多有啟發。特別近期三慶學長出版了《中國佛教古佚書《五杉練若新學備用》研究》一書，重現南唐釋應之《五杉練若新學備用》的面貌，於域外漢籍、佛教類書、書儀研究之貢獻又多一重磅的成果與貢獻，承蒙惠贈，我拜讀一過，讚嘆之餘，對其中〈家誨〉一篇，多感興趣，並聯繫到中國傳統蒙書在釋門的接受與運用的問題，今獲邀參加此一盛會，因草撰此文，既略呈讀後心得，又為學長壽也。

二　家教類蒙書的發展

　　「家教」或稱「家訓」，在中華民族可謂源遠流長，具有優良的傳統。家教不僅僅侷限於一家一戶，而是涵蓋整個大家士族。家教內容的文本也多體多樣，不一而足，而以家書、家誡、家訓、家教最為常見，一般統稱之為家訓文學。家書是家教的重要載體；家訓是家教的結晶、是系統化的家教；家誡則側重規勸告誡的家教。這些都是以家長的身份、心態、高度對子孫提示立身處事、為學做人等方面的教誨。

　　據《韓詩外傳》記載，早在西周時代，周公就曾告誡他的兒子伯禽修養德行，禮賢下士，勿恃位傲人。大家熟知的《論語》更載有孔子之子伯魚趨而過庭，聞孔子言詩禮事。後世遂將「趨庭之教」引申為家族子弟接受長輩的教誨，可見家訓的起源甚早。

　　漢代獨尊儒術，講求賢良方正，孝悌力田，以家庭道德教育為核心的家訓，日趨豐富，種類繁多。誡子之詩書疊出，蔚為一時風氣，如東方朔〈誡子〉、韋玄成〈誡子孫詩〉、劉向〈誡子歆書〉、馬援〈誡兄子嚴敦書〉、鄭玄〈戒子益恩書〉等。今所得見最早成系統的「家訓」文本，當推東漢曹大家（班昭）的《女誡》。

　　三國時家誡風氣不絕，如劉備〈遺詔敕後主〉、諸葛亮〈誡子〉、王肅〈家誡〉、王昶〈家誡〉、嵇康〈家誡〉等。歷經魏晉及五胡十六國，大家士族尤重家訓，作品亦多。如：羊祜〈誡子書〉、夏侯湛〈昆弟誥〉、謝混〈誡族子詩〉、陶淵明〈命子〉、〈責子〉、〈與子儼等疏〉、李暠〈手令誡諸子〉等。劉宋之際，劉義隆有〈誡江夏王義恭〉，北齊顏延之有〈庭誥〉、王僧虔有〈誡子書〉等。〔梁〕蕭綱〈誡當陽公書〉、〈誡子書〉、蕭繹《金樓子》有〈誡子篇〉等。其篇章大都是以父親身份對兒子的告誡，形式以單篇簡短為多。

　　大唐盛世，在政治、經濟、社會、文化等發展的影響下，傳統家教持續傳承，同時還大為發展。不僅帝王之家、世家大族重視，庶民百姓的家教也多興起，除了一般教示子弟的詩文外，有關家訓、家教、家誡一類的相關著述更是豐富多樣。惜此類作品，史志尠錄，典籍罕載，且今大多亡佚，以致後世難得其詳。一九〇〇年敦煌莫高窟藏經洞六萬多件寫本文獻的發現，其中保存有大量唐五代童蒙教育文獻，我曾撰《敦煌蒙書研究》一書，網羅當時所得見的蒙書寫本二五〇多件，計二十五種。其中《太公家教》、《武王家教》、《辯才家教》、《崔氏夫人訓女文》、《新集嚴父教》便是唐五代至北宋期間通俗家訓、家教流行的珍貴遺存。

三 《太公家教》在佛教寺院的流傳與接受

　　敦煌文獻遺存的蒙書中，《太公家教》是現存最早的格言諺語類的家教蒙書，也是今存寫本最多的家教類蒙書，據海內外敦煌漢文寫卷目錄資料，今所知見的寫本總計有：英國倫敦不列顛圖書館藏 S.479、1163、1291、1401、3835、4901、4920、5655、5729、5773、6173、6183、6243、10847；法國巴黎國家圖書館藏 P.2553、2564、2600、2738、2774、2825、2891、2937、3069、3104、3248、3430、3569、3599、3623、3764、3797、3894、4085、4588、4880、4995；中國國家圖書館藏 BD08137、BD16465、BD11408；《鳴沙石室佚書》；《貞松堂西陲祕籍叢殘》；俄藏 Дx003858、Дx03863、Дx03894、Дx12696、Дx12827；日本寧樂美術館藏、日本有鄰館藏及杏雨書屋羽664（1）R、羽664(9) R等計四十九號，吐魯番文書也有：大谷3167、3169、3175、3507、4371、4394等六號殘片。敦煌吐番文的文獻中也有翻譯成吐蕃文的《太公家教》寫本，如法藏敦煌藏文文獻 P.T.987、P.T.988，以及日本台東區立書道博物館藏中村不折舊藏敦煌西域文獻中一件藏文寫本。足見唐五代北宋初期《太公家教》在敦煌地區盛行的一斑。

　　《太公家教》全篇一卷，分作三部分：首為序文，計三十一句，一三九字；次為正文，共二八一則，二四六二字；後為跋文，計十三句，六十字。根據作者所寫的序跋陳述，得知作者是一位亂世流離失所的老者，雖懷才不遇，卻以誨人不倦為己任，「為書一卷，助誘童兒」，乃依憑經史典籍，因應時代風氣與社會禮俗，兼採民間格言諺語，「意欲教於童兒」，遂編成蒙書一卷。[1]

1　《太公家教序》云：「余乃生逢亂代，長值危時。亡鄉失土，波迸流離。只欲隱山居住，不能忍凍受飢；只欲揚名後代，復無晏嬰之譏。才輕德薄。不堪人師，徒消人食，浪費人衣。隨緣信業，且逐時之。輒以討論墳典，簡擇詩書，依經傍史，約禮時宜，為書一卷，助誘童兒。」跋云：「余之志也，四海為宅，五常為家，不驕身體，不慕容華，食不重味，衣不絲麻，唯貪此書一卷，不用黃金千車，集之數韻，未辨疵瑕；本不呈於君子，意欲教於童兒。」

　　中國家教類蒙書，大抵以儒家傳統的倫理思想為基礎，強調修身、齊家、治國、平天下，以及為人處世的原則與態度。詳審敦煌寫本《太公家教》的內容，也是在這個基調上編寫的。所以內容性質與古代蒙學施教的旨趣無甚差異，主要在教忠教孝，教導學習灑掃應對進退之節，留意食息言動之際，使之從容周旋，動靜云為，合宜中節，以達到潛移默化之功。但由於是助誘兒童的村書，所以尤重實用，且求合乎時宜；因此，更加入唐代現實社會盛行的謙讓柔忍等處世哲理的灌輸，如「柔必勝剛，弱必勝強；齒堅則折，舌柔則長」、「他強莫觸，他弱莫欺」、「忿能積惡，必須忍之」、「立身之本，義讓為先」；還有生活教育的具體行為規範，如：「與人共食，慎莫先嘗；與人同飲，莫先舉觸；行不當路，坐不背堂；……食必先讓，勞必先當；知過必改，得能莫忘。」使《太公家教》一書成為唐、五代民間百姓日常生活最為實用的指導原則，不啻是當代的「生活智慧秘笈」。全篇主要採傳統蒙書的四言韻語，間有五言、雜言。易於誦讀，便於口傳，利於記憶，加上內容的特色，使它得以流傳久遠，且影響廣大。

　　從今所得見敦煌寫本具有抄寫者署名的，如：S.479「學士呂康三讀誦記」、S.1163「永寧寺學士郎如順進白手書記」、P.2825「學生宋文顯讀，安文德寫」、P.2937「沙洲敦煌郡學士郎兼充行軍除解□太學博士宋英達」、P.3569「蓮臺寺學士索威建記耳」、P.3764「學士郎張厶乙午時寫記之耳」、P.4588「學士郎張盈信紀書之」等，可知抄者身分有敦煌各寺學的「學士郎」、州學、縣學的「學生」等，是《太公家教》一書，在晚唐五代至北宋初期，普遍盛行於敦煌地區，作為學童使用的教材。特別是 S.728號《孝經》寫卷，卷末有題記云：「丙申年五月四日靈圖寺沙彌德榮寫過，後輩弟子梁子松。庚子年二月十五日靈圖學郎李再昌已，梁子松。」卷背有學郎寫的打油詩說：「學郎大歌（哥）張富千，一下趁到《孝經》邊，《太公家教》多不殘，獲玀兒〔中〕實鄉偏。」更證明《太公家教》與《孝經》都是當時敦煌地區寺學學郎所使用的課本。

　　寺學是唐、五代敦煌教育的主體，而《太公家教》是寺學普遍流行的教材。不但如此，當寺院俗講活動時，僧人講唱經文也曾援引《太公家教》的

內容來闡釋經義的情形。如：P.2418《父母恩重經講經文》（見下圖）在講釋「經：月滿生時，受諸痛苦，須臾好惡，只恐无常，如煞豬羊，血流洒地。」時，講釋解說云：「所以書云：曾子曰：百行之先，无以加於孝矣。夫孝者，是天之經、地之義。孝感於天地也，通於神明。孝至於天，則風雨順序；孝至於地，則百穀成熟；孝至於人，則重譯來貢；孝至於神，則冥靈祐助。」之後緊接著說：「又《太公家教》：孝子事親，晨省暮省（參），知飢知渴，知暖知寒。憂則共戚，樂即同歡。父母有病，甘羹不飡。食無求飽，居無求安，聞樂不樂，見戲不看。不修身體，不整衣冠，待至疾愈，整易不難。」顯示蒙書進入寺院為釋門所接受與流傳。

佛教東傳，其在中土的弘法，最大的障礙即在與中國固有的孝道思想相牴觸。所以釋門中有識之徒，為消弭弘法的障礙，乃就佛教中有關孝道思想的典籍，加以翻譯流通；另一方面則新造倡導孝道的佛典，以調和彼此的文化衝突，這些新造佛典雖被斥為疑偽經而不入藏，然其內容深具佛教中國化之特色，在民間廣為流行。尤其唐五代佛教徒更運用新的講唱方法俗講變文，在寺院道場，佛教法會、齋供等活動中宣說，他們積極的運用各種方

法，提倡孝道和中國倫理觀念，因此得到儒釋融和，交流灌注，發榮滋長的功效。《父母恩重經講經文》便是當時風行的一種講唱文學。上舉法藏P.2418寫卷，除援引佛典經文要義外，更穿插儒家經典以闡述孝道，勸誘世人修道行孝、報父母長養之恩，其中也引用了當時流行的蒙書《太公家教》。可見《太公家教》在當時民間已廣泛的流傳，為大眾所熟知，以致才會有講唱佛典經文時，引以詮釋經義的情形。[2]

四　從《辯才家教》可見釋門參與家教蒙書的編纂

（一）《辯才家教》作者與時代

敦煌寫本中署名為《辯才家教》的蒙書，有 P.2515及 S.4329二件寫本。書名「辯才」一詞，又作「辨才」，原為佛家語。意指善巧解說佛法，具辯說之才。〔隋〕淨影寺慧遠《無量壽經義疏》卷一：「言巧稱妙。言能辯了。語能才巧。故曰辯才。」[3]今成語中有「辯才無礙」一詞，形容能言善辯，其語也是出自佛教，意謂佛菩薩等講說佛法，道理圓通，言詞流暢，毫不障礙。如《大乘起信論》卷一：「或令人知宿命過去之事，亦知未來之事，得他心智，辯才無礙。」[4]〔唐〕玄奘《大唐西域記》卷五「鉢邏耶伽國」下云：「城中有外道婆羅門，高論有聞，辯才無礙，循名責實，反質窮辭。」[5]

此外，「辯才」一詞也是僧侶的法號。唐五代期間，釋徒以「辯才」為名者，計有二位。一位是初唐書法名僧智永的弟子，俗姓袁，居越州永欽寺的僧人辯才。另一位則是中唐時，俗姓李，襄陽人的能覺大師辯才。唐玄宗

2　P.2418《父母恩重經講經文》有引書云：「積穀防饑，養子備老。」又 BD06412（河12）《父母恩重經講經文》也有：「人家積穀本防飢，養子還徒（圖）被（備）老時。」其文句均見於敦煌寫本《太公家教》。

3　見 CBETA, T37, no. 1745, p. 100, b6-7。

4　見 CBETA, T32, no. 1666, p. 582, b11-12。

5　見 CBETA, T51, no. 2087, p. 897, b4-5。

時曾受詔為朔方郡教誡。[6]肅宗至德初（西元756年），河西節度使、涼州都督
杜鴻漸，奏請住龍興寺，詔加朔方管內教授大德。辯才大師長期宣教化於朔
方塞外，聲聞遠播，是疑《辯才家教》的「辯才」當指能覺大師「辯才」。

敦煌蒙書中以「家教」為名的除《辯才家教》外，尚有《太公家教》、
《武王家教》等，「太公」或指老者或指太公望姜尚，「武王」當指周武王姬
發，然要皆出自依託。《辯才家教》的「辯才」，命名取義蓋有二種可能：一
指稱某一善於巧說的人，此人辯才無礙，是「不可思議人也，是善知識」；
另一說便是托名中唐僧人「辯才」，日人山崎寵在《支那中世佛教の展開》
一書中提及那波利貞齎回敦煌文書中有《辯才家教》，為普通教育修身書，
以其文章拙劣，顯非能覺大師辯才所撰的教訓書，想必係出自後人假託。[7]
高僧辯才被河西節度使、涼州都督杜鴻漸所推崇，則能覺大師辯才在河西地
區必是享有盛名，所以敦煌地區流行的蒙書依託其名，當是合理而自然。是
《辯才家教》出自後人假託，據寫卷推測其抄寫年代當是八四四年，其編撰
的時間當在此之前，唐肅宗至德初（西元756年）之後。[8]

（二）編撰的旨趣與功能

至於《辯才家教》編撰的目的與旨趣，從其序文可窺知一二，序文云：

> 昔辯才者，是不可思議人也，是善知識，教化閻浮提眾生成道，免墮
> 迷愚之中，癡頑之類。人身難得，中國難生，卻遇迷昧，自須添知，

---

6 〔宋〕贊寧《宋高僧傳》卷十六：「天寶十四載。玄宗以北方人也，稟剛氣，多訛風，
　列剎之中，於習騎射，有教無類，何可止息，詔才為教誡，臨壇度人。至德初，肅宗
　即位。是邦也宰臣杜鴻漸奏才住龍興寺。詔加朔方管內教授大德，俾其訓勵，革猰狁
　之風，循毗尼之道。」（CBETA, T50, no. 2061, p. 806, a17-22。）

7 見《支那中世佛教の展開》第8章〈唐朔方管內教授大德辯才〉（東京：清水書店，
　1947年10月），頁896-913。

8 參鄭阿財：〈敦煌寫本家教別裁《辯才家教》校釋及綜論〉，載金瀅坤主編《童蒙文化
　研究》第4卷（北京市：人民出版社，2019年8月），頁66-87。

> 會其八節，知其四季，酌量時候，稟其年歲。時豐即賤，凶年即貴。
> 栽樹防熱，築堤防水，積行防衰，積穀防饑。勤讀詩書，自然足知。
> 學時維難，用時還易。魚潛江海，須愧其水；鶴寄千林，高枝即貴。
> 奉勸時人，須於此義，不可輕學。辯才之美，齊之足知，達之義理，
> 終身無咎。人之仰貴，譬如土生□□，金生麗水。

編者托名有一位名為「辯才」的師父，他對事理的神妙是無法以一般思索得之。他正直有德行能教導人正道，為了教化人世間眾生成道，免淪為迷惑愚昧、頑劣無知，特編寫本書，奉勸時人，不可輕視學習，當勤讀詩書，充實知識；以義理使人通達事理，則可終身無咎。

這篇短序還有一值得注意的是「人身難得，中國難生」這二句，本出自佛教所謂的「六難」，如《大般涅槃經》卷二十〈光明遍照高貴德王菩薩品二十二〉：「世有六處難可值遇，我今已得。云何當令惡覺居心？何等為六？一、佛世難遇，二、正法難聞，三、怖心難起，四、中國難生，五、人身難得，六、諸根難具。如是六事難得已得，是故不應起於惡覺。」佛教所谓的中國，是指佛教正法所在地。無有佛法的地方稱為邊地，中國難生謂有佛法處難生。有佛法處即中國，無佛法處即邊地。聖人出，其中仁義昭明，佛法流布，實為文物之地，若非持戒修福，不得生此。故云中國難生。最早的漢文佛典《四十二章經》卷一「第三十六章」有：「佛言：夫人離三惡道得為人難；既得為人，去女即男難；既得為男，六情完具難；六情已具，生中國難；既處中國，值奉佛道難；既奉佛道，值有道之君難，生菩薩家難；既生菩薩家，以心信三尊、值佛世難。」[9]從上引《四十二章經》經文，明顯可以看出當是《辯才家教》「人身難得，中國難生」這二句話的根源。敦煌寫本膾炙人口的《大目乾連冥間救母變文》中也有目連啟言阿孃：「人身難得，中國難生，佛法難聞，善心難發。」又〈西方淨土讚〉也有：「人身難得今日得，中國難生復得生，何不於中勤精進，徒勞虛失一生年。」可見已成當時佛教傳播盛行的名言了。

9　見 CBETA, T17, no. 784, p. 723, c25-29。

　　敦煌地處佛法東傳及西天取經之孔道，自晉唐以來即為佛教聖地。安史之亂後，大唐勢力逐漸退出河西；敦煌先後進入吐蕃占領時期及張氏家族、曹氏家族統治的歸義軍時期，這時期，佛教更形發達，寺院、僧侶大增。吐蕃與歸義軍時期的敦煌，雖然仍有州、縣官學，但是唐朝中央教育體制已不復過往。這一時期敦煌地區的教育，主要為地方教育，特別是仰仗敦煌當地佛教寺院興辦的寺學來承擔。學者根據敦煌文獻研究，得知當時敦煌地區主要有十七所寺院，其中可確知淨土寺、蓮臺寺、靈圖寺、金光明寺、三界寺、龍興寺、永安寺、大雲寺、乾明寺、顯德寺等十所興辦有寺學，成為當時敦煌地區教育的主體。寺學的成員，我們從現在已經公佈的敦煌文獻標有敦煌寺學題記的學郎姓名來看，當時寺學招收的學生大多數是敦煌當地氏族及百姓的子弟。有來自歸義軍政權張氏家族及曹氏家族的子弟；也有來自索、安、陰、氾、李、楊等姓的地方豪族子弟；同時也有個別的學生，這些都是所謂的「俗家弟子」。不過，偶爾也有出家的沙彌。

　　至於寺學性質，我們從這些寺學學郎所抄寫的課本，如：P.2570《毛詩》：「淨土寺學生趙令全讀為記」、P.3189《開蒙要訓》：「三界寺學士郎張彥宗寫記」、P.3211《千字文》：「乾寧三年丙辰二月十九日靈圖寺學士郎泛賢信書記之耳」、P.3381《秦婦吟》：「天復五年乙丑歲十二月十五日燉煌郡金光明寺學仕張龜」、P.《太公家教》：「維景福二年二月十二日蓮臺寺學生索威建記」、S.173《李陵蘇武書》：「乙亥年六月八日三界寺學士郎張英俊書記之也」、S.707《孝經》：「同光三年乙酉歲十月□日三界寺學仕郎郎君曹元深寫記」、S.1386《孝經》：「唯天福七年壬寅歲十二月十二日永安寺學仕郎高清子書寫」等來看，寺學主要還是扮演著世俗學校的角色，《辯才家教》編撰的宗旨「教化閻浮提眾生成道，免墮迷愚之中，癡頑之類」，希望受教者能「齊之足知，達之義理，終身無咎」他的功能即在敦煌地區佛教寺院發揮填補社會教育的欠缺。

（三）形式與內容

　　《辯才家教》，全篇十二章，除〈六親章第四〉外，其餘十一章多採一問一答，以「學士（即學生）」設問，[10]「辯才」作答方式編撰。《辯才家教》除了在內容上與佛教有關外，形式上也深受佛教經典的影響。王重民的跋文即說：「每章或託之學士問，辯才答，以發揮意見。然多韻語，五言者如白話詩，七言者如唱經文；至於四字教章為四言，五字教章為五言，則其命名，又本於文辭。」在文體形式上，部分繼承傳統蒙書採用整齊的四言句和五言句押韻文體，與一般無韻的詩、佛教偈頌有別。如〈四字教章第十〉、〈五字教章第十一〉等，不過也有直接採用了佛經中的偈頌或佛曲歌讚的文體形式，如〈省事門章第二〉及〈十勸章第六〉便是。

　　至於分章的形式：《辯才家教》有採標立「門」的形式，這是中晚唐時佛教流行的佛典形式。如〈貞清門章第一〉、〈勸善門章第三〉、〈經業門章第七〉稱作「門」，這與當時禪宗六祖惠能的《壇經》一樣。《壇經》敦煌本不分品第，晚唐僧人惠昕始進行改編，將內容分為二卷十一門，世人稱為「惠昕本」。另外，儒家經典中的《孝經》同樣也採用了分章形式，《孝經》與《辯才家教》的章名都概括有每章內容的性質，二者形式上較為接近。惟《辯才家教》的第十章及第十一章是例外，此二章以形式命名。《辯才家教》立「門」分章的形式恐為受到中晚唐時代的風氣影響，大抵儒典分篇分章，佛典分品分門。所以，《辯才家教》採用了分章的形式可能是受佛教典籍和儒家經典（主要是《孝經》）雙重影響的結果，而標立「門」的形式，則說明佛教影響的成分較大。

　　特別〈十勸章第六〉以「學士問辯才」的設問開頭，引起「十勸」，之後以「三、七、七、七、七、七、七、七」八句形式的十首詩偈來說教。如：「勸君一：居家濟濟無啾唧，約束莫交行詐偽，即此無災身大吉。一行若也有參差，百行之中將總失，旁人免道家教疏，家教天生道理密。」；「勸

---

10 敦煌寺學的學生，自稱「學士郎」、「學仕郎」，或省稱「學郎」或「學士」，又稱「學生」。

君五：侍奉不可辭辛苦，十月懷躭起坐難，報取三年親乳哺，不論男女一般憐，總隨恩愛無他苦，既若不聽辯才言，請問慈烏來反哺。」等。唐五代也流傳人稱「傅大士」善慧的《十勸》。《善慧大士語錄》卷三載「十勸」，以十種簡明易懂「三、七、七、七」句式的詩偈勸導世人常念佛法僧三寶，勤修六度，淡泊名利，廣行善事，嚴持戒律，從生死輪回中得到解脫。分別從不同方面持戒，做一位品行高潔、如法修持的佛弟子。如：

> 勸君一：專心常念波羅蜜，勤修六度向菩提，五濁三塗自然出。
> 勸君二：夫人出世莫求利，縱然求得暫時間，須臾不久歸蒿里。
> 勸君三：人身難得大須慚，晝夜六時常念佛，勤修三寶向伽藍。
> 勸君四：努力經營修善事，莫言少壯好光容，未委前程是何處？
> 勸君五：尋思地獄真成苦，眼前富貴逞容儀，須臾不久還歸土。
> 勸君六：第一莫吃眾生肉，若非菩薩化身來，便是前生親眷屬。
> 勸君七：萬事無過須的實，朝三暮四不為人，此理安身終不吉。
> 勸君八：吃肉之人真羅剎，今身若也殺他身，來生還被他身殺。
> 勸君九：天堂地獄分明有，莫將酒肉勸僧人，五百生中無腳手。
> 勸君十：相勸修行須在急，一朝命盡入黃泉，父娘妻子徒勞泣。[11]

又敦煌寫本 S.2204號〈十勸鉢禪關〉，存開頭兩首，採「七、三、七、三、三、七、三、七、七」句式，內容為勸人學參禪、莫貪婪。可見這種詩偈體的「十勸」在唐代敦煌地區已經普遍存在，且相當風行，也是勸誘世人常用的歌體。《辯才家教》〈十勸章〉採用了當時民間及佛教傳播風行的形式，也彰顯了佛教發展世俗化的入世特色。

《辯才家教》前有序言，後有簡單結語。內容計分：貞清門章第一、省事門章第二、勸善門章第三、六親章第四、積行章第五、十勸章第六、經業門章第七、本利門章第八、貞女章第九、四字教章第十、五字教章第十一、善惡章第十二。

11　見 CBETA, X69, no. 1335, p. 116, a8-b4。

　　全篇十二章中，除〈六親章第四〉外，其餘十一章多採一問一答方式，學士（即學生）設問，「辯才」作答。內容簡明易懂，大體上與中國古代傳統蒙書的基本教育內容相同，旨在強調孝道、家庭倫理及生活規範。因此，相當大的部分跟《太公家教》等敦煌道德教育類蒙書的旨趣相同，內容主要出自儒家傳統典籍《論語》、《孝經》及《禮記》。如：〈勸善門章第三〉有：「《孝經》云：『言滿天下無口過，行滿天下無怨惡。』」這一則直引《孝經・卿大夫章第四》原文，並直接標示「《孝經》云」。更多的是根據《孝經》原文進行字句的增添與改寫，如〈貞女章第九〉：「身體髮膚須保愛，父母千金莫毀傷。」雖沒標明《孝經》，是知出自《孝經・開宗明義章第一》：「身體髮膚，受之父母，不敢毀傷。」；又〈本利章第八〉：「用天知道，分地之利，謹身節用，莫違甘旨。」也是出自《孝經・庶人章》，只是將《孝經》的「以養父母」，改成「莫違甘旨」而已。

　　更多有關謹言、慎行、勤儉、柔弱等現實生活的行為規範與處世哲學，與當時盛行的《太公家教》蒙書，內容大多雷同。如：〈六親章第四〉：「出行須讓道，言語莫傷人。傷他還自傷，更交斷說人。」《太公家教》：「揚人之惡，還是自揚；傷人之語，還是自傷。」；〈六親章第四〉：「言多有何益，少語省精神。」，《太公家教》：「十言九中，不語者勝。」；〈積行章第五〉：「積行防衰，積穀防饑，積義防虧。」《太公家教》：「積穀防饑，積行防衰。」；〈四字教章第十〉：「勤耕之人，必豐衣食。勤學之人，必居官職。耕田不種，損人功力。有子不教，費人衣食。」《太公家教》：「勤耕之人，必豐穀食。勤學之人，必居官職。良田不耕，損人功力。養子不教，費人衣食。」……，在在突顯了民間通俗實用教材的共性。可見這些處世訓誡均是唐代民間讀物共同的內容，也是同類蒙書相襲因革之處。又敦煌寫本《崔氏夫人訓女文》這篇專為傳授女子臨嫁教育的訓女類蒙書，主要集中在教導女兒如何做好媳婦的「本分」，其內容、用語都與《辯才家教》〈貞女章第九〉及〈本利門章第八〉部分內容相近似。

　　除了中國傳統的倫理思想與處世哲學的教育外，《辯才家教》與佛教關係的呈現也成為它在敦煌蒙書中深受矚目的特色。從書名以「辯才」命名，

便可得知既是取義於佛教所謂善巧說法、辯才無礙的人；同時又是依托中唐長期宣教化於朔方塞外、聲聞遠播的能覺大師辯才，因此篇中內容多采取佛教用語并雜糅佛教思想。

佛教戒「貪、嗔、癡」三毒，《辯才家教》中亦多見此一內容。如〈貞清門第一〉：「欲嗔即喜，欲恨即休，欲貪即止」，〈省事門章第二〉：「財莫多貪，免遭枷獄」；又佛教戒惡言妄語，《辯才家教》亦多見此一內容，如〈勸善門章第三〉：「千種多知，不如禁口。三教之中，臭惡不過穢言；一切名香‧不過善語。」〈六親章第四〉：「善言勝美味」、「言語莫傷人」、「言多有何益，少語省精神。」〈本利章第八〉：「莫說他非，莫論他事。」〈五字教章第十一〉：「出語罷方便，勝燒百和香。少言勝多語‧柔軟必勝剛。」「出語如刀切，發意似劍槍。一朝危厄至，悔不早思量。」此外，戒殺也是佛教的主要戒規之一。《辯才家教》有此一內容，如〈十勸章第六〉：「勸君八，立身切莫親屠殺，世間生死有輪迴。」「願身早賜登生路，轉勸修行休宰殺。」等。

可見《辯才家教》用於寺學教學，其教學對象除寺院僧人外，是以世俗百姓的子弟為主。其教材內容自然仍舊沿襲中國傳統家教的思想核心，大多涉及儒家傳統生活行為規範及處事原則，同時雜糅佛教義理，成為儒釋兼修的實用家教用書。以佛教人物「辯才」的身份，來宣說教誡，內容儒釋交融，是蒙書在釋門的接受與運用的具體例證，也是傳統家教類蒙書的別裁。

五　南唐釋應之《五杉集》〈家誨〉的編纂

五代南唐釋應之編撰的《五杉練若新學備用》又稱《五杉集》。全書三卷。是一部集類書、書儀及法會齋疏文等，作為僧尼應急備用的重要參考著作。卷上原為南山大師道宣誡律，今僅殘存五至十法數，以及後來再補的〈家誨〉一篇，卷中為僧尼凶禮的服制堂圖及書儀式樣，卷下是受五戒十念及道場齋疏並齋文等。

此書中土早已亡佚，近年日本駒澤大學圖書館的網站公佈，朴鎔辰與山

本孝子等先後有初步報導與研究，[12]三慶學長從事敦煌類書、書儀、佛教齋願文整理研究卓然有成，連類所及，對此書更積極投入整理研究，完成《中國佛教古佚書《五杉練若新學備用》研究》[13]一書，使大家能夠一睹此書原貌，功德無量。

《五杉練若新學備用》卷上〈法數〉後，有〈家誨〉一篇，內容與傳統家教類蒙書相近似。其前序有言：「予先作《新學備用》三卷，蓋欲訓門內諸子，不謂流落于外。近往往見寫者但錄下卷，以求其便，殊不知製作之意始末。上卷是南山大師規誡，將來予補綴。所痛者事不師古，轉覺輕浮，良可歎嗟。實不可意。製〈家誨〉一篇附之于此，免冀遺落。」

題名為「〈家誨〉一篇」，與前面題名為〈法數〉共同構成《五杉練若新學備用》的卷上部分。三慶學長在「《五杉集》〈家誨〉研究」一節說：「只是這篇〈家誨〉似乎讓人感覺前不著村，後不著店，既無法與不全又需待補的南山律儀合符，也與初學佛法者需要藉用方便法門，用以理解佛經義理的文字不完全密合；而是對著出家眾說了這篇〈家誨〉，似乎有些格格不入；更與中卷裡的凶禮儀節書儀文式，或者下卷中有如工具箱的齋疏文體內容不能完全搭配。無論怎麼說，〈家誨〉一篇擺在這本書中，處處都顯得突兀。」[14]並從晉唐佛教僧團有「僧家」一詞，進行思考。

我曾以僧人參與家教類蒙書編撰的觀點來探究敦煌寫本《辯才家教》，當三慶兄大作出版後，我得以細看〈家誨〉全文，以為此篇內容僅三十一

12　〔韓〕朴鎔辰，〈應之の《五杉練若新學備用》編纂とその佛教史的意義〉，《印度學佛教學研究》（2009年）第57卷第2號，頁51-57。〔日〕山本孝子所撰數篇依次為〈應之《五杉練若新學備用》卷中所收書儀文獻初探——以其與敦煌寫本書儀比較為中心〉《敦煌學輯刊》（2012年）第4期，頁50-59；〈應之『五杉練若新學備用』卷中における「十二月節令往還書樣」「四季揔敘」の位置付け—その製作年代と利用對象者を中心として〉《桃會論集～小南一郎先生古稀紀念論集》（桃の會發行，2013年10月）第6集，頁161-176。

13　《中國佛教古佚書《五杉練若新學備用》研究》上下冊，臺北市：新文豐出版公司，2018年10月。

14　見註13，頁118。

則，每則少者三、四句，大抵四字句為主，間有雜言。每則兩句一韻，韻腳寬緩。「家誨這篇文章並非宏篇巨著，而是條列式的短文，也沒有太完整的組織，多是做人做事修道勵志或勸世文字」[15]這一點讓我想起唐五代北宋期間廣為流傳家教類蒙書《太公家教》，全篇一卷，也是篇幅不長，除前序後跋外，計二八一則，其編撰或襲用原文，逕自抄取；或依據經典，增減改易字句；或櫽括文意，自行改寫。既遷就經史典籍的原文，又為方便學童記誦。因此，全篇採傳統蒙書的形制，以四言韻語為主，間有五言、雜言。尤其在取材於傳統經史典籍外，還集錄當時社會流行的諺語，這種突破傳統蒙書以詩文成篇的窠臼，將豐富繁雜的經典要義，加以耙梳改寫，成為琅琅上口的韻語短句，並廣採耐人尋味的諺語，雅俗融合，展現「格言諺語體」的特殊體式，彷彿家中長者的諄諄教誨，循循善誘，讓人讀來倍感親切。

從中似乎感覺到《太公家教》與〈家誨〉頗有相似相近之處。其在形式上同為條列式短文，每則體制以四言為主，分別押韻，兩句一韻。句式上，每則以四言或四、六言，多對仗。而在內容上，儘管《太公家教》為世俗蒙書，《五杉集》〈家誨〉為佛教僧團規範，然二者仍多有旨趣相同，甚至字句相似之處。

《太公家教》與《五杉集》〈家誨〉二者在行文結構上皆先述為文緣由，接著條列有關格言警句，末尾作者再強調所列舉家教的重要性。

開頭記述編撰的緣由，《太公家教》說：「為書一卷，助誘童兒，流傳萬代，幸願思之。」《五杉集》〈家誨〉則說延續《新學備用》撰寫的，「欲訓門內諸子，不謂流落于外。」可見二者皆具有教化兒童或弟子的「家教」性質。

其次，所條列的格言警句，《太公家教》是以四言句式為主，〈家誨〉也是以四言居多，六、七言句亦不少。此外，二者均擅用排比句式，使兩兩相對之文句有利於誦讀、記憶，並多押韻，使文字具節奏感，而得以琅琅上口。如《太公家教》云：

---

15 見註13，頁125。

欲求其短，先取其長；

欲求其圓，先取其方；

欲求其弱，先取其強；

欲求其柔，先取其剛；

欲防外敵，先須內防；

欲量他人，先須自量；

揚人之惡，還是自揚；

傷人之語，還是自傷。

「長」、「方」、「強」、「剛」、「防」、「量」、「揚」、「傷」，押平聲「陽」韻。
〈家誨〉則云：

晝眠無益，早起甚長。

晝眠即藝業不就，晏起乃百事忽忙。

未聞慵墮者身立，但見勤苦者跡昌。

物須愛護，禍須隄防。

好事須記，惡莫思量。

「長」、「忙」、「昌」、「防」、「量」，押平聲「陽」韻，易於記誦。
　　二者在內容方面皆條列格言，充分強調「仁」、「義」、「禮」、「智」、「信」傳統的儒家精神，《太公家教》開頭云：

經論曲直，《書》論上下，《易》辯剛柔，《詩》分風雅。禮樂興行，信義成著，仁道立焉。

經論《書》、《易》、《詩》與「智」相關，並提出「禮」、「信」、「義」、「仁」者，可見其強調儒家的五常：仁、義、禮、智、信，即漢提倡「獨尊儒術」的董仲舒在〈賢良策一〉中所謂「夫仁、義、禮、智、信，五常之道，王者所當修飭也」之義。
　　〈家誨〉開頭則云：

> 原夫仁為行思之首，義為立事之準。禮為敬上念下之基，智為分善明
> 惡之門。信為百行之宗，孝乃事親事師之本。

同樣強調仁、義、禮、智、信的重要。至於有關「孝」的提倡，《太公家
教》也說：「事君盡忠，事父盡孝」、「孝子事親，晨省暮參」等，可見二者
在「孝」上都有所著墨。

另外，二者皆重「勤學」，《太公家教》云：

> 近朱者赤，近墨者黑；蓬生麻中，不扶自直；白玉投泥，不污其
> 色……勤耕之人，必豐穀食；勤學之人，必居官職；良田不耕，損人
> 功力，養子不教，費人衣食。

即援引《荀子》〈勸學〉「蓬生麻中，不扶而直，白沙在涅，與之俱黑」之
說，又云：

> 近鮑者臭，近蘭者香；近愚者闇，近智者良。明珠不瑩，焉發其光；
> 人生不學，言不成章。小而學者，如日出之光；長而學者，如日中之
> 光；老而學者，如日暮之光；人生不學，冥冥如夜行。

〈家誨〉也強調「勤學」的重要，如：

> 勤即事辦，學即道光。懈墮是滅身之賊，精進為出離之因。晝眠無
> 益，早起甚長。晝眠即藝業不就，……但見勤苦者跡昌。
> 莫蓄非法之物，莫衣俗惡之服。莫學博弈，且勤習讀。
> 須學先賢兢兢，勿斅常人碌碌。

此外，還述及「忠」，《太公家教》云：「事君盡忠，事父盡孝。」，「孝子不
隱情於父，忠臣不隱情於君。」〈家誨〉則說：「唯忠唯良，可保吉祥。」
對於處世要訣的「忍」，《太公家教》有云：「忿能積惡，必須忍之。」，「吞
腹之魚，恨不忍飢。」〈家誨〉則說：「行須的實，事須舍忍。」即《論
語》所謂：「小不忍，則亂大謀。」又《太公家教》對「慎言」則是反覆強

調，云：「口能招禍，必須慎之；見人善事，必須讚之；見人惡事，必須掩之。」、「身須擇行，口須擇言。」、「敬慎口言，終身無苦。」〈家誨〉也說：「人美即遞相讚譽，人過即慎勿播揚。多知不為好事，多口終是身殃。」

　　總上以觀，《太公家教》與《五杉集》〈家誨〉二者皆以格言反覆強調儒家美德，只是《太公家教》編撰的目的是「意欲教於童兒」，〈家誨〉最終目的則是欲使「稟吾誨，佛果可期」。〈家誨〉雖是以佛教架構首尾成篇，然所條列的格言警句盡歸儒家五常之範圍。朱鳳玉〈敦煌本《太公家教》的傳播及其在中國俗文化的展現〉[16]除了提及敦煌、吐魯番地區《太公家教》的盛行外，還論述了中唐時中原地區文士乃至湖南長沙窯瓷器遺存有不少與《太公家教》相同或相近的字句。我們或可推測《太公家教》在唐五代宋元廣為流傳，同時進入釋門，為佛家弟子所熟悉，以致受到相當程度的習染與影響。試看收藏於日本宮內廳書陵部，元代「前至元」二十八年（1291）的刻本《續傳燈錄》卷二九的記載便可得知。《續傳燈錄》有云：「衲僧家，說簡解粘去縛，拔楔抽釘，已是犯鋒傷手，更言體之與用，正之與偏；恰似三家村裏教書郎，未念得一本《太公家教》，便道文章賽過李白、杜甫。」[17]

六　唐五代釋門運用家教類蒙書因由試探

　　佛教傳入中國，最受抨擊的就是出家廢棄孝道。自漢代以來，攻擊者相繼不絕；六朝時，有託名張融的〈三破論〉，[18]其言尤峻，謂「入家而破

16　朱鳳玉：〈敦煌本《太公家教》的傳播及其在中國俗文化的展現〉，「中華炎黃文化研究會童蒙文化專業委員會第五屆國際學術研討會」論文，2019年9月13-15日。

17　（CBETA, X79, no. 1557, p. 254, a21-24 // Z 2B:9, p. 461, a13-16 // R136, p. 921, a13-16）《聯燈會要》全本三十卷，是現存海內外民間古刊燈錄的唯一足本。本書雕造時距離南宋滅亡僅十三年，是由宋入元的刻本。

18　〔梁〕僧祐《弘明集》卷8，〔梁〕劉勰〈滅惑論〉。CBETA, T52, no. 2102, p. 49, c3-p. 50, a16。

家，使父子殊事，兄弟異法，遺棄二親，孝道頓絕。憂娛各異，歌哭不同。骨血生讎，服屬永棄。悖化犯順，無昊天之報，五逆不孝，不復過此。」故〔梁〕劉彥和著〈滅惑論〉，汲汲為之辯護。同時佛教徒也開始極力提倡孝道，以順應人心。

　　自從敦煌文獻大量唐五代佛教文獻的陸續公佈，人們對於佛教徒積極提倡孝道的努力和方法有了更多的瞭解，對此潘重規師〈從敦煌遺書看佛教提倡孝道〉一文曾對此做出了簡明扼要的論述說：「他們變化了講經的方法，被稱為俗講，孳乳成一種號為變文的新文體，使信徒聽眾得到更廣泛的影響。其次，他們把宣傳的孝道，編成歌曲，在寺院內外，歌唱詠歎，心入聲通，無遠弗屆。此外，他們又舉行法會，陳設齋供，與節日相結合，自六朝已流行的盂蘭會，一直普遍深入到社會各階層。他們用各種有效的方法，提倡孝道，和中國倫理觀念，心心相印，水乳交融，因此得到儒釋融和，交流灌注，發榮滋長的功效。」[19]

　　的確，佛教東來中土弘法，其最大障礙，即在於與中國固有的孝道思想相牴觸。所以釋門中的有識之徒，在洞察障礙根由後，為圖消弭弘法的障礙，乃就佛教中有關孝道思想的典籍，加以翻譯流通，晉竺法護譯《盂蘭盆經》即是一例。其後宗密援引儒家孝道以疏釋《盂蘭盆經》，糅合中國孝道故事於注疏中，是佛教中國化表現的重要文獻。而另一方面唐五代俗講、齋會及「盂蘭盆節」民俗活動盛行，更是突顯了佛教提倡孝道的努力與佛教中國化的發展軌跡。又如《父母恩重經》唐代以來雖然被斥而不入藏，然此經的內容特色則漸具中國化，而在民間廣為流行；加以強調報恩渡亡的《盂蘭盆經》與道教中元節結合，遂使六朝以來盂蘭盆會盛行，釋門、道徒、俗流，上至帝王下至百姓，皆於七月十五佛歡喜日作盂蘭盆供，以為佛弟子修孝順、報父母長養之恩，促使此風歷代盛行不輟。

　　又如家喻戶曉的童蒙讀物《二十四孝》，歷來咸以為出自元人郭居敬所

---

19 見潘重規：〈從敦煌遺書看佛教提倡孝道〉，《華岡文科學報》第12期（1980年3月），頁197。

編撰，今敦煌文獻中赫然發現 P.3361、S.3728二件寫本及 S.7（P.1）一件刻本有題為「左街僧錄圓鑒大師賜紫雲辯述」的〈二十四孝押座文〉，是當時俗講變文在講經之前，用來鎮壓喧嘩聽眾的押座文。圓鑒大師雲辯乃五代時三教談論師，歷經後唐，後晉、後周諸朝，是當時有名的俗講僧，為時人所重，其所撰的《二十四孝押座文》不止有抄本，並且還有刻本，供其他俗講僧講唱時所用，所以刻本標題才題作《故圓鑒大師二十四孝押座文》，其盛行流傳可知，遠在沙州的和尚也有傳錄，可見其影響之深遠。此押座文除首四句為四言外，其餘悉為七言，一韻到底。如：「佛身尊貴因何得？根本曾行孝順來。須知孝道善無壃，三教之中廣讚揚。若向二親能孝順。便招千佛護行藏。」又：「如來演說五千卷，孔氏譚論十八章。⋯⋯孝心號為真菩薩，孝行名為大道場。⋯⋯佛道孝為成佛本，事須行孝向耶娘。」不但為佛教讚揚孝道，而且也為儒家讚揚孝道。內容歌頌有關的孝子行跡，計：舜子、王祥、田廣兄弟、郭巨、老萊子、孟宗、黃香等二十四孝中的人物以及佛教中的孝子典範目連與釋迦。篇中雖未全舉二十四位孝子，但由標題「二十四孝押座文」則可知「二十四孝」的倡導，早在唐五代圓鑒大師雲辯便已大力提倡。敦煌文獻所保存的這一類資料，讓我們既清楚的看到佛教為宣傳弘揚中國固有的孝道所做的努力，又可窺見佛教中國化、通俗化的歷程。

　　余意以為〈三破論〉一類對佛教的抨擊，造成佛教傳播的最大壓力，即在與儒家傳統家庭倫理與孝道觀念的牴觸。因此，佛教自印度東傳，在中土歷經衝突到融合，其間對孝道思想的闡揚詮釋及孝行的倡導鼓吹用力最深，功能最大，也是佛教得以快速為中國所接受，終至中國化推動的主要力量與表現。

　　除了親子關係的孝道之外，針對「入家而破家」的批評，佛教在無可避免之下也提出對策，逐漸立起佛教家庭的概念。東晉以前出家人的姓氏，若來自外國，則大多數都以其故國的名字為姓，如：康僧鎧、康僧會（康居國人），竺法蘭、竺佛朔、竺叔蘭（天竺人），支婁迦讖、支道林、支遁、支謙等（月支國人），安世高、安玄（安息國人）；中國出家僧人一般則仍用俗家姓氏，如中國最早出家的嚴佛調、第一個受戒的朱士行等。其後多依師為

姓。有鑑於此，東晉道安開始以釋為氏，自稱彌天釋道安，提出了佛教徒以釋為姓的想法，後來中國出家人以釋為姓就成為定式。[20]出家的佛教徒以釋為姓，其用意更在於視佛教為一大家庭，以佛為祖，以師為父，以同門為兄弟。如此影響所及，至佛教全盛時期的唐代，八宗並起，其中禪宗、淨土宗可說是佛教中國化、世俗化最為成功的宗派。各寺尊祖庭，講血脈；各宗論師資，修燈錄。如此風氣在民間佛教的弘傳更是有所發揮，所以唐代敦煌寺院流行託名佛教人物辯才編撰的《辯才家教》，應該也是這種氛圍下產生的。

以佛教徒身分編撰家教，無疑是佛教徒深刻體認到傳統家教對社會強大的影響力，因此特藉著編撰家教提供寺院及一般社會大眾的學習與閱讀，於其文本之中有意無意的滲透佛教的思想教義，以發揮宣揚佛法的功能。再者表現佛教在出世的同時，也能入世；教化釋徒之餘，也關心社會教育，表現出人間佛教的理想。可見藉由家教的編撰，調和儒釋，自然也是發揮佛教中國化、世俗化的另一有效作為，這在唐五代應是極其普遍的現象。

總體來說，《辯才家教》出自佛教徒所編，與其他以「太公」、「武王」、「嚴父」、「崔氏夫人」命名的蒙書同為「家教」且有共性，但形式與內容方面，還有著與其他世俗家教不同的殊性，凸顯了佛教的特色，可說是傳統家教的別裁。其書名所以選擇了佛家所謂善巧解說佛法，具辯說之才的「辯才」一詞作為篇名，既可強調這篇家教具有佛菩薩等講說佛法，道理圓通，言詞流暢，毫無障礙的特色；又可託名唐玄宗時曾詔為朔方郡教誡、在肅宗至德初宣教化於朔方塞外，聲聞遠播的「朔方管內教授大德」『辯才』大師。其跨儒釋的編撰用意，在考察佛教中國化、世俗化的歷程更是不可忽視的一環。南唐釋應之《五杉集》〈家誨〉的編纂，也說得上是人間佛教的先行者吧。

---

20 〔梁〕慧皎《高僧傳》卷5：「初魏晉沙門依師為姓，故姓各不同，安以為大師之本，莫尊釋迦，乃以釋命氏。後獲《增一阿含》。果稱四河入海，無復河名，四姓為沙門，皆稱釋種，既懸與經符，遂為永式。」（CBETA, T50, no. 2059, p. 352, c29-p. 353, a4）

天理圖書館所藏敦煌寫卷補遺

高田時雄

復旦大學歷史學系特聘教授

提要

　　天理大學附屬圖書館素以所藏東西方善本古籍之宏富而聞名於世，其中亦藏有敦煌寫卷。王三慶教授曾撰文介紹該圖書館收藏的敦煌寫卷，計十七種，使之為敦煌學界所矚目。筆者近年來有幸一覽該圖書館尚未公佈的敦煌文獻六種（其中新發現者計五種），因特此撰文作一補遺，文中所記寫卷分別為：（1）道教經典《洞真太上說智慧消魔真經》第一卷殘卷（背面鈔玄奘譯《辯中邊論》）；（2）《瑜伽師地論》卷第一；（3）玄應《一切經音義》第二卷斷簡；（4）《大般若波羅蜜多經》卷第七；（5）羅什譯《妙法蓮華經》卷第七；（6）《法門名義集》紙背襯紙，計十八片（《法門名義集》寫卷本身，王文中已有介紹，但據其文所述，王教授似並未見到從寫卷剝離下來、單獨裝裱成卷的紙背襯紙）。此外，本文還就敦煌寫經中的「淨土寺藏經印」作一討論，以期為敦煌文獻辯偽提供更多線索。

關鍵詞：天理圖書館　日藏敦煌遺書　淨土寺藏經印　真偽問題

一 前言

天理圖書館（Tenri Central Library）淵源於大正十四年（1925）天理教第二代真柱[1]中山正善（1905-1967）在天理外國語學校設立的圖書館。昭和五年（1930），圖書館建築竣工後，天理圖書館正式成立。天理圖書館歷來致力於收購古書珍籍，迄今為止，館藏計有國寶六件，重要文化財七十八件，重要美術品七十八件，不僅僅在日本國內，哪怕就世界的範圍而言，都可謂是首屈一指的圖書館。天理圖書館藏有敦煌寫經一事，早已為學界所共知。一九八六年，王三慶教授作為中國文化大學派遣的交換教授，赴天理大學訪學。王三慶教授於一九九一年所發表的〈日本天理大學天理圖書館典藏之敦煌寫卷〉[2]一文，正是基於此次考察所得的結果。這篇論文共收錄解說了十七種敦煌文書[3]，是最早對天理圖書館收藏的敦煌寫本進行整體性介紹的研究，廣泛為後來的敦煌學研究者所利用。

而除王三慶教授已經介紹過的寫卷之外，天理圖書館還藏有另外數件敦煌寫本。近年來，筆者有幸得一寓目之機會。下文主要對筆者所經眼的幾種敦煌文獻進行簡單介紹，並就王文所未涉及的幾點加以若干補充說明[4]。

---

1 真柱，統理天理教的宗教領袖的稱謂。

2 王三慶：〈日本天理大學天理圖書館典藏之敦煌寫卷〉，《第二屆敦煌學國際研討會論文集》（臺北市：漢學研究中心，1991年6月），頁79-98。

3 最後的第十七種並非是寫本，而是著名的「寶生如來畫像」，除去該畫像之外，王氏已介紹的寫本共計十六種。而關於這幅「寶生如來畫像」，其原本是大谷探險隊帶來的文物，之後被美國美術史家蘭登‧華爾納（Langdon Warner, 1881-1955）收購，寄於波士頓福格藝術博物館（Fogg Art Museum）展覽。該畫像乃是中山正善一九五五年訪美時購得並帶回日本的。參見，秋山光和「敦煌畫「虎をつれた行腳僧」をめぐる考察」『美術研究』第238號（1966年2月），頁173及頁192注14。

4 榮新江：《海外敦煌吐魯番文獻知見錄》（南昌市：江西人民出版社，1996年）第六章第八節「天理圖書館」（頁204以下部分）對王文也有所補充，亦可資參考。

二　新見寫卷

新見寫卷有以下六件。

1　126-亻19

該寫卷為卷子本，共三紙。第一紙有所殘斷，正背均寫有文字。天理圖書館將該寫本定名為「〔道教教典殘簡〕〔敦煌文書〕（方括號為原目錄所加）」，當是未能完成文獻比定的權宜的擬題。筆者對此進行研究後發現，具體而言，該寫卷所抄錄的道教經典正是《洞真太上說智慧消魔真經》卷之一「真藥玄英高靈品」。該寫卷首殘尾全，現存共計七十二行。寫本為精抄本，紙張以黃檗染色。寫本背面是該寫本廢棄後重新回收利用時抄寫的玄奘譯《辯中邊論》，現存有自「辯障品第二」開頭（大正藏31，466b23）至「辯真實品第三」中間（大正藏31，470b25）的部分。然而，其文字並不連貫，最後一紙上《辯障品第二》斷在「雜有贏劣性」（467c17）一句。之後隨即另起一行繼續抄寫《辯真實品第三》中「善巧……」（470b4）以下的文字。而在此前後的文字的墨色、大小均有所差異，很可能是隔了一段時間後才抄寫的第二段，由此而產生了文字脫落。細審之則可發現，除墨色、字幅的差異以外，筆跡似亦略有不同。紙背貴附有捺「天理圖書館昭和卅八年九月一日」印的小紙片。而寫卷背面第一行與第二行行間也貼有一極小的紙片，上書「唐經／破卅八」，當為書商所附。「卅八」這一數字正是該寫本入藏天理圖書館的年份「昭和卅八年」，恐為偶然。

2　126-亻87

該寫卷為《瑜伽師地論》卷第一，首尾完具，卷首冠有太宗《大唐三藏聖教序》以及高宗《述聖記》。該寫本包首、標帶、木軸等俱存，保存極佳。並存有外題「瑜伽師地論卷第一」，墨色鮮明。但該寫卷書法不佳，亦

有訛寫。其格式就原則上而言雖為一紙二十八行、每行十七字,實際上卻可見到一行十八字乃至一行二十二字的情況。該寫卷點有朱墨句讀,各段落上方還見有朱色蓮花符號。開頭「大唐三藏聖教序御製」一行下鈐有「自在香館/所藏唐/人寫經」朱印,是章保世的藏書印[5]。紙背則鈐有「天理圖書館昭和二十四年七月五日」收藏印,由此印可知其入藏天理圖書館的年份。

3　183-イ 323

此為玄應《一切經音義》第二卷斷簡。該寫本殘損嚴重,存有《大般涅槃經》卷九「密緻」至「撓濁」之間的語詞的音義。敦煌本《玄應音義》從形式上來看,共有兩種,一種是將音義接在所訓釋語詞之後抄寫,另一種是訓釋語詞用大字,音義部分用雙行小字書寫。前者應該是更為古老的形式,但該斷簡的形式屬於後者。該斷簡卷首附有民國十年十二月章太炎(1869-1936)所撰題記,卷末附有辛酉(1921)十一月廿二日吳承仕(1884-1939)所作的題記,以及丙寅(1926)九月朔孫人和(1894-1966)、壬戌(1922)八月邵瑞彭(1887-1937)所作跋(參見附錄)。據這些題跋可知,該斷簡為許承堯(1874-1946)舊藏,後許氏又將其贈給治音韻學的吳承仕。至於其保存現狀,該寫本已被重新裝裱過,外題「玄應大涅槃經音義唐寫殘号」,似為吳承仕手筆。較外題稍靠右處捺有「昭和卅六年十二月五日」入庫印。

4　183-イ 327

該寫卷為玄奘譯《大般若波羅蜜多經》卷第七,首尾完具,共十八紙,是標準的一紙二十八行、每行十七字的寫經。卷首附有褾帶,長約半紙,內

5　章保世(1897-?),蘇州人,字佩乙。民國時期的銀行家,曾任中華匯總銀行總辦。有書法造詣,亦作為收藏家而聞名。中村不折的書道博物館所藏寫卷共有十二件蓋「自在香館所藏唐人寫經」印者。

側所書「大般若波羅蜜多經卷第七」似原為寫卷外題。寫卷上印有昭和卅七
年（1962）收藏印。寫卷附有幅約三十釐米的黃絹織錦，當亦是附屬於褾
帶。其不同於一般所謂的「包首」，並未直接與寫本相接續，無疑是為保護
寫本而特別訂製的。

5 183-イ 329

　　該寫卷為鳩摩羅什譯《妙法蓮華經》卷第七。《法華經》有七卷本、八
卷本、十卷本，而唐代數量最多的是七卷本[6]。這一寫卷收錄的內容是從
「常不輕菩薩品第二十」至「妙音菩薩品第二十四」，符合所謂七卷本的體
裁。該寫卷首尾完具，共十七紙。一紙二十八行，每行十七字，當是經生抄
寫的標準寫經。這一寫卷與上文提及的183-イ327《大般若波羅蜜多經》卷
第七相同，附有紋樣相同的織錦包裹皮，而該寫本身還殘有包首、褾帶、
外題，這一包裹皮應當是用於包覆保護寫卷及寫卷原有的裝潢。

　　本文述及的（4）《大般若》以及（5）《法華經》，實為溥儒（1896-
1963）舊藏。天理圖書館還另收藏有藏文《無量壽總要經》七卷[7]，以及購
入這些寫本時的買賣契約。根據買賣契約，藏文《無量壽宗要經》七卷、三
件漢文佛典以及連同其他藝術品一起，於大正十五年（1926）四月由溥儒轉
讓給代理人西村庄左衛門。三件漢文佛經肯定包括了上述的（4）（5）號寫
卷，但其餘一卷寫卷為何，目前尚不明。上述織錦包裹皮應當就是由舊藏者
溥儒所訂製。一九二六年即是天理外國語學校圖書館創設之翌年，如果這些
經卷確是於大正十五年被天理圖書館收購，則此即為該館最早購入的一批敦
煌遺書，但此說頗難成立。且不論圖書館成立之初，中山正善尚未對這一方
面的收書產生興趣，單憑（4）《大般若波羅蜜多經》卷七所鈐的「昭和卅七
年」入庫印，還是應當認為圖書館是在昭和三十年代購入了這批書較為恰

6　竺沙雅章：「宋代單刻本『法華經』について」『汲古』40（2001年12月），頁21。

7　上引王三慶：〈日本天理大學天理圖書館典藏之敦煌寫卷〉，頁85-86。

當。上述的契約，應該是在購入時就附在寫本上的。有關西村庄左衛門的情況，尚且不明。而天理圖書館究竟是直接從西村手中購得這批文物，抑或是經由其他古書肆輾轉而得，目前亦不得而知。不過，可以確知的是，這些經卷確為溥儒舊藏。

值得一提的是，天理圖書館的敦煌遺書，包括張大千及清野謙次舊藏品，基本上都是藉由古書肆收購的。在此對王文介紹的諸寫本以及本文（1）（2）號寫本的購入途徑稍作補充。據王文可知，126-イ11《太玄眞一本際妙經》寫經的尾題下方有「月明莊」字樣的長形篆字陽文小方印，是東京古書店反町弘文莊的藏書印。由此印可推知，該寫本當是天理圖書館從弘文莊購入的。天理圖書館的貴重圖書多是購於弘文莊反町茂雄處[8]，這一點已頗為人所熟知。而83-イ293《般若心經注》則是由文求堂向村口書房提議，一起賣給天理圖書館的。在時任文求堂主的田中乾郎（即田中慶太郎長子）與村口書房的通信中，還附錄了附屬的小照片。但目前我們僅能知曉上述兩家古書肆經手了這批寫本，至於其舊藏者為何人還不得而知。筆者認為，為方便研究寫本流傳的具體途徑，諸如此類的情報在今後而言仍是頗為必要的。

6 183-イ 127 附

83-イ127號寫卷為《法門名義集》，王文已有解說[9]。除此之外，另有一編號為183-イ127附的寫卷存在，乃是將十五塊斷片黏貼起來裝裱成卷的。這些斷片原本是《法門名義集》紙背的襯紙，當是從原卷剝離下來後被裝裱成了單獨一卷。據《天理圖書館稀書目錄和漢書之部第三》之「法門名義集殘經」一條的說明中有「各處修補寫卷的襯紙也取材自敦煌出土的寫經斷簡」[10]，也能支持我們的觀點。王文中關於83-イ127號寫卷有「此卷殘損，

---

8 參見反町茂雄：『定本天理圖書館の善本稀書──一古書肆の思い出』（東京：八木書店，1981年7月）。

9 見上引文頁92-93。

10 《天理圖書館叢書》第25輯，1960年10月刊，頁80-81。

經過重裱」之語，想必王氏見到該寫卷時，已然是重裱之後了，也自然未能見到本文中所提及的斷片。下面將十五個斷片的內容，按照重裱的黏貼順序列於下：

（1）《涅槃經》逸疏

（2）淨土五會念佛誦經觀行儀卷下「依無量壽觀經讚」（大正85，1255c27以下4行，只存上部）

（3）金剛般若波羅蜜經（大正8，0749c9以下3行全）

（4）金剛般若波羅蜜經（大正8，0749a10以下8行、但只存每行中間3、4字）

（5）金剛般若波羅蜜經（大正8，0749a5以下13行、只存上部3、4字）

（6）金剛般若波羅蜜經（大正8，0749a18以下3行、存上部9字）

（7）金剛般若波羅蜜經（大正8，0749c13以下9行、存下部11字）

（8）金剛般若波羅蜜經（大正8，0749a13以下5行每行存上部5、6字）

（9）大般涅槃經（大正12，0501b2以下4行、每行只存上部5、6字）

（10）金剛般若波羅蜜經（大正8，0749a5以下8行、每行存上部5、6字）

（11）淨土五會念佛誦經觀行儀卷下「依無量壽觀經讚」（大正85，1256a19以下2行）

（12）《涅槃經》逸疏

（13）同上

（14）同上

（15）淨土五會念佛誦經觀行儀卷下「依無量壽觀經讚」（大正85，1256a21至 b3共12行，但 b3缺下半行）

以上合計一共使用了四種文獻。應當都是對手頭廢棄的寫本加以重新利用，作寫卷背面的襯紙。其中，斷片數量最多的文獻是《金剛經》，一共有七個斷片。其中，（4）（5）（6）三個斷片、（8）（10）兩個斷片，各自可以相接合起來，應當是源自同一寫本的紙片。不過兩組斷片的文辭有重複之

處，可知其內容雖然均為《金剛經》，卻並非同一個寫本。這一點略微有些奇怪，我們對這樣做的理由也不甚知之。此外，《金剛經》斷片還有（3）與（7），其在文本上與上述各斷片均不連貫，因此很難判定此兩者屬於哪一組。

（1）（12）（13）（14）四個斷片應當都是源於同一個寫本。從「一闡提」這樣的詞彙以及耆婆建議阿闍世王見佛陀的故事來看，明顯為《涅槃經》的注釋，但現在的藏經中並未找到對應的傳本。只能暫且將其當作《涅槃經》逸疏。所注部分應是相當於北本《涅槃經》卷二十「梵行品」的部分。至於（9）這一尺寸極其小的殘片，也是《涅槃經》，內容為卷二十三「光明遍照高貴德王菩薩品」，恐怕與上述逸疏並無關聯。

剩下的（2）（11）（15）則為法照《淨土五會念佛誦經觀行儀》卷下「依無量壽觀經讚」的斷片。在敦煌法藏文獻中，目前可以確認存在數種該文獻的抄本，上表標示的位置對應的是據 P.2250 整理的《大正藏》古逸部文本位置。

三　藏印補說

經由古書肆及古董商等購入的號稱為「敦煌遺書」的文物，有不少為偽作，這種情況不僅限於日本國內。藤枝晃先生曾以李盛鐸「德化李氏凡將閣珍藏」印為例，指出捺此偽印的「敦煌寫本」在世上傳存頗多，警示我們應當注意偽造敦煌寫本的存在[11]。儘管從總體趨勢而言，大部分捺有這一偽印的寫本均為贗品，但關於此還存有種種不同的意見[12]，因此仍有進一步討論的必要。天理圖書館收藏的敦煌寫卷中，182- イ127《法門名義集》在尾題之下即捺有此印，但這一寫本本身的真偽尚且不好斷言。本文意圖討論的是另一枚藏印，即183- イ15《大方等大集月藏經》上的「淨土寺藏經印」。

---

11 藤枝晃：「「德化李氏凡將閣珍藏」印について」『京都國立博物館學叢』第7號（1986年1月），頁153-173。

12 池田溫：「敦煌漢文寫本の價值——寫本の眞偽問題によせて」『敦煌漢文文獻』（講座敦煌5）（東京：大東出版社，1992年3月），頁713-731。

　　183-イ15《大方等大集月藏經》卷末繪有彩色佛畫，被定為重要藝術品，亦附有羽田亨博士的鑑定證書。但若將該寫本所捺「淨土寺藏印」之墨印與英法所藏寫本中所見的同一枚印比較，則可以發現差異頗多（見下文所載對比圖）。印有這一藏印的英法藏敦煌寫卷數量相當多，下面僅從英法敦煌文書中取四例作為例證刊出。按照當時的習慣，該印一般鈐於寫卷的末尾。且無論是英藏還是法藏敦煌寫本，混入偽印的可能性都相當低。

　　S.1832　　《大般涅槃經》卷卷第十七

　　S.5296　　《大般涅槃經》卷第十六

　　P.2100　　《四分律幷論要用抄》卷上

　　P.2175　　《根本薩婆多部律攝》卷第十三

　　將位於左一的183-イ15印章與英法藏卷中的同一印章進行仔細比較，可以發現，兩組印章的「淨土寺藏經」五個字，每個字的筆畫都略有不同，頗為明顯。具體而言，不同之處有：「淨」字最後一劃的弧度，「土」字中間一橫的長度，「寺」字下面的「寸」形狀，以及「藏」字中的「臣」字部分，「經」字的偏旁「糸」。可惜現在還無法斷言此印確為偽印。加之正如上文所述，偽印存在與否亦並不能作為判定寫本本身真偽的決定性證據。但該卷卷末附有彩色佛畫等特徵，也像是為了引起收藏家興趣而特別造作的要素，可以說該寫卷頗具古玩鋪贗品的感覺。

「淨土寺藏經」印比較

天理183-イ15　　S1832　　S5296　　P2100　　P2175

附錄　183-イ 323 玄應《一切經音義》題跋

（一）章炳麟

　　玄應《涅槃經音義》殘冊，自敦煌石窟得之。其書雖拙，大抵沙門未與士人游處者，筆勢皆爾。雖未合古則要不墜入院體，其在唐末五代之間歟。所用直音切語，或與藏本有異，此則傳寫各殊所致，斷非晚近所能偽定也。歙吳絸齋僉事以此與藏本對校攷訂甚詳，余不贅述。獨念今世言佛典音義，各以慧琳書為瑰寶，琳書視應固詳，然所引字書韻書之屬，多出唐世，至于牽涉篆體，尤多少溫（筆者按，少溫李陽冰字）輩臆造之說，稽古篤信，不如應書遠甚。此冊幽而復顯，殆亦佛力加持使然。絸齋得之，貴如昔人之于漆書古文也。民國十年（1921）十二月章炳麟記。

（二）吳承仕

　　鄉里許承堯君藏唐人寫釋玄應《大般涅槃經音義》殘卷，起第九卷鬱烝盡四十卷賴諦。前幅曼患殘闕，不可辨識，後稍完好。字畫鄙拙，又多訛奪，自非通人所書。然中多異文，足資攷證。今以清乾隆中武進莊炘刻本互為比勘，刪（則）聲韻同而反語用字異者七事，一「乳哺」，莊本博胡反，寫本補胡反（《廣韻》，餔，博孤切，同）；二「麻瀝」，莊本力金反，寫本力今反（《廣韻》，麻，力尋切，陳澧以金尋為異韻類）；三「躭涎」，莊本弥袞反，寫本弥善反（《廣韻》切與莊本同，陳澧以袞善為異韻類）；四「水渧」，莊本丁計反，寫本都計反（《廣韻》，渧，都計切，同）；五「覺寤」，莊本交孝反，寫本居效反（《廣韻》，覺，古孝切，同）；六「淫慝」，莊本他勒反，寫本他則反（《廣韻》，慝，他德切，同）；七「魍魎」，莊本文紡反，寫本亡強反（《廣韻》，魍，文兩切，同），此一類也。聲韻異而兩皆可通者四事，一「診之」，莊本之忍反，寫本文忍反（《廣韻》，診，章忍切，與莊本相應，然兩紐間有通者）；二「拍毱」，莊本居六反，寫本巨六反（《廣韻》，毱，渠六切，與寫本相應，然兩紐每多出入）；三「庭燎」，莊

本力炤反，寫本力燒反（《廣韻》，平去兩收）；四「我適」，莊本尸赤反，寫本
之赤反（《廣韻》，適，施隻、之石兩切，皆相應），此二類也。反語用字今見為異而
在昔可通者四事，一「懟恨」，莊本大淚反，寫本直淚反（《廣韻》，懟，直類
切，與寫本相應，然大直古同紐，故得互用，又莊本大為文之形譌亦未可知）；二「船筏」，
注文江南名潷，莊本蒲佳反，寫本父佳反（《廣韻》與莊本大同）；三「顧眄」，
莊本忙見反，寫本亡見反（《廣韻》，眄，莫甸切，與莊本相應）；四「栗牀」，字體
作麋、麇二形，莊本忙皮反，寫本之皮反，之為亡之形譌（《廣韻》麋麇切，
麋忙與亡古紐，陳澧以為皮為異韻類），此三類也。反語用字互異，足以證刻本之
訛者三事，一「邠坻」，莊本鄙文反，寫本鄙旻反，寫本與《廣韻》相應是
也；二「船筏」注文，小者曰桴，莊本方于反，寫本匹于反，《廣韻》桴芳
無切，芳匹古同紐，證知方于為芳于之誤；三「孚乳」，莊本方付反，寫本
匹付反，《廣韻》平聲有孵字與孚同芳無切，上去雖異，聲紐宜同，亦以芳
匹古通，證知方付為芳付之譌，此四類也。此外文句異同蓋亦互有得失，且
不置論。尋《開元釋教錄》稱，貞觀末年始作音義，未及覆疏，遂從物故，
是玄應之卒校后于曹憲顏籀，上距法言之造《切韻》不過五十年，以第三類
事證知脣舌諸紐唐時尚多錯互而晚世陳澧一韻數類之說，當時亦不盡承用，
以一二類事證知玄應《音義》之儔當時所行已非一本，以第四類事證知寫書
雕版展轉多譌，推之幾經修訂，如《玉篇》、《廣韻》諸書，韋差本真，蓋滋
多于是矣。敦煌所出唐經不下數千卷，道惠、慧苑、慧琳諸家音義，宜有存
者，安得盡取諸本異文而一一對治之邪。許君以余好治音韻，因取所藏殘卷
割其弱半見贈，此為畢沅、孫星衍、洪亮吉、錢坫、程敦（筆者按，程敦著《秦
漢瓦當文字》一卷，乾隆五十二年刊）諸君所未及見（畢孫等皆嘗校《一切經音義》者）
誠足珍矣。辛酉（1921）十一月廿二日夜中歙吳承仕記。

（三）孫人和

丙寅（1926）九月朔觀于檢齋氏廎中。慧琳書以多見貴而為益于小學至
尠，師說甚諦。應師書終古為小學之要籍，矧此寫本可以校比異同，宜檢齋

之珍寶之也，侃記。

　　丙寅九月朔鹽城孫人咮觀。

（四）邵瑞彭

　　檢齋以所得唐寫應法師《大涅槃經音義》殘卷見示，後生眼福，哭過前修。日照許瀚曾以嘉興本《一切經音義》與孫星衍手校摺疊本及莊炘刊本互校。瑞彭或其書于沛南，今取以質證，如第十二卷「聰叡」注，諸本並云籀文作壑，許氏以為依解當作叡，此本作壑，知壑字所由譌也。第十五卷「其鏃」注，箭鏃，金族，摺疊本皆作族，知其譌已基于此。爰拈出以復于檢齋。壬戌（1922）八月淳安邵瑞彭。

　　應公音義多列浹長舊說，段君曾以校說文，印林又為應公作校儺，今此卷復由歙許君而顯，何其與許氏有緣也。次公再記。

學術論文

中國的敦煌學是如何走向世界的

郝春文

首都師範大學燕京人文講席教授

提要

中國敦煌學實現國際化的經驗表明：一個學科的國際化，最根本的是要不斷推出在國際學術界產生重要影響的創造性成果。同時要有廣闊的胸懷和世界眼光，要和世界上最頂尖的學校和最好的學者保持友好的密切的聯繫，並注意在國際舞臺上樹立中國學者群體的良好形象。當然，也要講究融入世界的策略和方式。

關鍵詞：中國敦煌學　國際化

在二十世紀八十年代,「敦煌在中國,敦煌學在國外」的說法不脛而走,激勵中國老中青三代敦煌學人奮起直追。經過二十多年的努力,中國敦煌學界逐漸改變了上述局面,到世紀之交,不僅在敦煌學的各主要領域都取得了國際領先的業績,也逐漸掌握了國際敦煌學的主導權和話語權。

進入二十一世紀以來,中國敦煌學界積極致力於敦煌學的國際化,除了每年在中國大陸、香港和臺灣都要舉行一次至數次國際學術會議,邀請外國學者參加外,還和國際敦煌學家一道,在世界各國相繼組織了多次國際會議。茲將二〇〇〇年以後中國敦煌學界在各國參與組織的有關敦煌學的會議表列於下:

二〇〇一年十一月,日本京都大學,「草創期的敦煌學」學術研討會

二〇〇三年三月,日本京都大學,敦煌學國際聯絡委員會會議

二〇〇五年七月,俄羅斯聖彼德堡,敦煌學國際聯絡委員會擴大會議

二〇〇七年五月,英國倫敦英國國家圖書館,百年敦煌國際學術研討會

二〇〇八年三月,日本京都大學,敦煌學國際聯絡委員會會議

二〇〇九年六月,哈薩克阿拉木圖,「絲綢之路上的哈達克斯坦國際學術研討會」

二〇〇九年九月,俄羅斯聖彼德堡,敦煌學國際學術研討會

二〇一四年九月,美國普林斯頓大學,敦煌學國際學術研討會

二〇一五年一月,日本京都大學,敦煌學國際學術研討會

二〇一六年八月,俄羅斯聖彼德堡,敦煌學國際學術研討會

二〇一七年十一月,韓國外國語大學、又石大學,敦煌與絲綢之路國際學術研討會

二〇一八年十一月,俄羅斯聖彼德堡,「紀念俄羅斯東方學研究二〇〇年國際學術研討會」

二〇一九年四月,英國劍橋大學,敦煌學國際學術研討會

從上表可以看出,二十一世紀以來,中國敦煌學界參與組織的國際會議遍及日、俄、英、美、韓、哈薩克等國。以在日本和俄國舉行的次數為多。

上列在各國舉行的國際會議均由中國敦煌學界參與組織,參會者也以中

國學者為多,會議的工作語言則多為英語和漢語。毫無疑義,這些國際會議極大地推動了中國的敦煌學者走向國際學術界,並在國際學術舞臺上發出了中國的聲音。同時,這些國際會議也在客觀上推動了舉辦國敦煌學的發展,為敦煌學這門國際顯學的可持續發展不斷注入了新的活力。

而今,中國的敦煌學已與國際敦煌學融為一體,每年都有很多中國的敦煌學家到各國參加學術活動,我們也邀請各國的敦煌學家來中國訪問和交流,並到哈佛大學、耶魯大學、普林斯頓大學、倫敦大學、法國遠東學院和日本東洋文庫等國際知名大學和研究機構講學。讓我們感到欣慰和驕傲的是,全世界各國的敦煌學家有共同的話題和對話平臺。我們和外國的敦煌學家是在同一對話平臺和同一話語體系中進行平等的學術交流。而不是像中國古代的某些斷代史那樣,實際未能進入西方的學術話語體系,中國的研究者和西方的研究者實際是在兩個相對獨立的話語體系中各自進行自說自話的研究。

在當今全球化的大背景下,中國人文學科的國際化也應該成為全球化的重要組成部分。如所周知,自然科學因為有達成共識的國際規則或標準,所以其國際化相對比較簡單。人文學科包括歷史學科由於與意識形態和政治制度的關係比較密切。所以其國際化的路徑、策略似乎都有待探索,其國際化程度也有待提高。當今國內社會科學和人文學科,侈談建立中國話語體系者甚多。似乎謀求通過建立和西方並行的話語體系的說法佔據了上風。在這樣的背景下,具體分析敦煌學是如何實現國際化的,應對國內其他學科的國際化具有借鑒意義。

一 最根本的是要不斷推出具有世界意義的創造性成果

敦煌學國際化的經驗表明:要實現一個學科的國際化,最根本的是要不斷推出在國際學術界產生重要影響的創造性成果。

改革開放以來,中國敦煌學界陸續推出的具有世界意義的創造性成果可以分為以下幾個方面。

一是資料的整理和刊佈。

與中國古代史的其他領域不同，敦煌學的主要資料如敦煌遺書、敦煌簡牘和石窟圖像都需要在整理刊佈後纔方便一般學者使用。如敦煌遺書，散在世界各地，一般學者很難直接閱覽。在二十世紀九十年代以前，除少數學者有條件到英、法、俄等國查閱原件，多數中外學者整理研究敦煌遺書所依靠都是敦煌遺書的縮微膠片和據縮微膠片印製的圖版。由於當時攝影設備和技術欠佳，不少世俗文書文字模糊，很難辨認。極大影響了學術界對這批資料的利用。進入二十世紀九十年代，四川人民出版社率先推出了由中國社會科學院歷史研究所、中國敦煌吐魯番學會敦煌古文獻編輯委員會、英國國家圖書館和倫敦大學亞非學院等單位合編的《英藏敦煌文獻》（1-14卷，成都市：四川人民出版社，1990-1995年）大型文獻圖集。該書是由專業攝影人員用當時先進的攝影設備重拍，而印製則採用了當時剛剛流行的先進的電子分色技術。裝幀則採用大八開形式，一版一印，以便最大限度地向讀者展示敦煌遺書的文字內容。其圖版的清晰度大為提高，原來縮微膠片模糊不清的文字，現在絕大部分可辨認出來。《英藏敦煌文獻》大型圖集可以說是創造了新的敦煌遺書圖版編纂印製範式。在其帶動下，上海古籍出版社陸續推出了《俄藏敦煌文獻》（1-17冊，1992-2001年）、《法藏敦煌西域文獻》（1-34冊，1995-2005年）和國內諸多藏家的敦煌文獻圖版。甘肅人民出版社和浙江教育出版社則分別出版了《甘肅藏敦煌文獻》（全6冊，1999年）和《浙藏敦煌文獻》（全1冊，2000年）。以國家圖書館出版社出版的《國家圖書館藏敦煌遺書》（1-146冊，2005-2012年）為標誌，中、英、法、俄四大敦煌遺書藏家和國內外散藏的敦煌遺書圖版絕大部分均已刊佈，為國內外研究者提供了極大的方便。

由於敦煌遺書的主體是幾百年甚或一千年前的寫本，其中保存了大量的唐宋時期的俗體字和異體字，還有不少寫本使用河西方音。這就要求閱讀者不僅要掌握整理敦煌文書有關學科的專門知識，還應當對敦煌的歷史、敦煌俗字及河西方音等整理敦煌遺書所需的專門知識有相應的瞭解。否則，即使有條件直接查閱敦煌文書，在閱讀過程中也會遇到重重困難。為了方便學術

界充分利用這批材料，中國敦煌學界所做另一項基礎工作就是對敦煌寫本進行整理和釋錄，把手寫文本釋錄成標準的方塊漢字。這項工作可以分為兩條路徑，一是按文獻的性質分類釋錄，一是按收藏地之編號依次釋錄。

最早出版的分類釋錄文本是張錫厚的《王梵志詩校輯》（中華書局，1983），但釋文錯誤較多。其後有朱鳳玉《王梵志詩研究》（臺北市：學生書局，1986-1987年），補充了張書未及收錄王梵志詩，釋文亦多有訂正。項楚《王梵志詩校注》（上海古籍出版社，1991年），後出轉精，將釋文和注釋提升到了一個新的水準。歷史文書的釋錄以唐耕耦、陸宏基《敦煌社會經濟文獻真跡釋錄》1-5輯（第1輯書目文獻出版社1986年；第2-5輯全國圖書館文獻縮微複製中心1990年）為最早，收錄了敦煌文獻中與社會經濟有關的重要文書和價值較高的歷史文獻一六六四件，分三十四大類。該書在編排上採取上圖下文方式，每類分若干細目，按年次先後順序排列。所收文書都包括定名和錄文兩項，部分文書附有注釋。由於此書收錄範圍較廣，不免在資料搜集、文字釋錄、文書定名、定性、分類、歸類、編排等方面存在一些問題。但因其具有包容文書量大和附有圖版、釋文等優點，在很長時間內是史學工作者調查、利用敦煌社會經濟文獻的重要參考書。此書還為敦煌文獻研究者分類對社會經濟文獻做進一步的精細錄校奠定了基礎。分類釋錄以中國敦煌吐魯番學會敦煌古文獻編輯委員會策劃並組織，由江蘇古籍出版社出版的「敦煌文獻分類錄校叢刊」水準最高，影響也最大，這套叢刊共有十種十二冊，包括：《敦煌天文曆法文獻輯校》（鄧文寬，1996）、《敦煌賦匯》（張錫厚，1996）、《敦煌佛教經錄輯校》（方廣錩，1997）、《敦煌表狀箋啟書儀輯校》（趙和平，1997）、《敦煌社邑文書輯校》（寧可、郝春文，1997）、《敦煌變文講經文因緣輯校》（周紹良等，1998）、《敦煌契約文書輯校》（沙知，1998）、《敦煌醫藥文獻輯校》（馬繼興等，1998）、《敦博本禪籍錄校》（鄧文寬、榮新江，1998）、《敦煌〈論語集解〉校證》（李方，1998）等。這是中國學術界第一次按學科和專題對敦煌文獻進行系統搜集、整理和研究的大型學術叢刊，總結了此前幾十年相關專題敦煌文獻整理和研究的成果，在當時可以說是代表國家水準的標誌性工程，出版二十多年來是國際敦煌學界引用

率最高的圖書。王三慶《敦煌本古類書〈語對〉研究》（臺北市：文史哲出版社，1985年），對敦煌本 P.2524《語對》進行了深入探討，認為《語對》上承《類林》，另有增編，下啟《籯金》，在私家編纂類書史上佔有重要的地位。其後，他又將敦煌寫本《修文殿御覽》、《勵忠節鈔》、《類林》、《事林》、《事森》、《雕玉集》、《勤讀書抄》、《應機抄》、《新集文詞教林》、《新集文詞九經抄》、《語對》、《籯金》、《北堂書鈔》、《蒙求》、《兔園策府》、《古賢集》、《珠玉抄》等類書彙編為《敦煌類書》，上下兩巨冊（高雄市：麗水文化事業股份有限公司，1993年），分研究篇、錄文篇、校箋篇、索引篇及圖版篇五個部分，該書是敦煌類書的第一次全面系統的整理，為後來的進一步工作奠定了基礎。此外，由中國學者完成的敦煌文獻分類錄校本尚有鄭阿財《敦煌寫卷新集文詞九經抄研究》（臺北市：文史哲出版社，1989年）、鄭炳林《敦煌碑銘贊輯釋》（甘肅教育出版社，1992年）、黃征、張涌泉《敦煌變文校注》（中華書局，1997年）、李正宇《古本敦煌鄉土志八種箋證》（臺北市：新文豐出版社，1998年）、徐俊《敦煌詩集殘卷輯考》（北京市：中華書局，2000年）等多種。至二十世紀末，中國學者完成的分類釋錄文本已經基本涵蓋了敦煌遺書的重要類別。在此基礎上，張涌泉策劃了按經、史、子、集四部分類法重新分類錄校各類佛經以外的文書。並於二〇〇八年出版了《敦煌經部文獻合集》（11冊）（中華書局，2008年）。該書分為「群經類」和「小學類」兩大部分。「群經類」包含《周易》、《尚書》、《詩經》、《禮記》、《左傳》、《穀梁傳》、《論語》、《孝經》、《爾雅》九經；「小學類」包含韻書、訓詁、字書、群書音義、佛經音義五類。書末附有卷號索引，方便讀者檢索查閱。該書將現在所知的敦煌經部文獻幾乎網羅殆盡，文書釋文也比以前有了很大提高，是一百年來敦煌經部文獻釋錄的集大成之作。

　　由於敦煌文獻的內容極為豐富，對其進行分類和歸類一直是目錄學家和敦煌文獻研究者深感棘手的問題。在經過一百多年的努力之後，目前被研究者納入分類整理範圍的仍然只是其中的一部分，還有大量的文獻沒有解決分類和歸類問題。所以，分類釋錄本加在一起實際上並不能反映敦煌文獻的全貌。有鑑於此，郝春文策劃並組織實施了以收藏地為單位，以館藏流水號為

序依次釋錄敦煌社會歷史文獻的整理路徑。經過三十年多的努力，敦煌社會歷史文獻釋錄第一編，《英藏敦煌社會歷史文獻釋錄》已經出版了十六卷（北京市：社會科學文獻出版社，2003-2020年），大約整理完成了英藏敦煌社會歷史文獻的一半。假以時日，最終會完成英國、法國、俄國、中國以及全世界各地散藏的敦煌社會歷史文獻的釋錄工作，將全部敦煌社會歷史文獻推向整個學術界。「敦煌社會歷史文獻釋錄」是按館藏流水號依次對每件敦煌漢文社會歷史文獻進行釋錄，將一千多年前的手寫文字釋錄成通行的繁體字，並對原件的錯誤加以校理，盡可能地解決所涉及文書的定性、定名、定年等問題，每件文書一般包括文書的標題、釋文、說明、校記和參考文獻等幾個部分。其中之「參考文獻」著錄了一百多年來學術界研究該文書的有關論著目錄，為人們使用、研究提供了方便。為了提高釋文的準確性，《英藏敦煌社會歷史文獻釋錄》整理團隊幾乎每年都到英國國家圖書館核查原卷，根據原卷修正了之前釋錄中存在的問題。如據原卷核對朱書文字及朱筆校改之處、增補遺漏的文書和文字、辨認圖版不清或完全不能釋讀的文字等，以及瞭解文書形態、糾正以前圖版拍攝中排序錯誤等問題。

與此同時，記錄敦煌石窟基本情況的著述和畫冊也陸續刊佈。最早出版的是敦煌文物研究所整理的包括窟形、塑像、壁畫、供養人題記等內容的《敦煌莫高窟內容總錄》（北京市：文物出版社，1982年）。此書後來經過修訂，增加了敦煌西千佛洞、東千佛洞和瓜州榆林窟、肅北五個廟石窟的內容，更名為《敦煌石窟內容總錄》（北京市：文物出版社，1996年）。另一部重要資料集是敦煌研究院編撰的《敦煌莫高窟供養人題記》（北京市：文物出版社，1986年）。以上兩書都是研究院幾代學人辛勤勞動的結晶，至今仍是瞭解敦煌石窟的基本資料。彭金章主編的《敦煌莫高窟北區石窟》（三卷本，北京市：文物出版社，2000-2004年），則刊佈了莫高窟北區的文物和文獻資料。

石窟圖像資料的編纂出版也取得了巨大成就。最早出版的是由敦煌文物研究所編纂的《中國石窟‧敦煌莫高窟》一至五卷，按照年代順序收入一百五十二個洞窟有代表性的彩塑和壁畫，以及二百幅窟龕照片，每卷發表圖版

一百九十二至三百幅，論文二至五篇，並有圖版說明、大事年表和實測圖，
還附有各石窟群的內容總錄。這五巨冊系列圖書在當時可謂鴻篇巨製，相當
系統全面地發表了莫高窟藝術的重要作品和論文等研究參考資料，反映了當
時最新的研究水準。該書採用 A4版精裝，印刷精美，圖版清晰。和此前的
同類圖書相比，無論內容、品質還是形式，都提升到了一個新的水準，為中
外學術界瞭解和研究敦煌莫高窟提供了重要的圖像和研究資料，出版以來為
世界各國學術界所矚目。由於當時國內的印刷條件有限，初版是在一九八〇
年由日本平凡出版社出版。段文傑主編的《中國美術全集‧29‧敦煌彩塑》
（上海市：上海美術出版社，1987年）、和《中國美術全集‧15‧敦煌壁
畫》上、《中國美術全集‧16‧敦煌壁畫》下（上海美術出版社，1989年），
也是較早出版的大型敦煌石窟彩塑和壁畫的圖集，並附有圖版說明和相關論
文。限於當時國內的印刷條件，該書圖版不如《中國石窟‧敦煌莫高窟》清
晰。其後是敦煌研究院與江蘇美術出版社合編的《敦煌石窟藝術》（21冊）
（南京市：江蘇美術出版社，1993-1998年），這套八開本巨型畫冊是以洞窟
為單元，全景式收錄莫高窟和榆林窟代表性洞窟的形制、彩塑和壁畫圖版，
並附有圖版說明和相關研究論文。而由香港商務印書館於一九九九年至二
〇〇五年陸續推出的二十六卷《敦煌石窟全集》，則分別由敦煌研究院的專
家主編，該書除第一卷為總論外，其他各卷則是敦煌石窟壁畫的分類畫冊。
包括：尊像畫、本生因緣故事畫、佛傳故事畫、阿彌陀經畫、彌勒經畫、法
華經畫、塑像、報恩經畫、密教畫、愣迦經畫、佛教東傳故事畫、圖案、飛
天畫、音樂畫、舞蹈畫、山水畫、動物畫、建築畫、石窟建築、科學技術
畫、服飾畫和藏經洞珍品圖版等。這些以洞窟為單元和分類畫冊為國內外研
究者提供了基本研究資料。

　　所以把以上對資料的刊佈和整理定義為具有世界意義的成果，是因為對
敦煌學來說，以上成果均屬無可替代的基本資料，不管哪國學者，要想從事
敦煌學的研究，都只能使用這些成果。這方面工作，幾乎被中國學者壟斷了。

　　二是在敦煌學研究的各個重要領域都推出了總結性的或開創性的論著。

　　所謂總結性的論著，是指那些既是以往數十年乃至一百多年相關研究的

總結，又成為以後進一步研究的基礎。這類成果具有代表性的有榮新江《歸義軍史研究》（上海市：上海古籍出版社，1996年），對歸義軍歷代節度使的卒、立、世系與稱號，以及歸義軍政權與中央及周邊少數民族政權的關係都做了深入系統的研究。宋家鈺《唐朝戶籍法與均田制研究》（鄭州市：中州古籍出版社，1988年），從研究戶籍法入手，探明均田制或均田令是國家頒行的有關各級官府和官民私人土地佔有的法規。其中關於土地收授的規定，收回的主要是戶絕田、逃死戶田等，授給低於本地請授田標準的民戶。劉進寶《唐宋之際歸義軍經濟史研究》（北京市：中國社會科學出版社，2007年），對敦煌遺書中有關歸義軍的經濟資料做了全面檢討。李正宇《敦煌史地新論》（臺北市：新文豐出版公司，1996年），調查考證了敦煌的古塞城和唐宋時期敦煌縣的疆域、四至、綠洲範圍、耕植面積、水利灌溉網路、諸山位置等，繪製出了敦煌塞城及唐宋時期敦煌十二鄉位置及渠系分佈示意圖、五代沙州歸義軍轄境諸山位置關係圖。姜伯勤《唐五代敦煌寺戶制度》（中華書局，1987年），考察了敦煌寺戶制的各種表現形態及其衰落的演變過程。王卡《敦煌道教文獻研究》（北京市：中國社會科學出版社，2004年），對敦煌遺書中的道教文獻的淵源、性質、名稱等做了全面考證。林悟殊《摩尼教及其東漸》（北京市：中華書局，1987年）和《古代摩尼教藝術》（新北市：淑馨出版社，1995年），對中古時期的摩尼教史做了系統總結。張涌泉《敦煌俗字研究》（上海市：上海教育出版社，1996年），在總結以往幾十年敦煌俗字研究成果的基礎上，通過大量字例的分類分析，構建了敦煌俗字研究的理論體系。馬德《敦煌莫高窟史研究》（蘭州市：甘肅教育出版社，1996年），運用石窟考古學上的崖面使用理論，結合造像功德記和供養人題記及史籍等多方面的相關資料，對莫高窟開鑿史做了深入研究。王進玉《敦煌和科學史》（蘭州市：甘肅教育出版社，2011年），對敦煌文獻和敦煌石窟中的科技資料做了深入系統考察。

所謂開創性的論著是指該研究開創了某一重要領域。這類成果具有代表性的有季羨林《敦煌吐魯番吐火羅語研究導論》（臺北市：新文豐出版公司，1993年），考察了吐火羅語資料的發現及其內容、價值和研究方法，並探討

了吐火羅語兩個方言之間及與其他語言的關係。王永興《唐勾檢制研究》
（上海市：上海古籍出版社，1991年），依據史籍中有關唐代勾官和勾檢制
度的記載，結合敦煌吐魯番文書中的勾官進行勾檢的實際記錄，全面考察了
唐代上自中央、下到地方的勾檢制及其實行情況，填補了唐官制研究的一項
空白。高啟安《旨酒羔羊——敦煌的飲食文化》（甘肅教育出版社，2007），
開闢了敦煌飲食文化研究的新領域。方廣錩《佛教大藏經史》（北京市：中
國社會科學出版社，1991年），將敦煌文獻中的資料與傳世資料、金石資料
結合起來，系統考察了漢文大藏經的形成、發展過程。郝春文《唐後期五代
宋初敦煌僧尼的社會生活》（北京市：中國社會科學出版社，1998年），開闢
了利用敦煌遺書研究寺院和僧尼生活的新領域，揭示了與傳世記載不同的圖
景。樊錦詩、蔡偉堂《敦煌石窟全集》第一卷《莫高窟第266-275窟考古報
告》（北京市：文物出版社，2011年），以文字、測繪和照相等各種記錄手
段，逐窟記錄洞窟位置，窟外立面，洞窟結構、塑像和壁畫，洞窟保存狀
況，以及附屬題記等全部內容，不僅是洞窟最翔實的「檔案資料」，還為以
後同類石窟考古報告的撰寫提供了新的範式。史葦湘《敦煌歷史與莫高窟藝
術研究》（蘭州市：甘肅教育出版社，2002年），開創了運用藝術社會學研究
敦煌石窟的途徑，提出了敦煌本土文化論和石窟皆史等理論。趙聲良《敦煌
石窟藝術十講》（上海市：上海古籍出版社，2007年），開闢了從美術史角度
探索敦煌藝術的新路徑。姜伯勤《敦煌吐魯番文書與絲綢之路》（北京市：
文物出版社，1994年），探討了與「東西方貿易擔當者」——粟特人有關絲
路的實況，並考察了波斯通往敦煌吐魯番的「白銀之路」和敦煌吐魯番通往
印度的「香藥之路」以及曾在敦煌流行的波斯文化和天竺文化。

　　上列帶有總結性的論著和具有開創性的論著有時不易區分，不少論著同
時兼具這兩種品質。這類作品的代表是季羨林主編的《敦煌學大辭典》（上
海市：上海辭書出版社，1998年）。此書雖為工具書，但卻集中了數十位敦
煌學家的力量，耗時十餘年而成，全面總結了近百年敦煌學各個方面的成
果，首次以辭書的形式將這些成果展現出來。所以該書既具有學術性，又具
有知識性；既具有總結性，又具有開創性。

　　中國敦煌學界在推出以上具有世界意義的成果的過程中，湧現了一大批國際知名學者。這批學者的群體特色是甘於寂寞、甘於坐冷板凳，十幾年甚至幾十年埋頭於具體的學術研究。既不為世俗之功名利祿所左右，亦不為功利性甚強之學術評價體系所綁架，一心一意，醉心學術。

　　最值得驕傲的是一批中青年學者在近年迅速崛起，令世界矚目，他們都已經在某一領域取得了重要成就。如陳明對敦煌醫療與社會的研究、侯沖和汪娟對佛教儀式文書的整理和研究、劉屹對敦煌道教文獻整理與研究、馮培紅對歸義軍和河西史地的研究、沙武田對敦煌石窟藝術的研究、余欣對敦煌民生宗教的研究、張小豔對敦煌語言文字的研究、趙貞對唐五代敦煌社會文化的研究、陳于柱對敦煌占卜文書的研究、游自勇對陰陽五行與政治關係的研究、張小貴對三夷教的研究、李軍對晚唐歸義軍史的研究、陳大為對敦煌寺院的研究，等等。中青年學者的成長是中國敦煌學興旺發達的希望所在。

　　一大批具有世界影響的成果和人才的湧現，為中國敦煌學的國際化創造了有利條件。

　　當然，學術領先並不意味著會自然而然地實現國際化。中國學術界在融入世界的過程中，還需要在主觀和客觀上積極創造其他有利的條件。

二　實現國際化的其他重要條件

　　首先，要有廣闊的胸懷和世界眼光。

　　早在一九八八年，當「敦煌在中國，敦煌學在世界」的說法尚未完全失去市場的時候，時任中國敦煌吐魯番學會會長季羨林先生就提出了「敦煌在中國，敦煌學在世界」，得到了中外學術界的熱烈相應。敦煌古代文化遺產是我們的祖先創造的，我們中國人有義務對其進行全面深入的研究，才不辜負我們的先民。但《詩經》說，「他山之石，可以攻玉」。所以我們也同時應該歡迎各國學者對其進行研究。這才是一個具有優秀傳統文化的民族應該具有的博大胸懷。

　　三十多年來，幾代中國敦煌學人始終牢記老會長季羨林先生的重托，

「敦煌學在世界」已經成為國際敦煌學界的共識，得到了高度認同，我們始終把敦煌學的國際化作為重要的目標。

敦煌學實現國際化的過程表明，提高站位和開闊心胸是實現國際化的前提。

其次，要和世界上最頂尖的學校和最好的學者保持友好的密切的聯繫。

中國敦煌學界和世界上最好的大學如劍橋大學、哈佛大學、耶魯大學、普林斯頓大學、京都大學等高校和英國國家圖書館、法國國家圖書館、俄羅斯聯邦科學院東方文獻研究所等敦煌遺書收藏單位的有關學者都有密切聯繫和友好的關係，互相訪問、講學已經常態化。我們還和中、日、英、美、法、德、俄和哈薩克等國知名學者一起組織了「敦煌學聯絡委員會」，這是一個民間學術團體，負責組織協調在各國舉辦敦煌學國際會議。目前中國的敦煌學聯絡委員會委員有七位，其他各國一般是一至二位。前列在各國組織的國際敦煌學會議，多是由各國的敦煌學聯絡委員會委員具體組織的。此外，中國敦煌吐魯番學會還遴選了日、英、美、俄等國的知名學者作為學會的海外理事。通過這些辦法，把各國敦煌學學者團結在一起。

第三，注意在國際舞臺上樹立中國學者群體的良好形象。

中國是有悠久歷史和文化的禮儀之邦。所以，我們要求中國的敦煌學者在國際舞臺上行、坐和言談舉止以及待人接物都應該彬彬有禮，充分尊重國外的風俗習慣。經驗表明，豎立一個良好的被人喜歡的群體形象有助於加快融入世界的進程。其實，一個群體和一個人一樣。如果一個人被大家喜歡，特別是被高素質、高水準人的喜歡，就很容易融入社會。這個道理對一個學科、一個民族乃至一個國家也同樣是適用的。

最後，融入世界要講究策略和方式。

所謂國際化實際上就是我們融入到國際秩序體系中。首先應該處理的問題就是如何對待國際規則和慣例。當今的國際規則和慣例包括學術規則和慣例都是在歷史上形成的，基本上是發達國家制定的或約定俗成的，基本反映的是發達國家的價值、認識、習慣、風俗和慣例。毋庸諱言，這些規則和慣例肯定有不合理的地方，有些可能對發展中國家和欠發達國家不利。對於

「後國際化」的國家來說，我以為成本最低和最有智慧的路徑就是先承認和遵循這些慣例和規則，等到我們融入到其中之後，我們的聲音足夠大了，再逐漸把中國的元素添加進去。而不是一上來就要當老大，就聲稱要建立與原有規則和慣例並行的話語體系。這樣勢必引起人家的反感，根本就無法被人家接受。這就像一個農民剛剛進城，首先應該學會遵循城裡人的規則和習慣，融入城裡後才能談得上讓城裡人尊重自己。如果一進城就強調自己的特殊性，只能是無法融入城市，最低會增加融入城市的成本。

所以，中國敦煌學界在國外參加學術活動時，都充分尊重國外通行的規則和慣例。在與外國學者交往的過程中，我們還堅持將交往的邊界設定在學術範圍內，儘量避免涉及雙方敏感的政治話題。

當今的世界，西方國家無論是國家之間還是各國國內，各種不同看法或意見的爭論都在加劇，精英階層和草根階層的關係被撕裂，有的甚至引起了政治動盪。這樣的大背景對歷史學的國際化肯定會產生不利的影響。我們應該用和諧、包容、「合而不同」和求同存異等東方智慧來化解在國際化過程中可能遇到的不利因素。

潘重規先生《敦煌雲謠集新書》的貢獻與研究探賾[*]

朱鳳玉

嘉義大學中國文學系教授

提要

　　潘重規師敦煌文學研究，面向甚廣。舉凡敦煌變文、敦煌曲子詞、敦煌詩歌、敦煌賦，莫不投注相當的時間與心力；既有文獻整理的校錄，又有文學作品的考述；既有個別寫卷的微觀探究，又有系統宏觀的理論闡發。

　　除變文外，先生對《雲謠集雜曲子三十首》的整理與研究，貢獻卓著。所撰《敦煌雲謠集新書》，將原卷的全部照片加以影印，附上摹本，並參校各家，作成定本。是敦煌文學文獻研究完美的整理方式，既提供完整的敦煌《雲謠集》資料，又提供了無滯礙的閱讀文本，更為董理敦煌文獻提供完美的法式。

　　本文擬從學術史視角論述其貢獻，並從其研究成果進行研究方法的剖析，及其校理觀念的探賾與詮釋，以為後學研究之借鑑。

關鍵詞：敦煌寫本　雲謠集　潘重規　曲子詞　音聲人

＊　科技部專題研究計畫：「潘重規先生敦煌文學研究論著解題及研究方法析論」，MOST 108-2410-H-415-026。

一　前言

　　二十世紀震撼學界的殷墟甲骨、居延漢簡、敦煌寫本及內閣大庫檔案等
中國近代學術四大發現中，敦煌文獻大批晉唐五代寫卷快速發展成一門新興
的國際顯學「敦煌學」。臺灣敦煌寫卷的收藏約莫二百卷左右，相較於在
中、英、法、俄、日等為數以萬千計的五大收藏，實在不成比率。雖然如
此，但臺灣幾十年來的敦煌學研究，在有限條件下，依據本身的學術面向，
努力耕耘，並薪火相傳，延續不斷的在整理與研究上有著相當可觀的成果與
貢獻，因而在國際敦煌學界佔有一席之地，特別在「敦煌文學」的研究表現
上，成果卓越，深受矚目。這其中潘重規先生長年的研究與倡導，為臺灣敦
煌文學研究開墾出一片園地，功不可沒。尤其八〇、九〇年代在敦煌文學文
獻的整理與研究，更是呈現出極為優越且深受重視的表現。不過近年以來，
隨著學術環境的改變，研究生態有了顯著的變遷，出現令人擔憂青黃不接的
現象；因此思考從前輩學者中尋找足以當作研究範例，為後學者提供經驗，
展示整理與研究的範式。現謹以潘師重規的《敦煌雲謠集新書》為例，試為
解說，希望能有助於從事敦煌文獻整理與研究者之借鑑。

　　敦煌曲子詞的發現，既豐富了唐五代的詞作；又提供了早期各式詞體，
使得詞的起源問題必須重新檢討，中國詞史更不得不改寫，相關研究也是可
觀。我曾在二〇〇六發表〈敦煌曲子詞研究述評與研究方法之考察〉[1]，當
時就一九二〇年到二〇〇〇年間，八十年來有關敦煌曲子詞的論著進行考
察，以文獻目錄學為基礎，依歷史與分類專題總帳式進行，並以宏觀的學術
史角度來考察，以微觀析論、歸納前賢的研究方法，吸取經驗，以為借鑑。
當時所得見的《雲謠集曲子詞》之研究篇章計得四十八篇。之後持續關注，
至今所蒐集到的論著篇章已逾百篇。

---

[1]　〈敦煌曲子詞研究述評與研究方法之考察〉，《文學新鑰》第4期（2006年7月），嘉義
　　縣：南華大學文學系，頁19-34。後收入《百年來敦煌文學研究之考察》，北京市：民
　　族出版社，2012年5月。

　　蓋以《雲謠集雜曲子三十首》乃現存中國最早詞集，因此自發現以來便成為學界的焦點。早期知名的詞學大家朱孝臧、龍沐勛、唐圭璋；國學大師羅振玉、王國維；文獻學家王重民……等，均紛紛加入此部詞集整理與研究的行列；也為近代詞學研究開闢了新的研究領域，增添了許多嶄新的材料，成為近百年來唐五代文學研究的重大收穫。

　　但儘管敦煌《雲謠集》寫本從一九一二年日本狩野直喜錄得英藏《雲謠集》部分錄文，王國維據狩野錄文撰寫跋文開始，之後，董康旅歐，在倫敦錄下了 S.1441《雲謠集雜曲子》十八首，彊村老人朱祖謀據以刻入《彊村叢書》卷首。後羅振玉得伯希和寄來 S.1441《雲謠集》照片，於一九二四年據以刻入《敦煌零拾》。一九二五年，劉復將他在巴黎披閱敦煌寫卷輯錄的資料，彙印成《敦煌掇瑣》出版，其中便有 P.2838《雲謠集》十四首。一九三二年，龍沐勛承其師朱古薇遺志，將英法藏卷合為三十首，輯入《彊村叢書》，為第一個《雲謠集》全本的傳世。

　　四○年代以後，又陸續有鄭振鐸《世界文庫》本，冒廣生《新斠雲謠集雜曲子》本、唐圭璋自言「集合諸家之長，重為校訂」的《雲謠集雜曲子校釋》等的出現。五○年代以後，王重民《敦煌曲子詞集》面世，其中卷即為《雲謠集》。任二北《敦煌曲校錄》、饒宗頤《敦煌曲》等，也都收錄了完整的《雲謠集》。

　　但由於大多沒有看到原卷，或憑輾轉抄錄，或據照片影本，以致多有誤會、誤校與誤改。不但國學大師羅振玉、文獻學家王重民、詞學名家任二北有錯，甚至所有校《雲謠集》曲子詞的都留下了不少錯誤。直到民國六十六年（1977）潘先生將《雲謠集新書》親手抄寫一通，摹本、校本、清本、原卷照片一併印刷出版，「前人所留雲翳，一掃而空成」。

　　今特以潘先生《敦煌雲謠集新書》為對象，希望能以翔實的解題，並分析探究其研究方法與特色，客觀的論述其在學術史上的貢獻，為有志敦煌文學研究者展示前賢的研究態度、經驗與方法，希望能促進臺灣敦煌學的繼承與創新，激勵永續發展的生機。

二 《敦煌寫本雲謠集新書》敘錄

一九七六年潘先生赴巴黎參加漢學會議，並擬繼續進行變文集的校錄工作，因航空公司遺失行李之因緣，打碎原定的研究計劃，湊巧口袋中放著一本胡適之編纂的詩選，詩選後面附載胡適校訂的《敦煌雲謠集》，就成為手中唯一的敦煌資料，只好把它和法國所藏敦煌原卷細細參校。出乎意料之外的偶然事件，卻促成了《敦煌雲謠集新書》的產生。

《敦煌雲謠集新書》（臺北市：石門圖書公司印行，1977年1月，202頁）。

全書約三萬言，計分「緒言」、「雲謠集卷子解說」、「雲謠集校箋」、「雲謠集雜曲子新書」、「雲謠集雜曲子摹本」、「雲謠集雜曲子照片」六部分。

「緒言」：總述前賢對《雲謠集》整理與研究之成果，並論諸家致誤之由；有誤鈔，如〈鳳歸雲〉題下有「閨」字，劉復逐寫作「街」，羅振玉、王重民逐寫作「徧」。有臆改，如〈柳青娘〉詞：「因何辜負少年人」，羅振玉臆改為「因何辜負倚闌人」。更有據誤鈔臆改而輾轉改作者，其誤尤不可究詰。

「雲謠集卷子解說」：根據倫敦博物館及巴黎國家圖書館提供的影印原卷，詳細說明 S.1441、P.2838及 P.3251等三件《雲謠集雜曲子》寫卷的情形。並附錄歷來學者有關《雲謠集雜曲子》的題跋及歷來《雲謠集雜曲子》校訂的版本，提供前賢研究的完整資料。

「雲謠集校箋」：有關《雲謠集》雖校印日多，然迄無定本。而寫本原卷簡字、訛字、別字，滿紙皆是。詞學專家，猶難卒讀，更遑論普通讀者。先生特據原卷，細心讎校。並博攬諸家之說，擷其精華，正其訛誤，補其缺漏，詳就寫卷文字書寫習慣，探求詞語正詁，期能恢復雲謠集本來面目，撰成校箋。

「雲謠集雜曲子新書」：為求使敦煌《雲謠集》此一千年未睹之秘籍，能成為人人可讀之新書，乃捨原卷行款體式，正其題目，施以句讀，釐定片闋，改訂誤字，用通行字體，別為新本。工楷重寫一通，以供學子誦習之用。

「雲謠集雜曲子摹本」：原卷照片雖可提供原貌，然寫本紙張有厚薄，墨色有濃淡，加以紙張摺紋、水漬漫漶，經作者目驗細看，一一描摹，可補照片之不足。

「雲謠集雜曲子照片」：據倫敦博物館及巴黎國家圖書館提供的原卷照片影印，使讀者得以衡量各家之說，目驗卷子，有採擇之憑據。此書將原卷的全部照片加以影印，附上摹本，並參校各家，作成定本，撰成《敦煌雲謠集新書》。此一整理方式，既提供完整的敦煌《雲謠集》資料，又提供了無滯礙的閱讀文本，校本、清本、摹本又附寫卷照片，更為董理敦煌文獻提供完美之法式。

三 《敦煌雲謠集新書》的回響與貢獻

因寫本俗字之考慮，潘先生親手抄寫一通，《敦煌雲謠集新書》印好出版，便寄給當時臺灣詞學研究的大師鄭騫教授。不久得到鄭先生回信說：「承相贈雲謠新書，頃已快讀一徧。尊校及敘論，詳明精審，前人所留雲翳，一掃而空，可稱唐詞功臣。欽佩之餘，更深羨兄不僅身入寶山，且能探

驪得珠也。」[2]

　　潘先生《雲謠集新書》之作，蓋以敦煌寫本文獻整理為旨趣，正如先生在《敦煌變文集新書》〈引言〉所說：「新書以舊書為基礎，舊書也包含在新書之中。不僅增添舊書以外的新材料，也提出我國人的新說法。新舊同時陳列，讀者展卷瞭然。新舊材料的異同，自可明察；新舊說法的是非，自易判斷。這樣的做法，對於學人研究和參考，相信會有不少的方便和收穫。」[3]因此，書中對於《雲謠集》的性質、編纂、時代、格律、詞調、乃至內容析論，與樂舞之關係，多未展開。呈現出但開風氣不為師，成功不必在我的胸襟。除了《敦煌雲謠集新書》的出版，一九七七年還發表了〈敦煌雲謠集之研究——中國第一部詞的總集之發現與整理〉[4]。之後帶動了臺灣地區對敦煌《雲謠集》的研究，因此書的出版，得以有完整可資閱讀的文本，同時也有了清楚可據以參考研究的照片，於是紛紛從詞學、格律入手校訂、考釋，如：一九七九年沈英名《敦煌雲謠集新校訂》[5]、〈談敦煌雲謠集的校訂〉[6]、一九八四年林玫儀〈敦煌雲謠集證〉[7]等，甚至韓國學者也參與討論，如一九八五年車柱環〈雲謠集考釋〉[8]。遠在大陸的任二北也在一九八七年出版《敦煌歌辭總編》（三鉅冊），其中首冊關於《雲謠集雜曲子三十首》的研討校訂，更是以相當大篇幅作出了迴響。

　　潘先生也很快的做出了回應，一九八六年發表了〈讀「雲謠集考釋」〉[9]，

2　轉引自潘重規〈敦煌雲謠集之研究——中國第一部詞的總集之發現與整理〉一文。

3　潘重規：《敦煌變文集新書》（臺北市：中國文化大學中文研究所，1983年7月），頁7。

4　潘重規：〈敦煌雲謠集之研究——中國第一部詞的總集之發現與整理〉，《中華文化復興月刊》第10卷第5期（1977年5月），頁2-5。

5　沈英名：《敦煌雲謠集新校訂》（臺北市：正中書局，1979年9月）。

6　沈英名：〈談敦煌雲謠集的校訂〉，《文藝復興》第132期（1982年），頁61-64。

7　林玫儀：〈敦煌雲謠集證〉，《淡江學報》第21期（1984年），頁163-186。

8　車柱環：〈雲謠集考釋〉，《幼獅學誌》第18卷4期（1985年10月），頁83-103。後又有〈雲謠集的性格問題〉，《第二屆敦煌學國際研討會論文集》（臺北市：漢學研究中心，1991年6月），頁401-409。

9　潘重規：〈讀「雲謠集考釋」〉，《敦煌學》第11輯（1986年7月），頁59-68。

一九八八年發表了〈關於《敦煌雲謠集新書》敬答任半塘先生〉[10]。一九九○年，日本金岡照光主編「講座敦煌」《敦煌の文學文獻》卷時，特令其高足游佐昇將〈敦煌雲謠集之研究——中國第一部詞的總集之發現與整理〉一篇，翻成日文《中國で最初詞の詞總集---敦煌雲謠集の發見と整理》加以刊載[11]，影響深遠。

鄭騫先生從詞學研究的立場評論《新書》的貢獻，以為是「唐詞功臣」，這確實是極為中肯而真切的。個人從《雲謠集》的文獻研究與敦煌學研究的視角來觀察，以為還有以下幾點具體的貢獻。

（一）釐清《雲謠集》寫本的系統

過去學界一直認為《雲謠集》寫本應該有不同的三個卷子：一個是伯希和寄給羅振玉照片的寫本，一個是劉復在巴黎所見的寫本，一個是董康在倫敦所見的寫本。潘先生釐清實際上雲謠集只有：英藏 S.1441及法藏 P.2838兩個本子，所謂的第三本子是伯希和寄給羅振玉照片的寫本，因係伯希和所寄，很自然被誤會成法國的另一個本子，事實上伯希和所寄的照片是英藏S.1441的照片。潘先生清楚舉證說明，釐清了來龍去脈，掃除了此段迷霧。

（二）提供可靠文本與完整圖版有助閱讀與研究

敦煌《雲謠集》寫本，俗、訛滿紙，抄寫隨意，辨識困難，一般讀者難以卒讀。研究者在未見原卷的情況下，只能依據各家校錄的本字來進行，各家校錄各呈己說，且有妄改，難有定準。先生親赴英法目驗原卷，細心讎校。並詳就寫卷文字書寫習慣，探求詞語正詁，力求恢復《雲謠集》本來面

10 潘重規：〈關於《敦煌雲謠集新書》敬答任半塘先生〉，《明報月刊》1988年10月，頁97-101。又載：《中國敦煌吐魯番學會研究通訊》1989年第1期（1989年6月），頁1-7。
11 金岡照光主編：《講座敦煌9‧敦煌の文學文獻》（東京都：大東出版社，1990年4月），頁413-426。

目，正其題目，施以句讀，釐定片闋，改訂誤字，用通行字體，工楷重寫一通，提供人人可讀的文本。並據倫敦博物館及巴黎國家圖書館提供的原卷照片影印，使研究者亦得以目驗卷子，論述採擇有所憑據。

　　早期校錄敦煌曲用功至勤的任二北，一九五四年出版《敦煌曲初探》[12]、一九五五年出版《敦煌曲校錄》[13]，一九八七年出版的《敦煌歌辭總編》（三鉅冊）中，懷疑潘先生將倫敦 S.1441本照片，在墨積掩蓋處僅存娘字右下角兩筆。施術加字變成清晰的「伴小娘」三字，然後將改變了的照片，再付影印。[14]此想法真是匪夷所思，完全不符合事實。蓋任氏《敦煌曲校錄》因未能依據原卷，以致每每自逞己說而妄改；後來縱使輾轉見到的影本也是模糊的，所以當他看到《新書》照片清晰可辨時，才有此猜測與懷疑。如果從任二北的環境、條件來看，其鬱悶無以宣洩，憤懣不滿之情或可理解。若是在他校錄研究的過程中，也有像潘先生這樣完備清晰的圖版，這種種的猜測與疑慮，自然不會出現。這也是潘先生一再教示我們整理與研究敦煌文獻必得從原卷入手。在當時研究條件限制大，他自己更用心、費力、費時又花錢，儘量將整理的文獻原卷清晰照片影印出版，如《唐寫文心雕龍殘本合校》[15]一書，即將原卷照片附在書後，證明《文心雕龍研究專號》的顯微影本確是脫漏本，其附錄的照片，是當時最完美的影本。《文心雕龍》敦煌原卷有異本的懷疑也獲得消除。倡印敦煌寫卷影本，鼓吹影印中央圖書館館藏敦煌卷子，促使資料流通，方便學術研究，而於一九七六編印了《國立中央圖書館藏敦煌卷子》[16]完整的將館藏敦煌寫本以當時最好的照相製版雪銅紙印行。其用心即在求真求是，方便研究。

---

12 任二北：《敦煌曲初探》（上海市：上海文藝聯合出版社，1954年）。

13 任二北：《敦煌曲校錄》（上海市：上海文藝出版社，1955年）。

14 同注10，頁97。

15 潘重規：《唐寫文心雕龍殘本合校》（香港：新亞研究所，1970年9月）。

16 潘重規編：《國立中央圖書館藏敦煌卷子》，豪華本6冊、普及本3冊（臺北市：石門圖書公司，1976年12月）。

（三）歸納寫本文字規律，開創敦煌俗文字學

　　眾所周知，潘先生為章黃弟子，精通小學，文字、聲韻、訓詁皆擅長。其在敦煌寫卷的校理與研究過程中，更能跳脫傳統文字學研究的思維與制約，特別是《雲謠集》、變文等一類俗文學寫本，對隨意抄寫的文本，書寫文字的俗體、訛字等傳世字書不錄的字體，更充滿了字形無定、偏旁無定、繁簡無定的紊亂現象，能以尊重抄寫原貌，大量觀察，細為分析，善加歸納。從長期整理敦煌文獻的實際經驗中總結出「文字是基礎，目錄為門徑」的二大研究法門。同時為掃除閱讀寫卷的障礙，造成研究的困擾；特將披閱寫卷，解讀文書的經驗，撰成〈敦煌卷子俗寫文字與俗文學之研究〉[17]一文，將寫卷中俗、訛、繁、簡等複雜問題歸納出字形無定、偏旁無定、繁簡無定、行草無定、通假無定、標點符號多異……等條例，並列舉曲子詞、變文等敦煌俗文學寫卷的書寫文字加以印證，說明敦煌俗寫文字與俗文學之關係，成為研究敦煌俗文學必備的條例。

　　又為了協助研究者解除俗寫文字之迷障，更在《雲謠集新書》出版後，鳩集學生編纂《敦煌俗字譜》以為導路之明燈。此編雖僅就當時所能掌握的敦煌寫卷影本資料，臺北中央圖書館藏的一四四個卷子及《敦煌秘笈留真新編》所收之法國巴黎寫卷影本為主，以原卷影本剪貼編纂，所錄俗字雖為數不多，但文字條例已具，序文對俗字發展說解尤為精到，觀念尤為清晰，對敦煌文書的解讀，極具貢獻。

　　其後先生更發現遼・行均編《龍龕手鑑》一書，係根據寫本編纂而成之字書。此是先生在學術上的另一項重大發現。他認為此書應係遼僧行均根據寫本《佛藏音義》編纂而成，而其所據文字正與敦煌寫本相同，均是俗寫文字之淵藪。唯此書歷代評價不高，甚至有直視為廢書者。清儒錢大昕、李慈銘、羅振玉等，多誤解此書，未能給予正確的評價。然先生則以為其情況正

---

17 潘重規：〈敦煌卷子俗寫文字與俗文學之研究〉，《孔孟月刊》第215期（1980年7月）。又：《木鐸》第9期（1980年11月）。

與敦煌俗寫文字混亂之情形一致，足證行均是據當時流行的寫本加以編纂，因此此書正是校讀敦煌寫卷的工具。為便於翻檢，又鳩集學生重加編纂，一九八〇年出版《龍龕手鑑新編》。標舉「正、俗、通、古、今、或、誤」等字例，確立字頭；編纂索引，以便檢索，末附「龍龕手鑑敦煌寫本字體相同表」以資參考。此論一經發表，震撼學界，《龍龕手鑑》遂由無用廢書，頓時成為解決敦煌寫本文字障礙不可或缺的工具書。掃除文字解讀之迷障，提供了閱讀敦煌原卷一把鑰匙。一般人「鴛鴦繡成憑君看，莫將金針度與人」，先生則是將他繡成鴛鴦的金針，傳給每一位有志研究的人。還認為敦煌俗字、敦煌俗文學應該是可以分別獨立的兩門學問；是而帶動了敦煌俗文字學研究的開展，張涌泉、黃征、蔡忠霖等學者相繼投入，蔚為風氣，成果頗豐[18]。

四 《敦煌雲謠集新書》校錄的理念與方法

（一）理念與態度

提倡存真求是，尊重原卷與原文之敬謹態度，不可逞意妄改。校訂吸收前賢成果，應新舊並呈。當面對敦煌寫卷俗寫文字與俗文學時，先生主張必須有尊重原卷與原文之敬謹態度，不可逞意妄改。他說「凡欲研究一時代之作品，必須通曉一時代之文字；欲通曉一時代之文字，必須通曉書寫文字之慣例」，因此絕不可遇到讀不通處，便自以為是，擅自改動，各逞臆說。又其著作中每多以「新編」、「新書」為名。他在《敦煌雲謠集新書》序文再度強調上述說法。由此可見其肯定自己，不薄前賢的敬謹態度。

---

18 其中較具代表的，如：張涌泉：《敦煌俗字研究》（上海市：上海教育出版社，1996年12月）；蔡忠霖：《敦煌漢文寫卷俗字及其現象》（臺北市：文津出版社，2002年）；黃征：《敦煌俗字典》（上海市：上海教育出版社，2005年4月）。

（二）「文字是基礎，目錄為門徑」的研究方法

　　潘先生從《雲謠集》的整理與研究中，提示我們敦煌學的研究的不二法門，便是「文字是基礎，目錄為門徑」。文字為閱讀寫卷的首要。但閱讀敦煌寫本，尤其是俗文學寫本，跟我們所認知的文字頗有落差。

　　近年寫本學興起，學界開始重視過去刻本文獻所罕見的俗訛通假及乙倒、卜煞等現象。一般研究的文本是定型規範化的文字，難字、罕見字有字書可查考，但敦煌寫本則是楷書、行書、草書都有，且多為未規範的俗寫異體，難以查考的俗寫。所以羅振玉、胡適之等，面對這樣的寫本文獻也不免出錯或徒喚奈何。並非他們學問不足，而是以正規文字來看待民間寫本，則難以掌握民間書寫習慣。

　　潘先生有見於敦煌寫本與刻本文字的不同，尤其是敦煌變文、曲子詞等俗文學，多半是中晚唐五代時期流傳下來的寫本。他說：敦煌的俗字與後世書寫的習慣出入極大，如果不通曉敦煌俗寫文字，幾乎就讀不通敦煌的俗文學。他發覺：敦煌的俗文學寫本，文字訛俗滿紙；但是訛俗之中，自有它的條理。如果不小心推敲，擅作主張，便會陷於錯誤之中而不自覺。確實如此，例如：《雲謠集》第一首，詞牌是〈鳳歸雲〉，雲下有一「▨」字，劉復誤認作「街」。羅振玉根據照片，認為是「徧」字。王重民雖看見原卷，卻沿襲羅振玉的說法。我們從全卷「門」字的寫法比較起來，知道確是「閨」字。次一首題「又」字下有一「怨」字。原來此題本是「閨怨」，鈔寫的人將它分繫在兩首之下，表示這兩首的題目都是「閨怨」。羅振玉、王重民都誤詞牌名為「鳳歸雲徧」。

P.2838

確實如潘先生所說「敦煌俗文學寫本訛俗滿目，同音通假，觸目皆是，
但與一般習用的多不相同，在當時寫讀已成習慣，自可通行；到了後代觸處
都成障礙。」[19]試以 S.1441V 中〈鳳歸雲〉閨怨第二首，〈洞仙歌〉第二首
為例，便可得知確實滿目俗字、通假字，而書寫符號也時有所見。

又怨

渌窗獨坐，修得為君書。征衣裁縫了，遠寄邊虞。想
得為君貪苦戰，不旦崎嶇。中朝沙磧里，已憑三尺，
勇戰奸愚。

豈知紅臉，淚的如珠。往把金釵卜，卦皆虛。魂夢
天涯無暫歇，枕上長虛。待公卿迴回，故日容顏憔
悴，彼此何如。

　　按：「渌」為「綠」之通假；「虞」為「隅」之通
假；「旦」為「憚」之通假；「中」為「終」之通假；

19 潘重規：〈敦煌卷子俗寫文字與俗文學之研究〉，《木鐸》第9期（1980年11月），頁29。

「的」為「滴」之通假;「往」為「枉」之通假;「▓」為重文符號,「卦▓」當為「卦卦」;「虛」為「噓」之通假;「朲」為「枕」之俗字。

又

朲悲鴈隨陽,解引秋光。▓蛩響,夜▓堪傷。淚珠串的,旋流朲上。無計恨征人,爭向金▓漂蕩。襠衣寮亮。

懶寄迴文先往,戰袍侍穩,絮重更薰香。慇懃憑驛使追訪。願四塞來朝明帝,令戎客休施流浪。

按:胡適之《雲謠集》校本云:「又下有珠字,旁有卜號,不知應補在上闋何處?羅、朱皆無珠字。」是不知「卜」為刪除符號;「▓」,為「寒」之草書,「▓蛩」為「寒蛩」。因書寫時結體鬆散,至羅振玉不察,誤為兩字,而作「它它蟲」;「▓」為重文符號;「夜▓」即「夜夜」;「的」為「滴」之通假;「▓」為「風」之俗寫;「襠」為「擣」之通假;「寮」為「嘹」之通假;「懶」為「懶」之俗寫;「侍」通作「待」,單人旁雙人旁敦煌寫卷多不分。

潘先生的寫卷識讀並非猜字,而是大量的閱讀,以今天來說就是大數據為依據。再分析歸納,尋求規律,以敦證敦。更重要的原則還在解讀寫本時要放在寫本的時空環境來思維,所以先生提出呼籲說:「凡欲研究某一時代之作品,必須通曉一時代之文字;欲通曉某一時代之文字,必須通曉某一時代書寫文字之慣例,纔能看得見作品的真面目;纔能領略到作品的真風格;纔不會傷害作品的真面目;纔不會破壞作品的真風格。」[20]這是他研究的最珍貴經驗,也是重要的方法。

---

20 同注19,頁39。

五 《敦煌雲謠集新書》讀後

誠如潘師所云，過去由於大多未能獲睹原卷，僅據轉抄、或照片影本整理研究，因此造成許多誤會、誤校、誤改。我個人覺得還有許多對於《雲謠集》的性質、題名、時代等問題看法的分歧，似乎因對寫本採取切片式的整理研究，僅就《雲謠集》作品個體文本進行輯錄或略作校釋，基本均以單一作品立論，未能從寫卷抄寫、形成與傳播出發，將同一寫本中同一抄者的文本視為有機的整體，並關注同一寫本正背面不同抄者的文本關係。當然這主要是過去寫卷原卷圖版獲睹困難所致。

近年大型寫本圖錄與數位掃描彩色高清圖片陸續的出版與公布，提供我們寫本原貌的認知條件。讓我們得以注意《雲謠集》作品抄寫的原生態，對《雲謠集》作品跟其他文獻同卷並抄的關係可加以關注，這對於寫本性質、抄寫者及其運用與功能之考論當有所助益。潘先生可說是這一觀點的先行者，他在校錄《雲謠集》時，就曾提及 S.1441「背面文字，循紙度高低書寫。可見先有卷面之牒狀，然後利用卷背抄錄。卷背所書者為〈慶幡文〉……〈轉經文〉內有『金山聖文神武天子撫運龍飛乘乾御宇句』知在金山天子時代，約當朱梁之世。」「觀倫敦、巴黎二卷所鈔《雲謠集》，蓋為一時所書。倫敦卷鈔至〈傾盃樂〉詞牌時，因紙盡輟筆。乃取麥帳牒文卷背重鈔一通，故仍從《雲謠集》標題鈔起，至〈鳳歸雲〉閨怨二首時，又估計餘紙，恐不能容全集三十首，乃繼續倫敦卷，自〈傾盃樂〉以下，直至全集鈔竣。」「細觀巴黎伯二八三八卷〈鳳歸雲〉二首筆跡與倫敦斯一四四一卷《雲謠集》相同，蓋一人所書。而巴黎卷自〈傾盃樂〉以下筆跡少異，或為另一續寫也。」

茲據國際敦煌學項目（IDP）數位掃描清晰影像敘錄 S.1441、P. 2838二件《雲謠集雜曲子》的寫本，如下：

（一）S.1441

卷子本，正背書。計二十二紙，高二十七點九公分，長九四五公分。首尾具殘。

正面：《勵忠節鈔》存《勵忠節鈔卷第一、第二》立身部等二十一部，有界有欄，計七一六行，行約二十三字。

背面分抄：

一、〔『齋願文集』〕

1. 《二月八日文》（首題）十一行。

2. 《安傘文》（首題）一行

3. 〔二月八日文〕六行。

4. 《患難月文》（首題）十四行。

5. 《維磨押座文》（首題）起於「頂禮上方香積世」，訖於「經題名字唱將來」，計十七行。

6. 〔鹿兒贊文〕十三行。

7. 《印沙佛文》（首題）七行。

8. 《燃燈文》（首題）二十行。

9. 〔安傘文〕一行。

10. 〔為亡人追福文〕六行。

二、《雲謠集》殘卷。首完尾缺，計七十五行，存十八首。

首題：《雲謠集雜曲子共三十首》

起：「鳳歸雲閨／征夫數載，萍寄他邦，去便無消息，累換星霜」，迄：「因何辜負少年人。傾盃樂」。內容存〈鳳歸雲〉四首（「征夫數載」「綠窗獨坐」「幸因今日」「兒家本是」）、《天仙子》二首（「鷰語啼時三月半」「鷰語鶯啼驚覺夢」）、〈竹枝子〉二首（「羅幌塵生」「高卷珠簾垂玉牖」）、《洞仙歌》二首（「悲雁隨陽」「華燭光輝」）、〈破陣子〉四首（「蓮臉柳眉休韻」「日煖風輕佳景」「風送征軒迢遞」「年少征夫堪恨」）、〈浣溪沙〉二首（「麗影紅顏越眾希」「髻綰湘雲淡淡妝」）、〈柳青娘〉二首（「青絲髻綰臉邊芳」

「碧羅冠子結初成」），次存〈傾杯樂〉調名，無詞。

三、〔齋願文集〕

從卷末起倒向書寫《優婆夷舍家學道文》、《慶楊（揚）文第一》、《贊功德文第二》、《慶經文》、《願文》、《患文第四》、《難月文》、《亡文第五》、《亡父母文》等。

背面筆跡潦草，行楷不一，錯訛較多。筆跡與正面非一人所寫。

（二）P.2838

卷子本，正背書。計十二紙，高二十七點二～二十九點四公分，長四七二點五公分。

正面首尾俱殘，依次抄：一、《中和四年（西元884年）正月上座比丘尼體圓等油麥帳牒》，二、《光啟二年（西元886年）丙午歲十二月十五日安國寺上座勝淨等狀》。有「正月十九日都僧統悟真」署名的勘記。

背面依次抄：一、〔齋願文集〕、二《雲謠集雜曲子》

一、〔齋願文集〕分別存：《慶經文》、《慶幡文》、《開經文》、《散經文》、《轉經文》、〔轉經文〕、《四門轉經文》、《入宅文》、〔入宅文〕。

二、《雲謠集》殘卷，首完尾缺。存行。

首題：《雲謠集雜曲子共三十首》

起：「鳳歸雲閨／征夫數載，萍寄他邦，去便無消息，累換星霜」，迄：「暮恨朝愁不忍聞，早晚離塵土。」內容依次抄有：〈鳳歸雲〉二首（「征夫數載」「綠窗獨坐」）、〈傾杯樂〉二首（「憶昔笄年」「窈窕逶迤」）、〈內家嬌〉二首（「絲碧羅冠」「兩眼如刀」）、〈拜新月〉二首（「蕩子他州去」「國泰時清晏」）、〈拋球樂〉二首（「珠淚紛紛濕綺羅」「寶髻釵橫墜鬢斜」）、〈漁歌子〉二首（「睹顏多」「洞房深」）、〈喜秋天〉二首（「潘郎妄語多」「芳林玉露催」），計十四首。

透過以上二件分藏在英、法的敦煌《雲謠集》抄本進行寫本原生態的考察，據其呈現的抄寫現象，合抄文獻的性質，結合敦煌社會文化背景、佛教

僧俗信仰活動等等，大致獲致二點心得，略述如下，以資參考。

1 二件《雲謠集》均與齋願文集合抄當與寺院僧眾有關

　　敦煌為佛教聖地，發現敦煌文獻的藏經洞是莫高窟的佛教洞窟，這些寫本文獻為寺院所藏，主要為佛教有關的文獻，或為寺院所使用的寫本文書。其中也有不少非佛教的寫本。蓋以寫本時期紙張寶貴的年代裡，後人往往充分利用舊有的寫卷文書，在餘紙空白處，或寫卷的背面抄寫其他文書。近代出土的敦煌、吐魯番文書，便出現大量民間利用廢棄故舊官、私文書的「故紙」，或佛經「兌廢」的稿紙，來抄寫佛教寺院文書及非正式的社會經濟文書、童蒙讀物、學郎習字……等等實況。中唐之後的吐蕃佔領時期及歸義軍時期，敦煌與唐朝基本隔絕，中原紙張不易輸入，故紙再次使用的情形更是普遍。

　　S.1441正背書寫，正面為世俗類書《勵忠節鈔》字體工整，有界欄，行款有致，且有砾點，顯為正式寫卷。背面《雲謠集雜曲子共三十首》與齋願文集合抄，字跡迥然不同，為不同人所抄，顯然是後人利用原有《勵忠節鈔》卷背抄寫。P.2838正面為「中和四年（西元884年）正月上座比丘尼體圓等油麥帳牒」、「光啟二年（西元886年）丙午歲十二月十五日安國寺上座勝淨等狀」，有當時敦煌地區最高的宗教領袖「都僧統悟真」署名的勘記。悟真是河西都僧統中任職時間最長的一位，也是晚唐五代時期敦煌最有影響力的僧界領袖之一。都僧統統管轄區內的僧尼寺眾。凡河西地區佛教誡勵，僧尼籍的管理，寺主、上座、都維那、典座、直歲、法律等寺職的任免，寺院財產及財務收支報告的審查與監督，僧尼間糾紛或違反條式的處理，還有佛誕節、置方等道場、授戒、高級僧官的營葬等，均由都僧統所管。在紙張取得不易的情況下，舊有的檔案文書每每再行利用。P.2838顯然是僧人利用都僧統司舊有的帳牒、狀，背面進行抄寫，既說明與釋門有關，且可推知其抄寫時代在九世紀後期之後。同時 S.1441與 P.2838背面《雲謠集雜曲子》均與齋願文集合抄，說明抄者、使用者均為寺院相關僧眾。

2 或恐與都僧統司或寺院音聲人有關

　　車柱環〈雲謠集考釋〉、〈雲謠集的性格問題〉中堅持「雲謠集一書似為天寶五年以後安史亂以前，當時禁中樂官所編的宮內演唱用的雜曲子臺本」。一九八九年，饒宗頤〈《雲謠集》的性質及其與歌筵樂舞的聯繫——論《雲謠集》與《花間集》〉[21]以為《雲謠集》可能是西北地區的唱本，而為寺院和尚教坊用來誦習。他說：「我想寺院裡面應該有教坊一樣的組織，《雲謠集》即為準備嘔唱之用，故名曰《雲謠集》；又稱為『雜曲子』，似乎表示與法曲不同性質。這可能原是西北地區的唱本，寺院中的『和尚教坊』亦用它作誦習之資，故加以鈔存。」[22]饒先生此說較車氏「禁中樂官所編的宮內演唱用的雜曲子臺本」的說法更契合敦煌寫本存在的背景。又車氏據《雲謠集》中〈御製內家嬌〉，以為與唐玄宗及楊貴妃本事有關，而力主《雲謠集》為天寶五年以後安史亂以前，當時禁中樂官所編的宮內演唱用的雜曲子臺本。饒先生據張錫厚之檢索《全唐詩》「御製」二十八見，均與玄宗及楊貴妃本事無關，而主張極可能為唐莊宗所作。不論從寫本傳抄本或使用都較合理。只是「和尚教坊」之說似據趙璘《因話錄》[23]所載文溆僧事，其中「寺舍瞻禮崇奉，呼為『和尚』。教坊效其聲調，以為歌曲。」有斷為「呼為『和尚教坊』。效其聲調，以為歌曲。」此一解讀，學界多所爭論，似有待斟酌。個人以為如從都僧統司或寺院音聲人的視角來考察，或許更為合乎敦煌佛教社會的實際情況。

　　敦煌曲子詞與宴飲娛樂活動關係密切，主要作為侑觴勸酒，勸茶延客，

---

21 饒宗頤：〈《雲謠集》的性質及其與歌筵樂舞的聯繫——論《雲謠集》與《花間集》〉，《明報月刊》（香港，1989年10月），頁90-94。

22 同註21。

23 趙璘《因話錄》卷第四〈角部〉：「有文溆僧者，公為聚眾譚說，假託經論，所言無非淫穢鄙褻之事。不逞之徒，轉相鼓扇扶樹。愚夫冶婦，樂聞其說，聽者填咽。寺舍瞻禮崇奉，呼為『和尚』。教坊效其聲調，以為歌曲。其氓庶易誘，釋徒苟知真理，及文義稍精，亦甚嗤鄙之。近日庸僧以名系功德使，不懼臺省府縣，以士流好窺其所為，視衣冠過於仇讎，而溆僧最甚，前後杖背，流在邊地數矣。」

娛賓遣興，禮儀交際之用。[24]其傳播空間主要在酒樓、茶館、歌場等場所，這是大家所能理解。然而敦煌寫本曲子詞集寫本原生態的呈現是存在與使用均與敦煌佛教寺院緊密結合，這是一般不太容易理解的傳播現象。

蓋眾所周知，佛教對於音樂、舞蹈的運用都所規定，在五戒、八戒、十戒中均禁止僧人從事音樂演奏與舞蹈表演。如《優婆塞五戒威儀經》卷一載：「離欲優婆塞具行五戒，遠離身四惡……遠離口五惡……遠離五邪命……遠離嚴飾……遠離放逸。」其中遠離放逸五事為：「一者歌、二者舞、三者作樂、四者嚴飾樂器、五者不往觀聽。」[25]《四分律》卷三十四：「盡形壽不得歌舞倡伎及往觀聽，是謂沙彌戒。」[26]《法門名義集》卷一：「功德品法門名義第三」「八戒」條有云：「八戒：一不殺。二不盜。三不婬。四不妄語。五不飲酒。六不得帶珮瓔珞。香油塗身。香熏衣裳。七不得歌舞作唱及故往觀聽。八不得上高廣大床。是為八戒。此是白衣一日一夜持出家戒。」[27]唐代律令及正統佛教戒律規定，僧尼是禁止從事音樂演奏的，也不應該貯蓄樂器和俳優演出用的各種道具。

可是佛教有所謂的十供養，其中有「伎樂」供養，也就是凡有佛像處，當有伎樂供養。據鳩摩羅什譯《妙法蓮華經》所載，有：花、香、瓔珞、末香、塗香、燒香、繒蓋、幢幡、衣服、伎樂等十種供養。[28]敦煌石窟壁畫中隨處可見伎樂音樂、舞蹈供養的場面。

現實生活中，音樂舞蹈具有娛人、娛神的用途。佛教寺院在進行各種佛

---

24 參李劍亮《唐宋詞與唐宋歌妓制度》（杭州市：浙江大學出版社，2006年10月）。

25 CBETA, T24, no. 1503, p. 1119, c21-p. 1120, a2

26 CBETA, T22, no. 1428, p. 810, b24-25

27 CBETA, T54, no. 2124, p. 196, b12-24

28 如《妙法蓮華經》卷4〈法師品第十〉：「若復有人，受持、讀誦、解說、書寫妙法華經，乃至一偈，於此經卷敬視如佛，種種供養——華、香、瓔珞、末香、塗香、燒香、繒蓋、幢幡、衣服、伎樂，乃至合掌恭敬。藥王！當知是諸人等，已曾供養十萬億佛，於諸佛所成就大願，愍眾生故，生此人間。」（CBETA, T09, no. 262, p. 30c9-15）又卷7〈妙音菩薩品第二十四〉：「爾時雲雷音王佛所，妙音菩薩——伎樂供養、奉上寶器者，豈異人乎？」（CBETA, T09, no. 262, p. 56a9-11）

事活動時，又需要音樂或設樂，可是佛教禁止僧人從事音樂演奏與舞蹈表演，在這種情形之下，也就有寺屬音聲人的產生。

音聲人是唐代專指從事音樂的人員，源於北魏的樂戶，《唐律疏議》卷三有：「疏議曰：工、樂者，工屬少府，樂屬太常，並不貫州縣雜戶者，散屬諸司上下，前已釋訖。太常音聲人，謂在太常作樂者，元與工、樂不殊。」是唐朝在太常作樂的稱為太常音聲人，其後因應需求，音聲人規模漸趨擴大，從敦煌文獻可見敦煌音聲人有隸屬官府的，有隸屬於軍隊的，有隸屬寺院。[29]而敦煌音聲人，相當於歌舞班、歌舞雜伎團，因工作種類有別，而有不同稱謂。如：從事跳舞者稱「郎君」；從事語言逗笑的，稱「作語」；從事吹奏等樂器演奏的，稱「吹角」；從事歌曲演唱的，稱「音聲」。

雖然唐代的律令及正統的佛教戒律規定，僧尼是禁止從事音樂演奏的，也不應該貯蓄樂器和俳優演出用的各種道具。可是寺院既是佛教弘法佈道的場所，也是當時社會文化的中心，法會儀式、樂舞供養、娛神、娛人自有必要，這一切可由音聲人來操辦。

寺院音聲人，不是寺院的僧人，而是寺院屬下的音聲人，其任務是：節慶時在寺院歌場設樂、參加節日行事及祭祀中的音樂活動、在行像行列及宗教巡行中作儀仗、在宴飲時陳設音樂。我們從敦煌文獻中可以見到相當多寺院音聲人活動的記載。如 S. 0381《龍興寺毗沙門天王靈驗記》有「大蕃歲次辛巳閏二月十五日，因寒食在城官僚百姓就龍興寺設樂。寺卿張閏子家人圓滿，至其日暮間至寺，看設樂」的記述。這是吐蕃統治時期的辛巳年（西元801年）閏正月，寒食節敦煌城的官民在龍興寺設樂，既是設樂，就必然有音聲人歌舞演唱，而且由日及暮，頗能吸引觀眾。是否敦煌每一寺院都擁有寺屬音聲人，不能確知。但從敦煌文獻中有關寺院的入破曆的記載中，出現了有關寺院音聲人開支的情形。如：P. 3490〈辛巳年（西元921年或981年）某寺油、麵升斗破用曆〉：「油三勝梁戶局席賞音聲用。」、S. 6452〈壬

---

29 姜伯勤〈敦煌音聲人略論〉，《敦煌研究》1988年第4期，頁1-9；乜小紅〈唐五代敦煌音聲人試探〉，《敦煌研究》2003年第3期，頁74-80；劉進寶〈唐五代音聲人論略〉，《南京師大學報》（社會科學版）2006年第2期，頁69-74。

午年（982）淨土寺常住庫酒破曆〉：有「（正月）廿七日，酒壹甕，李僧正就店對與音聲。」「（三月）廿九日，酒三斗，音聲就店吃用。」、S. 6064〈未年正月十六日報恩寺諸色入破曆算會稿〉有：「（正月）十一日，麥一十石，乞音聲。」……等，可知在世俗性歲時節日，佛教節慶活動，寺院有延用音聲人參與世俗踏歌之活動。

敦煌歸義軍政權及寺院節日活動、及儀仗需求，音聲人是主要的工作人員。尤其是重大的佛教活動主要是由都僧統司來負責，包括節慶娛樂、或局席宴飲時的娛樂活動，軍隊軍儺，年節驅儺等活動，自然都是由此類音聲人來擔任各種音樂歌舞的表演。

寫本的抄寫、使用均與敦煌佛教寺院與僧人有著密切的關係。曲子詞是音樂文學，是音樂、舞蹈與文學結合的綜合表演形式。其傳播空間上至宮廷宴飲，文士筵席，下到民間酒樓、茶館、歌妓，其音樂屬燕樂、俗樂，歌詠內容廣泛，舉凡兒女之情懷、閨婦之怨思、邊民之心聲、遊子之悲吟、伎女之感慨、醫生之歌訣等。其內容雖有與佛教文化不相容，然若從寺院音聲人的視角出發，自然可以得到合理的解釋了。

尤其再從歸義軍政權與敦煌寺院的互動關係來理解，據文獻所載敦煌十七寺中，龍興寺是吐蕃時期敦煌佛教教團領導機構所在，最具影響力；而靈圖寺則是歸義軍時期都司所在之寺院。歸義軍時期，大家世族在莫高窟營建石窟的風潮再現，曹氏政權歷任的節度使均在莫高窟營造有個人的功德窟。此種營窟的風氣，使莫高窟成為一種宣揚個人與家族聲望的媒介與場所。敦煌寺院更成為歸義軍節度使政治外交活動的空間之一。我想這似乎可以作為釋門文書中出現《雲謠集》抄寫背景的補充說明吧。也是我研讀潘先生《敦煌雲謠集新書》的一點讀後心得。

敦煌文獻《大乘中宗見解》
寫本系統研究

陳淑萍

臺南大學國語文學系兼任助理教授

提要

古佚書《大乘中宗見解》研究開端於一九一九年 F. W. Thomas、宮本正尊、G. L. M. Clauson 等前賢研究，使用的原始材料為藏文音譯本 Ch.9.II.17V 與藏漢音寫本 Ch.80.xi；八〇年代以後，田中良昭研究禪宗文獻提及《大乘中宗見解》，新增卷號 S.2944V-1。本研究於三本文獻之外，又發現了 P.3357V-1、P.4665V、S.319-1、P.4805、P. 2073V、P.4597-9等文句相似的卷號，匯整後發現 P.4665V、P.4805可綴合，故總為八本。本文針對其中七本漢文文獻作敘錄與寫本系統分析，區分為甲、乙、丙三類；其中甲類之校理可望修正目前《大藏經補編》所收錄的一九二九年宮本氏校本。

關鍵詞：敦煌文獻　《大乘中宗見解》　〈大乘中宗見解別行本〉　《法門名義集》　吳法成

一　前言

　　敦煌文獻 Ch.80.xi 末尾有〈大乘中宗見解別行本〉（簡稱〈別行本〉）一文，似為《大乘中宗見解》題解，內文先談及《中論》之「空」、「緣起」、「二諦」等核心議題，再詮釋「中宗」與「見解」之義。如其所言，則中宗之「中」，乃在遠離「有」、「無」二邊，以達中道之修為；所謂「見解」，乃以慧眼通達真諦，故名為「見解」。

　　《中論》為姚秦鳩摩羅什（西元344-413年）所譯，摘錄自南印度大乘佛教論師龍樹（Nāgārjuna，西元150-250年）所作《根本中論疏無畏論》[1]，採用的是四世紀印度中觀派論師青目（Piṅgala）注本，以及《十二門論》[2]、《成實論》[3]、《百論》[4]，以為三論宗及中觀思想的主軸。[5]就思想內容而言，《中論》乃漢譯典籍中首部將大乘佛教的根本思想「空」邏輯系統化的論書，將俗諦視作理解第一義諦之途徑，即由「有」得「無」之法；而《大乘中宗見解》則以法數解釋的方式理解、詮釋《中論》以為教法，亦與其宗旨契合。

　　敦煌文獻《大乘中宗見解》研究開端於一九一九年 F. W. Thomas、宮本正尊、G. L. M. Clauson 三人合著之 *"A Chinese Mahayāna Catechism in Tibetan and Chinese Characters"*[6]，使用的原始材料為藏文音譯本 Ch.9.II.17V 與藏漢

1　〔日〕池田澄達著：《根本中論疏無畏論譯註》（東京都：東洋文庫，1932年）。詳見日本國會圖書館近代文獻數字圖書館網頁：http://dl.ndl.go.jp/info:ndljp/pid/1051340?tocOpened=1（2018年4月21日上網）。

2　龍樹造，後秦・鳩摩羅什譯：《十二門論》，收入高楠順次郎（1866-1945）等編：《大正新脩大藏經》（東京都：大正一切經刊行會，1922-1934年）第30冊第1568號。

3　訶梨跋摩造，後秦・鳩摩羅什譯：《成實論》，《大正藏》第32冊第1646號。

4　後秦・鳩摩羅什譯：《百論》，《大正藏》第30冊第1569號。

5　〔日〕沖本克己編輯，釋果鏡譯：《興盛開展的佛教：中國II隋唐》（臺北市：法鼓文化事業股份有限公司，2016年），頁102-105。

6　F. W. Thomas, S. Miyamoto（宮本正尊）and G. L. M. Clauson,"A Chinese Mahayāna Catechism in Tibetan and Chinese Characters","The Journal of the Royal Asiatic Society of Great Britain and Ireland", No. 1 (Jan., 1929), pp. 37-76。

音寫本 Ch.80.xi。其後宮本正尊再度校理，並以日文譯注，一九二九年發表〈敦煌出土大乘中宗見解及びその研究〉[7]一文，其後收錄於《大藏經補編》[8]。

藏漢音寫本 Ch.80.xi，屢屢成為學者研究中古世紀漢語音韻之素材。對於九至十世紀河西語史之採證、論述，目前以高田氏之研究最為完整而客觀，認為 Ch.80.xi 藏文標注之語音為吐蕃時期敦煌地區使用的漢語，與當時的長安音相去不遠。[9]

至於《大乘中宗見解》的作者在原寫卷中並無明確題署，惟 Ch.80.xi 鈔錄之題解〈別行本〉題名下署有「吳法師」三字。日本學者上山大峻認為「吳法師」是大蕃國大德三藏法師沙門吳法成（西元780-861年），[10]吳其昱則推定其為吐蕃僧人，生於唐德宗建中元年歲次庚申（西元780年），卒於歸義軍張義潮時期（唐懿宗咸通二年歲次辛巳，西元861年）。[11]於敦煌文獻中，吳法成尚留有 P.2284《大乘稻稈經隨聽疏》[12]等闡述中宗思想的作品及許多漢藏翻譯寫卷。

《大乘中宗見解》與其他相關文獻的延伸研究最早出現於一九四○年，因金山正好於研究《大乘中宗見解》的漢藏音對時，發現其多數內文來自

7 〔日〕宮本正尊：〈敦煌出土大乘中宗見解及びその研究〉，《宗教研究》新六卷四號（1929年7月），頁103-128；收入〔日〕宮本正尊：《根本中と空》（東京都：第一書房，1943年），頁215-290。

8 見〔英〕托瑪斯輯、〔日〕宮本正尊譯：《燉煌本大乘中宗見解不分卷》，收入藍吉富主編：《大藏經補編》第35冊（第0916號）（臺北市：華宇出版社，1984年）。

9 詳見〔日〕高田時雄：《敦煌資料による中國語史の研究：九、十世紀の河西方言》（東京都：創文社，1988年），頁5-20、28-29。中文簡介詳見〔日〕高田時雄：〈敦煌遺書與漢語史研究〉，《敦煌研究》2006年第6期，頁136-138。

10 詳見〔日〕上山大峻：《敦煌佛教の研究》（京都市：法藏館，1990年），頁436，以及〔日〕上山大峻：〈大蕃國大德三藏法師沙門法成の研究〉（上、下），《東方學報》第38、39期，1967年3月、1968年3月，收入其作《敦煌佛教の研究》，頁84-246。

11 吳其昱：〈大蕃國大德・三藏法師・法成傳考〉，收入〔日〕牧田諦亮、福井文雅責任編集：《敦煌と中國佛教》（東京都：大東出版社，1984年），頁383-414。

12 〔吐蕃〕吳法成：《大乘稻稈經隨聽疏》，《大正藏》第85冊第2782號，頁543 c19。

《法門名義集》，其中「三寶」、「四諦」又被獨立抄寫為《三寶四諦文》；[13]
爾後田中良昭又進一步發表了〈《三寶四諦文》、《大乘中宗見解》と《法門
名義集》〉[14]，將其歸類於禪宗相關文獻，或許與其部分內容談及禪定，且
經常與禪宗文獻抄集一處有關。

　　田中良昭提及的《大乘中宗見解》相關寫本，有 Ch.9.II.17（IOL Tib J
1772）VERSO、Ch.80.xi（IOL Tib J 1773）及 S.2944V-1，已是統合前賢研
究之作，本文又新發現了 P. 3357V-1、P.4665V、S.319-1、P.4805、P.
2073V、P.4597-9等六個卷號，總計九個卷號。新材料既已出現，則各文獻
之特點、綴合的可能性亟需梳理與統合，方能合理區分其寫本系統，並進一
步重新校理文本，以修正《大正藏補編》收錄的一九二九年校本，此即敦煌
文獻《大乘中宗見解》寫本研究再次開啟之動機與目的。

二　寫本分類與各文獻敘錄

　　目前發現的《大乘中宗見解》相關寫本共計九個卷號，Ch.9.II.17為藏
文音譯本，其餘八個卷號皆為漢文所書寫，惟 P.4665V＋P.4805可綴合，故
知《大乘中宗見解》漢文相關寫本共計七本，依文獻內容約可分為甲、乙、
丙三類：

甲類：《大乘中宗見解》＋〈別行本〉

　　　甲1　　P. 3357V-1＋P. 3357V-2

　　　甲2　　Ch.80.xi（IOL Tib J 1773）

　　　甲3　　P. 2073V《大乘中宗見解》摘錄

乙類：《大乘中宗見解》別本（擬）

　　　乙1　　S.319-1

---

13 〔日〕金山正好：〈《大乘中宗見解》とその漢藏對音〉，《大正大學學報》第30、31
　　輯，1940年3月，頁335-370。

14 〔日〕田中良昭：《敦煌禪宗文獻の研究》（東京都：大東出版社，1983年），頁345-
　　355。

　　　　乙2　　P.4665V +P.4805
　　丙類：〈別行本〉
　　　　丙1　　S.2944V-1
　　　　丙2　　P.4597-9

（一）甲1：P. 3357V-1《大乘中宗見解》＋P. 3357V-2〈別行本〉

　　卷子本，首殘尾完。高二十七點五厘米，長二〇三點五厘米。正、背面皆為楷書，卷背墨跡較淡，字跡較潦草而多塗改。共計四件文獻，包括卷背《大乘中宗見解》、〈別行本〉、〈法性論〉，及正面《四分律》略抄本。

　　3357V-1《大乘中宗見解》首殘尾完，計一〇六行。起：「□既（幾）物成身？答：九物成身。」，迄：「聲聞不了，於有計無。」按：《法藏敦煌西域文獻》命名為「佛教問答」，而內容實與 Ch.80.xi《大乘中宗見解》相應。

　　P. 3357V-2〈別行本〉書於第一〇六至一一四行，計八行。
起：「言大乘中宗見解者，謂觀〔三〕界內外諸法緣起緣性」，迄：「以惠之眼了達世俗第一義，故名見解。」。

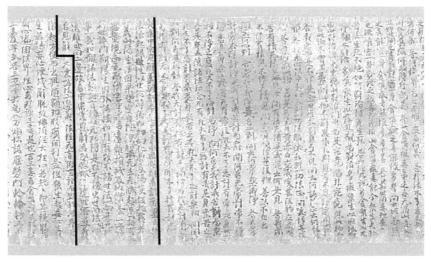

圖一　　P. 3357卷背文獻分界示意圖（原圖載錄自 I.D.P.）

（二）甲 2：Ch.80.xi（IOL Tib J 1773）《大乘中宗見解》＋〈別行本〉

卷子本，首殘尾完。高二十七厘米，長二二七厘米。[15]楷書，計一二八行，行約二十字。有烏絲欄界，行間書以藏文音譯。寫錄文獻凡二件。第一至一一九行為《大乘中宗見解》殘本（Ch.80.xi-1），第一一九至一二七行為〈別行本〉（Ch.80.xi-2）。中題：「《大乘中宗見解別行本》吳法師」，尾題「《大乘中宗見解》一卷」。

Ch.80.xi-1起：「外四大。問：何者內四大？」，迄：「聲聞不了，於有計無。」Ch.80.xi-2起：「言大乘〔中〕宗見解者，謂觀界內外諸法緣起緣性」，迄：「以惠之眼了達世俗第一義，故名為見解。」

按：《大藏經補編》所收《大乘中宗見解》以此為底本，乃以問答形式詮釋四大、五蘊、十八界、十二入、三寶、四諦等法數；〈別行本〉係《大乘中宗見解》之解題，乃吐蕃僧吳法成所作，被一併收錄。

（三）甲 3：P. 2073V《大乘中宗見解》摘錄

卷子本，八紙，首完尾斷，高二九點四厘米，長二九九點一厘米。正面行楷，有烏絲欄界；卷背楷書，沒有烏絲欄界。共二件文獻，正面為吐蕃高僧吳法成譯《薩婆多宗五事論》，[16]卷背為《大乘中宗見解》摘錄抄本。正面首題：「大番國大德三藏法師沙門法成於甘州修多寺道場譯」，尾：「丙寅年（西元846年）五月十五日於大番甘州張縣譯」。

P. 2073V《大乘中宗見解》摘錄計七十四行，行約二十字。起：「問：三寶有幾種？」，迄：「何者是一二三？答：資生攝」按：以問答形式詮釋三

---

15 數據參考「國際敦煌項目」網站 http://idp.bl.uk/（2018年2月9日上網）。

16 〔吐蕃〕吳法成譯：《薩婆多宗五事論》，《大正藏》第28冊第1556號。吳法成生平參考徐鍵：〈吐蕃高僧吳法成生平三題〉，《敦煌學輯刊》2017年第1期，頁37-44。

寶、四諦、五乘、十善、四無量心、十二因緣、六波羅蜜等法數解釋而文句
而文字較為簡省。

（四）乙 1：S.319-1《大乘中宗見解》別本（擬）

卷子本，首殘尾完，長三十一點三厘米。[17]楷書，共五十七行。背面空
白。計二件文獻，一至四十五行疑為《大乘中宗見解》別本（S.319-1），四
十六至五十七行為《四威儀本》（S.319-2）。[18]

S.319-1《大乘中宗見解》別本，計四十五行，行約三十四字。起：
「答：知苦無生是其苦」，迄：「答：不造作即名十善。」按：以問答形式詮
釋四諦、四大、六大、五蘊、十八界、十二入、六賊六識、三毒、四倒八
倒、五蓋、十業（十惡）。文句與《大乘中宗見解》相近而法數排序稍有不
同，應為《大乘中宗見解》別本。

（五）乙 2：P.4665V ＋P.4805《大乘中宗見解》別本（擬）

P.4665V

卷子本，首殘尾完，高二十九厘米，寬七十點五厘米。正、背面皆為楷
書，正面墨跡較淡。計二件文獻，正面為「《四分戒本疏》綱目鈔」（擬）[19]，
背面疑為《大乘中宗見解》別本。

背面殘文計三十四行，行約二十五字。一至十三行下半殘缺。起：「虛

---

17 見「國際敦煌項目」網站：http://idp.afc.ryukoku.ac.jp（2018年2月8日查詢）。
18 後秦·佛陀耶舍共竺佛念譯《長阿含經》卷8：「復有四法，謂四威儀：可行知行、可
　　住知住、可坐知坐、可臥知臥。」（《大正藏》第1冊第1號，頁51，a26-28）。作者未
　　明：《四部律并論要用抄》卷2亦有：「修四威儀（一行威儀，攝身安祥，向前直進；二
　　住威儀，平立斂手，隨便正向；三坐威儀，跏趺怗低目；四臥威儀，右脇著地，累膝
　　修繫想在明，念當早起）」（《大正藏》第85冊第2795號，頁718，b23-25）。
19 沙門慧述：《四分戒本疏卷》卷2（CBETA, T85, no. 2787）。

通是也／感內？答：由」，迄：「亦云十惡，□作即名十善」。按：內容談及
「四大五蘊」、「十二入」、「三毒」、「四倒八倒」、「五蓋」、「三業」、「十業」
等，與 S.319-1文句相吻合。

P.4805

P.4805為殘紙兩片。二片首尾、上下皆殘。P.4805-1高十四點八厘米，
寬二十七點九厘米；P.4805-2高八點七厘米，寬十八點七厘米。二紙皆為楷
書。正面二紙筆跡、墨色一致；背面墨跡較淡而潦草，然二紙筆跡仍是一
致。計三件文獻，二紙正面寫錄應為《大乘中宗見解》別本，卷背則為〈五
臺山讚〉、〈佛經論釋〉。

正面《大乘中宗見解》別本（擬）：P.4805-1一紙計十一行，起：「問/如
言即/聞法要恐難□解」，迄：「答：空大者／問：由內感外？由外」。P.4805-
2計八行，起：「答□／色蘊問何名」，迄：「六意識問識」。按：此號《法藏
敦煌西域文獻》命名作《三寶法義》，然其義雖略同於《大乘三科》、《小乘
三科》、《三科法義》一類，而文句乃與 S.319-1「四大」至「十八界」內容
相應，故擬與 S.319-1一同更名為「《大乘中宗見解》別本」。

文獻綴合

P.4805-1、P.4805-2與 P.4665V 字跡相同。對照所錄文句，可知 P.4805-1
末兩行恰可與 P.4665V 首二行綴合為「答：空大者，虛通是也／問：由內感
外，由外感內？答：由」。P.4805-2殘存之八行文字則恰可與 P.4665V 第五至
十二行綴合。P.4665V 與 P.4805-1、P.4805-2實為同一本文獻，今日方被察覺。

合併後文獻寬約九十三厘米，內文計四十四行字。起：「問／如言即／
聞法要恐難□解」，迄：「問：何名意三業？答：貪、瞋、癡是名十業，亦
云十惡，□作即名十善」。

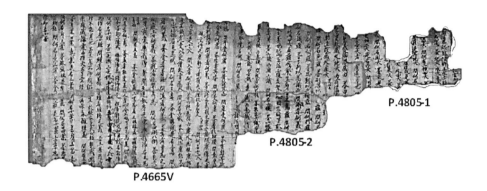

P.4805-1

P.4805-2

P.4665V

圖二　P.4665V＋P.4805綴合示意圖（原圖載錄自 I.D.P.）

（六）丙 1：S.2944V-1〈別行本〉

卷子本，首尾完整，長一八二點八八厘米。正、背面皆為楷書，字跡不同。共計四件文獻，包括卷背〈別行本〉、〈融禪師定後吟〉，正面不知名佛經及〈大寶積經善住意天子會〉。

S.2944V-1〈別行本〉計十行，行二十字。起：「言大乘中宗見解者，謂觀三界內外諸法」，迄：「以惠之眼了達世俗第一義，故名為見解。」首題：「大乘中宗見解義別行本」，尾題：「大乘中宗見解本」。按：S.2944V-1〈別行本〉內容與與 P. 3357V-2大致吻合，然脫離《大乘中宗見解》，與禪宗文獻〈融禪師定後吟〉等連寫。

（七）丙 2：P.4597-9〈別行本〉

卷子本，首殘尾缺。高二十八點三厘米，長五三三厘米。正面楷書端正，卷背潦草。正面為〈和菩薩戒文〉至〈酒賬〉等三十六件文獻連寫；背面為題記、〈致都僧政和尚狀〉等，共計八件雜寫。背面題記：「管內督僧統賢照」、「光化三年（西元900年）五月廿日弟子比丘律師念」、「咸通九年

（西元868年）三月十八日方丈□念佛德」、「咸通九年正月四日□學生德書卷」。

　　P.4597-9〈別行本〉計九行，行二十字。首題：「大乘中宗見解要義別行本」起：「言大乘中宗見解者，謂觀三界內外諸法」，迄：「以惠之眼了達世俗第一義，故名為見解。」按：此號〈別行本〉與禪宗文獻〈臥輪禪師偈〉、〈四威儀贊〉連寫。

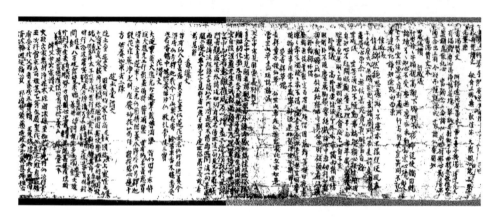

圖三　《大乘中宗見解》別本 P.4597-9圖錄（原圖載錄自 I.D.P.）

三　各類寫本校錄

　　甲1首尾較為完整，內文用字與抄寫的精確度為佳；甲2則在卷首有部分殘缺，雖然行款較整齊，別字、脫漏較多；甲3則為其摘錄本。是故甲類以甲1為底本，參照甲2、甲3校錄。至於文本的題解〈大乘中宗見解別行本〉則與丙類一同校錄。

　　乙1、乙2內容吻合度極高，與甲類有不少重合之處，惟次序有別，應為《大乘中宗見解》別本，可惜兩本文獻皆殘損嚴重。乙1保留文句較多，故乙類以乙1為底本，參照乙2校理。

　　校理過程中，因紙張損毀而空缺或模糊難辨之文字，參照其他寫卷，盡可能還原其字句，而以□標示；脫漏之文字，則依其他寫本或前後文推測而

以〔〕標示，然依文意增補之「問」、「答」等字，為節省篇幅，則不刻意標註。所錄者為俗字或別字，則於其後以（）更正為現今用字，其後則以今字校改。此外，關於「答」與「問」，及「是」、「為」、「名」等不影響文意的抄錄誤差，為節省篇幅，不另作註解，各寫本的微小差異亦省略，但若依底本以外之寫本校改者，必加註說明。

表一　《大乘中宗見解》甲、乙、丙三類錄文對照表

甲類	乙類
[20]既（幾）物成身？答：九物成身。問：何名九物？答：四大五蘊，是名九物。問：何者四大？答：地水火風，是名四大。問：四大有幾種？答：有二種。問：何為二種？答：一者外四大，二者內四大。問：何者外四大？答：地水火風，是名[21]外四大。問：何者內四大？答：骨肉堅硬，以為地大；血髓津潤，是名水大；體之溫暖，以為火大；出入息，以為風大。問：何者空識二大？答：空大者，虛通分也。何為識大？了別心。問：此四大因內四大感得外四大？因外四大感得內四大？答：因內感外。問：何者因內感外？答：內有骨肉堅硬，忘（妄）想感得外地大；內有津潤，妄想感得外水大；內溫暖，妄想感得外	[43]問：諸經之中皆言先因後果，何故此四諦中先果後因？答：舉理而言，民合先因後果。佛初成道為五俱輪，比丘等初[44]聞法要，恐難悟解。具近示於果，後說其因，於理無生。問：何名四大？答：地大、水大、火大、風大，是名四大。問：四大有幾種？答：有二種四大。問：何名二種四大？答：內四外大四大。[45]問：何名內四大？答：地水火風。骨肉形，是其地大。問：何名水大？血體（髓）津潤，故是水大。問：何名火大？答：體之溫暖，故是其火大。出入息，是其風大。問：此是內四大，外四大？答：地水火風，是名外四大。問：何名水大？答：濕潤是水大。問：何名火大？答：火是火

20　〈甲1〉P. 3357V 由此起。

21　〈甲2〉Ch.80.xi 由此起。

43　〈乙1〉S.319-1由此起。殘損處以甲類教理之文句填補。

44　〈乙2〉P.4665V＋P.4805由此起。

45　應為「內四大、外四大」之省稱。

甲類	乙類
火大；內有出入息，妄想感得外風大。	大。問：何名風大？答：風是出入息。何名六大？答：於前四大上更加二大，是名六大。問：何者二大？答：空識二大。問：何名空大？答：空大者，虛通是也。問：何名識大？答：識大者，了別心也。問：問：由內感外？由外感內？答：由內感外。問：云何由內感外？答：內有骨肉堅實故感外地大，內有濕潤故感外水，內有溫暖故感外火大，內有動遙（搖）故感外風大。（四大如上）
問：何者是五蘊？答：色受想行識，是名五蘊。問：何者是名色蘊？答：形礙以色蘊。問：何者受蘊？答：領納為受蘊。問：何者想蘊？答：思想以為想蘊。問：何者行蘊？答：造作以為行蘊。問：何為識蘊？答：分別以為識蘊。問：蘊者何義？答：蘊者據聚之義。問：何者名為陰？答：陰者名覆蓋之義。	問：何名五蘊？答：色受想行識，是名五蘊。問：何名色蘊？答：形礙以為色蘊。問：何名受蘊？答：領納為受蘊。問：何名想蘊？答：思以為想蘊。問：何名行蘊？答：造作以為行蘊。問：何名識蘊？答：分別以為識蘊。問：〔蘊〕者何義？答：蘊者即聚為義。以此四大五蘊成眾生身，名之為蘊。（五蘊如上）問：蔭五何名？答：蔭者覆之義也。以此五法覆眾生心目不明了，故名為蔭也。（五陰如上）
問：何者是十八界？答：六根六塵六識，是十八界。問：何者是六根？答：眼耳鼻舌身意，是為六根。問：何者是六塵？答：〔色〕聲香味觸法，是為六塵。問：何者是六識？答：眼識、耳識、鼻識[22]、舌識、身識、意識，是名十八界。問：何者是十二入？答：眼入、耳入、鼻入、舌入、身入、意入、色入、聲入、香入、味入、觸入、法入。眼等六根為內六入，色等六塵為外六入，內外二六為十二入。問：何者為入？答：眼塵、根對，通生識道，受入愛憎，名之為入。	問：何名十八界？答：六根、六塵、六識。問：何名六根？答：一眼根，二耳根，三鼻根，四舌根，五身根，六意根[46]。問：根者何義？答：能生六識名之為根。問：何名六識？答：一眼，二耳識，三鼻識，四舌識，五身識，六意識。問：識者何義？答：
問：每聞道歸依三寶。何者是三寶？答：佛寶、法寶、僧寶，是名三寶。[23]問：三寶有幾種？答：有三種。問：何者是三種？答：一體三寶、別	

---

22 〈甲1〉闕「鼻識」，依〈甲2〉增補。

23 〈甲3〉P.2073v 由此起。

甲類	乙類
相三寶、住持三寶，是名三種三寶[24]。問：何者是一體三寶？答：法身體有妙覺，以為佛寶；法身體有妙軌，以為法寶；法身體離無違爭，故以為僧寶。問：云何名為妙覺？答：妙者，神用不測，稱之為妙；覺者，以法身體中有覺了性故，故云妙覺。問：云何名為妙軌？答：軌者，軌則之義。以法身體中有妙軌[25]持義故，故云妙軌。問：云何離違爭？答：僧者和合為義，法身無相，故則無爭，故言無違爭，名之為僧。問：何名一體？答：三寶名殊，其體不異，故名一體。問：何以得知三寶名殊，其體是一？答：《維摩經》云：「佛即是法，法即是眾。是三寶皆無為相，與虛[26]空等。」納此義邊，故名一體。問：云何名為別相三寶？答：丈六化身以為佛寶，所說言教以為法寶。大乘十信已（以）上，小乘初果以上為僧寶。問：何名別相？答：一一相殊，名為別相。問：云何一一相殊？答：佛不是法，法不是眾，形狀不同，故名別相。問：云何名為住持三寶？答：泥龕素像以為佛寶，紙素竹帛以為法寶，剃髮染衣以為僧寶。	緣染六塵取故名識。問：何名六塵？答：色等諸法。問：眼受何塵？答：色亂其想。問：耳受何塵？答：聲蕩其志[47]。問：鼻受何塵？答：香動其欲[48]。問：舌受何塵？答：味嘗其嗜。問：身受何塵[49]？答：著行細滑。問：意受何塵？答：分別諸法。問：塵者何義？答：溢行之義，[頗][50]之於塵。六識隨塵，障無塵。知行者觀空得無，塵解了達有無之理，故名聖人。（十八界如上） 問何名十二入？答：六根、六塵是十二入。問：入者何義？答：六根為內，六塵為外。[51]根塵相對，通生識道[52]，受入愛曾（憎），故言為入。問：名何六賊？答：六識染塵，能生三毒，劫害功德，名之為賊。

46 〈乙1〉闕「根」字，依〈乙2〉增補。

24 〈甲1〉、〈甲2〉闕，依文意從〈甲3〉增補「三寶」。

25 〈甲1〉之「軌」字重複，故略去。

26 〈甲3〉「虛」書為「塵」。

甲類	乙類
問：何名住持像法？答：令不斷絕，故名住持。問：何名像法？[27]答：像法似之法，故名像法。問：此三種三寶為一？為異？答：不一不異。問：云何不一不異？答：名別故不一，體同故名不異。問：云何名別故不一，體同故名不異？答：說有一體，別相住持，故名不一；別性不可得，故名不異。[28]問：有不可得？無亦不可得？答：離有離無。問：云何離有離無？答：自性離故。問：自性共甚離？答：本性理中有無俱不可得。問：畢竟喚作甚物[29]？答：法[30]不自名。 **問曰：說有四諦，何者是四諦？答：大乘四諦，小乘四諦。問：何者是大乘四諦？答：知苦[31]無生是名苦聖諦，知集無和合是名集諦，知滅無滅是名滅諦，以無二法得道，是名道諦。問：何為小乘四諦？答：生死果**	

47　〈乙1〉「志」字書為「至」，依文意從〈乙2〉校改。

48　〈乙1〉書為「耳何塵？答：聲動其欲」；依文意從〈乙2〉校改。

49　〈乙1〉闕「塵」字，依文意從〈乙2〉增補。

50　〈乙1〉書為「▨之於塵」；〈乙2〉書為「▨之塵」，▨或為「頼（顂）」字，▨或為「額（額）」字。

51　〈乙1〉書為「二根為內，六塵塵為外」，依文意從〈乙2〉校改。

52　〈乙1〉書為「道」，依文意從〈乙2〉校改。

27　〈甲1〉此句闕，依文意從〈甲2〉、〈甲3〉增補。

28　〈甲3〉書為「問：云何名別故不一，體同故不異？答：說有體別相住持，故名不一，求三法體性不可得，故名不異。」；〈甲2〉闕。

29　〈甲2〉書為「甚謨物」；〈甲3〉書為「是謨物」。

30　〈甲1〉闕；〈甲2〉書為「法身」；〈甲3〉書為「法」；依文意從〈甲3〉增補。

31　〈甲1〉、〈甲2〉闕「苦」字，依文意從〈甲3〉增補。

甲類	乙類
〔為〕苦諦，煩惱集為集諦，寂滅理為滅諦，戒定惠為道諦。問：既[32]言生死果，何者生死因？答：集是生死因。問：已言生死因果，亦合有涅槃因果，何者是涅槃因果？[33]答：寂滅理為果，戒定惠為因。問：諸經之中先因後果，何故此四諦中先果後因？答：舉理而言，則合先因後果。此四諦法，佛初成道時為五俱輪，比丘等初聞法要，恐難悟解。且近視果，後視因，於理無失。 問：**說有五乘，何者是五乘？**答：天乘、梵乘、聲聞乘、緣覺乘、諸佛如來乘，是名五乘。問：何為天乘？答：持**五戒、十善**，得生六欲天，是名天乘。〔問：何者十善？〕答：身三、口四、意三，是名十善，亦名十惡。問：何名身三？答：不煞（殺）、不盜、不婬（淫）。問：何者意三業？答：不貪、不嗔、不癡。問：何者口四業？答：惡口、兩舌、忘（妄）言、綺語。不遠此業有其五種十善：一人十善，二天十善，三聲聞十善，四緣覺十善，五菩薩十善。問：何者梵乘？答：脩四無量心，生得色界四禪天，名梵乘。**問：何者四無量心？**答：慈悲喜捨，名四無量心。問：何者慈悲？答：慈能與樂，悲能拔苦；慶彼得樂，名之為喜；平	

32　〈甲1〉、〈甲3〉書為「記」，依文意從〈甲2〉校改為「既」。

33　〈甲1〉闕，依文意從〈甲2〉、〈甲3〉增補。

甲類	乙類
等持心，名之為捨。 問：何者聲聞乘？答：因聲悟道，得名聲聞乘。**問：何者緣覺乘？答：悟十二因緣**，名緣覺乘。問：緣覺人證悟與聲聞同[34]，有何差異以為兩乘？答：雖證悟同，少有差異，分為兩乘。問：何以？答：聲聞之人須值佛說四諦法悟其道，異緣覺人出無佛世，得悟非常，故有差異，證因果法也。〔問：何者順觀？〕答：無明緣[35]行識，名色六入。觸、受、愛、取有、生、老死，此是順觀[36]。問：何者逆觀？答：死眾生，生緣有，有緣愛，愛緣受，受緣觸，受觸緣六入，六入緣名色，名色緣識，識緣行，行緣無明，無明〔緣〕一念不覺。問：此十二因緣，**何者因果十二支**？答：因無明行現在十二支果。問：何者如來乘？答：行六波羅蜜，[37]得名佛乘。**問：何者是六波羅蜜**？答：一布施，二持戒，三忍辱，四精進，五禪定，六智惠，名六波羅蜜。問：何者是布施得名波羅蜜[38]？答：布施之時，不見受者，不見施者，不見所施財物，得名波羅蜜。問：何者持戒波	

---

34 〈甲2〉書為「聲因」；〈甲3〉書為「聲同」。

35 依文意從〈甲3〉增補一「緣」字。

36 〈甲1〉書為「此順觀」；〈甲2〉書為「此是順」；依文意流暢度從〈甲3〉校改。

37 〈甲1〉書為「六婆波羅蜜」；依文意從〈甲2〉、〈甲3〉校改。

38 〈甲1〉作「何者是布施得波羅蜜？」；〈甲2〉作「何者布施得名波羅蜜？」；依文意從〈甲3〉校改。

甲類	乙類
羅蜜？答：不見自持戒，不見他破戒，不見所持戒法，得名波羅蜜。問：何者忍辱？答：不見自能忍，不見他求辱，不見所忍法，得名波羅蜜。問：何者精進？答：不見他解（懈）怠，不見自修行，得名波羅蜜。問：何者禪定？答：不見自禪定，不見他亂意，不見所證理，得名波羅蜜。問：何者是智惠？答：不見自智惠，不見他愚癡，不見所有惑，得名智波羅蜜。 **問：何以前麤引後後細，淨前前麤？**答：前五如盲，後一如道。問：何者「檀度攝於六，資生無畏法。此中有一二三，名曰脩行住。」答：檀能攝其六。問：云何六波羅蜜中，前劣後勝？云何此中乃能攝勝？答：且初乘視門中作如是說，俱能悟其六波羅蜜，三事體空，之時無勝。問：何者一二三？[39]答：資生攝一，無畏攝二，法攝三。問：何者資生？答：由有信心，能施財物，名為資生。問：何者無畏施？答：由持戒、忍褥（辱）、施財之時，一切眾生無有畏懼。問：何者是法施？答：精進、禪定、智惠攝三，合一切眾生得其解脫，故名法施。 問：聞[40]說有三毒？答：貪嗔癡，是	問：何名三毒？答：貪、嗔、癡，是

---

39 〈甲3〉P.2073v 迄於此。

40 〈甲1〉闕，依文意從〈甲2〉增補「聞」字。

甲類	乙類
名三毒。問：貪嗔癡何因而生？答：由貪不得故生嗔，嗔之極故生[41]癡，由此而生。問：貪者何義？答：染著境界，名之為貪。問：嗔者何義？答：增（憎）汙境界名之為嗔。問：癡者何義？答：於緣不了，名之為癡。問：貪嗔癡何故得名為毒？答：此貪嗔癡毒，毒中之毒無過此毒。答：且如世間之毒雖能害一身，貪嗔癡之毒能壞多身。問：云何世間之毒能害一身，貪嗔癡毒能壞多身十善？答：只如世間毒蛇毒藥之流，唯害一身，命終之後毒即無用，此貪嗔癡毒能令眾生長輪苦海，生死不絕。問：如何對治得免生死？答：如經所說，多貪眾生以不淨觀而對治，多嗔眾生以慈悲觀為對治，多癡眾生以因緣觀。由此對治，得無生死。此對治門中為是究竟，為非究竟。問：見此物否？答：此物不曾見我。問：此物不解思惟分別，見與不見，汝還同此物耶？答：我亦如是，不作是念思惟，分別見與不見。問：云何諸法正？云何諸法邪？。答：於無心法中起心，	名三毒。問貪者何義？答：貪者染著為義。問：嗔者何義？答：嗔者憎恚之義。問：癡者何義？答：癡者迷闇[53]為義。 問：何名四倒八倒？答：凡夫不了軌身有常、樂、我、淨、聲聞及迷執。身無常、樂、我、淨、[54]名之為倒。答：各計四倒名為八倒□□。 問：何名五蓋？答：一貪欲蓋，二嗔恚蓋，三睡眠蓋，四悼悔蓋，五疑蓋。問蓋者何義？答：蓋者能覆蓋行人身心靈，令不明了，[55]目之為蓋。問：云何能覆蓋行人？答：初二障戒、睡眠障惠，悼悔障定，疑障解脫及知見，故名能障行人。 問：何名十纏？答：答：一無慚、二無愧、三惛沉、四悼悔、五忪、六疾、七垢、八忿、九覆、十惡作，名為十纏。問：纏者何義？答：纏者纏縛之義。若三業清淨，則纏不能累也；若三業不淨，煩惱□生。故經云：[56]「凡夫心結暫滅，眾生二乘雖滅，證處由（猶）存。大士了空，情俱寂，永離蓋纏。」[57]

---

41 〈甲1〉書為「三」；從〈甲2〉校改為「生」。

53 〈乙1〉書為「迷闇闇」，依文意從〈乙2〉校改。

54 〈乙1〉闕「淨」字，依文意從〈乙2〉增補。

55 〈乙1〉書為「蓋者能覆行人身心靈不明了」；依文意從〈乙2〉校改。

56 〈乙1〉「若三業……故經云」僅書為「不淨煩惱故纏」；依文意從〈乙2〉校改。

57 唐‧釋道液《淨名經集解關中疏卷上》：「叡曰：凡夫止結，暫滅還生；二乘雖滅，證處猶存；大士了虛，情塵俱寂，滅處盡根，生無所寄，法身居然不論，故云也。」

甲類	乙類
分別一切法耶，休分別一切法正。問：喚作甚沒（麼）物？答：自問取此物，若是青黃赤白。問：交（教）我喚作甚麼物？教我喚！答：有情無情是汝見。問：有情無情是我見，云何是見？答：我亦不作有情見，不作無情見。問：久（究）境（竟）喚作甚麼物？答：法不自名。 **問：云何四到（倒）？** 答：常樂我淨，是名四到。問：云何常樂我淨？答：無常計常，不淨計淨，無我計我，苦計為樂。問：何者無常計常，不淨計淨？答：是身念念遷變，無有常住。凡夫不了，妄計有常。是身卅六種不淨之變，凡夫不了，妄計為淨。問：何者無我計我，苦計為樂？答：是身五蘊諸法和合而有，凡夫不了，妄計有我。是身眾苦之本，[42] 凡夫不了，妄計樂相。問：**聞說八倒。** 何者是八倒？答：於無計有，於有計無。問：何者於無計有？何者於有計無？答：凡夫不了，於無計有；聲聞不了，於有計無。 **大乘中宗見解義別行本吳法師**[59] 言大乘中宗見解者，謂觀界內外諸法	問：**何名三業？** 答：身業、口業、意業，是名三業。問：何名十業？答：身三、口四、意三，名為十業。問：何名身三？答：煞、盜、婬，是身三業。問：何口四業？答：惡口、兩舌、妄言、綺語。問：何名意三業？答：貪、嗔、癡。是名十業，亦名十惡。答：不造作即名十善。[58]

42 〈甲1〉於此重複「凡夫不了，忘計有我。是身眾苦之本。」茲不錄。

58 〈乙1〉、〈乙2〉迄於此。

59 僅〈甲2〉題有「吳法師」。

甲類	乙類
緣起緣性，以世俗諦猶如幻化夢及陽炎假施設有[60]第一義諦。此緣生法，因果皆空，自性涅槃，無生無滅，超過語言及思量境而無所得。言中宗者，遠離損減[61]及以增益二邊故，於世諦門觀緣生內外諸法如幻有，故不謗世法一向是無，於第一義如觀諸法超語言境。以無所得，是故不謗出世間法。一向[62]遠離世間二邊，故名中宗。言見解者，以惠眼了達世俗、第一義，故名見解。[63]大乘中宗見解本[64]	

四　三類寫本異同及與《法門名義集》之關聯

（一）甲類與丙類文獻之異同

　　甲類錄及的法數有「九物成身」、「十八界」、「三寶」、「四諦」、「五乘」、「三毒」、「四倒八倒」，最後又接續題解〈別行本〉。其中「九物成身」包括「四大」、「五蘊」；「十八界」又含納「六根」、「六識」、「六塵」、「十二入」等概念；「五乘」則包括天乘（五戒、十善）、梵乘（四無量心）、聲聞乘（因聲悟道）、緣覺乘（十二因緣）、如來乘（六波羅蜜）等。

　　丙類僅錄有〈別行本〉，作用有類《大乘中宗見解》之題解或簡介，與甲類文末之〈別行本〉所錄差異微小。

60　〈甲1〉作「假施或若有」，〈丙1〉、〈2〉作「設有若」，依文意從〈甲2〉校改。

61　〈甲1〉作「損摵」；〈甲2〉作「捐減」；〈丙2〉作「損減」；依文意從〈丙1〉校改。

62　〈甲1〉殘損，〈甲2〉作「是」，依文意從〈丙1〉、〈丙2〉。

63　〈甲2〉迄於此，尾題「大乘中宗見解一卷」。

64　〈丙1〉尾題「大乘中宗見解本」。

　　甲類與丙類文獻之關係較為簡明單純。就內容而言，其差異在於甲類為《大乘中宗見解》全文附帶解題；丙類單錄解題，多與其他宗教文獻同紙連書。

（二）甲類與乙類文獻之異同

　　乙類兩文獻皆有殘損，卷首殘文或為「四諦」內文，其後則接續「四大」、「六大」、「五蘊」、「十八界」、「十二入」等法數，與甲類文獻所用之文句相似而或繁或簡，且次序略有不同；其中未見「三寶」解釋，推測或與「四諦」解釋一同存錄於卷首殘損處；而「十二入」之後，乙類尚有「六賊」、「三毒」、「四倒」、「八倒」、「五蓋」、「十纏」、「十業」（十惡）等法數問答，其中「六賊」、「五蓋」、「十纏」、「十業」為甲類所無。

　　甲類與乙類所錄法數半數相同，詮釋文句同樣引自《法門名義集‧身心品》[65]再加以敷衍，惟法數次序及文句次序、詮釋之繁簡有異。乙類所書之法數解釋卻大致同於《法門名義集‧身心品》之次序，而甲類則有別。

（三）甲、乙兩類與《法門名義集》之先後承繼

　　根據〈別行本〉所言述，《大乘中宗見解》同時兼納「觀界內外諸法緣起緣性」與「自性涅槃，無生無滅」之佛性恆常說，而以「世俗諦猶如幻化夢及陽炎假施，或若有第一義諦」故將俗諦作為身心修行之依憑。或即因此，《大乘中宗見解》擇錄之法數皆以身心修行之基礎概念為主，包含三寶、四諦、四大、五蘊、十二入等，而陳述之文句則大量襲用《法門名義集》內文。

　　以甲類文獻而言，其援引自《法門名義集》的文句主要出現在四大、五

---

[65] 《法門名義集》為唐初居士李師政所作法數類書，盛行於唐宋，元明以後亡佚，因敦煌文獻出土而重現人間。詳見拙作「敦煌法書類書《法門名義集》及相關寫本研究」，國立成功大學中國文學研究所博士論文，2019年1月。

蘊、十八界、三寶、四諦等法數解釋；而乙類文獻前半殘損，未見三寶、四諦之全貌，卻有四大、五蘊、十八界等法數解釋，且如同甲類寫本一般，皆非全盤抄寫，而是以問答形式，就其骨幹加以演繹。以「四大」為例，《大乘中宗見解》甲、乙兩類與《法門名義集》錄文對照如下：

表二　《大乘中宗見解》甲、乙類與《法門名義集》「四大」內文對照表

《法門名義集》	甲類	乙類
四大，地、水、火、風是也，和合成身。地者，骨肉形體也；水者，血髓潤也。火者，溫暖也。風者，出入氣息也。六大，地、水、火、風，加空大、識大，是名六大。四大，前說此；空大，虛通分也；識大，了別心也。	問：何者外四大？答：地水火風，是名外四大。問何者內四大？答：骨肉堅硬，以為地大；血髓津潤，是名水大；體之溫暖，以為火大；出入息，以為風大。問：何者空識二大？答：空大者，虛通分也。何為識大？了別心。	問：何名內四大？答：地水火風。骨肉形，是其地大。問：何名水大？血體（髓）津潤，故是水大。問：何名火大？答：體之溫暖，故是其火大。出入息，是其風大。

　　無論是甲類或乙類，《大乘中宗見解》之「骨肉堅硬」、「血髓津潤」等傳述，或由《法門名義集》「骨肉形」、「血髓潤」演繹而來。敦煌寫本《大乘中宗見解》多數的篇幅如同「四大」一則，文句、用語與《法門名義集》或有雷同，是以推測甲類、乙類皆由此精選、演繹或改寫而來，惟甲類寫本有大量的文句、用詞上呼應《法門名義集》，乙類寫本則是在法數解釋的書寫順序上完全與《法門名義集・身心品》吻合。

　　《法門名義集》為唐初李師政所作，[66]爾後成為民間寺院經常抄錄的作

---

66 關於《法門名義集》寫作年代，韓鵬《法門名義集研究》判為貞觀十三年崇賢館設置之前，《大藏經索引》判定武德元年（西元618年）。見大藏經學術用語研究會編集：《大藏經索引》第30冊（臺北市：新文豐出版公司，1992年），頁3。

品。由甲類、乙類各文本的內容細節來看，吐蕃僧人吳法成在傳授「四大」、「五蘊」、「十二入」、「三寶」、「四諦」等佛門身心修行的基礎概念時，必定以《法門名義集》為參考用書。

五 結論

距宮本氏於一九二九年校理《大乘中宗見解》約九十年後，本研究仰賴前賢研究成果與現今發達的傳播科技、精美之圖錄，而有拓增研究材料的機會。研究成果顯示諸多文獻可分為甲、乙、丙三類，其中甲類文獻的意義最為重要。新發現之甲1（P. 3357V）較宮本氏所用的底本甲2（Ch.80.xi）為優，故本研究以甲1為底本，參酌甲2、甲3（P. 2073V）重新校理，以期提供更完整而正確的文本。

乙類文獻包含乙1（S.319-1）、乙2（P.4665V+P.4805），皆非完整的文獻，然二者所錄文句之吻合度極高，僅虛字、轉承用語或有不同。其內文有半數以上與甲類相仿，卻因所錄法數次序與 S.5531-8《小乘三科》等文獻雷同，故未曾被察覺為《大乘中宗見解》別本。乙類文獻的發現與校理價值，在於呈顯甲類以外的寫本系統存在之事實，亦凸顯《大乘中宗見解》與名為《三科》之諸多敦煌文獻有所區別卻極為緊密的關聯。

丙類〈大乘中宗見解別行本〉包含丙1（S.2944V-1）、丙2（P.4597-9），有類《大乘中宗見解》題解與摘要。兩本文獻皆寫錄於佛教文獻之連寫本中，凸顯唐代中葉以後期民間佛教寫本將不同宗派的基礎教理匯集抄寫的趨勢。

《大乘中宗見解》為吐蕃僧人吳法成所作，為傳授《中論》要義的教本，漢語寫本、藏語音譯本並存。由漢語寫本的內容可知，其重要的參考文獻當為唐初李師政之法數解釋專著《法門名義集》。其中，甲類談及的法理次序已有所異動，且有完整題名，亦有附錄作者、題解、摘要者，應為吳法成修訂後流傳的寫本；丙類為摘要，當出現於其後。

乙類未有題名，法數解釋的順序則同於《法門名義集・身心品》，諸寫本

文理一致而遣詞造句或有不同，非出自一人之手，原應為僧眾的聽講筆記，或即吳法成修訂前的樣貌，但於甲類修訂本出現之後仍並行傳抄。推測約當於丙類寫本流傳之時，乙類寫本內容或與其他基礎教義、修身概要一同匯集抄錄，而後方有以「三科」為題名的諸多傳抄寫本出現。

唐代天尊信仰發展之考察

周西波

嘉義大學中國文學系副教授

提要

　　「天尊」一詞可視為是後世道教徒對信仰對象階層中地位最為崇高者的尊稱之一，此用語大約興起於六朝時期，由「元始天尊」、「靈寶天尊」等逐漸產生大量的天尊名號，伴隨著歷代道教道派、教法教義等發展而有所變化，進而影響世俗大眾的信仰活動及文學、藝術等創作的題材，自然也是考察道教文化發展的重要線索資料。道教靈寶系統經典中每每強調元始天尊說法的內容，對於推動元始天尊信仰之影響可以說是顯而易見，並延伸出所謂「十方天尊」的名稱與功能，與懺悔滅罪、免墮地獄的思想、儀式結合在一起，產生以宣揚天尊名號為主的經典，在《道藏》和敦煌文獻中都有保留部份的內容，其信仰傳播之影響在唐代有明顯的體現。本文乃就敦煌文獻與《道藏》所收之相關典籍進行探討，尤其是敦煌寫卷《太上洞玄靈寶天尊名》與《老子十方像名經》等與十方天尊相關內容之考察，比較兩種系統的差異。文中並整理論述唐代天尊信仰流行的影響情形，除了「造像」、「經典傳抄」與「儀式」之結合，也產生相應的銘、贊、記等作品以及宣揚天尊靈應之故事，藉以觀照唐代天尊信仰與文學結合之情形。

關鍵詞：道教　敦煌　天尊　造像　靈驗記

一　前言

　　「天尊」一詞可視為是後世道教徒對信仰對象階層中地位最為崇高者的尊稱之一，此用語大約興起於六朝時期，因應天地生成、天堂地獄、職能位階……等等信仰系統的建構，由「元始天尊」、「靈寶天尊」等逐漸產生大量的天尊名號。這些內容的出現，是伴隨著歷代道教道派、教法教義等發展而有所變化，進而影響世俗大眾的信仰活動，文學、藝術等創作的題材，自然也是考察道教文化發展的重要線索資料。

　　道教「天尊」的稱呼，初期主要指稱「元始天尊」，福永光司據法琳〈辨正論〉等資料認為「天尊」是襲用自佛教的稱謂，「元始天尊」稱號的確立大約在六世紀東魏（西元534-550年）到北周（西元557-581年）期間，其形成不僅是將「元始天王」中的「王」換成「尊」，並借鑒了中國傳統昊天上帝的信仰。[1] 由於元始天尊的崇高地位，也因此成為學界研究較為關注的對象，包括石井昌子、神塚淑子、索安、柏夷、王卡、王承文及劉屹等學者都曾撰文考察元始天尊的信仰發展歷程，其中劉屹〈道教主神元始天尊神格的確立〉一文可以說是目前研究的集大成之作，他不贊成福永光司的觀點，而採納王承文所提源自緯書中「天皇大帝耀魄寶」的說法，並針對柏夷所論「佛陀化」的現象，詳加考察六朝時期元始天尊與佛陀信仰的異同，認為表面上的佛陀化現象，並未改變其道本論的本質意義，至於入宋之後信仰的弱化，則是受到儒家觀念和皇權至上思想的影響，其地位才被「玉皇大帝」取而代之。[2]

　　元始天尊信仰的興起，與道教靈寶系統的經典與儀式等關係密切，蓋天師道正一系統比較強調老君與張道陵的傳承，上清經系統本來也並未特別強調元始天尊的重要性，雖然舊題〔梁〕陶弘景編撰《洞玄靈寶真靈位業圖》

1　詳參福永光司：《道教思想史研究》（東京：岩波書店，1987年9月），頁125-148。

2　詳見劉屹：《神格與地域漢唐間道教信仰世界研究》上篇第2章第1節〈道教主神元始天尊神格的確立〉（上海市：上海人民出版社，2011年3月），頁95-112。文中對學界關於元始天尊的研究成果亦有精要述評，故此不再贅言。

中，獨稱「天尊」者，僅有第一中位的「上合虛皇道君應號元始天尊」，並云：「右玉清境，元始天尊為主，已下道君皆得策命學道，號令群真。太微天帝來受事，並不與下界相關。」其中並無「靈寶天尊」和「道德天尊」的名號，僅第三左位有「太極左仙公葛玄。吳時下演靈寶，下為地仙。」第四中位則有「太清太上老君。為太清道主，下臨萬民。」等安排。《正統道藏》本《真靈位業圖》雖冠以「洞玄靈寶」四字，而實為上清派經典，且若從其「應號」一詞之使用而言，則當以「上合虛皇道君」為本。另外蕭登福也指出「三十一卷上清經皆太微天帝君所授，而為南真魏華存所傳。三十一卷中常提及太微天帝君，太微天帝君為上清經系之重要神祇。」[3]而靈寶系統經典中每每強調元始天尊說法的內容，對於推動元始天尊信仰之影響可以說是顯而易見。

在道教典籍中，靈寶系統經典至少有兩個特點是為學界所熟知，一是受佛教經典的影響特別顯著，二是強調「齋法出於靈寶」。在天尊信仰的推動方面，也同樣具備這種現象，元始天尊信仰興起後，延伸出所謂「十方天尊」的名稱與功能，與懺悔滅罪、免墮地獄的思想、儀式結合在一起，產生以宣揚天尊名號為主的經典，在《道藏》和敦煌文獻中都有保留部份的內容，其信仰傳播之影響在唐代有明顯的體現，故而本文乃擬於前賢研究成果之基礎，就敦煌文獻與《道藏》所收之相關典籍進行探討，除了道教天尊信仰之思想基礎，其中涉及之範圍包含功德觀、懺悔之儀式以及影響所及唐人有關天尊信仰之活動。由於學界關於元始天尊與救苦天尊的研究成果較顯著，故本文將側重於二者之外，尤其是敦煌寫卷《太上洞玄靈寶天尊名》與S.1513《老子十方像名經》等與十方天尊相關之考察，蓋後者雖以「老子」為題，而內容實亦宣說各種天尊名號，其眾多的天尊名號未必都是隨意想像，毫無意義，可能仍與道教的教義、思想、追求的境界乃至世俗心願（宗教功能）等息息相關，諸如「虛寂通微天尊」、「洞明玄奧天尊」、「司命主祿天尊」、「慈悲救護天尊」，甚至可能是取材自道經中關於天庭景像描述

3　見蕭登福：《六朝道教上清派研究》（臺北市：文津出版社，2005年11月），頁99。

的詞彙，如「九光八景天尊」、「流光八朗」……等等。此外，天尊信仰對文學創作亦有其影響，亦為本文意欲討論的範疇，藉以觀照唐代天尊信仰與文學結合之情形。

二 現存的主要經典

以宣揚天尊名號為主之道教經典，在《道藏》所收錄者主要有：

一、《太上洞真賢門經》一卷（洞真部本文類宿字），載元始天尊說十方天尊名號，云：「今說近劫成道十方天尊，應身乃有五百七十三天尊之名號者，禮拜讚歎，功德難勝。」《中華道藏》認為約出於唐代。[4]《道藏提要》未著年代，指出實際所錄僅有東、南、西、北、上、下共六方五百六十三天尊名號。[5]

二、《太上靈寶洪福滅罪像名經》一卷（洞玄部本文類服字），《中華道藏》認為約出於唐代。[6]《道藏提要》未著年代，言其本經記天尊玄號凡三百七十九名。[7]此經雖亦名為「像名經」，但內容與其他三種道經皆不同，記安忍國王太子名太虛，意欲出家，得無上真人授予靈寶大法，精修十二年而得為真人，後元始天尊降席為其說法。經中以「信禮諸天尊、信禮三十六部真經、信禮十方得道真人、信禮三寶、懺悔、啟願」的模式重複三回，故天尊名號之列舉並非按方位順序。

三、《老子像名經》十卷，缺卷六至八（洞神部本文類女字）。《中華道藏》認為約出於唐代。[8]《道藏提要》未著年代。[9]該經藉高上老子說十方天尊名號及十方地獄與十罪等，按照東、南、西、北、東北、東南、西南、西

---

4 見《中華道藏》第4冊（北京市：華夏出版社，2004年1月），頁251。

5 詳參《道藏提要》（北京市：中國社會科學院出版社，1995年8月），頁49-50。

6 見《中華道藏》第4冊，頁229。

7 詳參《道藏提要》，頁282。

8 見《中華道藏》第6冊，頁133。

9 參《道藏提要》，頁471。

北、上、下之順序，每方一卷，缺東南、西南、西北三方之內容。

四、《太上洞玄靈寶三十二天天尊應號經》二卷（太平部母字）。《中華道藏》認為約出於隋唐。[10]《道藏提要》認為出於南朝。[11]原有二十六卷，現存第十二卷「清明何童天」東方及南方天尊名，及第二十二卷「無思江由天」西方及北方天尊名，每卷具一百天尊名。另外王卡指出德藏吐魯番文書殘片一件，存唐人寫此經十行部份文字。[12]

《道藏》失收而見存於敦煌文獻中者有兩種：

一、《太上洞玄靈寶天尊名》五件，分別為：

（1）BD.1218（北8447／列18），首全尾缺，題名：「太上洞玄靈寶天尊名卷上」及「元始天尊千五百名號及諸懺悔文」。楷書，每行十七字，經文存二紙五十四行，起：「是時元始天尊七月十五日於西那玉國」，迄：「明闇亦無生老病死三塗八難痛苦之名地」。敘法解、太極、大慧、救脫四真人問法於元始天尊，天尊為敘天堂、地獄之別的內容，未及十方天尊名號。

（2）P.3755，首缺尾殘，每行十七字，間有雙行夾注，存四紙一一二行，起：「願共諸眾生」，迄：「燒糞掃開決溝渠枉害一切或噉□□」。

（3）BD.4047（北8468／麗47），首尾俱缺，楷書，每行十七字，存三紙八十四行，起：「至心歸命華生德天尊」，迄：「至心歸命彌綸天尊」。

（4）BD.3818（北7244／金18），首缺尾殘，紙張上部間有殘破，楷書，每行十七字，存一〇六行，起：「至心歸命金顏天尊」，迄：「□□安置地上及諸臥處□□」。

（5）BD.11751，殘片，僅七行上半部文字，楷書，起：「至心歸命西北方無量大華□□」，迄：「至心歸命儒提天尊」。[13]

---

10 見《中華道藏》第4冊，頁221。

11 參《道藏提要》，頁867。

12 詳參王卡：《敦煌道教文獻研究──綜述‧目錄‧索引》（北京市：中國社會科學出版社，2004年10月），頁129。以下簡稱《敦煌道教文獻研究》。

13 以上寫卷敘錄並參王卡《敦煌道教文獻研究》，頁128。

二、《老子十方像名經》

（1）S.1513，首全尾缺，楷書，每行十七字，經題之前抄錄御製〈一切道經序〉，第二十三行題：「老子十方像名經卷上」下注：「四方品有二百四十名」。經文存一七一行，起：「爾時高上老子與十方十真十部威神無量」，迄：「至心敬禮大乘虛極天尊」。王卡指出內容相當於《道藏》本前兩卷。

（2）P.3344，首尾俱缺，楷書，每行十七字，存一六八行，起：「至心敬禮中和大惠天尊」，迄：「至心敬禮明空流景天尊」。本卷與S.1513雖非同一抄本，然經文內容連貫。

（3）S.6009V，殘片，存八行文字，楷書，起：「至心敬禮弘明寶相天尊」，迄：「至心敬禮乘煙導化天尊」。王卡指出此殘片與P.3344為同一抄本，約當《道藏》本卷二至四的內容。

（4）S.10599V，殘片，楷書，僅存四行殘文，起：「▢▢等並各身作真金妙色」，迄：「▢▢晨羽鳥又與飛龍猛」。文字見於《道藏》本卷四。[14]

（5）羽638，首殘尾全，楷書，每行十七字，卷首紙背有「德化李氏木齋閣家供養經」印，卷末有「木齋真賞」及「德化李氏凡將閣珍藏」兩印。尾題：「老子十方像名經卷上」，下注：「四方品合有二百四十名」，末署「神泉觀道士王道深敬寫」。存經文三四四行，起：「▢▢天尊」，迄：「及諸仙眾彈指頂禮敬奉教言」。[15]其首三行殘缺文字，為S.1513中東方天尊名第三十至三十二行文字，即「至心敬禮真如慧明天尊，至心敬禮仙度妙寶天尊至心敬禮紫府靈應天尊」。兩卷參照可得上卷全貌。而經由對照可知P.3344所抄錄即本卷第一二二行至二八九行的部份，S.6009V則為三一四行至三一七行的內容。

有關上述寫卷，王惠民曾針對《太上洞玄靈寶天尊名》前四件寫卷，撰〈《太上洞玄靈寶天尊名》初探〉一文加以考察，排列出寫卷先後順序，推

---

14 王卡認為此卷之前可與S.10608V綴合，然該殘片僅存「尊」與「天尊」三字，恐有待商榷。說見王卡《敦煌道教文獻研究》，頁192。

15 詳見《敦煌秘笈》第8冊（大阪市：武田科學振興財團，2012年12月25日），頁368-376。王卡撰《敦煌道教文獻研究》時，尚未得見此寫卷內容，故僅錄其目。

測該經抄寫、形成的下限為八世紀前期，並取與《道藏》所收《太上洞真賢門經》對照，認為後者據前者改編而成，又詳細比較佛教偽經《佛名經》，認為《太上洞玄靈寶天尊名》乃仿造《佛名經》。[16]王卡《敦煌道教文獻研究》增列 BD.11751一件。其後又有鄒同麟撰〈《太上洞玄靈寶天尊名》新探〉一文，據寫卷背面佛經的考察，以及《無上祕要》等相關材料，對王惠民的說法提出補充修正，認為「大淵忍爾所著錄的四件《太上洞玄靈寶天尊名》寫卷本為一卷，即該經上卷，全經應有三卷。該經上卷僅北方、東北方兩方天尊，全經十方天尊應依北方、東北、東方、東南、南方、西南、西方、西北、上方、下方的次序，各方應有四組左右的天尊，每組五十個天尊左右，總數應與 P.3755 所說的「千五百」相合。」[17]其研究成果，有助於掌握《太上洞玄靈寶天尊名》的形成及內容概況。

至於《老子十方像名經》（《老子像名經》），雖然與《太上洞玄靈寶天尊名》經名有別，而內容除了天尊名號與數量的差異等，一為元始天尊所說，一為高上老子所述，但兩者的核心都在於結合地獄之受苦情狀，宣揚向十方天尊懺悔滅罪的思想與功能，且高上老子與元始天尊在唐代道士的認知裏是一致的，例如史崇所撰〈妙門由起序〉即云：

> 然元始天尊、太上道君、高上老子應號雖異，本源不殊。更託師資，以度群品，或命尹喜入天竺以化胡人，或與鬼谷之崑崙，以行聖教。慈濟之道，無遠不通。[18]

故而《老子十方像名經》（《老子像名經》）與《太上洞玄靈寶天尊名》或可視為唐代所流行宣揚十方天尊信仰的主要兩種系統，茲表列以觀其異同：

---

16 詳見王惠民：〈《太上洞玄靈寶天尊名》初探〉，《道家文化研究》第13輯（北京市：生活・讀書・新知三聯書店，1998年4月），頁249-266。

17 詳見鄒同麟：〈《太上洞玄靈寶天尊名》新探〉，《敦煌吐魯番研究》第15卷（上海市：上海古籍出版社，2015年4月），頁467-471。

18 見《中華道藏》第5冊，頁603。

經名 內容	《太上洞玄靈寶天尊名》	《老子十方像名經》
說法者	元始天尊	高上老子
地獄	泛言地獄，未明確區分十方地獄名稱。	東方風雷、南方鑪炭、西方金鎚、北方寒冰、東北鑊湯、東南銅柱、西南屠割、西北火車、上方火坑、下方糞坑。
十方天尊數量	千五百名號	敦煌本僅存四方二百四十名號，《道藏》本為一千一百六十名號。
禮十方天尊之順序	北、東北、東、東南、南方、西南、西、西北、上、下。	東、南、西、北、東北、東南、西南、西北、上、下。
主要儀式程序	禮拜天尊（真人）、禮三寶、懺悔。	禮拜天尊、懺悔。

　　《太上洞玄靈寶天尊名》的天尊數量在現存寫卷中大約每組五十名，鄙同麟推測各方應有四組左右的天尊，其數量可能超過千五百名。今參照前舉《太上靈寶洪福滅罪像名經》的模式推測，若是禮拜三回，則每方為一百五十名，十方恰共千五百名。至於《老子十方像名經》僅存四方數量，總數不得而知，然其各方天尊數量不一，如東方九十名，南方三十名等，則是明顯對應東方九氣、南方三氣、西方七氣、北方五氣的觀念。十方之順序則與《度人經》相同。

　　《道藏》所收《太上洞真賢門經》一卷，王惠民已指出其受《太上洞玄靈寶天尊名》的影響，然若再進一步觀察，該經更像是雜揉《太上洞玄靈寶天尊名》和《老子十方像名經》這兩種系統而成，如其方位乃是按照東、南、西、北、上、下的順序，正文中稱：「聞此老君賢門經」云云，稱元始天尊為「高上元始天尊」，也強調「東方九氣、南方三氣、西方七氣、北方五氣」之說，凡此均與《老子十方像名經》若合符節。

　　十方天尊名號應有著由簡而繁的發展過程,《無上秘要》卷三十五引《金籙經》以及《洞玄靈寶三洞奉道科戒營始》卷之六「常朝儀」等所載十方天尊,每方均僅一位天尊名號,其順序亦為兩個不同的系統,天尊名號則相同:

《無上秘要》卷三十五引《金籙經》[19]	《洞玄靈寶三洞奉道科戒營始》卷之六「常朝儀」[20]
至心歸命北方玄上玉晨天尊	至心歸命東方玉寶皇上天尊
至心歸命東北方度仙上聖天尊	至心歸命南方玄真萬福天尊
至心歸命東方玉寶皇上天尊	至心歸命西方太妙至極天尊
至心歸命東南方好生度命天尊	至心歸命北方玄上玉晨天尊
至心歸命南方玄真萬福天尊	至心歸命東北度仙上聖天尊
至心歸命西南方太靈虛皇天尊	至心歸命東南好生度命天尊
至心歸命西方太妙至極天尊	至心歸命西南太靈虛皇天尊
至心歸命西北方无量太華天尊	至心歸命西北无量太華天尊
至心歸命上方玉虛明皇天尊	至心歸命上方玉虛明皇天尊
至心歸命下方真皇洞神天尊	至心歸命下方真皇洞神天尊

　　其後衍為每方各數十、上百等名號,除了王惠民所指出《佛名經》的影響之外,其思想的基礎當來自於以元始天尊為核心的「三世」、「三身」及「隨機應化」等說法的興起。S.6963《老子化胡經》卷二即云:「亦念十方大道、三世天尊。」P.2467《諸經要略妙義》引《元始天尊應變歷化經》云:「天尊有五種身。一者真身,二者應身,三者化身,四者法身,五者報身。」又云:「乘機御運,因氣化生,玉相金容,隨時所好。」《本際經》亦有「權示色像,故名應身。」「向向者所見十方百億分身天尊與元始天尊云何差別?」[21]云云。《道門經法相承次序》所載可以作為唐代道士對天尊信仰理解的例證,其卷上云:

19　《中華道藏》第28冊,頁125-126。

20　《中華道藏》第42冊,頁23。

21　分別見《中華道藏》第5冊,頁212及253。

> 唐天皇問曰：天尊名號，有何階級？尊師答曰：謹按靈寶諸經及三界
> 圖錄……故《無量經》曰：元始祖劫，化生諸天，開明三景，是為天
> 根。上無復祖，唯道為身，應化濟物，顯號無窮，攝跡歸真，則湛而
> 為一。以其諸天敬奉，號曰天尊。為萬有之根，故稱元始。[22]

卷下則更為細分為八種身份區分：

> 唐天皇問曰：天尊有幾身，為弟子已不能苦道上啟天尊，覆護弟子？
> 天師對曰：可名非名，故證理於絕言之境；大象無象，故昇玄於無物
> 之間。若唯恍惚，杳冥眾生，可無瞻仰，所以垂象立號，令含識各有
> 歸依。無始以來，劫數久遠，聖人應號，亦復無邊，雖不總備經文，
> 實亦紀之萬一，即事可顯者，千五百天尊，名別錄隨進。按諸經所
> 明，天尊有法身、本身、道身、真身、跡身、應身、分身、化身。[23]

史崇〈妙門由起序〉則解釋云：

> 隨機應物，拯溺安危，汲引群迷，財成庶族，慈悲覆燾，難以勝言。
> 所謂真身者，至道之體也；應身者，元始天尊、太上道君也；法身
> 者，真精布氣，化生萬物也；化身者，堀然獨化，天寶君等也；報身
> 者，由積勤累德，廣建福田，樂靜信等也。[24]

「聖人應號，亦復無邊」的論述觀點也就為諸多天尊名號的產生奠定了思想
基礎。故如《太上靈寶十方應號天尊懺》云：「已上敬禮足十方大慈應號天
尊一千二百。」[25]《老子像名經》卷一亦云：「今當說此十方天尊應化靈像
一千一百六十名號，欲令十方無極世界一切眾生敬禮稱揚，悔過滅惡，生福
長善。」[26]

---

22 《中華道藏》第5冊，頁585。

23 《中華道藏》第5冊，頁588。

24 《中華道藏》第5冊，頁603。

25 《中華道藏》第44冊，頁113。

26 《中華道藏》第6冊，頁133。

三　與天尊信仰相應的活動

元始天尊「歷刼度人」的特點，在靈寶經典中獲得普遍宣揚，其方法則訴諸於「功德」的營造，尤其「造像」、「抄經」、「齋醮」等等，正是對世俗大眾信仰活動影響最顯著的部份，與天尊信仰的推廣可謂相輔相成。至於新興的天尊名稱，則與道教齋儀中禮懺十方的儀式與懺悔思想密切結合，如羽638《老子十方像名經》行七十三起云：

> 爾時高上老子又告東方普濟真人及諸仙眾曰：汝等若能勸化東方無極世界之中一切善男子、善女人，悉令送心投款，至心敬禮稱揚此東方九氣無極世界九十天尊靈像名號者，即得滅除存亡二代從來所犯傲忽三寶、不生肅敬之罪；次滅……。有此東方十惡之罪，無量無邊，不可測憶之罪，今能彈指懺悔，滅除此十罪者，則不為東方十直之神、天帝使者錄其罪目，上奏天曹，則壽終命過之後，不墮東方無極世界風雷地獄之中，長免雷公霹靂苦痛之患，五體完全，六府清淨，……，後生人中，快樂無極。

《太上慈悲九幽拔罪懺》卷之七則載上中下三元各一百二十天尊名號，強調「說如上因緣，禮天尊名號，即得先亡解脫，災厄潛消，……，宿業餘殃，咸成解脫。」[27]等等的說法。《太上洞玄靈寶業報因緣經》卷七對功德的營造，區分為：

> 凡功德無窮，大略有九，隨其分力，各獲福田。今為汝言，宜須諦識。一者造像，二者寫經，三者置觀，四者度人，五者建齋，六者誦經，七者持戒，八者供養，九者布施。[28]

即把「造像」擺在第一位。天尊信仰固然始於六朝時期，然其盛行當在唐

27　《中華道藏》第44冊，頁207。
28　《中華道藏》第5冊，頁189。

代，與此有關而較受學界關注的部份即為「造像」活動，包括神塚淑子[29]、倉本尚德[30]、小林正美[31]、李豐楙[32]、張勛燎、白彬[33]、汪小洋等[34]都曾撰文探討道教的造像內容，除了小林正美討論範圍為隋至南宋前期，汪小洋等人《中國道教造像研究》一書擴及清代外，其他論著皆集中於北朝的造像，然就其數量而言，可見北朝時期道教造像以「老君」為主，入唐之後，元始天尊的造像數量則有後來居上的趨勢，並且出現如「常陽天尊」[35]等新的造像內容，這一現象並非是老君信仰的衰微，但卻代表元始天尊與其他天尊信仰的興起與普及，其原因當與靈寶經教的傳佈有關。

　　「造像」為功德之重者，不管是祈福或滅罪、度亡，每與齋醮法會結合，比如唐代官方祭祀泰山，每結合道教金籙齋儀、投龍儀式，並有造天尊像的活動[36]。其中多以「元始天尊」為主，二仙真夾侍的組合，如〈唐國師升真先生王法主真人立觀碑〉載：「又於內殿奉為文德皇后造元始天尊像一軀，二真夾侍。」[37]以陳垣《道家金石略》所收錄唐代道教造像的記錄而

29　神塚淑子：〈南北朝時代の道教造像〉，《中國中世の文物》（京都市：京都大學人文科學研究所，1993年），頁225-289。

30　倉本尚德：〈北朝造像銘にみる道佛二教の關係——關中における邑義の分析を中心に〉，《東方宗教》第109期，京都市：日本道教學會，2007年），頁18-51。

31　小林正美：《道教の齋法儀礼の思想史的研究》〈金籙齋法に基づく道教造像の形成と展開——四川省綿陽・安岳・大足の摩崖道教造像を中心に〉（東京：知泉書館，2006年），頁223-279。

32　李豐楙：〈供養與祈福：北魏道教造像碑的圖象與銘文初探〉，《道教與文化學術研討會論文集》（臺北市：國立歷史博物館，2001年），頁93-120。又〈北周建德元年李元海等造元始天尊碑記及妓樂圖考〉，《道苑繽紛錄》（香港：商務印書館，2002年），頁52-90。

33　張勛燎、白彬：〈北朝道教造像的考古研究〉，《中國道教考古》（北京市：線裝書局，2005年1月），頁609-684。

34　汪小洋等：《中國道教造像研究》（上海市：上海大學出版社，2010年5月）。

35　參見侯毅：〈唐代道教石造像常陽天尊〉，《文物》第12期（北京市：文物出版社，1991年），頁42。

36　詳參拙文〈敦煌寫卷 P.2354與唐代道教投龍活動〉，《敦煌學》第22輯（1999年12月），頁91-109。

37　見陳垣：《道家金石略》（北京市：文物出版社，1988年6月），頁53。

言，約有二十七則，其中只有兩則是天尊與老君並造，見於《西山觀造像題記》中〈壬智斌題記〉和〈三洞道士孫靈諷題記〉，[38]餘均為天尊造像。天尊造像中非稱元始天尊者，除了前已言及之常陽天尊外[39]，一則為救苦天尊，見於〈白羊峰聖容正教龕銘〉云：「次王宮龕□十□□□□救苦天尊乘九龍，為慈母古五娘造東西真相廿軀。」[40]〈岱嶽觀碑〉所載另有：

> 儀鳳三年三月三日，大洞三景法師葉法善等奉敕於此敬□修齋設河圖大醮一□，敕敬造壁畫元始天尊、萬福天尊像兩舖，功德既畢，勒石紀年。[41]

又：

> 大唐神龍元年，……，大弘道觀法師阮孝波、……，奉敕於岱嶽觀建金籙寶齋，……，奉為皇帝、皇后敬造石玄真萬福天尊像一舖。[42]
>
> 長安元年，……，敬造東方玉寶皇上天尊一舖，并二真人、仙童、玉女等夾侍。[43]
>
> 大周長四年，……奉為皇帝敬造石玉寶皇上天尊一舖十事。[44]

前引《無上秘要》卷三十五引《金籙經》以及《洞玄靈寶三洞奉道科戒營始》所載十方天尊中，「玄真萬福天尊」為南方天尊，「玉寶皇上天尊」為東方天尊，至於其信仰功能，則《太上三十六部尊經》「太清境經下太清境中精經第八」云：

> 天尊告十方天尊曰：汝今以我之氣化身下降東方。若有一劫人民見世

38　陳垣：《道家金石略》，頁49-50。
39　陳垣：《道家金石略》，頁108。
40　陳垣：《道家金石略》，頁143。
41　陳垣：《道家金石略》，頁67。
42　陳垣：《道家金石略》，頁95。
43　陳垣：《道家金石略》，頁94。
44　陳垣：《道家金石略》，頁95。

受苦，則曰玉清降福天尊救度一切災難。過往魂爽未得超生，則曰玉寶皇上天尊救度一切沉滯。南方延壽益籌天尊濟生，**玄真萬福天尊度死**；西方八卦護身天尊濟生，太妙至極天尊度死；北方消災解厄天尊濟生，玄上玉晨天尊度死；東北方紫清賜福天尊濟生，度仙上聖天尊度死；東南方長生保命天尊濟生，好生度命天尊度死；西南方福生無量天尊濟生，太靈虛皇天尊度死；西北方九宮捍厄天尊濟生，無量太華天尊度死；上方保命護身天尊濟生，玉虛明皇天尊度死；下方興大福力天尊濟生，真皇洞神天尊度死。[45]

由上可知，十方天尊主要與濟生、度死的功能連結，尤其是度亡的功能，如P.3556V 寫卷即見有「今故奉為大帝敬造繡玄真萬福天尊等一千舖」為唐高宗度亡之語。而《正統道藏》洞玄部威儀類所收《黃籙齋十天尊儀》即是以十方救苦天尊加上東方玉寶皇上天尊等十方天尊，以「用資亡歿」[46]。

此外，郜同麟在討論《太上洞玄靈寶天尊名》時提到：

> 需要注意的是，伯3755號「如是作禮」下有一段夾行注：「其禮五十後，著二大真人稱禮，不可思議。各三稱。」是依例當在禮懺每組天尊後，禮兩真人三遍。北敦3818中間一組天尊名後有「至心歸命大慈大悲救脫真人，至心歸命大慈大悲大慧真人，二真人各三稱」幾句，正保留了這一形式，其他各組可能都已省略了。[47]

他又指出《道藏》中的《太上慈悲九幽拔罪懺》和託名葛玄編的《太上慈悲道場消災九幽懺》也保留了這一形式。雖然他是為了推測天尊名的數量，但是「其禮五十後，著二大真人稱禮，不可思議。各三稱。」的形式，也正與「天尊像一軀，二真夾侍」的造像組合相應。

---

45 《中華道藏》第5冊，頁402。

46 《中華道藏》第43冊，頁678。

47 郜同麟：〈《太上洞玄靈寶天尊名》新探〉，《敦煌吐魯番研究》第15卷（上海市：上海古籍出版社，2015年4月），頁470。

伴隨著天尊造像而產生者，則是銘、贊、記等作品的寫作，雖然大多篇幅簡短，但從其造像的出發點而言，這些活動不單單只是信仰的虔誠表現，除了對「道」與「天尊」的頌揚之外，其中也蘊涵深厚的倫理親情之流露，有夫妻的情深，如張九齡〈畫天尊像銘并序〉云：「畫天尊像者，贈吏部侍郎武功蘇公夫人崔氏為公卒哭之所作也。……。斯所謂玄鑒無昧，當受謁帝之符，幽魂有憑，必署昇仙之籙，此固崔氏之至願也。有足悲者，不其猗歟！」[48]有父母的慈愛，如〈姚二娘造元始天尊像頌〉乃「洛州登封縣清信女弟子姚二娘，為亡夫李玄超及亡女與眷屬一切含生等，造石元始天尊像一舖」[49]。有子孫的孝思，如李譔〈造大道天尊像記〉敘：「几筵寂寞，瞻望長違，創巨徒深，寄哀何地？」[50]面對喪母之痛，宗教力量成為寄託之所，故而「祈福玄宗，敬寫真容」，即使如此，終究生死兩隔，文末仍陷入「音儀日遠，風烈空傳，叩心感慕，終天何及！」的無限哀思之中。

除了倫理親情之外，亦有表達調和三教者，如穆員〈畫元始天尊釋迦牟尼佛讚并序〉云：「聖人之教有三，儒之先師曰：孝者德之本，教之所由生。又曰：立身揚名，以顯父母，孝之終也。若乃崇樹景福，追護既往，有無上無邊之力，非智智識之功，則道釋二宗，其用一致。」[51]又如張說〈益州太清觀精思院天尊贊〉云：「十天從化，萬靈受律，蓮花釋門，麟角儒術，法共不二，心同得一。」[52]

比較特殊的是杜甫的〈前殿中侍御史柳公紫微仙閣畫太一天尊圖文〉，雖然評價兩極[53]，然其文中疾呼「戰爭未息，必揆當世之變，日慎一日，眾之所惡與之惡，眾之所善與之善，敕有司寬政去禁，問疾薄斂，修其土田，

---

48 《全唐文新編》第5冊（長春市：吉林文史出版社，2000年12月），頁3289。

49 《全唐文新編》第20冊，頁13599。

50 《全唐文新編》第4冊，頁2380。

51 《全唐文新編》第14冊，頁9334。

52 《全唐文新編》第4冊，頁2558。

53 有關此篇文章之爭議，詳參徐希平：〈杜文札記一則——杜甫《前殿中侍御史柳公紫微仙閣畫太一天尊圖文》試解〉，《杜甫研究學刊》2000年第1期（總第63期），頁47-49。

險其走集，以此馭賊臣惡子，自然百祥攻，百異有漸。」[54]明顯展現藉由道教題材之描寫，寄寓其對皇帝興國之期待。

　　唐代天尊信仰的流行，除了「造像」、「經典傳抄」與「儀式」結合的影響之外，也產生相應的靈應故事，如張鷟《朝野僉載》卷一記久視年中，天尊賦予襄州人楊元亮療病能力，藉以籌措修建天尊堂經費之異事。[55]孫光憲《北夢瑣言》卷四「西岳神斃張簉」條則載唐代張策由僧還俗，在雲臺觀修業，其弟簉亦輕道教，脫褻服掛於天尊臂上，出語不遜，遂遭神擊斃之事。文末評云：「斯人也，必黨於釋氏，而輕侮道尊，人之無禮，自貽陰極，非不幸也。」[56]抑佛揚道之意味甚為濃厚。杜光庭《道教靈驗記》卷三與卷四收錄之靈應故事，與天尊有關的近二十則左右，尤其「救苦天尊」的信仰，其與佛教地藏菩薩的關係是較受學界關注的部份，鄭師阿財、游佐昇、蕭登福都曾撰有相關論文深入探討。[57]又如卷四〈常道觀鐵天尊驗〉即為元始天尊之事，其云：

> 常道觀鐵天尊，鎔範精妙，儀相炳然，高三尺餘。久置於南廊之下，金彩銷剝，左手一指已損。邑人費和臥疾半年，日以瘦銷，醫藥巫祝不能致良。忽夢一道士，年可四十餘，著舊山水帔，拳其左手，而謂之曰：我住在山中，姓樂，天下之人皆貴重我，而山中人少，衣服欲弊，左手指痛，汝為理之，當令汝所疾立愈，年命延益。……。因發願裝修，宿於山中，設齋虔祝三日而所疾平復。歷問道流，不知天尊之姓。後有引《思微定志經》說：樂靜信證果為元始天尊之事，契其

54　《全唐文新編》第7冊，頁4124。

55　〔唐〕張鷟撰；郝潤華、莫瓊輯校：《朝野僉載輯校》（濟南市：山東人民出版社，2018年2月），頁4。

56　〔五代〕孫光憲《北夢瑣言》，（上海市：上海古籍出版社，1981年11月），頁28。

57　詳參鄭師阿財：〈敦煌寫本道明和尚還魂故事研究〉，《唐代文學論叢》（嘉義縣：中正大學中國文學系，1998年6月），頁693-735。游佐昇：〈唐代に見られる救苦天尊信仰について〉，《東方宗教》第73期，1989年，頁19-40。蕭登福：《道教地獄教主太乙救苦天尊》（臺北市：新文豐出版公司，2005年1月）。

言矣。……。⁵⁸

樂靜信之事見載《太上洞玄靈寶智慧定志通微經》，文字頗長，如云：

> 往昔一過去，恒沙之數，信不可計，无極久遠劫時，有賢信道民，姓
> 樂名淨信，居業巨富，財不可計。甚信道德，靜處思惟，心與口誓，
> 我富如此，此皆福來，銜荷天地，甚宜報恩。報恩之心，實有冥到，
> 然未知何方。從外寢處，還問其妻，具說如此，道不須財，當云何。
> 妻曰：道從心生，何處覓道。但當營始道士諸所乏无，道士得己齋
> 戒，興顯道事，豈非報道。夫得妻言，然之為佳，心開覺悟。

文中敘其兒名為法解，敘事結束後則云：

> 於是天尊問二真曰：卿等識此三世人耶。二真對曰：此事久遠，實所
> 不識。天尊曰：時樂淨信者，吾今身是。法解者，左玄真人是。法解
> 妻者，右玄真人是。⁵⁹

很明顯是仿照佛經的敘事模式，前引史崇〈妙門由起序〉亦云：「報身者，
由積勤累德，廣建福田，樂靜信等也。」《道教靈驗記》中「天下之人皆貴
重我」一句，也刻意強調了當時元始天尊信仰之流行。

四 結語

　　雖然李唐王朝以老君為其祖先，老君在唐代也一直維持崇高的地位，隨
著靈寶經的傳播廣泛，對元始天尊的信仰產生推動的力量，尤其在北朝到唐
代期間，道教造像的記錄中有明顯的變化。雖然元始天尊與老君在道教理論
的層次中，二者或無本質的區別，但是既有了不同的稱呼，世俗大眾即易有
所區隔，《道教靈驗記》中對「老君」與「天尊」的稱謂使用，其指涉對象

58　《中華道藏》第45冊，頁85。
59　詳見《中華道藏》第3冊，頁302-304。

即有明顯的不同。而以元始天尊為核心結合「應化」觀念所衍生的十方天尊，不斷由十位增加到數百、千位等，數量的增多意謂著力量的廣大，護衛信仰者的周全，所謂「聖人應號，亦復無邊」，或如繆勒（Müller, F.M）所說：

> ……所有被選中的名字都是不完善的，它們不能表示神的完滿性和無限性，所以還要繼續尋找新的名字，直到據發現與神有關的自然界各個部份，都被用作這無所不在的神的名字為止。[60]

從現存宣揚天尊名的經典中，可以看出其與懺悔滅罪的觀念緊密結合，王惠民的論文已揭示其佛教影響的來源，而透過敦煌寫本《太上洞玄靈寶天尊名》和《老子十方像名經》以及《道藏》相關文獻的對照，這兩種典籍應是當時所流行宣揚十方天尊的不同系統，《道藏》中的《太上洞真賢門經》則是雜揉兩者形式而成。

　　唐代的道教造像活動，體現了元始天尊與十方天尊信仰的盛行，蓋與其濟生度死的功能有關，相應於造像的需求，亦促使銘、贊、記等的寫作與宗教信仰的結合，並於其中寄寓了家國情懷或思想調和等題材內容。天尊信仰也進入靈驗故事的題材之中，杜光庭《道教靈驗記》卷四、卷五俱為「尊像靈驗」，亦可視為「造像」風潮之體現，凡此不無助益於體察某些文學創作現象之所由起，是為天尊信仰研究之意義。

---

60 見〔英〕麥克斯·繆勒（Müller, F.M）《宗教學導論》（上海市：世紀出版集團，2010年3月），頁122。

河西隴右的陷落期間的回鶻道

魏迎春

蘭州大學歷史文化學院教授

鄭炳林

蘭州大學敦煌學研究所教授

提要

吐蕃佔領河西隴右之後，駐紮於西域的北庭、安西節度使與唐朝間隔絕不通，貞元二年（西元786年）北庭節度使李元忠、安西節度使郭昕遣使奉表假道回鶻到達長安，唐朝通過這條道路對安西、北庭實施有效管理。直到安西、北庭節度使滅亡，回鶻道一直發揮著重要的作用。回鶻道西起安西、北庭與回鶻相鄰的地區，經漠北到烏德鞬山、回鶻牙帳，經參天可汗道到錯子山，經過大磧到達鸊鵜泉，至唐朝塞城西受降城，歷天德城、中受降城、東受降城和雲、朔等州到太原，沿汾河經蒲關到關中，或者翻越太行山到澤潞到洛陽，或者經井陘關到河北等地。

關鍵詞： 回鶻道　吐蕃　安西　北庭

　　唐與西域間的交往一般來說都是取絲綢之路中道前往西域的，也就是我們經常說的絲綢之路，經陝西、寧夏、甘肅、青海、新疆前往中亞地區，安史之亂之後吐蕃佔領河西隴右地區，戰事延伸到隴東的慶、涇、邠、寧、鄜等地，顯然原來經過甘寧青前往河西、西域的交通道路阻塞不通，與堅守敦煌的河西節度使和西域的安西北庭節度使間的往來主要是取道回鶻地區，所以將這條道路稱之為回鶻道。回鶻道東起天德軍，往西經西受降城和回鶻地區，西到安西北庭或者敦煌，這是一條歷史古道，只是到吐蕃佔領隴右地區之後被頻繁使用受到重視，此前回鶻佔領蒙古高原，大量的西域胡人的商隊很多是經過回鶻地區隨同回鶻使者進入中原地區，這一商業貿易因其路線主要經過回鶻地區唐朝難以經營控制，遭到嚴格限制，唐朝政府就嚴令回鶻使節不得攜帶隨行胡人商隊。吐蕃佔領隴右和河西東部地區之後，唐朝政府與河西節度使、安西北庭節度使的交通隔斷，唐朝政令只能通過回鶻地區才能下達，而敦煌和西域派出的使節只能繞道回鶻地區到達長安，回鶻道基本固定下來，成為唐朝與西域地區交通的主要通道。吐蕃佔領敦煌和安西之後，唐朝失去了對河西西域的控制，回鶻道價值有所降低，功能有所減退。晚唐隨著歸義軍政權的建立，歸義軍政權與唐朝之間的聯繫在收復涼州之前主要走回鶻道。到張氏歸義軍後期和曹氏歸義軍敦煌和中原之間經常受阻，回鶻道一直是敦煌和中原之間的主要通道之一，學術界對於唐五代宋初回鶻道還沒有專門研究，我們將對吐蕃佔領敦煌前後的回鶻道以及歸義軍時期的回鶻道進行分期研究，本文準備就吐蕃佔領河西期間的回鶻道進行研究，以請教學界。

一

　　回鶻道是吐蕃佔領河西隴右之後，唐朝政府聯繫西域的安西北庭節度使的唯一通道，他在唐朝經營西域中起了非常大的作用。《新唐書》〈回鶻傳〉記載：

初，安西、北庭自天寶末失關、隴，朝貢道隔。伊西北庭節度使李元忠、四鎮節度留後郭昕數遣使奉表，皆不至。貞元二年，元忠等所遣假道回鶻，乃得至長安。帝進元忠為北庭大都護，昕為安西大都護。自是，道雖通，而虜求取無厭。沙陀別部六千帳，與北庭相依，亦厭虜衰索，至三葛祿、白眼突厥素臣回鶻者尤怨苦，皆密附吐蕃，故吐蕃因沙陀共寇北庭，頡干迦斯與戰，不勝，北庭陷。於是都護楊襲古引兵奔西州。回鶻以壯卒數萬召襲古，將還取北庭，為吐蕃所擊，大敗，士死太半，迦斯奔還。襲古挈餘眾將入西州，迦斯紿曰：「弟與我俱歸，當使公還唐。」襲古至帳，殺之。葛祿又取深圖川，回鶻大恐，稍南其部落以避之。[1]

《舊唐書》〈德宗紀〉記載：

> 建中二年（西元781年）七月自河、隴陷虜，伊西北庭為蕃戎所隔，間者李嗣業、荔非元禮、孫志直、馬璘輩皆遙領其節度使名。初，李元忠、郭昕為伊西北庭留後，隔絕之後，不知存亡，至是遣使歷回鶻諸蕃入奏，方知音信，上嘉之。其伊西北庭將士敘官，乃超七資。[2]

《資治通鑑》唐德宗建中二年（西元781年）：「北庭、安西自吐蕃陷河、隴，隔絕不通，伊西、北庭節度使李元忠、四鎮留後郭昕帥將士閉境拒守，數遣使奉表，皆不達，聲問絕者十餘年；至是，遣使間道歷諸胡自回紇中來，上嘉之。」[3]遣使歷回鶻諸蕃入奏或者遣使間道歷諸胡自回紇中來都是取道回鶻道，不過經過的不僅僅回鶻一個民族管轄的地區。建中三年（西元782年）唐朝通過這條道路得到了河西節度使楊休明、周鼎等死亡的消息，「至是西蕃通和，方得歸葬」[4]，建中四年（西元783年）唐朝通過回鶻道任

1　《新唐書》卷217上〈回鶻上〉，頁6124-6125。

2　《舊唐書》卷12〈德宗上〉，頁329。

3　《資治通鑑》卷227唐德宗建中二年（西元781年）秋七月，頁7305。

4　《舊唐書》卷12〈德宗上〉記載建中三年五月：「丙申，詔：『故伊西北庭節度使楊休

命安西四鎮節度使郭昕、北庭都護李元忠加左右僕射，貞元二年（西元786年）得到李元忠死亡消息並任命楊襲古擔任伊西北庭節度使[5]，說明回鶻道已經開始開通使用，唐朝通過回鶻道對安西北庭實施了有效的管理。貞元二年（西元786年）吐蕃佔領敦煌河西節度使滅亡，但是作為安西北庭節度使仍然為唐堅守，唐朝的政令通過回鶻道傳達到西域地區。

《舊唐書》〈回紇傳〉記載貞元六年（西元790年）：

> 是歲，吐蕃陷北庭都護府。初，北庭、安西既假道於回紇以朝奏，因附庸焉。……於是吐蕃率葛祿、白服之眾去冬寇北庭，回鶻大相頡干迦斯率眾援之，頻敗。吐蕃急攻之，北庭之人苦回紇，乃舉城降焉，沙陀部落亦降。節度使、檢校工部尚書楊襲古將麾下二千餘眾出北奔西州，頡干利亦還。六年秋，悉其國丁壯五萬人，召襲古，將復焉，俄為所敗，死者大半。……頡干迦斯敗，葛祿乘勝取回紇之浮圖川，回紇震恐，悉遷西北部落羊馬於牙帳之南以避之。[6]

通過這些記載我們得知，回鶻道的開通是安西北庭節度使派遣使者打通的道路，這條道路是在吐蕃佔領關隴地區交通阻隔資訊不通的情況下進行的，回鶻道是唐朝經回鶻連通西域的通道，因此回鶻道西部起點應當是安西、北庭節度使管轄範圍。

《資治通鑒》唐德宗貞元五年（西元789年）記載：

明、故河西節度使周鼎、故西州刺史李琇璋、故瓜州刺史張銑等，寄崇方鎮，時屬殷憂，固守西陲，以抗戎虜。殞身異域，多歷歲年，以迫於茲，旅櫬方旋，誠深追悼，官加寵贈，以貴幽泉。休明可贈司徒，鼎贈太保，琇璋贈戶部尚書，銑贈兵部侍郎。』皆隴右牧守，至德以來，陷吐蕃而殞故，至是西蕃通和，方得歸葬也。」

5　《舊唐書》卷12〈德宗上〉記載建中四年五月「乙未，安西四鎮節度使郭昕、北庭都護李元忠加左右僕射。」貞元二年（西元786年）五月：「丁酉，以伊西北庭節度留後楊襲古為北庭大都護、伊西北庭節度度支營田瀚海等使。……伊西北庭節度使李元忠卒，贈司空。」

6　《舊唐書》卷195〈回紇傳〉，頁5209。

十二月，庚午，聞回鶻天親可汗薨，戊寅，遣鴻臚卿郭峰冊命其子為登裡羅沒密施俱錄忠貞毗伽可汗。先是，安西、北庭皆假道於回鶻以奏事，故與之連和。北庭去回鶻尤近，誅求無厭，又有沙陀六千餘帳與北庭相依。及三葛祿、白服突厥皆附於回鶻，回鶻數侵掠之。吐蕃因葛祿、白服之眾以攻北庭，回鶻大相頡干迦斯將兵救之。

胡三省注：

為吐蕃所隔，河、隴之路不可由也，故假道於回鶻以入奏。沙陀，西突厥別部處月種也，居金娑山之陽，蒲類海之東，有大磧名沙陀。三葛祿，葛邏祿三部也；一曰謀剌，二曰婆匐，三曰踏實力，在北庭西北，金山之西。白服突厥，《新唐書》作「白眼突厥」。[7]

北庭、安西假道回鶻以奏事，經過北庭管轄的蒲類海、沙陀磧、金娑山南到達回鶻地區。就是說，回鶻道西邊起點是北庭節度使管轄與回鶻相鄰的地區，這個路線要繞過安西節度使管轄的伊州，取道天山北麓東行進入回鶻地區。回鶻直接出兵攻打北庭，表明回鶻道西部相鄰的地方是北庭。

同年「回鶻忠貞可汗之弟弒忠貞而自立，其大相頡干迦斯西擊吐蕃未還，夏，四月，次相帥國人殺篡者而立忠貞之子阿啜為可汗，年十五。」[8]這裡記載頡干迦斯西擊吐蕃而不是南擊吐蕃，回鶻大帳的南邊是甘州和涼州，瓜州、沙州在回鶻牙帳西南，所以頡干迦斯配合安西北庭節度使攻打伊州或者進攻北庭的吐蕃兵馬，因此回鶻為唐朝而出兵攻擊吐蕃。我們從之後的記載看，頡干迦斯是配合安西北庭節度使攻打吐蕃，這個吐蕃就是佔領伊州或者進攻安西北庭的吐蕃軍隊。因此史籍記載「吐蕃與回鶻爭北庭，大戰，死傷甚眾」[9]，指的就是這次戰事。這從側面說明回鶻道進入西域的地區主要是唐庭州。《舊唐書》〈回紇傳〉記載長慶年間回紇「以一萬騎出北

---

7 《資治通鑑》卷233唐德宗貞元五年（西元789年），頁7520。
8 《資治通鑑》卷233唐德宗貞元六年（西元790年），頁7521。
9 《資治通鑑》卷234唐德宗貞元十年（西元794年），頁7552。

庭，一萬騎安西，拓吐蕃以迎太和公主歸國。」[10]表明回鶻道可以通達安西、北庭，伊州屬於安西節度使管轄，因此經安西伊州可以進入回鶻道。

貞元六年（西元890年）吐蕃佔領北庭，北庭節度使退守安西，《資治通鑒》唐德宗貞元六年（西元890年）五月：「回鶻頡干迦斯與吐蕃戰不利，吐蕃急攻北庭。北庭人苦於回鶻誅求，與沙陀酋長朱邪盡忠皆降於吐蕃；節度使楊襲古帥麾下二千人奔西州。」[11]吐蕃佔領庭州之後，回鶻仍然對庭州用兵，力圖替唐恢復庭州，《新唐書》〈回鶻傳〉記載「是歲，回鶻擊吐蕃、葛祿於北庭，勝之，且獻俘。」[12]雖然唐朝在庭州統治結束了，作為唐朝的合作者，仍然希望恢復西域，很可能安西節度使還存在。回鶻行軍路線就是走的回鶻道。

回鶻道西鄰安西北庭，我們還可以通過回鶻被黠戛斯打敗後的逃亡路線得到印證。《舊唐書》〈回紇傳〉記載八四〇年回鶻被黠戛斯打敗之後散奔諸蕃，「有回鶻相馺職昔擁外甥龐特勤及男鹿並粉等兄弟五人、一十五部西奔葛邏祿，一支投吐蕃，一支投安西。」[13]《資治通鑒》唐文宗開成五年（西元840年）記載：

> 初，伊吾之西，焉者之北，有黠戛斯部落，即古之堅昆，唐初結骨也，後更號黠戛斯。……回鶻別將句錄莫賀引黠戛斯十萬騎攻回鶻大破之，殺厲馺及掘羅勿，焚其牙帳蕩盡，回鶻諸部逃散。其相馺職、特勤厖等十五部奔葛邏祿，一支奔吐蕃，一支奔安西。可汗弟嗢沒斯等及其相赤心、僕固、特勤那頡啜，各帥其眾抵天德軍塞下，就雜虜貿易穀食，且求內附。冬，十月，丙辰，天德軍使溫德彝奏：「回鶻潰兵侵逼西城，亙六十里，不見其後。邊人以回鶻猥至，恐懼不安。」詔振武節度使劉沔屯雲迦關以備之。

10　《舊唐書》卷195〈回紇傳〉，頁5211。
11　《資治通鑒》卷233唐德宗貞元六年（西元890年），頁7521。
12　《新唐書》卷217上〈回鶻上〉，頁6125。
13　《舊唐書》卷195〈回紇傳〉，頁5213。

西城，胡三省注曰：「西城，朔方西受降城也。」[14]回鶻殘部到天德軍塞下，所謂塞，就是天德軍的邊塞，根據回鶻潰兵侵逼西城得知，天德軍的塞城就是隸屬於天德軍的西受降城。因為西受降城是天德軍往北通往回鶻的塞城，所以被點戛斯打敗的回鶻潰兵也是經過就食唐朝，求得唐朝政府的幫助。

唐穆宗長慶元年（西元821年）五月太和公主下嫁回鶻，回鶻遣都督、宰相等五百人來迎公主，這個地點應當是天德軍或者振武軍，吐蕃出兵攻打寇唐鹽州清塞堡被擊敗，「戊寅，回鶻奏：『以萬騎出北庭，萬騎安西，拒吐蕃以迎公主。』」[15]這是從西部襲擊吐蕃，使其不能專攻唐朝的天德、振武軍周邊地區，給迎娶太和公主造成威脅。

回鶻牙帳附近的烏德犍山是回鶻道必經之地，《新唐書》〈地理志〉記載回鶻牙帳「東有平野，西據烏德犍山，南依嗢昆水，北六七百里至仙娥河，河北岸有富貴城。」「烏德犍山左右嗢昆河、獨邏河皆屈曲東北流，至牙帳東北五百里。」[16]烏德犍山位於回鶻牙帳之西。這可以沙陀投靠唐朝事件的記載得到證實。《資治通鑑》唐憲宗元和三年（西元808年）五月記載：

> 沙陀勁勇冠諸胡，吐蕃置之甘州，每戰，以為前鋒。回鶻攻吐蕃，取涼州；吐蕃疑沙陀貳於回鶻，欲遷之河外。沙陀懼，酋長朱邪盡忠與其子執宜謀復自歸於唐，遂帥部落三萬，循烏德犍山而東，行三日，吐蕃追兵大至，自洮水轉戰至石門，凡數百合，盡忠死，士眾死者太半。執宜帥其餘眾猶近萬人，騎三千，詣靈州降。

胡三省注曰：

> 烏德犍山在回鶻牙帳之西，甘州東北。史炤曰：《唐曆》云即郁督軍山，虜語兩音也。[17]

14　《資治通鑑》卷246唐文宗開成五年（西元840年），頁7946-7947。

15　《資治通鑑》卷241唐穆宗長慶元年（西元821年），頁7791-7792。

16　《新唐書》卷43下〈地理〉33下，頁1148-1149。

17　《資治通鑑》卷237唐憲宗元和三年（西元808年），頁7651。

烏德犍山、郁督軍山即杭愛山。沙陀準備由甘州循黑河經額濟納旗的居延海，北至杭愛山脈經參天可汗道歸唐，但是被吐蕃發現遭到堵截，所以很可能翻越祁連山經洮水東至原州的石門水，北上到朔方節度使管轄範圍，所謂「靈鹽節度使范希朝聞之，自帥眾迎於塞上，置之鹽州，為市牛羊，廣其畜牧，善撫之。」[18]其中塞上，就是指蕭關一帶。沙陀最先計畫經過烏德犍山而東經參天可汗道到天德軍的回鶻道歸唐，但是在吐蕃攔截下被迫取道祁連山東南的洮水、隴山北端的石門水到達靈鹽節度使管轄的範圍，唐於鹽州置陰山府安置之。雖然沙陀歸唐最後沒有行經回鶻道，但是他們的計畫路線透露出來回鶻道在回鶻境內的行經路線。

回鶻牙帳也是回鶻道經過主要地點。《舊唐書》〈回紇傳〉記載吐蕃佔領北庭，北庭節度使楊襲古聯合回紇攻打回鶻失敗，「頡干利收合餘燼，晨夜奔還。襲古餘眾僅百六十，將復入西州，頡干迦斯紿之曰：『弟與我同至牙帳，當送君歸本朝。』既及牙帳，留而不遣，竟殺之。自是安西阻斷絕，莫知存亡。唯西州之人，猶固守焉。」[19]

回鶻道所經過的地點有拂梯泉和大石谷。《資治通鑑》記載元和四年（西元809年）：「丙辰，振武奏吐蕃五萬餘騎至拂梯泉，辛未，豐州奏吐蕃萬餘騎至大石谷，掠回鶻入貢還國者。」胡三省注曰：「本又作鸊鵜泉，在豐州西受降城北三百里。」[20]唐憲宗元和八年（西元813年）：「冬，十月，回鶻發兵度磧南，自柳谷西擊吐蕃，振武、天德軍奏回鶻數千騎至鸊鵜泉，邊軍戒嚴。」胡三省注：「鸊鵜泉，在西受降城北三百里。」[21]鸊鵜泉在西受降城北三百里，而大石谷在豐州附近，都是回鶻道必經之地。《新唐書》〈地理志〉豐州九原郡西受降城「北三百里有鸊鵜泉」[22]，鸊鵜泉回鶻道必經之地。《新唐書》〈回鶻傳〉記載唐憲宗時：「可汗以三千騎至鸊鵜泉，於

18 《資治通鑑》卷237唐憲宗元和三年（西元808年），頁7651。

19 《舊唐書》卷195〈回紇傳〉，頁5209-5210。

20 《資治通鑑》卷238唐憲宗元和四年（西元809年），頁7666。

21 《資治通鑑》卷239唐憲宗元和八年（西元813年），頁7702。

22 《新唐書》卷37〈志〉第27，頁976。

是振武以兵屯黑山，治天德城備虜。」[23]天德城在黑山，憲宗元和年間修築。唐穆宗長慶元年（西元821年）十月：「靈武節度使李進誠奏敗吐蕃三千騎于大石山。」胡三省注：「大石山，在魯州東南。魯州，六胡州之一也。在靈夏西河曲之地。」[24]八四○年回鶻被點戛斯打敗之後，其殘部潰兵到天德軍塞城西受降城就食，次年「二月，回鶻十三部近牙帳者立烏希特勤為烏介可汗，南保錯子山。」胡三省注：「新志：鸊鵜泉北十里入磧，經饗鹿山、鹿耳山至錯子山。據李德裕言：錯子山東距釋迦泊三百里。」[25]《新唐書》〈回鶻傳〉記載太和公主下嫁回鶻：「公主出塞，距回鶻牙百里，可汗欲先與主由間道私見。」[26]此處記載的塞即西受降城。由此得知，回鶻道出西受降城北行三百里至鸊鵜泉，鸊鵜泉北行十里入磧，經饗鹿山、鹿耳山、錯子山等地至回鶻牙帳。

西受降城也是回鶻道的必經之地。唐憲宗元和八年（西元813年）記載：

> 秋，七月，振武節度使李光進請修受降城，兼理河防。時受降城為河所毀，李吉甫請徙其徒於天德城，李絳及戶部侍郎盧坦以為：「受降城，張仁願所築，當磧口，據虜要衝，美水草，守邊之利地。今避河患，退二三裡可矣，奈何捨萬代永安之策，徇一時省費之便乎！況天德故城僻處磧鹵，去河絕遠，烽候警急不相應接，虜忽唐突，勢無由知，是無故而蹙國二百里也。」及城使周懷義奏屬害，與絳坦同。上卒用吉甫策，以受降城騎士隸天德軍。[27]

這裡的受降城似乎是指東受降城，如若這樣其毗鄰的磧口很可能是往南進入

23　《新唐書》卷217上〈回鶻傳〉，頁6126。

24　《資治通鑒》卷242唐穆宗長慶元年（西元821年），頁7803。

25　《資治通鑒》卷246唐武宗會昌元年（西元841年），頁7949。同卷唐武宗會昌二年（西元842年）三月記載有「釋迦泊西距可汗帳三百里」，胡三省注：「烏介時移帳保曹子山。」

26　《新唐書》卷217下〈回鶻下〉，頁6129。

27　《資治通鑒》卷239唐憲宗元和八年（西元813年），頁7700。

毛烏素沙漠的沙磧地帶，我們認為東受降城臨河，西受降城也臨河，元和七年河溢不僅僅是東受降城，可能西受降城也受河溢之災，特別是西受降城是進入漠北沙磧的必經之地。我們從此後記載的得知，唐朝並沒有將東受降城的駐軍遷往天德軍，當時將受降城的駐軍遷徙到天德軍時，「時受降城兵籍舊四百人，及天德軍交兵，止有五十人，器械止有一弓，自餘稱是。」[28]就是不遷徙這些駐軍，唐朝的東受降城實際上已經荒廢。我們這裡的記載有誤，所謂受降城當磧口、據虜要衝、美水草等應當指西受降城，東受降城的地理優勢是據臨河之險。

二

回鶻道進入唐朝管轄區之後，從天德軍東行經過唐振武軍，即今內蒙古的九原，唐德宗建中元年（西元780年）：

> 八月，甲午，振武留後張光晟殺回鶻使者董突等九百餘人。董突者，武義可汗之叔父也，代宗之世，九姓胡常冒回鶻之名，雜居京師，殖貨縱暴，與回鶻共為公私之患；上即位，命董突盡帥其徒歸國，輜重甚盛。至振武，留數月，厚求資給，日食肉千斤，他物稱是，縱樵牧者暴踐果稼，振武人苦之。

最後以鞭辱大將謀襲振武而殺董突等回鶻及九姓胡[29]。回鶻歸國行走的道路必然是就是回鶻道，之所以滯留振武，就是振武是回鶻道，這裡很可能就是唐朝政府提供物品供應的最後地點，因此振武也是回鶻道進入唐朝後必經之地。中間須經過黃蘆泉和柳泉，太和末年送太和公主歸回鶻，就經過這兩個地方。《舊唐書》〈回紇傳〉記載：「天德轉牒云：『回鶻七百六十人將駝馬及車，相次至黃蘆泉迎候公主。』豐州刺史李祐奏：『迎太和公主回鶻三千于柳

---

28 《資治通鑑》卷239唐憲宗元和八年（西元813年），頁7700。

29 《資治通鑑》卷226唐德宗建中元年（西元780年），頁7287-7288。

泉下營拓吐蕃。』」[30]黃蘆泉應當在天德軍東境，柳泉應當在豐州東境。都是唐進入回鶻道必經之地。

振武也是回鶻與唐朝交往的接觸之地，回鶻迎取唐朝公主下嫁回鶻者，都是在振武。《資治通鑑》貞元四年（西元78年）七月記載：

> 振武節度使唐朝臣不嚴斥候，己未，奚、室韋寇振武，執宣慰中使二人，大掠人畜而去。時回紇之眾逆公主者在振武，朝臣遣七百騎與回紇數百騎追之，回紇使者為奚、室韋所殺。[31]

回鶻將迎娶咸安公主地點安排在振武，就是振武節度使是唐與回鶻的臨邊軍鎮，也是回鶻道經過主要地點。經過振武節度使的路線主要有兩個，前者是由天德軍東行經過振武節度使，而後東南進入河東節度使管轄範圍；其次由振武節度使北行經大同川、杷頭風出磧口進入大漠，經過釋迦泊，往東三百里到錯子山到回鶻牙帳。《舊唐書》〈回紇傳〉記載烏介可汗聯合天德軍使田牟殺回鶻相赤心等，「那頡戰勝，全占赤心下七千帳，東瞰振武、大同，據室韋、黑沙、榆林，東南入幽州雄武軍西北界。」烏介可汗殺那頡，這樣烏介可汗就與振武節度使轄區相接鄰，振武節度使北部就直接與回鶻通。後回鶻「烏介諸部猶稱十萬眾，駐牙大同軍北閭門山，時會昌二年秋，頻劫東陝以北，天德、振武、雲朔，比罹俘戮。」[32]

同時天德軍也是回鶻道所經之地。《資治通鑑》唐穆宗長慶二年（西元822年）三月：

> 裴度之討幽、鎮也，回鶻請以兵從；朝議以為不可，遣中使止之。回鶻遣其臣李義節將三千人已至豐州北，卻之，不從；詔發繒帛七萬匹以賜之，甲寅，始還。[33]

---

30 《舊唐書》卷195〈回紇傳〉，頁5212。
31 《資治通鑑》卷233唐德宗貞元四年（西元788年），頁7514-7515。
32 《舊唐書》卷195〈回紇傳〉，頁5214。
33 《資治通鑑》卷242唐穆宗長慶二年（西元822年），頁7815。

唐豐州有中受降城，中受降城西三百里大同川有天德軍，「天德軍，乾元後徙屯永濟柵，故大同城也。」[34]因此《新唐書》〈地理志〉記載入四夷七條道路中有「四曰中受降城入回鶻道」[35]。並詳細記載經過中受降城的回鶻道行經路線：

> 中受降城正北如東八十里，有呼延谷，谷南口有呼延柵，古北口有歸
> 唐柵，車道也，入回鶻使所經。又五百里至鸊鵜泉，又北十里入磧，
> 經麚鹿山、鹿耳山、錯子山，八百里至山燕子井。又西北經密粟山、
> 達旦泊、可汗泉、橫嶺、綿泉、鏡泊，七百里至回鶻牙帳。
> 又別鸊鵜泉北經公主城、眉間城、怛羅思山、赤崖、鹽泊、渾義河、
> 爐門山、木燭嶺，千五百里亦至回鶻牙帳。[36]

吐蕃佔領河西隴右，唐與安西、北庭節度使隔絕不通，唐建中二年（西元781年）六月就是通過回鶻道聯繫的。「北庭、安西自吐蕃陷河、隴，隔絕不通，伊西、北庭節度使李元忠，四鎮留後郭昕帥將士閉境拒守，數遣使奉表，皆不達，聲問絕者十餘年；至是，遣使間道歷諸胡自回紇中來，上嘉之。秋，七月，戊午朔，加元忠北庭大都護，賜爵甯塞郡王；以昕為安西大都護、四鎮節度使，賜爵武威郡王；將士皆遷七資。元忠姓名，朝廷所次也，本性曹，名令忠；昕，子儀弟〔之子〕也。」[37]遣使間道歷諸胡自回紇中來，就是經過九姓胡地區經回鶻道到達唐朝。同時安西、北庭使節還帶來了伊州刺史為唐朝死消息。唐德宗建中二年（西元781年）六月「丙子，贈故伊州刺史袁光庭工部尚書。光庭天寶末為伊州刺史，吐蕃陷河、隴，光庭堅守累年，吐蕃百萬誘之，不下。糧竭兵盡，城且陷，光庭先殺妻子，然後自焚。郭昕使至，朝廷始知之，故贈官。」[38]唐朝與回鶻關係恢復，唐朝政

---

34 《新唐書》卷37〈地理一〉27，頁796。

35 《新唐書》卷43下，〈地理〉七下，頁1146。

36 《新唐書》卷43下〈地理〉七下，頁1148。

37 《資治通鑒》卷227唐德宗建中二年（西元781年），頁7303。

38 《資治通鑒》卷227唐德宗建中二年（西元781年），頁7305。

府就通過回鶻道瞭解到安西、北庭的消息，並通過回鶻道對安西、北庭進行治理。

唐德宗興元元年（西元784年）打敗朱泚，《資治通鑒》記載：

> 初，上發吐蕃以討朱泚，許成功以伊西、北庭之地與之；及泚誅，吐蕃來求地，上欲召吐蕃兩鎮節度使郭昕、李元忠還朝，以其地與之。李泌曰：「安西、北庭，人性驍悍，控制西域五十七國，及十姓突厥，又分吐蕃之勢，使不能併兵東侵，奈何拱手與之！且兩鎮之人，勢孤地遠，盡忠竭力，為國家固守近二十年，誠可哀憐。一旦棄之以與戎狄，彼其必深怨中國，他日從吐蕃入寇，如報私讎矣。況日者吐蕃觀望不進，陰持兩端，大掠武功，受賄而去，何功之有！」眾議亦以為然，上遂不與。[39]

我們於此得知，唐朝經過回鶻道來管理西域地區。西域的安西、北庭節度使也是通過回鶻道與唐朝聯繫的。

當時西遷敦煌的河西節度使也準備通過這條道路歸還唐朝。《新唐書》〈吐蕃傳下〉記載：

> 始，沙州刺史周鼎為唐固守，贊普徙帳南山，使尚綺心兒攻之，鼎請救回鶻，逾年不至，議焚城郭，引眾東奔，皆以為不可。鼎遣都知兵馬使閻朝領壯士行視水草，晨入謁辭行，與鼎親吏周沙奴共射，彀弓揖讓，射沙奴即死，執鼎而縊殺之，自領州事。城守八年，出綾一端募麥一門，應者甚眾。朝喜曰：「民且有食，可以死守也。」又二歲，糧械皆竭，登城而呼曰：「苟毋徙佗境，請以城降。」自攻城至是凡十一年。贊普以綺心兒代守。後疑朝謀變，置毒靴中而死。州人皆胡服臣虜，每歲時祀父祖，衣中國之服，號慟而藏之。[40]

所謂命都知兵馬使閻朝領壯士行視水草，就是探查敦煌經回鶻道東奔歸附唐

---

39 《資治通鑒》卷231唐德宗興元元年（西元784年），頁7442。

40 《新唐書》卷216〈吐蕃傳下〉，頁6101。

朝。因為此時唐朝政府與吐蕃已經以靈州之西賀蘭山為界[41]，就是說敦煌之
東皆被吐蕃佔領，通過河西、隴右到達唐朝，根本行不通。只能從敦煌往北
經過蒙古高原的回鶻道到達唐朝，這時敦煌的河西節度使通過安西、北庭得
知可以到達唐朝政府，周鼎就想找出一條道路，當時伊州已經被吐蕃佔領，
因此敦煌河西節度使的兵馬只有兩個選擇，第一經過安西、北庭節度使管轄
地進入回鶻道；第二間道經過瓜州、伊州之間廣大荒漠草原進入回鶻地區。
前者道路艱危難於行走，能夠走的道路就是大海道，而大海道是敦煌對外行
走中最難走的一條道路，這條道路從沙洲到西州一千三百六十里，「常流
沙，人行迷途，有泉井鹹苦，無草，行旅負水擔糧，履踐沙石，往來困
弊。」[42]很顯然這條道路不是周鼎的首選，儘管比較安全，但是歷史上這條
道路上幾乎沒有記載大的行軍經過這條道路。其次就是間行經過伊吾道走原
來匈奴與羌之間聯絡的道路，從敦煌往北入磧，經過野馬泉，折東經過唐第
五烽和第四烽之間往北到蒙古高原，這裡是漢唐匈奴、突厥進犯敦煌的路
線，同時也是河西節度使唯一能夠利用的路線，因為這條路線對敦煌河西節
度使來說是非常陌生的，沿路水草供應如何，都是個未知數，因此周鼎才派
遣閻朝帶壯士考察路線。這條路線是否能夠走通，對於河西節度使來說並沒
有十分的把握，加之河西節度使中任職的多為河西及敦煌當地人，安土重
遷，不願意離開敦煌，因此才出現了閻朝殺周鼎的事件發生。

三

　　吐蕃佔領敦煌之後，河西隴右及原州、夏州、鹽州等吐蕃所佔據，並於

---

41 《資治通鑑》卷227唐德宗建中二年（西元781年）十二月：「崔漢衡至吐蕃，贊普以敕
　 書稱貢獻及賜，全以臣禮見處；又，雲州之西，當以賀蘭山為境，邀漢衡更為請之。
　 丁酉，漢衡遣判官與吐蕃使者入奏。上為之改敕書、境土，皆如其請。」胡三省認
　 為：「雲州，當作靈州，史誤也。」
42 P.2009《西州圖經》道十一達大海道，參鄭炳林《敦煌地理文書匯輯校注》（蘭州市：
　 甘肅教育出版社，1989年），頁75。

貞元三年劫盟於平涼，這樣整個隴右河西全部落入吐蕃，行經回鶻地區的回
鶻道也深受影響。不久吐蕃退出鹽、夏等州，回鶻道暢通。

> 初，河、隴既沒於吐蕃，自天寶以來，安西、北庭奏事及西域使人在
> 長安者，歸路既絕，人馬皆仰給於鴻臚，禮賓委府、縣供之，于度支
> 受直，度支不時付直，長安市肆不勝其弊。李泌知胡客留長安久者，
> 或四十餘年，皆有妻子，買田宅，舉質取利，安居不欲歸，命檢括胡
> 客有田宅者停其給，凡得四千人，將停其給。胡客皆詣政府訴之，泌
> 曰：「此皆從來宰相之過，豈有外國朝貢使者留京師數十年不聽歸
> 乎！今當假道於回紇，或自海道各遣歸國。有不願歸，當於鴻臚自
> 陳，授以職位，給俸祿為唐臣。人生當乘時展用，豈可終身客死
> 邪！」於是胡客無一人願歸者，泌皆分隸神策兩軍，王子、使者為散
> 兵馬使或押牙，餘皆為卒，禁旅益壯。鴻臚所給胡客才十餘人，歲省
> 度支錢五十萬緡；市人皆喜。[43]

李泌要求胡客假道回鶻就是通過回鶻道讓西域胡客返回其原籍，說明回鶻道
在當時是暢通的。胡客之所以不願通過回鶻道返回，還有一種重要原因，就
是胡客對這條道路並不熟悉，此前唐朝政府嚴令胡商通過回鶻道來往唐朝，
規定「每使來不過二百人，印馬不過千匹，無得攜中國人及胡商出塞。」[44]
唐朝規定胡商不能假道回鶻道通使中原，回鶻使來往唐朝也不准攜帶胡商，
就是吐蕃佔領河西隴右之後絲路不通，似乎這些規定也在執行，這與唐德宗
與回鶻關係不睦有很大關係，也與唐朝一直奉行這種政策有很大關係。

吐蕃佔領河西隴右地區後，並派兵攻打慶、鹽、夏、麟等州，兵禍所及
達靈、豐、會、鄜、坊、涇、寧等州，陝西北部和寧夏、甘肅東部淪為戰
場，因此回鶻道從長安北行到豐州天德軍就很難走得通，這樣路線就要東移
到振武軍和東受降城，經過晉北到河東節度使的太原，然後沿汾河經蒲州到

43　《資治通鑒》卷232唐德宗貞元三年（西元787年），頁7492-7493。

44　《資治通鑒》卷233唐德宗貞元三年（西元787年），頁7504-7505。

長安。唐文宗太和七年（西元833年）六月唐命李載義為河東節度使，「先是，回鶻每入貢，所過暴掠，州縣不敢詰，但嚴兵防衛而已。載義至鎮，回鶻使者李暢入貢，載義謂之曰：『可汗遣將軍入貢以固舅甥之好，非遣將軍陵踐上國也。將軍不戢部曲，使為侵盜；載義亦得殺之，勿謂中國之法可忽也。』於是悉罷防衛兵，但使二卒守其門。暢畏服，不敢犯令。」[45] 既然回鶻入貢使者經過河東節度使管轄範圍，表明當時回鶻道是由振武軍東受降城經由晉北入雁門關到河東節度使治所太原，然後沿汾河流域進入蒲州到長安。

直到回鶻汗國滅亡投降唐朝政府的回鶻，也是由天德軍求救於唐朝政府的。貞元六年《資治通鑒》記載：

> 秋，頡干迦斯悉舉國兵數萬，將複北庭，又為吐蕃所敗，死者大半。襲古收餘眾數百，將還西州，頡干迦斯紿之曰：「且與我同至牙帳。」既而留之不遣，竟殺之。安西由是遂絕，莫知存亡，而西州猶為唐固守。葛祿乘勝取回鶻之浮圖川，回鶻震恐，西邊西北部落於牙帳之南以避之；遣達北特勤梅錄隨郭峰皆來，告忠貞之喪，且求冊命。先是，回鶻使者入中國，禮容驕慢，刺史皆與之鈞禮。梅錄至豐州，刺史李景略欲以氣加之，謂梅錄曰：「聞可汗新沒，欲申弔禮。」景略先據高壟而坐，梅錄俯僂前哭。景略撫之曰：「可汗棄代，助爾哀慕。」梅錄驕容猛氣，索然俱盡。自始回鶻使至，皆拜景略于庭，威名聞塞外。[46]

浮圖川，與浮圖城應當有密切關聯，胡三省注曰：「浮圖川，在烏德鞬山西北。」烏德鞬山即今杭愛山，回鶻可汗的牙帳在哈爾和林的回鶻城。但是頡干迦斯的牙帳所在的位置應當在庭州與西州之間。這樣吐蕃佔領了北庭節度使轄區，而回鶻和唐朝勢力退守天山以南的西州節度使管轄範圍。同時我們得知回鶻道的西部是唐朝的北庭、安西節度使管轄範圍。回鶻悉舉國兵數萬

---

45 《資治通鑒》卷244唐文宗太和七年（西元933年），頁7885。

46 《資治通鑒》卷233唐德宗貞元六年（西元890年），頁7521-7522。

來攻北庭，必然從伊吾、巴里坤等安西節度使管轄區或者此天山北麓往西出兵攻打，這樣才能與楊襲古匯合，兵敗退回也應當走這條道路。因此頡干迦斯的牙帳就在北塔山東南一帶，只有這樣才能避開沙陀和吐蕃攻擊。郭峰出使回鶻冊封回鶻可汗阿啜應當在回鶻牙帳所在哈爾和林，這個時候被頡干迦斯派出使節隨同回國，這個時候郭峰應當在頡干迦斯的牙帳，他們從頡干迦斯牙帳一路東行到豐州，豐州是唐天德軍節度使所在。一般來說豐州刺史兼任天德軍都防禦團練使，李景略就擔任此職[47]。豐州北界就是唐朝回鶻道起點，長慶元年（西元821年）三月回鶻請求出兵招討幽、鎮之亂，唐遣中使止回鶻令歸，「會其以上豐州北界，不從止。」[48]豐州北界，就是回鶻道必經之地，可能就是西受降城的鵰鶚泉一帶。

回鶻十三部近牙帳者立烏希特勤為烏介可汗，烏介可汗率部居住塞下錯子山一帶，在漠北。回鶻嗢沒斯部住塞下鵰鶚泉，在大漠南部，臨近西受降城。

《資治通鑒》記載：唐武宗會昌元年（西元841年）八月：

> 天德軍使田牟、監軍韋仲平欲擊回鶻求功，奏稱：「回鶻叛將嗢沒斯等侵逼塞下，吐谷渾、沙陀、黨項皆世與之仇，請自出兵驅逐。」上命朝臣議之，議者皆以為嗢沒斯叛可汗而來，不可受，宜如牟等所請，擊之便。上以問宰相，李德裕以為：「窮鳥入懷，猶當活之。況回鶻屢建大功，今為鄰國所破，部落離散，窮無所歸，遠依天子，無秋毫犯塞，柰何乘其困而擊之！宜遣使者鎮撫，運糧食以賜之，此漢宣帝所以服呼韓邪也。」陳夷行曰：「此所謂借寇兵資盜糧也，不如擊之。」德裕曰：「彼吐谷渾等各有部落，見利則銳敏爭進，不利則鳥驚魚散，各走巢穴，安肯守死為國家用！今天德城兵才千餘，若戰

---

47 《資治通鑒》卷236唐德宗貞元二十年正月：「春，正月，丙戌，天德軍都防禦團練使、豐州刺史李景略卒。」

48 《舊唐書》卷195〈回紇傳〉，頁5212。

不利，城陷必矣。不若以恩義撫而安之，必不為患。縱使侵暴邊境，
亦須征諸道大兵討之，豈可獨使天德擊之乎！」[49]

　　回鶻殘部居住地緊鄰天德軍的塞下，所以天德軍想乘機聯合吐谷渾、沙
陀等出兵驅逐，並證實回鶻道是經過天德軍塞下的。最後唐朝政府決定不得
出兵驅逐，並嚴令天德軍將士及吐谷渾、沙陀、黨項等不得先犯回鶻，並以
穀二萬石賑濟回鶻，防止回鶻因饑餓侵犯天德軍，所以天德軍是回鶻使的必
經之地。

　　回鶻道的東部行經路線，我們還可以通過回鶻汗國滅亡之後，回鶻後裔
政權的活動記載看出，天德軍是回鶻道行經主要地點。唐武宗會昌元年（西
元841年）十一月：「初，黠戛斯既破回鶻，得太和公主；自謂李陵之後，與
唐同姓，遣達干十人奉公主歸之于唐。回鶻烏介可汗引兵邀擊達干，盡殺
之，質公主，南度磧，屯天德軍境上。」胡三省注曰：「天德軍境，北至磧
口三百里。」[50]《舊唐書》〈回紇傳〉記載：「烏介途遇黠戛斯使，達干等並
被殺，太和公主卻歸烏介可汗，乃質公主同行，南渡大磧，至天德軍界，奏
請天德軍與太和公主居。」[51]烏介可汗牙帳在錯子山，劫取太和公主後，害
怕黠戛斯報復，從漠北前往漠南，才有南渡大磧之說。大中二年（西元848
年）回鶻遏撚西逃，「經三宿，黠戛斯相阿播領諸蕃兵稱七萬，從西南天德
北界來取遏撚及諸回鶻，大敗室韋。」[52]表明回鶻道必經天德軍。天德軍北
行三百里至磧口，即鸊鵜泉，鸊鵜泉北行十里入磧。烏介可汗牙帳在漠北的
錯子山，西擊達干之後南度磧屯天德軍境上，因此天可汗道或者回鶻道的大
磧開始於鸊鵜泉，終於錯子山。《新唐書》〈回鶻傳〉附〈黠戛斯傳〉也記載
到回鶻道：「阿熱牙至回鶻牙所，囊它四十日行。使者道出天德右二百里許
抵西受降城，北三百里許至鸊鵜泉，泉西北至回鶻牙千五百里許，而有東、

49　《資治通鑒》卷246唐武宗會昌元年（西元841年），頁7951-7953。
50　《資治通鑒》卷246唐武宗會昌元年（西元841年），頁7956。
51　《舊唐書》卷195〈回紇傳〉，頁5214。
52　《舊唐書》卷195〈回紇傳〉，頁5215。

西二道，泉之北，東道也。」我們由此得知回鶻道從天德軍至回鶻牙帳的行經路線：天德軍至西受降城二百里，西受降城至鸊鵜泉三百里，然後北渡磧，七百里至錯子山燕子井，八百里至回鶻牙帳。因此從鸊鵜泉至錯子山的大磧路大約有八百里左右。

回鶻道是吐蕃時期唐朝通西域的主要路線，直到唐會昌年間，這條路線還在使用，唐朝武宗讓太僕卿趙蕃就點戛斯取得北庭、安西都護府，通過回鶻道進行經營，遭到宰相李德裕的反對而被迫取消。《舊唐書》〈李德裕傳〉記載：「據地志，安西去京七千一百里，北庭去京五千二百里。承平時，向西路自河西、隴右出玉門關，迤邐是國家州縣，所在皆有重兵。其安西、北庭要兵，便於側近徵發。自艱難以後，河、隴盡陷吐蕃，若通安西、北庭，須取回紇路去。今回紇破殘，又不知的屬點戛斯否？縱令救得，便須卻置都護，須以漢兵鎮守。每處不下萬人，萬人何處徵發？饋運取何道路？」雖然回鶻道仍然，要通過回鶻道經營西域耗費太大，所以這個設計就被唐朝政府否定，但是我們通過這個記載推知，直到張議潮收復敦煌前期，作為唐朝對西域交通的主要通道回鶻道仍然還在使用。

通過以上對文獻記載考證，我們可以得到明確認識，回鶻道是唐朝政府在吐蕃佔領隴右及河西東部地區之後，為了同敦煌的河西節度使和西域的安西、北庭節度使聯繫並對之實施管理，在與回鶻關係有所改善的時期開通的一條通道。這條通道西起西域的北庭、安西和敦煌，通過伊吾、北庭的磧口進入漠北，經過烏德犍山到達回鶻牙帳，烏德犍山、郁督軍山即杭愛山。然後南下沿參天可汗道，經過錯子山、鸊鵜泉進入唐朝管轄範圍，首先進入的地方是西受降城，所以西受降城稱之為塞城，往東經過豐州、天德軍、中受降城到振武軍節度使，振武軍即東受降城，經過河東節度使管轄的雲州、朔州等州，經雁門關到河東節度使之所太原，然後沿汾河流域經蒲津關進入長安。五代曹氏歸義軍之後，回鶻道從河東太原東南經石會關、太平驛、潞

州、澤州到達洛陽或者開封[53]。保留在敦煌文獻中歸義軍時期關於往五臺山行記[54]，就是關於回鶻道進入唐朝管轄範圍道路的詳細記載。

---

53 《新唐書》卷217上〈回鶻上〉記載唐代宗請回鶻平定史朝義、安慶緒之亂：「是時，回紇已逾三城，見州縣榛破萊，烽障無守，有輕唐色。……朝廷震驚，遣殿中監藥子昂迎勞，且視軍，遇於太原，……回紇欲入蒲關，經沙苑而東，子昂說曰：『自寇亂來，州縣殘虛，供億無所資，且賊在東京，若入井陘，以取邢、銘、衛、懷，收賊財帑，乃鼓而南，上策也。』不聽。子昂曰：『然則趨懷太行道，南據河陽，扼賊喉衿。』又不聽。曰：『食太原倉粟，右次陝，與澤潞、懷鄭兵合。』回紇從之。」三城即西、中、東受降城。

54 杏雨書屋藏羽032〈沙州專使往五臺山行記〉，P.3973〈往五臺山行記〉，P.4648〈往五臺山行記〉，S.397〈往五臺山行記〉，P.3931〈印度普化大師游五臺山啟文〉及 S.529〈諸山聖跡志〉等。

《（擬）刺史書儀》〈封門狀回書〉與《五杉練若新學備用》〈大狀頭書〉之比較研究

——〈唐宋時代的門狀——使用範圍的擴大與細分化〉補遺[*]

山本孝子

關西大學東西學術研究所非常勤研究員

提要

　　門狀是拜訪別人時所通進的簡短書札，用以通名求謁。唐代的門狀最初施予的對象是宰相，十世紀的兩種書儀：《（擬）刺史書儀》（後唐）、應之《五杉練若新學備用》（南唐），還出現拜謁尊長時呈遞的大狀，或對平交使用的小狀。收到門狀後，若受拜謁者在，便在其末尾作批答，並接見對方。若受拜謁者不在，對方留下的門狀還是要歸還，《（擬）刺史書儀》〈封門狀回書〉及《五杉練若新學備用》〈大狀頭書〉就是屬於將門狀一併奉還送回的答書。〈封門狀回書〉的「門狀」及〈大狀頭書〉「大狀」，均指拜訪別人時所攜帶並通進的簡短書札，是門狀、大狀、小狀或平狀之統稱，在此標題中並不表示上行、平行、下行文書之別。

關鍵詞：敦煌　書儀　《五杉練若新學備用》　門狀

---

* 本文係作者主持的日本學術振興會科學研究費若手研究（B）「中國‧朝鮮半島‧日本における書儀の普及と受容に關する比較研究」（17K13434）成果之一。

　　「門狀」是拜訪別人時所進的簡短書札，用以通名求謁。唐代，門狀最初施予的對象是宰相。十世紀的兩種書儀，即 P.3449+P.3864《（擬）刺史書儀》（後唐）、應之《五杉練若新學備用》（南唐），還出現拜謁尊長時呈遞的「大狀」，或對平交使用的「小狀」。收到「門狀」（含大狀、小狀。下文中除特別說明外，加「」者均為廣義的「門狀」；若指給宰相的狹義門狀，則不加「」）後，受拜謁者若在，便在其末尾作批答，並接見對方[1]。那麼，受拜謁者不在時，對方留下的門狀該如何處理呢？門狀還是要歸還[2]，《（擬）刺史書儀》〈封門狀回書〉及《五杉練若新學備用》〈大狀頭書〉就是隨門狀一併奉還的答書。本文就這兩種範文進行比較，並圍繞門狀、大狀名稱問題，尤其針對〈封門狀回書〉、〈大狀頭書〉之標題展開討論。

一　收到門狀後的禮儀

（一）P.3449+P.3864《（擬）刺史書儀》〈封門狀回書〉的內容

　　首先，將《（擬）刺史書儀》〈封門狀回書〉逐錄如下：
　　（在 P.3449+P.3864現存範文共有七十八通，以下的引文中標題前加編號，以此標示文書中的位置，方便識別問題者。）

　　㊵封門狀〔回〕書　一通
　　（a）伏蒙仁私，特賜垂寵訪。（b）既闕迎門之禮，尤增悚荷之誠。
　　（c）所示盛銜，不敢當捧（捧當）。謹修狀封納陳謝。（d）伏惟照察。謹狀。云云。

1　關於門狀，詳情請參看山本孝子〈唐宋時代の門狀——使用範圍の擴大と細分化〉，《續 中國周邊地域における非典籍出土資料の研究》（大阪：關西大學東西學術研究所，2020年），第65-87頁。

2　王使臻〈敦煌遺書中的「門狀」〉，《尋根》2014年第5期，第99頁，簡要介紹了兩宋時期奉還門狀的情況。

㊸封門狀回書　尊

（a）伏蒙司空獎念過深，又垂寵訪。（b）恰值出入，不果迎門，將
別旌軒，無任攀戀。（c）所留華刺，莫敢捧當，謹隨狀封納。續冀專
詣門屏祗候辭違，謹先修狀諮聞陳謝。（d）伏惟照察。謹狀。云云。

㊻封門狀迴書　平交

（a）伏蒙恩私，特垂檢訪。（b）少事出入，有闕祗印（迎），悚荷之
誠，但切卑懇。（c）所留清銜，謹專封納陳〔謝〕。（d）伏惟照察。
謹狀。云云。

㊼封門狀迴書　平交

（a）昨日伏蒙厶眷私，特賜榮訪。（b）偶以出入，莫果祗迎。既不
遂於攀延，實增慙悚。（c）而更留於盛刺，倍切悚惶。其於感銘，造
次奚喻。所留寵示，豈敢捧當。謹修狀諮納，兼申陳謝。（d）伏惟照
察。謹狀。

　　這四件〈封門狀回書〉，一通是給尊人的（㊸），兩通是給平交的（㊻、
㊼），還有一通其對象不明者（㊵）[3]。

　　每一段文字的表現方式，雖然按尊卑有所增減，但〈封門狀回書〉均具
有一定的敘述程序，正文大致可分為四個部分。書札開頭，對對方的造訪表
示感謝（範文中的（a）部分），以及對未及時迎接表示歉意（（b）部分）。
其次，言及到對方所留下來的門狀，今欲將此奉還給對方，再次致謝（（c）
部分）。最後是書札末尾的套語（（d）部分）。從〈封門狀回書〉的標題或
（c）段文句可知，該書札是將對方的門狀一併奉還的。對尊人，如㊸「續

3　施予的對象，從文中使用的詞語來看，難以判斷。「垂寵訪」、「迎門」等語見於㊸〈封
　　門狀回書　尊〉，「封納」卻出現於㊻〈封門狀回書　平交〉；「仁私」一詞，亦收錄於
　　《五杉練若新學備用》卷中〈論書題高下〉，曰：「謝宰相位人，即云『鴻慈』、『鈞
　　慈』、『台慈』。尊人即云，『恩造』、『恩慈』、『尊慈』。其次，『仁慈』、『仁造』。其次，
　　『仁眷』、『仁私』、『眷私』。其次，『周勤』、『勤眷』，其使用對象是尊人中排於第三
　　位的。如此混用，或許是尊人與平交之間，給「稍尊」的。

冀專詣門屏祗候辭違,謹先修狀諮聞陳謝」之句所示,先在書面上道謝,日後還準備回拜,以免再次讓尊人(司空)勞步[4]。

(二)《五杉練若新學備用》卷中〈大狀頭書〉的內容

應之《五杉練若新學備用》中不見有題為〈封門狀回書〉者,與此相應的範文被稱作〈大狀頭書〉。

> 謝尊人到稍尊,即致大狀頭書[5]。若留門狀須別謝,作封皮,題云,「通納門剌」,具銜,封之狀移改此書作:
> 某啟。(a)某伏蒙某官恩造,特降朝軒,枉殊慈而實曰光揚,揣微分而唯深感戴。(b)伏緣暫出,不獲迎門,銘佩恩休,不任下懇。(c)^{無門狀,只云「謹奉狀」}兼形過禮,留示盛銜,窺捧已來,憼懼交切。謹奉狀陳謝歸納。(d)伏惟尊明俯賜照察。謹狀。

據範文前的說明,這是對對方的造訪表示感謝使用的文例,內容與〈封門狀回書〉相比,稍有增減,但如(a)(b)(c)(d)所示,其結構大同小異。

如上所引,〈封門狀回書〉、〈大狀頭書〉皆有致予尊人或稍尊的範文。其收信人,即造訪者是尊人,受拜謁者則為卑人或稍卑,但現存書儀或書札實物中卻未見有尊人至卑人的「門狀」,唐宋史料筆記亦無紀錄[6]。尊人會見卑人需要如此鄭重其事嗎?值得矚目的是,註釋中提到「無門狀,只云『謹奉狀』」,無門狀時,需要刪除涉及到門狀的那一段,即(c)的文句,則只

---

4 「詣門屏」指受拜謁者所在之處,亦見於司馬光《書儀》卷一〈私書‧謁大官大狀〉以及卷九〈慰大官門狀〉,應該適合於司空使用。

5 王三慶《中國佛教古佚書〈五杉練若新學備用〉研究》(下)(臺北市:新文豐出版公司,2018年),第605頁,註釋124曰:「『狀頭』雖然意為狀元,然此為特大號書狀,謂之為大狀頭」。宋‧周密《癸辛雜識》前集〈送剌〉云:「今時風俗轉薄之甚。昔日投門狀,有大狀、小狀,大狀則全紙,小狀則半紙。今時之剌,大不盈掌,足見禮之薄矣」。大狀、小狀的用紙尺寸確有差別,但是「大狀頭書」如何,尚不可知。

6 上揭山本孝子〈唐宋時代の門狀──使用範圍の擴大と細分化〉。

寫「謹奉狀」。若無門狀，則無法「封」門狀，這應該是其題不稱作〈封門狀回書〉的理由之一。也可以說，尊人或稍尊訪問卑人時不攜帶門狀是正常的，但卑人受尊人訪問後對此表示感謝是不可缺少的環節，無論有無門狀，必得準備此類謝狀。

《五杉練若新學備用》不僅收錄有謝尊人或稍尊的範文，還有給平交人或其次人的範文，具體內容如下：

> 平交人
>
> 某啟。（a）伏蒙某官周眷過深，特迂軒蓋。（b）雖茲光飾，曠於迎奉。特承勤異之情，唯切感銘之懇。（c）仍留華刺，益認借饒。謹奉狀咨納陳謝。（d）伏惟照察。謹狀。

> 又其次人
>
> （a）伏蒙仁私，猥垂訪及，（b）偶緣他適，都曠延迎，仍沐周旋。（c）見留門刺，感銘惕悚，併集丹衷。謹修狀陳謝，兼伸迴納。（d）伏惟照察。謹狀。

「某啟」，不見於《（擬）刺史書儀》〈封門狀回書〉，此處亦僅限適用於尊人、稍尊、平交，對其次人則不書[7]。

二　再論名稱問題

下面，試以討論與門狀、大狀之名稱相關的若干問題。

---

[7] 關於「某啟」的使用範圍，《五杉練若新學備用》卷中〈論書題高下〉有講述，詳情請參看山本孝子〈唐五代期の私信冒頭に見える『某啓』について〉，《敦煌寫本研究年報》第12號（2018年），第101-113頁、山本孝子〈『五杉練若新学備用』卷中「論書題高下」小考：試釋と內容‧表現に關する初步的考察〉，《關西大學東西學術研究所紀要》第51輯（2018年），第85-96頁。

（一）門狀還是大狀？

《(擬）刺史書儀》中，無論造訪者與受拜謁者之間的關係如何，標題均為〈封門狀回書〉，為何同類書札在《五杉練若新學備用》中卻被稱作〈大狀頭書〉？實際上，《五杉練若新學備用》亦曰「若留門狀須別謝」、「無門狀，只云『謹奉狀』」，仍然使用「門狀」之稱。在某一段時期，「門狀」的確泛指拜訪別人時所攜帶並通進的簡短書札，是門狀、大狀、小狀或平狀的總稱，但《(擬）刺史書儀》及《五杉練若新學備用》中還是按照雙方關係或受拜謁者的身份，各文的標題分別使用門狀、大狀、小狀[8]。但其回信、答書，即〈封門狀回書〉、〈大狀頭書〉卻混用門狀、大狀。尊人給自己（卑人）帶來的「門狀」應該是小狀（或級別更低的下行文書），但若將尊人特意準備的書札稱作小狀，不足禮貌，《(擬）刺史書儀》及《五杉練若新學備用》才有可能選用門狀、大狀之統稱[9]。如果自己地位或身份居高，對方所留下的書札無疑是大狀（上行文書），但是大狀不僅拜訪別人時用以通名求謁，還有其它用途[10]，因此編纂書儀時在標題中可能有意識地以門狀代表此類簡短書札。

（二）文中使用的名稱

首先確認一下〈封門狀回書〉、〈大狀頭書〉中，怎樣稱呼對方所留下的

---

8 上揭山本孝子〈唐宋時代の門狀——使用範圍の擴大と細分化〉。《(擬）刺史書儀》的標題中，只有門狀（(51)〈參賀門狀〉），未見有大狀或小狀的名稱，但各有相應的書札，⑧〈正衙謝狀〉、⑫〈正衙辭狀〉、㉛〈辭本道節度使狀〉皆是以大狀的格式書寫的，(52)〔無標題〕為小狀。大狀、小狀等名稱可能通行不久，還沒有被社會所公認而固定下來。

9 P.4092《新集雜別紙》亦收錄〈迴中門大狀〉一通，曰：「昨日專祗牒起居，不面氷玉，遂留弊刺，冀達聽聞。豈調仁私迴賜公翰，顧唯幽未（末），何以當任。謹修狀迴納陳謝。」

10 據《五杉練若新學備用》所載，謝上靈香紙或茶、謝尊人示書、屈尊人、謝尊人屈喚等場合，都會應用大狀。

門狀。指對方門狀而使用的詞語可以分為兩類。一類是以「刺」為構詞成份
的，如㊸〈封門狀回書　尊〉及〈(大狀頭書)平交人〉「華刺」、㊼〈封門
狀迴書　平交〉「盛刺」、〈(大狀頭書)又其次人〉「門刺」等。另一類用的
是「銜」字，如㊵〈封門狀〔回〕書　一通〉及〈大狀頭書〉的「盛銜」、
㊻〈封門狀迴書　平交〉「清銜」。這些詞語均由表示敬意的「華」「盛」
「清」等前綴與指「門狀」的詞根組合而成的。不論是尊人還是平交，均使
用「刺」、「銜」字，兩者之間看不出等級之別。

　　「刺」字是如何而來的？應是「名刺」或「門刺」的意思，〔清〕王士
禎《香祖筆記》卷五曰：

　　　　唐宋啟事用門狀，即今士大夫彼此拜謁之名刺也，上書某官謹祗候某
　　　　官。

「名刺」與門狀還是有區別的，但其功能相似[11]。《五杉練若新學備用》卷
中亦云：

　　　　若留門狀須別謝，作封皮，題云，「通納門刺」。

如果將門狀收下來並作答謝時，封皮上的封題就要寫「門刺」，足以看出
「門狀」、「門刺」兩者之間的密切關係。

　　「銜」即官銜，此處可能專指「前銜」[12]。因為門狀最重要的作用是讓
受拜謁者知道造訪者的身份，所以簡短的書札中，不僅像一般書札那樣在末
尾落款，開頭還需要「具銜」。「前銜」是門狀格式具有的特徵之一[13]，故而
以「銜」字代表門狀。

---

11 上揭山本孝子〈唐宋時代の門狀——使用範圍の擴大と細分化〉。

12 《(擬)刺史書儀》〈參賀門狀〉、《五杉練若新學備用》卷中〈門狀〉開頭皆云「具銜
　　ム(／某)」，〔宋〕葉夢得《石林燕語》卷三稱之為「前銜」，請參看上揭山本孝子
　　〈唐宋時代の門狀——使用範圍の擴大と細分化〉。

13 上揭山本孝子〈唐宋時代の門狀——使用範圍の擴大と細分化〉。

（三）〈大狀頭書〉析義——與〈狀頭書〉相比

　　〈封門狀回書〉的標題，按字面意思較易理解其用途，但〈大狀頭書〉卻難以解釋[14]。《五杉練若新學備用》卷中，還收錄有其名相似的〈狀頭書〉，其文如下：

> 前銜書^{亦呼為「狀頭書」}
>
> 具銜某
>
> 右某事。謹奉狀陳謝。伏惟尊明甫賜照察。謹狀。月日具銜某狀

標題後加註云：「亦呼為『狀頭書』」，可知「狀頭書」是「前銜書」的別稱。「前銜書（狀頭書）」的末尾套語，基本上與上引無門狀時的〈大狀頭書〉之「謹奉狀陳謝。伏惟尊明俯賜照察。謹狀」一致，兩者皆為表達謝意的書札。正文部分只示「某事」，運用自如，不妨增添相當於大狀頭書的（a）及（b）內容。因此，兩者之最大區別是開頭的「某啟」與「右」的替代。關於書札開頭的「某啟」之用法，《五杉練若新學備用》卷中〈論書題高下〉云：

> 「某啟」者，或高或低，若不用大狀及<u>首銜書</u>，即須用「某啟」。或平交亦同。即其間言語，有尊卑去就。又若上父母、師長、伯叔、長兄等書，不得著「某啟」。若著，又失禮。卑人與尊人須著「某啟」。不著又失禮。尊人與卑人即不用「某啟」。

〈慰書式樣〉亦曰：

> 謝上靈香紙或茶，但言「某啟」，了謝即脫俗。若引物，即右伏蒙尊慈^{或云「仁}_{慈」}，以先師和尚真寂，特賜靈香茶，不任悲感之極，謹奉狀陳

14　如註釋5所引，王三慶《中國佛教古佚書〈五杉練若新學備用〉研究》（下），第605頁，註釋124解釋為「特大號書狀」。因為《（擬）刺史書儀》中另見有〈行軍副使啟頭書〉，所以「大狀頭書」、「狀頭書」，這個複合詞的結構可能是「大狀」＋「頭書」、「狀」＋「頭書」。

謝。不次。謹狀。^{如當書月日小作}_{蓋子端謹書。}若謝尊人合具大狀者，即除「某啟」，著具
銜後名，「右伏蒙」也。

〈論書題高下〉相當於敦煌書儀的「凡例」，是介紹吉儀通用的書札禮儀
的，從此可知，除大狀及首銜書外，均需寫上「某啟」二字[15]。〈慰書式
樣〉主要內容是與凶儀相關的書札，這段文字涉及到的是服喪中收到靈香、
靈紙或茶等供品之後的謝狀，基本上都從「某啟」開始書寫，但是對適合使
用大狀的尊人，去除「某啟」而寫「具銜某。右伏蒙」[16]。《五杉練若新學
備用》中的大狀[17]，確實沒有使用「某啟」。如上所引，〈前銜書（狀頭
書）〉也沒有「某啟」字樣，「前銜書」與「首銜書」的名稱相近，「前」
「首」均含有開端、開頭或順序居先之意，據此可推知「首銜書」亦為「前
銜書」的別名。「狀頭書（前銜書）」與「大狀頭書」雖然名稱相似，但是其
格式卻有所不同；不知緣由，格式近於大狀者被稱作「狀頭書」，而不是
「大狀頭書」。其實，無論是「狀頭書」還是「大狀頭書」，兩者都是對「大
狀」的答謝。《五杉練若新學備用》中，大狀本身可以分為兩大類，一是在
書面上談正事的大狀[18]，一是訪問別人時攜帶的大狀（屬於「門狀」），正事
是要當面交談的；「狀頭書」是對文字的答謝[19]，「大狀頭書」則是對造訪的
答謝，可以分別使用。「門狀」原先是在官場往來中使用的，五代至宋時期

15　關於〈論書題高下〉的詳細內容，請參看上揭山本孝子〈『五杉練若新学備用』卷中
　　「論書題高下」小考：試釋と內容・表現に關する初步的考察〉。此處「大狀」不僅是
　　「門狀」類大狀，還應該包括在書面上談正事的大狀（如《五杉練若新學備用》卷中
　　〈大狀樣〉、司馬光《書儀》卷一〈私儀・上尊官問候賀謝大狀〉）。

16　關於凶儀中的謝書，請參看山本孝子〈凶儀における物品の授受に關する覺え書き〉，
　　《中國周邊地域における非典籍出土資料の研究》（大阪：關西大學東西學術研究所，
　　2017年），第75-90頁。此外，類似的註釋還見於〈屈尊人〉、〈謝尊人屈喚〉等，不僅
　　有開頭為「某啟」的範文，同時以註釋示範將此改作為大狀時的書寫方式。大狀的用
　　途、適用範圍較為廣泛。

17　不僅是〈大狀樣〉，還包括加註說明其寫法而據此可以復原者。

18　《（擬）刺史書儀》中，此類書札的標題是「～狀（／狀啟）」；司馬光《書儀》中有
　　〈上尊官問候賀謝大狀〉。

19　〈前銜書（狀頭書）〉緊接著收錄於〈大狀樣〉後。

逐漸擴大到日常朋友往來，轉為私書，因而其格式轉用公狀[20]。但是，「封門狀回書」、「大狀頭書」不同於「門狀」，卻更接近於所謂「起居狀」、「起居啟」或「起居啟狀」的私書格式；「狀頭書」卻保留「大狀」格式中的前銜（「具銜某」）以及「右」字，可能意味著「門狀」的私書化之頗甚[21]。

三　實際應用情況

敦煌文書中亦有一例「門狀」之答書[22]（當時的名稱尚未確定，此處暫時不稱之為「封門狀回書」或「大狀頭書」），即 S.4571v-1，其文如下：

1 伏蒙
2 法眷特垂
3 訪及，偶闕佇
4 迎之禮，但增佩荷之誠，所留
5 盛剌，焉敢當克。謹修狀封
6 納陳
7 謝。伏惟
8 照察。謹狀。
9　十月　日衙內都部署使銀青光祿大夫檢校工部尚書兼御史大夫上
　　柱國馮〔押〕狀

與〈封門狀回書〉及〈大狀頭書〉進行比較，發現還是由相當於（a）（b）（c）（d）的內容構成，第五行「盛剌」即是馮某訪問「法眷」時，不幸未得到接見而留下的「門狀」。不僅《五杉練若新學備用》給僧人提供門

---

20 上揭山本孝子〈『五杉練若新学備用』卷中「論書題高下」小考：試釋と内容・表現に關する初步的考察〉。

21 〈前銜書（狀頭書）〉沒有尊卑之別，也可能另有不具銜，不書寫「右」字之格式。但至少可以確認，〈封門狀回書〉〈大狀頭書〉中不見有具銜者。

22 已有學者介紹此件文書。上揭王使臻〈敦煌遺書中的「門狀」〉，第99-100頁。

狀、大狀、小狀的範文，敦煌還發現有 S.529-2定州開元寺僧歸文給令公的
大狀、BD01904v 往西天取經僧道猷攜帶至衙的大狀等，可知僧人與官人往
來中確實應用「門狀」；S.4571v-1亦為珍貴的見證，借此可窺佛徒之間「門
狀」的運用或奉還門狀的禮儀之實踐。

　　措詞方面，書札開頭沒有「某啟」二字；第三行「訪及」見於《五杉練
若新學備用》「又其次人」；第五行「盛刺」出現在《（擬）刺史書儀》㊼
〈封門狀迴書　平交〉；第七至八行「伏惟照察」，雖然在《（擬）刺史書
儀》中無論尊卑均使用，但是《五杉練若新學備用》中限施予「平交人」
「又其次人」。總體上可說，馮某可能對等看待「法眷」。

四　小結

　　以上通過〈封門狀回書〉、〈大狀頭書〉的分析，再次探討「門狀」，並
對造訪求謁相關的禮儀補充了一些內容。唐代出現的門狀，施予的對象是宰
相，宰相是不會特意準備像〈封門狀回書〉、〈大狀頭書〉這樣的書札向下屬
答覆的。之後，隨著「門狀」實踐範圍的擴大，經過長期習用，逐漸形成了
相關的禮儀風俗，《（擬）刺史書儀》及《五杉練若新學備用》就收錄了〈封
門狀回書〉、〈大狀頭書〉等相關範文。成書年代稍早的《（擬）刺史書儀》，
雖然收錄有相當於大狀、小狀的書札，但是其名稱尚未出現，因此將其答謝
的標題稱作〈封門狀回書〉並分尊、平交二等。在《五杉練若新學備用》中，
門狀、大狀、小狀各有固定的適用範圍，使用〈大狀頭書〉的標題，以一種
多用途多功能的上行文書「大狀」代表拜訪別人時所攜帶並通進的簡短書札，
或因為對方未留下門狀時也同樣致謝，或可能為了與「狀頭書」相對應。

附：《參天台五臺山記》中的「門狀」

關於門狀、大狀、小狀或平狀實物，前文〈唐宋時代の門狀 —— 使用範圍の拡大と細分化〉主要針對十世紀敦煌的材料進行了討論。此處再介紹成尋《參天台五臺山記》所記錄的相關書札，並對元豐改式之前的宋代「門狀」加以補充說明[23]。

成尋並沒有記錄門狀、大狀、小狀或平狀等書札名稱，但他抄錄的文書中有九通（卷一有一通、其餘八通皆見於卷三）之格式基本上與《五杉練若新學備用》的大狀一致[24]。

還可以從文書前後的文字瞥見當時的背景情況。將此文書移錄於下[25]，以期進一步復原「門狀」禮儀的輪廓。

---

23 王麗萍先生將《參天台五臺山記》所載文書（如第25頁所云，此處主要考察對象為公文書）分為七大類，即公移、表、奏狀、申狀、戒牒、剃度文牒、牒，并對其格式及內容進行分析（王麗萍《宋代の中日交流史研究》〔東京：勉誠出版，2002年〕第一章〈『參天台五臺山記』に見える文書について〉，第23-74頁）。其實，成尋記錄的文書中也有不少私書，是反映日常社交往來活動的珍貴材料。

24 《五杉練若新學備用》的大狀行文如下：「具銜某。右某謹祗候起居某人。伏聽處分。牒、件狀如前。謹牒。年　月　日。具銜某牒。」宋・張世南《遊宦紀聞》卷一亦載有一封求見的大狀，亦與此相近，曰：「醫博士程昉。右昉謹祗候參節推狀元。伏聽裁旨。牒件如前。謹牒。治平四年九月　日醫博士程昉牒。」敦煌發現的大狀實物或司馬光《書儀》的大狀，卻插入有「詣＋〔訪問場所、受拜謁者所在的地方〕」，基本上都云「右某謹詣衙（／衙門／門屏）祗候起居某人」。

25 釋文以東福寺本（卷第五題記云「承安元年（1171）八月五日癸未依仰續筆功矣。承久二年（1220）沽洗十三日一校了」）為底本（參看了收錄於東洋文庫叢刊第七，1937的複製本）。諸本之間的異同，亦參看了王麗萍《新校參天台五臺山記》，上海市：上海古籍出版社，2009年。

卷一

（一）延久四年（1072）六月四日條

1　都僧正覺照大師子章

2　　在（右）子章謹祇候

3　　起居阿闍梨大師，狀（伏）〔取

4　　慈〕旨[26]。

5　牒件狀如前。謹牒。

6　　熙寧五年六月　日都僧正覺照大師子章牒

這可能是成尋來到中國以後收到的第一通「門狀」，抄錄文書前曰：「開元寺都僧正文狀案文為後日書置也」，為以後參考方便記錄下來的。子章訪問成尋的不是這一天，實際上是三天前，六月初一日條云「開元寺都僧正覺照大師子章并台州管內僧判官賜紫覺希二人。先出文狀」，據此可知，子章是造訪前事先發來的書札，看似不是隨身攜帶過來的。成尋記錄的應該是此件之「案文」。當時剛來中國不久的成尋對收到「門狀」後的相關禮儀程式是否熟悉，雖有疑問，但估計是因為收到的原件末尾作批答已還給子章，而手裡僅保留「案文」。

第三

（二）熙寧五年（1072）八月廿八日條

1　秀州管內副僧正傳教臨壇首座賜紫廣教大師用和

2　　右　用和　謹　祇候

3　　謝

4　　日本傳教闍梨大師。伏取

26　東福寺本作「狀（伏）□□旨」，「取慈」二字據文意補。

5 　慈旨。

6 牒件狀如前。謹牒。

7 　　熙寧五年八月　日秀州管內副僧正傳教臨壇〔首〕座賜紫廣教大師用和

從開頭「右用和謹祇候謝日本傳教闍梨大師」可知，用和這次訪問成尋的目的是道謝，但是為何要感謝，卻不清楚。此件大狀後，還有「今日叨承闍梨大師見示聖教并王后經。用和幸之無量，……若得公據往還時，方為穩便」之文，藤善先生認為原是同一件書札，中間「來坐船中，志與茶二瓶，并燒香，有慚愧人也。拜見皇太后御經、顯密目錄了，與文狀一紙在右」一段是抄寫時誤被插入於此的[27]。據開頭的文字可知，是用和在成尋處閱覽皇太后御經及顯密目錄後對此事表達謝意的書狀，雖然兩件內容皆為謝狀，但是應該在不同時間書寫的；第一件完整地保留著大狀格式，是用和「未時」造訪前事先準備并攜帶的，第二件是「未時」拜謁成尋并翻閱經文及目錄後才寫的。因此，兩件不會是同一件書札，原文句意通順，行文次序沒有錯亂。假設原文有誤鈔誤傳的話，存疑的是大狀中的「謝」字。

（三）熙寧五年九月四日條（收錄有二則）

這一天善顯、法如二人過來拜訪成尋，此處記錄有他們各自準備的二通大狀。敦煌有 BD01904v（995年）「道猷等」的大狀，可以推測數人一同造訪同一個人物時會以代表人名義呈遞一通，但善顯、法如他們各來自廣化院、報恩寺不同寺院，因而沒有連名奉上，每人自己攜帶一通。除造訪者的身份姓名之外，大狀的文字如一，成尋卻不嫌厭煩，記錄得徹底詳盡。

1 蘇州管內僧正廣化院住持傳教臨壇文照大師善顯。

---

27 藤善真澄《參天台五臺山記》上（大阪：關西大學東西學術研究所，2007年），第310-313頁、第314頁註釋6。

2　　右　善顯　謹祇候

3　　起居

4　　闍梨大師。伏聽

5　　慈旨。

6 牒件狀如前。謹牒。

7　　熙寧五年九月　日蘇州管內僧正廣化院持僧傳教臨壇文照大師善顯

1 蘇州管內副僧正報恩寺傳教慈照大師法如

2　　右　　法如謹祇候

3　　起居

4　　闍梨大師。伏聽

5　　慈旨。

6 牒件狀如前。謹牒。

7　　熙寧五年九月　日蘇州管內副僧正報恩寺傳教慈照大師法如牒

（四）熙寧五年九月七日條

　　成尋坐的船，戌刻到常州南門前停泊後，「府使職員王瑜」、「諸寺諸僧數十人」各攜帶「文狀」來迎接。但是，因為天色已晚，所以成尋未接見[28]。此處僅選錄懷雅的大狀[29]。

1　　管內僧正傳教賜紫懷雅[30]

2　　右　懷雅　謹　祇候

3　　起居

4　　日本　大師。伏取

---

28 「依入暗，來日可奉謁由示了」成尋回答的方式未有記錄，不知是否寫在對方所帶來的「文狀」上，文中只保留懷雅的大狀。

29 懷雅應是「諸寺諸僧數十人」之一，從前後文看，還有管內副僧正講經律大德中惠、曹太平興國寺僧十五人、薦福禪院二人、廣福禪院二人、城下表白一人。

30 書眉（第1-2行上部）有小字批註曰「此出唐人手跡也」。

5　　　　慈旨。

6 牒件狀如前。謹牒。

7　　熙寧五年九月　日管內傳教賜紫懷雅牒

（五）熙寧五年九月十日條（收錄有二則）

　　這一天成尋到了潤州城。去蕭閑堂回來而上船時，日華、白超二位僧人來拜謁成尋，亦各攜帶大狀，其內容如下：

1 管內僧正宣教大師　　日華[31]

2 右日華謹祗候

3 起居

4 國師。伏取

5 慈旨。

6 牒件狀如前。謹牒。

7　　熙寧五年九月　日管內僧正宣教大師日華牒

1 管內副僧正延慶寺賜紫　　白超[32]

2　右　白超　謹祗候

3　起居

4　國師。伏聽

5　裁旨。

6 牒件狀如件。謹牒。

7　　　熙寧五年九月　日管內副僧正延曆（慶）寺賜紫　白超

《參天台五臺山記》的大狀，基本上皆用「伏取慈旨」之套語，只有白超云「伏聽裁旨」。「伏聽」，以「伏聽處分」的組合頗出現於敦煌書儀或書札實

---

31 書眉（第1行上部）有小字批註曰「唐出」。

32 書眉（第1行上部）有小字批註曰「同前」。

物中，不勝枚舉。宋・葉夢得《石林燕語》卷三言及到「門狀」中的「伏候
裁旨」之語，書儀或敦煌發現的書札實物中卻不見相應的文例，此件白超的
大狀就可印證「裁旨」一詞的使用[33]。

（六）熙寧五年九月十三日條（收錄有二則）

成尋到揚州安賢亭時過來迎接的惠禮、懷雅，亦各帶了一通大狀，其文
如下：

1 管內僧正傳教賜紫　惠禮[34]

2 右　惠禮　謹祇候

3 起居

4 三藏大師。伏取

5 慈旨。

6 牒件狀如前。謹牒。

7 　　　熙寧五年九月　日管內僧正傳教賜紫　惠禮

1 管內副僧正壽寧寺住持講經臨壇賜紫惟雅[35]

2 　右惟雅謹祇候

3 　起居

4 　三藏大師。伏取

5 　慈旨。

6 牒件狀如前。謹牒。

7 　　　熙寧五年九月　　日管內副僧正壽寧寺住持講經臨壇賜紫惟雅

---

33 「裁旨」又見於註釋24引用的醫博士程昉的大狀中。關於「伏候」，如前文中所示，司
　馬光《書儀》卷一〈公文・申狀式〉有「伏候指揮」一文。

34 書眉（第1行上部）有小字批註曰「本唐人手跡」。

35 書眉（第1行上部）有小字批註曰「同前」。

據成尋所記,他們二位之外,還有僧判官壽寧寺講經臨壇賜紫道演、同寺賜紫五人、知(底本誤作「和」)事一人、建隆寺了素、石塔慧照寺玄實、白(底本誤作「石」)塔寺賜紫守詢、龍興寺釋之、開元寺賜紫一人、知事一人、雍熙禪院智潤、興教禪院賜紫文清、住持僧子等共十七人(看似成尋漏列了一人)亦帶了文狀,成尋下船入安賢亭并與這些人見了面。此處沒有一一抄錄其內容,但應該與惠禮、懷雅的大狀大同小異。

除了上揭九通大狀之外,卷四熙寧五年(1072)十月廿六日條見有一件求謁時使用的書札,但其格式有所不同[36],其文曰:

1　鐸謹惟[37]

2　謁

3　大師。

4　　　十月日右班殿直新授管伴劉鐸狀

正文僅有六個字,但是此件並非採用一種省略的寫法,仍是嚴格按照格式來書寫的[38]。不具前銜,且正文開頭不寫「右」字,這些特徵和葉夢得《石林燕語》卷三所記載的相同,即「唐舊事,門狀,清要官見宰相及交友同列往來,皆不書前銜,止曰『某謹祗候某官。謹狀』」。除以「惟謁」代替「祗候」外,結構上是沒有差別的。雖然葉夢得說是「唐舊事」,但是據此可知,在宋代,至少是元豐以前,這種格式並沒有被廢棄,依然被運用著。劉鐸是準備伴隨成尋遊覽五臺山的使臣,或許和成尋同等看待。

---

36 上揭王麗萍《新校參天台五臺山記》,第44頁稱之為「拜見狀」。

37 書眉(第1-2行上部)有小字批註曰「以下四行唐人手跡也」。

38 藤善先生懷疑「十月　日」的日期前脫落書札的正文內容,便將前文「敕宣文最有盛,隨身還去,以後日可盡,來月一日可共去」一段認為是此件書札的內容(第495-496頁、第498頁註釋6)。此件無疑是「申時,遊臺使臣來」而出示的文字,由六個字構成,如書眉批註云「以下四行唐人手跡也」,完整無缺。

佛教以外的「瑞像」札記

汪 娟

銘傳大學應用中文系教授

提要

「瑞像」一詞的廣泛使用，以中古時期的佛教為主；在其他宗教的歷史文獻中，數量零星而少見，不足以自成系統。本文首先針對佛教瑞像的整體特徵進行學術史的回顧，進一步闡釋「瑞像」的宗教本質，實為「神靈／神聖」的顯現（顯靈），乃是各大宗教共有的現象。其次針對「瑞像」一詞的起源，進行文獻的考查，發現最早見於東漢的〈麒麟鳳凰碑〉文中有「新刻瑞像麟鳳」，是指碑刻的二種靈獸（麒麟、鳳凰）而言，並不是指稱佛像；實則藉由圖緯展現「天志」，在政治宣傳作為符應天地的靈瑞。最後從唐宋道教文獻中爬梳「老君瑞像」的相關資料，進一步釐清老君瑞像的傳說特色及其與佛教瑞像的關聯性。

關鍵詞：敦煌瑞像　佛教瑞像　顯靈　麒麟鳳凰碑　老君瑞像

一 「瑞像」的宗教本質：神靈的顯現

筆者開始投入佛教瑞像的研究後，發現相關論文多集中於個別瑞像的研究，或將瑞像歸入史跡畫、感應畫中，但對「瑞像」一詞的名稱、義涵、特徵等相關知識罕見詳盡的論述，因此有關「瑞像」的義界往往顯得模糊不清。

一九七〇年，日本學者小野勝年較早指出瑞像的本質，他在〈敦煌の釋迦瑞像圖〉一文，雖然也是個別瑞像的研究，但是該文已經提出：「瑞像之所以為瑞像，是有光瑞、靈瑞的出現。瑞的意思是指神通、神變，還進一步地延續漢代以來的祥瑞、符瑞思想。」[1]可惜此一論述過於簡單扼要，似乎沒有引起太大的反響。

其後，張廣達、榮新江合著〈敦煌「瑞像記」、瑞像圖及其反映的于闐〉一文，其中的「瑞像概說」一節詳細探討了敦煌瑞像的幾個特徵：

> 它遵循著固定的原型；每個瑞像一般祇有一個畫面，往往表現顯示靈瑞的瞬間；瑞像總數有限，這和一般的可以繁衍的佛教史跡畫或感應故事畫不同。這種固定化的、數目有限的、顯示靈瑞的瑞像的功用不僅僅像一般佛畫那樣是為了宣揚佛教，而主要地著眼於以靈瑞來護持日益受到各種威脅的佛法。[2]

這是針對四件敦煌文書的「瑞像記」、敦煌莫高窟27座洞窟中的瑞像壁畫，以及新德里、倫敦分藏的絹畫（Ch.xxii.0023）和于闐寺院出土的木版畫「瑞像圖」進行綜合考查後所得的結論，因此得到了多數學者的贊同和引用。由於研究材料偏重於敦煌和于闐等地所發現的文書和圖像，較少涉及佛教史傳中有關中土瑞像廣泛傳播的記載，因此不能完全涵蓋中古時期廣大地區佛教瑞像的特徵及其變化。

近年來，肥田路美的論文也涉及有關瑞像特徵和政治作用的研究，並且

---

[1] 小野勝年〈敦煌の釋迦瑞像圖〉，《龍谷史壇》第63號（1970年9月），頁28-61。

[2] 收入《于闐史叢考》（增訂本，北京市：中國人民大學出版社，2008 年9月），頁166-223，特別是196。

提出瑞像必須伴隨著靈驗故事的主張。[3]這些論文對佛教瑞像整體知識的構建，都具有一定的貢獻，但似乎均未關注到佛教以外的瑞像。

踵繼前賢，筆者先後撰寫〈中土瑞像傳說的特色與發展——以敦煌瑞像作為考察的起點〉、〈佛教瑞像的特徵與形成的思想基礎——從印度、于闐、敦煌到東土瑞像的整體考察〉[4]二文，前文除了大量補充中土瑞像的靈驗故事以外，並探討瑞像語義（及指稱）的發展，以及瑞像傳說的五大特色；後文則進一步歸納瑞像有別於一般佛像的特徵，並從佛教內部「法身思想」的理論尋求瑞像形成的思想基礎。文中已大致涉及中國早期有東漢的「山陽太守河內孫君新刻瑞像」，而唐代道教也有「瑞像」、「瑞像殿」的相關記載，皆屬於佛教以外的「瑞像」。

事實上，中古時期自印度傳入的佛教瑞像，曾普遍流行於敦煌、于闐和中國各地。佛教「瑞像」最初自印度（聖地）傳入，是指能夠示現神通、威靈顯赫的佛像。以世俗的眼光來說，即所謂的「顯靈」（顯示靈瑞的瞬間），具有起立、躬身、騰步、飛來、放光、分身雙頭、水火神通……等動態性的神異特徵，並據此加以圖繪或塑像，成為「顯靈圖」或「顯靈像」，而此佛像又被認為等同於佛的真容、化身。是以從印度傳入中國的瑞像，較能符合前賢所謂的「固定的原型」、「數目有限」的特徵；然而若加上中國本土新興的佛教瑞像，不但瑞像的種類、數目有所增加，流行區域幾乎擴及全國，並能結合當地的地理環境，不再完全墨守固定的原型；尤其強調自山石剖出或石像浮江的神異特質，反而忽略特指瑞像的名稱；而透過瑞像故事的類型化（情節的互相模仿），更能突顯其來歷不凡、示現真容、預兆吉凶、護法神威……等靈驗特性，藉此提高其「神聖」的宗教地位。

---

3 肥田路美〈瑞像的政治性〉，收入《初唐仏教美術の研究》（東京：中央公論美術出版，2011年12月），頁297-331；〈南北朝時代乃至唐朝の瑞像の造形の特徵と意義〉，收入《饒公紀念論文集》（北京市：中華書局，2012年）等相關論文。

4 拙文〈中土瑞像傳說的特色與發展——以敦煌瑞像作為考察的起點〉，刊《敦煌吐魯番研究》第15卷（2015年4月），頁343-367；〈佛教瑞像的特徵與形成的思想基礎——從印度、于闐、敦煌到東土瑞像的整體考察〉，收入《2013敦煌、吐魯番國際學術研討會論文集》（臺南市：國立成功大學中國文學系，2014年12月），頁107-129。

　　由此可知,「瑞像」即是「靈像」,二者無二無別。例如三國時期康僧會譯《六度集經》云:「精進度無極者,厥則云何?……其目眇眊恒覩諸佛靈像變化立己前矣;厥耳聽聲恒聞正真垂誨德音。」[5]指出精進度的方法之一是,彷彿恒見諸佛靈像在自己眼前演示神通變化。又如〔唐〕道宣《集神州三寶感通錄》錄有「靈像垂降」五十緣,[6]其中提及「瑞像」十餘次,而這些靈像在道宣編撰的《廣弘明集》中也不乏稱為「瑞像」者。可見「瑞像」和「靈像」的義涵,皆是指稱示現神跡的「靈瑞」之像。

　　因此,佛教「瑞像」和一般佛像的主要區別,其實在於是否曾有過「顯靈」的現象,而此現象往往是透過「神通變化」或「靈驗感通」的故事傳說來加以顯示和記錄。換言之,瑞像之所以為「瑞像」,重點並不在於「著名」或「吉祥」。在英文中與其譯為 "famous images" 或 "auspicious images",毋寧譯為 "magic images" 或 "supernatural images",更能彰顯出「瑞像」的義涵。

　　值得思考的是,佛教「瑞像」的概念似乎可以擴及各大宗教都有的「神聖」現象──在特定的神聖時間或神聖空間的顯現,故應置入宗教學中「神聖」(或靈應現象)的體現進行綜合性的研究。例如,西方宗教中也有所謂的「聖顯」(hierophany)[7]或「神顯」(theophany)[8]:即神的顯現,或天主顯現。這些「神靈/神聖」的顯現,與佛教瑞像也有異曲同工之妙。

　　儘管「瑞像」一詞的大量使用,仍以中古時期的佛教為主,在其他宗教的歷史文獻中有關佛教以外的「瑞像」,數量零星而少見,不足以自成系統。如果從「瑞像」一詞進行文獻的考查,最早應當是指東漢碑刻中的二種

5　(CBETA, T03, no. 152, p. 32, a10-13)

6　(CBETA, T52, no. 2106, p. 404, a17-18)

7　伊利亞德(Mircea Eliade)在《聖與俗──宗教的本質》(*The Sacred & the Profane: The nature of Religion*)中說:「當神聖在各種聖顯(hierophany)中顯示自身時,不僅在空間的同質性中有一個『突破點』,而且還有一種對絕對實體──相對於可無限延伸的非實體──的揭露。……聖顯卻在其中揭露了一個絕對的『定點』與『中心』」。(楊素娥譯,臺北市:桂冠圖書,200年1月,頁72)

8　同前註,頁62之註3(譯註)。

靈獸——麒麟、鳳凰，而不是指稱佛像。在政治上作為符應天地的靈瑞，而被視為「天志」的顯現。本文謹就東漢〈麒麟鳳凰碑〉「新刻瑞像麟鳳」，以及道教文獻所見的「老君瑞像」等相關資料進行札記，希能作為佛教瑞像的參照。

二 「瑞像」一詞的起源：東漢〈麒麟鳳凰碑〉小考

就目前所知，「瑞像」一詞的起源，可能出自東漢順帝永建二年（127）時的〈麒麟鳳凰碑〉，亦名〈山陽麟鳳碑〉。此碑頗見於宋人碑釋考錄，所指稱的對象乃是麒麟、鳳凰二種靈獸，但因碑陰記文直接繫年於永建元年，以致各家載錄多未能揭櫫其於次年「易立碑石」的事實。

例如：〔宋〕婁機撰《漢隸字源‧攷碑‧麒麟鳳凰碑》載錄云：「在濟州，碑陰有記云：『永建元年（126）山陽太守河內孫君新刻瑞像』」。[9]

〔宋〕趙明誠《金石錄卷十四‧漢麟鳳贊并記》云：「右漢麟鳳贊，其上刻麟鳳像，各為贊附于下。又別有記云：『永建元年秋七月，山陽太守河內孫君新刻瑞像。』麟鳳最後有銘，銘凡五句，句九字。按《漢史》安帝時，頻有鳳凰、麒麟之瑞，而順帝永建中則無之，不知孫君刻此碑何謂也。」[10]從記文可知，此處的「瑞像」是指麒麟、鳳凰二種靈獸而言。由於各地呈報靈獸的出現或其它罕見的瑞徵，被當作是天地之間的靈瑞符應，往往用來歌功頌德，具有政治上的特殊意義。趙明誠指出，根據《漢史》，順帝時並未出現麟鳳之瑞，因此不明孫君刻此碑的緣故。

〔宋〕洪适撰《隸釋卷十六‧麒麟鳳凰碑》則云：

> 右〈麒麟鳳凰碑〉，凡二石，其像高二尺餘，圖寫甚有生意，所題四字頗大。漢代鳳皇集，郡國頻有之，惟麟不多見爾。此刻亦猶李翕〈黃龍白鹿碑〉之類也。又有〈山陽麟鳳〉，二物共一石，其像小

9　《文淵閣四庫全書》冊225，頁40。
10　《文淵閣四庫全書》冊681，頁252。

於此碑。像下有贊云:「天有奇鳥,名曰鳳皇。時下有德,民富國昌。黃龍嘉禾,皆不隱藏。漢德巍巍,分布宣揚。」又云:「天有奇獸,名曰麒麟。時下有德,安國富民。忠臣竭節,義以脩身。闕愆采善,明明我君。」碑陰有記云:「永建元年山陽太守河內孫君新刻瑞像」,最後有銘辭,皆篆文也。[11]

這一段引文中揭示了漢代的〈麒麟鳳凰碑〉,其實不只一件:有將麒麟、鳳凰分刻二石者,也有將麒麟、鳳凰「二物共一石」者。洪适不但記敘了〈山陽麟鳳碑〉是「二物共一石」,也將〈山陽麟鳳碑〉繫屬於〈麒麟鳳凰碑〉之下。如果從「碑陰有記」云云,可見婁機《漢隸字源》、趙明誠《金石錄》所考釋的〈麒麟鳳凰碑〉(孫君新刻瑞像),與洪适所謂的〈山陽麟鳳碑〉實為同一件石碑。此外,像下有四言之「贊」,標榜了麒麟、鳳凰的出現,分別象徵「時下有德,民富國昌……漢德巍巍,分布宣揚」、「時下有德,安國富民……闕愆采善,明明我君」,內容無非歌頌君主的聖德。此外,同書《隸續卷五·山陽麟鳳碑》進一步載錄了〈麟鳳碑〉的碑記、銘辭:

右山陽麟鳳瑞像,右鳳而左麟,其下各刻一贊。碑陰又刻銘辭,皆小篆。兩旁有隸字。其篆云:「永建元年季秋七月饗時,山陽太守河內孫君見碑不合,禮掾蘷造新刻瑞像麟鳳。」其銘辭曰:「漢盛德中興·即政二年,辛酉之蔀首·歷六十□,青龍起蟬嫣·三月季春,爰易立碑石·順禮典文,九九應度數·萬世常存。」《爾雅》注:「單閼」,音丹過,一音蟬嫣。永建二年,歲在丁卯,故此碑用「蟬嫣」字。米元章《畫史》云:「此圖半篆半隸,麟一角上,高如足翹,如惡馬,鳳高冠尾長,甚可怪也。」以詩題之曰:「非篆非科璞已雕,形容振振與蕭蕭。……」漢碑有麟鳳者,不特此一碑,元章特未之見耳。[12]

〔宋〕婁機《漢隸字源》、洪适《隸續》皆曾引述米芾（元章）《畫史》。宋代米芾《畫史》今存，其書稱此碑為〈麟鳳圖〉，然因所錄銘辭錯漏之處頗多，故不再重複引述。至於洪适載錄的碑記、銘辭，可謂十分重要。據碑記所敘山陽太守河內孫君重新造碑的緣由，乃於永建元年（126）秋祭時，發現舊碑並不合用，乃令掌禮佐吏，重新敬造瑞像麟鳳一碑。銘辭共有五句，每句九字，句式皆為上五、下四，計四十五字；和趙明誠所記錄的「麟鳳最後有銘，銘凡五句，句九字」相符。值得注意的是，銘辭前三句詳細闡述了重新立碑的具體年月，第四句說明立碑的目的，第五句進一步表達了立碑的日期和願望。分別考釋如下：

第一句「漢盛德中興・即政二年」：此處指漢順帝為太子時被廢為王，年十一，被擁立為帝，故稱「中興」。第一個年號為「永建」，故「即政二年」為「永建二年（127），歲在丁卯」。

第二句「辛酉之蔀首・歷六十□」：末字缺文。據漢代曆法，以十九年為一章，一章有七閏，四章為一蔀（76年），冬至在年初為蔀首。因永建二年為丁卯年，推算丁卯前第一個辛酉年為建光元年（121），前第二個辛酉年為永平四年（61），即此處所謂「辛酉之蔀首」。故由永平四年（61）歲次辛酉，至永建二年（127）歲次丁卯，相距66年，的確未滿一蔀。據此，□空格中之缺文，當作「六」。亦即永建二年距上一個「辛酉之蔀首・歷六十六」年。

第三句「青龍起蟬嫣・三月季春」：青龍為太歲的別名，《後漢書・律曆志下》：「日周于天，一寒一暑，四時備成。……青龍移辰，謂之歲。」據《爾雅》注，「單閼」一音「蟬嫣」（或作「蟬焉」），皆為卯年的別稱。由此可知，〈山陽麟鳳碑〉實於永建元年秋祭後的次年，即永建二年（丁卯）季春三月始重新立石者。

第四句「爰易立碑石・順禮典文」：此句銘辭說明在漢順帝即位的次年

存，稱此碑為〈麟鳳圖〉，所錄銘辭錯漏之處頗多，詳見《文淵閣四庫全書》冊813，頁21。

「易立碑石」，目的在於「順禮典文」（遵循禮制，以規範文書法式）。本碑藉由新刻瑞像麟鳳，以示靈瑞符應天地，彰顯聖德，在漢代禮制中具有一定的政治意義和實際作用。

第五句「九九應度數‧萬世常存」：據《管子‧輕重戊》：「處戲（即伏羲）作造六峯以迎陰陽；作九九之數以合天道。」九九八十一，以應度數，說明立碑之日當為冬至起算八十一天，俗稱「冬九九」；時序完全符合第三句銘辭所說的「青龍起蟬媽‧三月季春」。九九亦可暗合久久，以喻「萬世常存」的美好願望。

此外，《隸續》中還收錄了「右鳳而左麟」的圖樣，但圖樣中並未附見碑記、銘辭的錄文款式，殊為可惜。

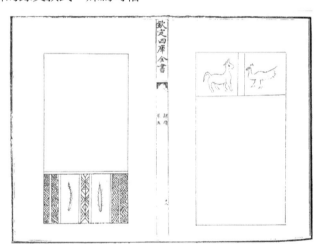

漢代流行災祥符讖之說，由來已久。《後漢書‧張衡傳》云：「初，光武善讖，及顯宗、肅宗，因祖述焉。自（順帝）中興之後，儒者爭學圖緯，兼復附以妖言。衡以圖緯虛妄，非聖人之法，乃上疏。」[13] 在此歷史背景之下，〈麒麟鳳凰碑〉正好提供了漢順帝初立之時，地方官員「爭學圖緯」，新刻「瑞像麟鳳」的一則例證。

---

13 《後漢書》卷59，（臺北市：鼎文書局），頁1911。

三　道教文獻中的「老君瑞像」

　　道教文獻所見之瑞像，實以「老君」應化為大宗。唐代奉太上老君為聖祖，各地宮觀多有降化之說，但於「瑞像」一詞的使用似乎並不普遍。以下謹依道教文獻的時代為序，試由老君瑞像的相關資料來考查道教瑞像的概念，是否和佛教有關。

　　首先，延續拙文〈中土瑞像傳說的特色與發展——以敦煌瑞像作為考察的起點〉提到的〈靈寶院記〉和〈歷代崇道記〉，略作補充。

　　根據唐代太和三年（829）王棲霞撰〈靈寶院記〉：「先於舊閣基建『瑞像殿』，三間兩廈，中塑羊角山應現老君。」靈寶院原為梁天監陶弘景所創，唐太和中由太尉李德裕及門師道士以舊號重建。瑞像殿位於東北隅，為李德裕季弟所造。[14] 據傳隋末大業十三年（618），太上老君曾遣霍山神告唐公，將來必得天下。至武德元年，復於晉州浮山縣羊角山現身，傳有「著素衣，戴金冠，乘朱鬃白馬」的應化事蹟，唐高祖乃於羊角山立廟，並詔改浮山縣為神山縣，羊角山為龍角山。[15] 雖然此處的「瑞像殿」只是一般泛指的用法，但以「羊角山應現老君」為供奉對象，已經具備「羊角山（聖地）、應現（感通）、老君（指稱對象）」三個條件，而且包括了神聖空間、靈驗故事、（顯靈瞬間的）神祇形象，以及政治作用。由此可見，道教對於「瑞像」的認知和用法，與佛教似無二致。

　　又如，中和四年（884）杜光庭所撰的〈歷代崇道記〉詳細記載了唐肅宗的一則夢徵：「乾元二年（759），帝夜夢二青童導從至一宮闕，謁見混元（太上老君）。……遊涉山海，經歷甚遠。帝一一潛記，又見混元鬚髮皆黑。及明，宣下兩街，訪諸『瑞像』於務本坊光天觀聖祖院，果獲『黑髭老君』之像。圖寫以進，帝見大悅，一如夢中所睹。乃出帝真容，令侍立於混元之後，仍頒示於天下，普令供養。」[16] 此一故事情節非常完整，包含具體

---

14 《全唐文》四，卷928（上海市：上海古籍出版社），頁4290下-4291上。
15 杜光庭〈歷代崇道記〉，《全唐文》四，卷933，頁4307中。
16 同前註。

的人、事、時、地、物，通過虛幻夢境所見和現實情境若符一契，營造出信而有徵的神異性。不但將黑髭老君視為瑞像的顯現，而且圖繪肅宗真容，侍立於混元老君之後，對提昇統治者的政治權威和抬高道教的神聖地位，皆有相輔相成的功效。此處「訪諸瑞像」的「瑞像」，仍是一般泛指的用法。

再以北宋道士賈善翔所撰《猶龍傳・大唐聖祖》為例：

> 高宗龍朔二年二月，在洛陽宮，忽然有感，問側近有何古跡。老臣奏曰：皇城之北山有老子祠，每祈請，立有靈感。乃勅洛州長史譙國公許力士特建清廟，掘得石案……上鐫「太上老君」之字。立殿畢，勅……以其年二月二十七日夜建道場，慶讚設醮。纔訖，有白光徧殿，兼照層壇。老君現於光中，鬚髮皆白，身著白衣，夾侍二人，良久乃隱。洛州錄事參軍陽護師等一十三人同見，以狀奏聞，有旨令依狀圖寫，號為「老君瑞像」。[17]

文中敘述唐高宗龍朔二年（662）發生的故事，藉由帝王感通、石案鐫字、現身放光，眾人同見等情節，強調太上老君的靈驗，完全合乎瑞像的本質在於顯示靈驗。如果結合上述二則文獻來看，似乎唐代的「瑞像殿」或「瑞像」是以泛指的用法為主，到了宋代才出現特指用法的「老君瑞像」。

不過還有二個例子值得斟酌。其一是《全唐文》所收的闕名〈上老君瑞象表〉，題下標示「天寶中」。從內文的「皇帝陛下垂裳多暇，鍾想妙門，遂乃申模聖像」[18]來看，標題「瑞象」的確是指「瑞像」無誤，但是否為唐文原題仍不得而知。其二是南宋道士謝守灝編集《太上老君年譜要略》云：

> 肅宗至德二載丁酉，老君降于通化郡雲龍巖，自地接天，儀像炳然。詔圖其本，明皇御製讚曰：晝見殊相，浮空瑞色。道釋人天，作禮瞻奉。申命藻繪，示諸郡國。（見唐〈太上高皇瑞像讚序〉）……

---

17 〔宋〕賈善翔撰《猶龍傳》卷五，收入《正統道藏》第556冊（洞神部・譜錄類）。中國哲學書電子化計劃：https://ctext.org/library.pl?if=gb&file=99700&page=174。

18 《全唐文》五，卷962，頁4432上。

其餘降見事跡，記傳不繫時代者不述，與夫放光、現瑞、靈應等，事
非化身下降者，亦不復載于譜也。[19]

肅宗至德二載（757）所記之事，也是老君降化。其中提及〈太上高皇瑞像
贊序〉，僅錄四言六句，頗多省略。全文收錄於《全唐文》，標題作〈元元皇
帝像贊并序〉[20]，二者標題顯然不同。文中還有「昔真誥傳於羊角，寶祚無
疆；今宸儀炳於龍巖，妖氛將殄」，將「羊角」和「龍巖」的典故並舉，可
見羊角山和雲龍巖都是唐代著名的老君降現之處。雖然這二個例子所見的
「瑞像」一詞，是否為唐文原有，已不得而知，但更值得注意的是，《太上
老君年譜要略》文末所云：「與夫放光、現瑞、靈應等，事非化身下降者，
亦不復載於譜也。」這句話和謝守灝另一部著作《混元聖紀》最後的撰述說
明相一致，似乎更清楚地呈現出道、釋兩教「瑞像」觀念的巧妙關聯。《混
元聖紀》卷九云：

> 以至上士澄心注想，隨祈而應，靈感之邇，接於見聞，然形於紀錄
> 者，蓋大地之一塵爾。其周流三界，濟度無窮。或示仙姿瑞像，爰及
> 肉身；或飛或步，或尊或卑，或朝或野，或夏或夷。應已則隱，不可
> 測量；來無所從，去無所至。洞有、洞無，周徧一切，真身、化身，
> 一歸妙有。稱讚所不能及，記述所不可既。姑摭經史前聞，編次以為
> 《實錄》云。[21]

從上述引文中不難看出謝守灝編撰二書的幾個基本要點：

其一，在於宣揚老君的靈應事蹟，實不可勝數，為「稱讚所不能及，記

---

19 〔宋〕謝守灝編集《太上老君年譜要略》一卷，收入《正統道藏》第554冊（洞神部・
譜錄類）。中國哲學書電子化計劃：https://ctext.org/library.pl?if=gb&file=99697&page=
26、https://ctext.org/library.pl?if=gb&file=99697&page=29。

20 《全唐文》一，卷41，頁193下。

21 〔宋〕謝守灝編集《混元聖紀》一卷，收入《正統道藏》第554冊（洞神部・譜錄
類）。中國哲學書電子化計劃：https://ctext.org/library.pl?if=gb&file=99696&page=186&
remap=gb。

述所不可既」，所記「蓋大地之一塵爾」。而且其「降見事跡，記傳不繫時代者不述」，換言之，所記必有繫時，時間越明確，越可資徵信。

其二，說明「事非化身下降者不記」，而老君「化身下降」的「仙姿瑞像」，必伴隨著放光、現瑞、或步、或飛的靈應特徵，加上「應已則隱」，只能依所見圖寫（或雕塑）。這和佛教瑞像透過各種神通變化，顯示靈瑞的瞬間，其實是一致的。

其三，說明老君的「真身」即是無名大道，由無名大道化生混沌元氣，故稱「混元」，其炁既「不可測量」又「來無所從，去無所至」；而其「化身」則包含各種「仙姿瑞像」和「分身應化，隨世立教」的「肉身」應現。至於應化的空間不分夷夏國別，示現的對象不分朝野尊卑，「周流三界，濟度無窮」，而且不分「真身、化身，一歸妙有」。

儘管此處的「真身、化身」和佛教「法身、化身」不盡相同，卻也有出而合轍之處。佛教認為諸佛法身凝然常寂、無形無相、盡虛空、遍法界，亦是報、化二身之所依，因此有「佛身體一，隨義說三」[22]的說法。拙文〈佛教瑞像的特徵與形成的思想──從印度、于闐、敦煌到東土瑞像的整體考察〉提出佛教瑞像的形成基礎在於「法身思想」。誠如《十住毘婆沙論·四十不共法品》所說：「諸佛非是色身，是『法身』故……一者飛行自在、二者變化無量……佛若欲於虛空先舉一足，次舉一足，即能如意。若舉足躡虛空而去，若欲住立不動而去，即能得去。若結跏趺安坐而去，亦能得去。若欲安臥而去，亦復能去……諸佛虛空飛行自在，無量無邊。……是故說飛行無礙。又飛行自在，如意所作；出沒於地，能過石壁、諸山障礙等。……又佛能以常身立至梵天……諸佛變化無量無邊。」[23]文中所列舉的種種神通變化，往往出現於佛教瑞像圖中。其次，此處所謂的「佛能以常身立至梵天」，亦可與雲龍巖應化老君，「自地接天，儀像炳然」，不謀而合。

此外，〔唐〕李通玄《新華嚴經論》云：「佛者覺也，覺業性真。業無生

---

22 (CBETA, T53, no. 2122, p. 433, a17)

23 (CBETA, T26, no. 1521, p. 71, c17-p. 72, b14)

滅，無得無證。不出不沒，性無變化。本來如如，即是佛故。隨緣六道，行菩薩行。變化神通，接引迷流。」[24]由此可見，「本來如如」、「不出不沒」即是佛之法身，和老君「來無所從，去無所至」，略可比附。而「隨緣六道，行菩薩行；變化神通，接引迷流」，即是佛之應化身：前者以「隨緣六道，行菩薩行」度化眾生，約當老君以肉身「分身應化，隨世立教」；後者以瑞像示跡，「變化神通，接引迷流」，約當老君之「仙姿瑞像」「濟度無窮」，二者皆可視為「化身」之顯現。

無獨有偶地，《佛說觀佛三昧海經》中說：「世尊！十方世界，無數化佛。何者真佛？誰是化佛？佛告大眾：諸佛如來入空寂處，解脫三昧隨意自在，無有真、化。所以者何？佛心空寂，復入空寂解脫光明王三昧，此定力故，諸佛如來化無邊身。」[25]進一步說明了無量無邊的化佛，與真佛並沒有差別。這與老君的「真身、化身，一歸妙有」，也有異曲同工之妙。

凡此種種，皆可看出老君瑞像與佛教瑞像的關聯性，祂們不只強調「靈驗」的本質十分雷同，而謝守灝道士以「真身、化身」的關係來詮釋「仙姿瑞像」，或許不能排除有來自佛教瑞像及其文化語境的影響。

---

24 (CBETA, T36, no. 1739, p. 733, a18-21)
25 (CBETA, T15, no. 643, p. 675, b26-c2)

「穆王五十二年佛滅說」在東亞佛教界的流傳與影響[*]

劉　屹

首都師範大學歷史學院教授

提要

本文確認「穆王五十二年佛滅說」是自唐初開始影響中國佛教界最主要的「佛滅年代說」，由此可在眾說紛紜的「佛滅年代」諸說中，找到一條相對清晰的線索。本文重點論述隋初姚長謙《年曆帝紀》一書在「穆王五十二年說」形成過程中起到的重要作用，並列舉吐蕃和契丹，日本和朝鮮的佛教史料，具體說明「穆王五十二年說」對東亞佛教世界影響的深遠。

關鍵詞：穆王五十二年佛滅　年曆帝紀　末法始年

* 本文是國家社科基金重點專案「中國佛教末法思想的歷史學研究」（19AZS015）階段成果。

一　引言

在佛教歷史上，釋迦牟尼的生存時代，是一個缺乏明確歷史記載的疑難問題。印度佛教大約是在佛滅之後的一兩百年，才開始關注佛陀的年代與其佛法傳承之間的關聯問題。那時佛教教團已經出現分立的態勢，各部派對佛陀年代的歷史記憶頗不一致。由於缺乏可靠的歷史材料，導致佛陀的年代問題，兩千年來一直牽扯不清。時至今日，若想考證清楚歷史上佛陀的生卒年份，幾乎已是不可能完成之任務。[1]

即便如此，佛陀的年代對於佛教而言，仍具有非比尋常的意義。佛陀年代問題，已脫離了作為歷史人物的佛陀生卒年份的史實層面，而變成一個事關佛教信仰傳續的重大問題。雖然佛陀作為一個歷史人物，其年壽多少，在佛教中本來就有各種不同的說法，但一般認為，佛陀是在其七十九歲或八十歲入涅槃的。在此前提下，「佛誕年代」和「佛滅年代」就形成一組相對固定的對應關係，即知道了「佛誕年代」，必然可以推算出「佛滅年代」；相反亦然。

在眾多的佛誕和佛滅年代諸說中，「昭王二十四年佛誕，穆王五十二年佛滅」是一個雖然明顯晚出，卻流傳和影響最廣的一種說法。歷來都認為這種說法最早出現在北魏正光元年（西元520年）一次佛道論爭。二〇一八年，我在前賢研究的基礎上，考證出有關這次佛道論爭，只有來自佛教單方面的記載，漏洞百出，孤證難立，因而很可能出於後世佛徒的假託；五二〇年不會出現「昭王二十四年佛誕，穆王五十二年佛滅」的觀念；這一佛誕和佛滅年代說，很可能是遲至唐初才出現的。[2]

1　有關佛滅年代的研究，參看張曼濤主編：《現代佛教學術叢刊》第97種《佛滅紀年論考》（臺北市：大乘文化出版社，1979年）。Heinz Bechert ed., *When Did the Buddha Live? The Controversy on the Dating of the Historical Buddha: Selected Papers Based on a Symposium Held under the Auspices of the Academy of Sciences in Göttingen*, Delhi: Sri Satguru Publications, 1995.紀贇：〈佛滅系年的考察——回顧與展望〉，《佛學研究》第20期（2011年），頁181-200。

2　劉屹：〈穆王五十二年佛滅說的形成〉，《敦煌學輯刊》2018年第2輯，頁166-177。

　　佛陀生存年代，在古代中國不僅是佛教中人關心的問題。從東漢末到唐以前的四百年間，中國一直流行的是「《春秋》系佛誕（或佛滅）年代說」，後來也融會了某些來自《竹書紀年》的歷史因素。[3]我在前文中說明，「昭王二十四年佛誕，穆王五十二年佛滅說」，是基於《帝王世紀》所獨有的西周歷史紀年。為何中國佛教要將佛陀生滅年代的依據，從《春秋》和《竹書紀年》轉換為《帝王世紀》？為何中國佛教一定要在中國古典文獻中找到佛誕和佛滅年代的依據？「昭王二十四年佛誕，穆王五十二年佛滅」對於中國佛教來說，究竟有何特殊之處，能夠在入唐以後成為主流的說法？這種後出的佛陀年代說，又是怎樣流傳並影響到東亞佛教世界的？本文將在前文基礎上，力圖做一些補充說明，以便使「穆王五十二年佛滅說」的形成脈絡更加清晰。同時也將在更廣泛的視野下，關注這一「佛滅年代論」對中國和東亞佛教的影響和意義。

二　「穆王五十二年佛滅」補說

　　在二〇一八年的論文中，我已講明了在北齊武平七年（西元567年）釋法上所言的佛陀生滅之年，雖然是昭王二十四年佛誕，但若據此推算出的佛滅之年，還不是穆王五十二年。許理和、劉林魁等都指出了「昭王二十四年佛誕說」依據了《竹書紀年》中關於昭王末年天有異象的記載。今之學者相信《竹書紀年》的昭王系年應只有十九年而已。那麼「佛滅年代論」中的「昭王二十四年」從何而來？《竹書紀年》在昭王「十九年」之後，還有「末年」云云之說，[4]導致古來一直有人認為，昭王在位時間應不只十九年。再因《晉書》〈束晳傳〉有「自周受命至穆王百年」之說，用一〇〇年減去西周最初的武、成、康三王紀年，得出昭王在位有三十五年之說。此外，皇甫謐《帝王世紀》根據劉歆《世經》對魯國國君年數的記載，推算出

3　劉林魁：〈《春秋》記事與中古佛誕諸說〉，《世界宗教研究》2017年第2期，頁64-75。

4　此據方詩銘、王修齡撰：《古本竹書紀年輯證》（修訂本）（上海市：上海古籍出版社，2005年），頁46。

昭王在位有五十一年，穆王在位五十五年。[5]只有依據《帝王世紀》中昭王和穆王的年曆，才能有「昭王二十四年佛誕，穆王五十二年佛滅」的結論。

接續前文的論證，我認為在法上和法琳之間，還有一個關鍵的環節，是以往研究所忽略，也是我前文所缺，需要補充說明的，即隋初姚長謙《年曆帝紀》一書的影響[6]。《年曆帝紀》在《隋書》及兩《唐書》的〈經籍志〉、〈藝文志〉等書志目錄中還有記載。但全書已不存，只能通過唐初佛教著作的徵引管窺一二。釋法琳《辯正論》卷五〈佛道先後〉第三中云（括號中是陳子良的注文）：

> 隋世有姚長謙者，（**名恭，齊為渡遼將軍，在隋為修曆博士。**）學該內外，善窮算術（**今太史丞傅仁均受業師**），以《春秋》所紀，不過七十餘國。丘明為傳，但敘二百餘年。至如《世系》《世本》，尤失根緒。《帝王世紀》，又甚荒蕪。後生學者，彌以多惑。開皇五年乙巳之歲，與國子祭酒、開國公何妥等，被召修曆。其所推勘，三十餘人。並是當世杞梓，備諳經籍者。據《三統曆》，編其年號，上拒運開，下終魏靜。首統甲子，傍陳諸國。爰引九紀、三元（**九頭、五龍、括提、合雄、連通、序命、修飛、因提、善通等，謂之九紀**）、天皇、人帝、五經、十緯、六藝、五行、《開山圖》、《括地象》、《古史考》、《元命苞》、《援神契》、《帝系譜》、《鈞命決》、《始學篇》、《太史公》、《律曆志》、《典略》之與《世紀》，《志林》之與《長曆》，百王詔誥，六代官儀，地理書、權衡記，三五曆、十二章，方叔機、陶弘景等，數十部書，以次編之，合四十卷，名為《年曆帝紀》。頗有備悉，文義可依。從太極上元庚戌之歲，至開皇五年乙

---

5 此據徐宗元輯：《帝王世紀輯存》（北京市：中華書局，1964年），頁92-93。

6 對姚恭《年曆帝紀》的研究，可參大內文雄：《中國佛教における通史の意識──〈歷代三寶紀〉と〈帝王年代錄〉》1990年初刊，此據氏著《南北朝隋唐期佛教史研究》（京都：法藏館，2013年），頁144-153。

已，積有一十四萬三千七百八十年矣。[7]

可知，姚恭，字長謙，北齊時為渡遼將軍，入隋後為修曆博士，是唐初太史丞傅仁均的授業師。開皇五年（西元585年），隋文帝令姚恭、何妥等三十餘人，參與修曆。他們以劉歆的《三統曆》為框架，參考數十種曆書，編成四十卷的《年曆帝紀》，從太極上元之年，到開皇五年，總計一四三七八〇年。此書應是一部隋初人心目中，自上古以來直至開皇五年的、漫長人類歷史的編年曆。這部書也直接記載了佛陀生滅的年代。法琳《辯正論》卷五續云：

> 長謙《紀》云：佛是昭王二十六年甲寅歲生，穆王五十三年壬申之歲，佛始滅度。（至開皇五年，得一千五百七十六載矣）與《周書異記》並《漢法本內傳》及《法王本記》，與吳尚書令闞澤、魏曇謨最法師等所記不差。[8]

甲寅年生至壬申年滅，應是取佛陀在世七十九年而涅槃。我在前文已推算過，法上說的是「昭王二十四年甲寅生」，佛陀也是七十九歲，到壬申歲而滅。可見，「甲寅年生，壬申歲滅」，雖然現在還不知到底依據的是什麼推算原理，但從北齊到隋初，佛陀生滅之年的干支，看來已經固定不變了。只是因為法上所依據的是《竹書紀年》的年曆，而姚恭新撰的《年曆帝紀》中，雖然干支與法上相同，但具體的年份卻有偏差。若以佛陀在世七十九年計，則佛陀在穆王時期五十三年，還要上溯昭王時期二十六年，才能達到七十九歲的年限。這也意味著，《年曆帝紀》認為昭王二十六年佛誕之後，佛陀在昭王時期還要再經過二十六年，才能到穆王時期。可見，《年曆帝紀》取用的是昭王在位五十一年，穆王在位五十五年的說法。而這在中國古典中，大概只有《帝王世紀》是對昭王和穆王如此紀年的。

姚恭等人明明批評「《帝王世紀》，又甚荒蕪」，為何在此又取用《帝王世紀》的紀年？我認為這並不矛盾。姚恭等人不滿的是《帝王世紀》對上古

7　〔唐〕釋法琳撰、陳子良注《辯正論》卷5，《大正藏》第52卷，頁521。
8　《辯正論》卷5，《大正藏》第52卷，頁522。

帝王年曆的整體記載，而有關昭王、穆王時期的年曆，只有按照《帝王世紀》的說法，才能符合佛陀一生七十九歲的行歷。在此環節上，很可能是由所謂佛陀的年代而決定了曆算學家確定昭王和穆王紀年如何編排。

開皇十七年（西元597年）費長房《歷代三寶紀》卷一列舉法上的意見時說：

> 依沙門法上答高句麗國問，則當前周第五主昭王瑕二十四年甲寅。至今丁巳，則一千四百八十六年。引《穆天子別傳》為證，稱瑕子滿嗣位。穆王聞佛生迦維，遂西遊而不返。[9]

費長房給出法上之說的依據，是來自《穆天子別傳》所載的穆王西行。法琳也談到了法上之說的依據：

> 又高麗王表問齊后：諸佛生世，可得聞乎？文宣帝召上統法師為文具報。于時引《周穆傳》，（蓋《穆王別傳》也）以對使人。與姚長謙所引無異。[10]

所謂的「《穆天子別傳》」、「《周穆傳》」、「《穆王別傳》」，實際上都應是指記載穆王西行的《穆天子傳》。如我在前文所論，佛教中人把《竹書紀年》中昭王、穆王時代的點滴記事，都盡可能地與佛陀的行歷聯繫起來。其中穆王西行是一個最方便比附為中國帝王敬仰西方佛陀的歷史記錄。甚至可以說，穆王西行的記載，是中國佛教將佛陀生卒年與昭王穆王時期建立起必然關聯的核心基點。能夠將昭王穆王時期的史事，與印度的佛陀勾連起來的記錄，其實基本上不出《竹書紀年》的隻言片語和《穆天子傳》這樣的小說家言。這就形成一個有意思的現象：《竹書紀年》的歷史記錄，成為支撐佛陀生滅年代相當於昭王、穆王時期的主要依據，但《竹書紀年》的系年卻無法與佛陀年壽七十九歲的成說相符。這種情況下，佛教中人就將《竹書紀年》的史

9　〔隋〕費長房《歷代三寶紀》卷1，《大正藏》第49卷，頁23。

10　《辯正論》卷5，《大正藏》第52卷，頁522。

實放置在《帝王世紀》的年曆框架之下。這樣的做法，顯然從北齊到隋初，都得到了官方的支持。

不過，由於《年曆帝紀》採用的是劉歆《三統曆》為基本框架，導致其王統系年錯誤很多。因此出現「甲寅年」為「昭王二十六年」，「壬申年」為「穆王五十三年」的結果。費長房在《歷代三寶紀》中列舉多種佛陀生滅年代，卻沒有提及《年曆帝紀》的這種說法[11]。法琳對姚恭的《年曆帝紀》也不完全遵從。最晚在武德五年（西元622年），他已通過在《破邪論》中首次出現的偽書《周書異記》，認定是「昭王二十四年甲寅佛誕，穆王五十二年壬申佛滅」。而在貞觀六年至十年間（西元632-636年）陸續完成的《辯正論》[12]，他雖然引用了姚恭《年曆帝紀》關於佛陀生滅的年代，但仍然按照《周書異記》的說法，以「昭王二十四年佛誕，穆王五十二年佛滅」來立論[13]。在法琳看來，「甲寅歲生，壬申歲滅」是《年曆帝紀》、《周書異記》、《漢法本內傳》、《法王本記》、闞澤、曇無最等人所說佛陀年代的核心，是「不差」的。至於「二十四年」還是「二十六年」，「五十二年」還是「五十三年」，都可歸結為曆法換算的不同。

姚恭《年曆帝紀》關於佛陀「昭王二十六年生，穆王五十三年滅」的結論，也許只是曇花一現，並未形成被後世遵循不替的說法。但或許不應低估《年曆帝紀》在南北朝至唐初有關佛曆計算方面起到的重要作用。考慮到《年曆帝紀》是開皇五年奉敕修撰，代表了官方的意識，所以對隋初使用到年曆的著作，應該具有一定的參考價值。包括費長房的《歷代三寶紀》[14]，之所以出現多種佛陀生滅年代計算總是「出錯」的情況，我認為不是他的粗

---

11 詳見陳志遠：〈辨長星之夜落：中古佛曆推算的學說及解釋的技藝〉，《文史》2018年第4輯，頁117-138。

12 關於《破邪論》和《辯正論》兩書的成書時間，本文參考了李猛、陳志遠的研究，見陳志遠：〈辨長星之夜落：中古佛曆推算的學說及解釋的技藝〉，《文史》2018年第4輯，頁131。

13 《辯正論》卷六，《大正藏》第52卷，頁530。

14 大內文雄認為費長房對姚恭的《年曆帝紀》故意採取無視的態度，見前揭：《南北朝隋唐期佛教史研究》，頁149-153。

心大意，而是他很可能依據了姚恭的《年曆帝紀》來推算共和之前的王統紀年。這並不意味著他一定要遵守《年曆帝紀》所說的具體哪一年發生什麼事，他使用的應是《三統曆》框架下的年曆，所以我們不能用今日的曆表計算來判斷費長房是否計算錯誤。

此外，法上只說了佛誕在「昭王二十四年甲寅」，但由於法上依據的是《竹書紀年》，則佛滅之年就不一定是「穆王五十二年壬申」。在法上之後，或許《年曆帝紀》是第一個將佛滅之年定在「穆王壬申歲」的著作。因此，《年曆帝紀》雖然已被遺忘和冷落，但卻是法琳最終提出「昭王二十四年甲寅佛誕，穆王五十二年壬申佛滅」的重要前哨站和過渡階段。同時，隋初至唐初的佛教信仰者和曆法家們，並不一定是直接從《帝王世紀》找到可以合理安排昭穆時期佛陀生滅年代的年曆框架，而很可能是通過姚恭的《年曆帝紀》而間接取用到《帝王世紀》的周朝年曆。

三　對契丹和吐蕃佛教的影響

自唐初開始，「昭王二十四年甲寅佛誕，穆王五十二年壬申佛滅」，越來越成為一種固定化和主流化的佛陀生滅年代說。法琳、道宣、道世、智昇等人的著作中，都以此來定佛陀的年代。此說之所以基本取代了南北朝時期各種佛誕和佛滅的異說，主要原因還是其看起來「有理有據」，即能夠引用可靠性較高的史書《竹書紀年》中的記載，來驗證中土帝王對西方佛陀的感應事跡。中國佛教不是不想再將佛陀的年代追溯到比昭王更早的時代，只是苦於沒有可以依憑的更早記載而已。就中國的歷史而言，將佛陀的年代上溯到西周昭王、穆王時期，已經是一種極限了。中國佛教雖然也有佛陀在商末武乙，甚至在夏末夏桀時誕生的說法，但因缺乏必要的中國典籍作為支撐，故難以被廣泛接受。因此，「昭王甲寅佛誕，穆王壬申佛滅」，就成為在唐初那些記載周代史事的典籍存佚狀況之下，能夠追溯到的最早「有依據」的說法。

南北朝末至唐初，由於「法滅」和「末法」都是以佛滅之年作為年代計算的起點，所以「穆王五十二年佛滅說」顯得比「昭王二十四年佛誕」更容

易被佛教中人強調。但中國佛教改以「穆王五十二年佛滅」為起點，來計算佛滅之後「正法」和「像法」傳承的時間，就會出現到西元六世紀的南北朝末期，「正像二時」一五〇〇年之期已經到期的狀況。印度佛教中原本只有佛滅一五〇〇年後「法滅」的預言，現在一五〇〇年之期已到，此後的佛法該向何處去？在印度佛典中是找不到依據的。這種情況下，中國佛教才在「像法」之後補上一個「末法萬年」的階段。也正因此，房山石經山的釋靜琬才會在題記中說：「至今貞觀二年，已浸末法七十五載。」[15]從貞觀二年（西元628年）上溯一五七五年，正是相當於穆王五十二年的西元前九四七年。這說明「穆王五十二年佛滅說」對隋唐時期的佛教是產生實際影響的。

靜琬的房山石經秉承了中原主流佛教對於佛陀年代的認知傳統。當幽州地區在五代時陷入契丹控制後，房山云居寺和房山石經，也成為遼代佛教吸取中原佛教因素的重要窗口。因此，遼代佛教也繼承了「穆王五十二年佛滅說」。這方面最有代表性的是朝陽北塔的題記。遼寧朝陽北塔在塔上天宮石函門板外側的「石匣物帳與題名志石」云：

> 今聊記石匣內……世尊滅 度 已一千九百九十二年，第三 度重修 。大契丹重熙十二年四月八日午時再葬。像法更有八年入末法。故置斯記。[16]

「重熙十二年」，即西元一〇四三年。若此年佛滅已有一九九二年，則佛滅之年應為西元前九四九年。這一年對應的也是「穆王五十二年」[17]。可見朝陽北塔題記採用的是唐初奠定下來的佛滅年代。但與靜琬不同的是，遼代佛教採用的是「正像二時」共二〇〇〇年之後，才會進入「末法萬年」階段。至於為何會有「正像二時」一五〇〇年和二〇〇〇年的差別，主要是隋初吉

---

15 北京圖書館金石組、中國佛教圖書文物館石經組編：《房山石經題記彙編》（北京市：書目文獻出版社，1987年），頁1。

16 遼寧省文物考古研究所、朝陽市北塔博物館編：《朝陽北塔──考古發掘與維修工程報告》（北京市：文物出版社，2007年），頁83。

17 因為共和元年之前的西周王統系年有各種不同的說法，所以同為穆王五十二年，按照不同的系年來推算，就會得出不同的西元年份。本文認為西元前九四七、九四九年只是因為換算依據不同，但共同都指向的是穆王五十二年。

藏和費長房為避免將隋朝列入「末法」之世，而特意選取了將「正法」從五
○○年恢復到一○○○年，從而把「末法」開始的時代後延了五○○年。對
此問題，我將在另一篇文章專門分析，此不贅述。

　　唐宋以後，佛陀在西周昭王穆王時期生滅的說法，大有兼容此前各種佛
陀年代論之勢。如南宋釋志磐《佛祖統紀》，列舉了六種佛陀生滅年代，將
它們有意地歸結為是「昭王二十四年甲寅佛誕，穆王五十二年壬申佛滅」的
不同表現形式[18]。此後直到明清的佛教著作中，這一組佛陀生滅年代，已經
基本固定下來。當然並非絕對沒有其他說法或質疑的存在，但都無法撼動
「穆王五十二年佛滅說」在漢傳佛教中的地位。

　　這一佛陀生滅的年代對吐蕃佛教也產生影響，只不過是在相對較晚的時
代才產生影響。吐蕃佛教各宗派之間，對於佛陀的生卒年代，並沒有一個統
一的看法。不同的派別和經典依據不同，推算出的結論也相差甚遠。如成書
於西元四～九世紀間的《文殊師利根本儀軌經》（Mañjuśrīmūlakalpa），據其
經文的表述，可推算出佛滅年代是西元前五四四年。不早於十一世紀的《時
輪金剛本續》（Kālacakratantra），推算出佛滅年代是西元前八七八年左右。
直到十二至十三世紀，吐蕃佛教還有不止一種材料，推算的結論接近於南傳
佛教的佛滅年代[19]。

　　一三二二年成書的《布頓佛教史》，彙集了多種藏傳佛教關於佛陀生滅
年代的說法，也有接近於南傳佛教的佛滅年代，卻還看不到漢地佛教「穆王
五十二年佛滅說」的影響[20]。

　　一三六三年成書的《紅史》，提及佛陀的生滅年代，也沒有定論。依據
兩種藏地的說法，分別可對應的干支是乙丑年生，甲申年滅；戊辰年生，丁
亥年滅。這似乎並非來自漢地佛教的影響。但書中同時特別引用漢地的說

18　〔南宋〕釋志磐《佛祖統紀》卷2，《大正藏》第49卷，頁142。

19　這兩部都是密教經典，詳見 Günter Grönbold, "The Date of the Buddha according to Tantric Texts", *When Did the Buddha Live?*, pp.311-328.

20　〔元〕布頓・仁欽珠著《布頓佛教史》，此據蒲文成譯本（蘭州市：甘肅民族出版社，2007年），頁82-84。

法，說是周朝第四個王，即昭王，即位後二十年，木陽虎年（甲寅）佛誕，佛祖降生時的光明和神異，在漢地也可見到。釋迦牟尼在八十歲時滅度。[21]這裡雖然沒有正式提及「穆王五十二年壬申佛滅」，但佛誕在昭王甲寅年，八十年後，正是穆王壬申年之後的一個癸酉年無疑。可以說是對漢地佛教所傳的佛陀年代略作修訂後，作為諸種說法之一擺列在此，並未區分何種說法更可信。

一四三四年成書的《漢藏史集》，引阿底峽之說，認為佛陀是牛年（丑年）降誕，陽木猴年（甲申）涅槃。又引薩迦班智達的說法，佛陀是陽土龍年（戊辰）降生，陰火豬年（丁亥）涅槃。[22]這應是沿襲了《紅史》中的記錄。卻又未見漢地佛滅年代說的痕跡。

一四七八年成書的《青史》，將佛滅年代定為「水雞年」，對應的干支為「癸酉」，顯然也是取佛陀八十歲涅槃之說。[23]藏傳佛教一般都是採用佛陀在世八十年之說，故對「穆王五十二年壬申佛滅說」做了一個小小改進。

總之，隨著藏地與漢地文化交流的加深，漢地佛教秉持的佛陀生滅年代也傳入了吐蕃。吐蕃佛教未必能夠完全接受，但至少對漢傳佛教關於佛陀生滅年代給予了相當重視的地位。這大概也是因為後弘期的吐蕃佛教，所能接觸到的漢地佛教已是幾乎將此佛陀年代定為一尊，所以藏地佛教對此不能忽視。

---

21 〔元〕蔡巴・貢嘎多吉著，東嘎・洛桑赤列校注，陳慶英、周潤年譯：《紅史》第2版（此據拉薩市：西藏人民出版社，2002年），頁5、9-10。

22 〔明〕達倉宗巴・班覺桑布著、陳慶英譯：《漢藏史集》（西寧市：青海人民出版社，2017年），頁20。

23 〔明〕廓諾・迅魯伯著：《青史》，此據郭和卿譯本（拉薩市：西藏人民出版社，1985年），頁16。不過，漢譯者將「癸酉」年認作是周威烈王十八年，即西元前四〇八年。但漢傳佛教中，沒有過佛滅於周威烈王十八年的說法。該書的英譯者將此「水陰雞年」對應為西元前九四八或九四七年。見 George N. Roerich, *The Blue Annals*, First edition, 1949; Second edition, 1976; reprint 1978, p.22.

四　對日本和朝鮮佛教的影響

　　「昭王二十四年佛誕，穆王五十二年佛滅說」對日本的影響可以說是直接和深遠的。早在西元七八七年，日僧景戒著《日本靈異記》，在卷下的序中，宣揚來自中國佛教「正像末三時」的「末法思想」，並說「釋迦入滅以來，至延曆六年丁卯（西元787年），計千七百二十二年。」並「已入末法」。[24] 如果依一七二二減七八七等於九三五年。西元前九三五年似乎與穆王五十二年說不符。現在還不清楚景戒所說的佛滅年代依據何來。不過，既然景戒接受了「正像末三時說」，且認可「正法」五〇〇年，「像法」一〇〇〇年，然後進入「末法萬年」，這一理論就是在中國佛教把佛誕時間提早到昭王時期以後才出現的。按理說，景戒在這樣的框架下，不可能計算出與「穆王五十二年佛滅」相差太遠的結果來。同時，景戒說從日本佛教初傳到延曆六年，已有「二百三十六年」。從七八七年上溯二三六年，是西元五五一年，基本上與日本佛教初傳的年代相符。不過，我懷疑這裡或許有抄寫上的錯誤，或是「千七百二十二年」有誤，或是「二百三十六年」原本是指「入末法」以至延曆六年共二三六年。如果是後者，則一五〇〇加二三六等於一七三六年，一七三六減七八七等於九四九。若佛滅在西元前九四九年，則還是與「穆王五十二年佛滅說」非常接近，也許只是曆法換算出現一點誤差而已。但這只是推測。

　　中國佛教「末法思想」最有代表性的論述，是被視為天臺二祖的釋慧思《立誓願文》。而日僧最澄（西元767-822年）在日本時就習天臺教典。八〇四～八〇五年，最澄入唐求法。他所接觸到的應是唐代佛教比較普遍認同的「穆王五十二年佛滅說」。只不過當時中國佛教已把入「末法」的時間從「正像二時」一五〇〇年，延長到正像二時共二〇〇〇年。最澄回國後，這一佛滅年代和末法開始的時間，在日本佛教界大行其道，成為日本天臺宗和

24　〔日〕景戒著，原田敏明、高橋貢譯：《日本靈異記》（東京：平凡社，1967年），頁158。

淨土宗、淨土真宗等宗派共同接受的佛滅年代和「末法」開始的時代。並且，當西元一〇五二年到來之時，日本的佛教內外都瀰漫著「末法」到來的憂患意識。[25]

在中國，正是因為「穆王五十二年佛滅說」的出現，才使得「末法」何時開始成為一個佛教徒普遍關心的問題。認為西元一〇五二年正式開始「末法」時期的前提，就是接受「穆王五十二年佛滅說」，並認定在佛滅後二〇〇〇年開始「末法」。對於大多數日本佛教宗派而言，「末法」是個沉重的時代宿命，不僅決定了這個時代日本佛教修行的主要形式，甚至在一定程度上決定了日本佛教發展的方向。正因為「末法」的到來，日本的天臺宗、淨土宗等宗派，也接受了中國佛教的觀念：即正法時代是佛法的「教（法）、（修）行、證（果）」兼具之時，像法時代的佛法就只有「教、行」而不能得「證」；「末法」時代的佛教，「行、證」俱無，只有「教法」。但也正因日本佛教比中國佛教似乎更加看重「末法」的問題，所以更進一步發展出了「末法」時代無所謂持戒破戒的問題，即便是無戒行的比丘，也應得到世人的尊重。這在相當程度上塑成了日本近代佛教的特質。

「昭王二十四年佛誕」之說，早在北齊法上回答高麗國使時就隨其使傳回朝鮮半島。元武宗大德元年（1297），高麗國的貴戚閔漬（1248-1326）為朝鮮金剛山榆岾寺撰寫碑文，其中說到：

> 按古記云：昔周昭王二十四年甲寅（二十四年，疑是二十六年之誤）四月八日，我釋迦如來，誕降于中天竺迦毘羅國淨飯王宮。年至十九，踰城出家，往入雪山。苦行六年，而成正覺。住世七十九年。以周穆王壬申二月十五日夜入涅槃。[26]

可見這也是按照中國佛教認定的「甲寅年佛誕，壬申年佛滅」，只不過具體

---

25 參見末木文美士著，涂玉盞譯：《日本佛教史——思想史的探索》（臺北市：商周出版，2002年），頁110-117。

26 〔高麗〕閔漬撰：《金剛山榆岾寺事蹟記》，見〔朝鮮〕李能和著：《朝鮮佛教通史》，此據《大藏經補編》，第31冊，頁332。

的王統紀年略有差誤。一七〇七年，李氏朝鮮的蔡彭胤（1669-1731）撰寫〈娑婆教主釋迦如來靈骨舍利浮圖碑〉中說：

> 周昭王二十四年，佛從兜率天降生淨飯王宮，出家四十九年，穆王五十三年入涅槃。[27]

這也基本上是「昭王二十四年佛誕，穆王五十二（三）年佛滅」的成說。

朝鮮佛教對於「末法」問題，與中國佛教有相似之處，即都承認「正像末三時說」，也承認一〇五二年開始進入「末法」。但從哪一年開始進入「末法」，似乎並不是一道特別重要的時間分割線。即便在一〇五二年以後，提及身處「末法」時代，也主要是為激勵佛教徒勉力習佛，嚴守戒律。或可這樣理解：雖然「穆王五十二年佛滅說」與「末法」何時開始是緊密相連的兩個論題，但朝鮮佛教與中國佛教似乎在終於開始「末法」之後，反倒對是否「末法」變得習以為常，沒有特別強調為應對「末法」時代來臨，而要對整個佛教的修行體系做出全面的改變。南北朝末至唐初勃興的「佛滅年代論」與「末法說」，到頭來只有「穆王五十二年」作為佛滅的標準年代得以廣泛繼承。而日本佛教則專門應對「末法」時代的到來，對整個佛教的修行體系作出了改變。

五　結語

正如許理和等學者注意到的，東漢末年佛經漢譯過程中，翻譯家首次試圖將佛陀的生存年代與中國的王統紀年建立起對應的關係。即通過將《春秋》魯莊公七年夏四月的一次「恆星不見，夜中星隕如雨」的天象，解釋為佛陀降誕的異象。魯莊公七年即東周莊王十年，相當於西元前六八七年。由此，確立了佛誕在莊王十年，自然佛滅之年就推算出在東周匡王五年，相當

---

27 朝鮮總督府內務部地方局編：《朝鮮寺剎史料》，1911年編，此據《大藏經補編》第31冊，頁145。

於西元前六〇八年。從一開始，中國佛教關注佛陀年代的角度，就是看中國古典中是否有可以對應佛陀生滅年代異象發生的記載。直到「昭王二十四年佛誕，穆王五十二年佛滅」這一固定結論的形成，仍然是以能否得到中國典籍自身的證明為前提。這本身就是佛教開始其「中國化」歷程的一個重要方面。

「昭王二十四年佛誕，穆王五十二年佛滅」不僅僅是一個佛陀生滅年代的問題，更是促成中國佛教「末法思想」最終形成的關鍵因素。隋初至唐初，佛教中人以「穆王五十二年佛滅」為前提來考慮「末法」的問題。如果按照「正像二時」一五〇〇年計，則西元五五二年就該開始進入「末法」，意味著隋代和唐初都已經進入「末法」時代。唐初的靜琬就是這樣計算的。對靜琬來說，「末法」的開端已經是過去時，五五二年這道時間線，其實並沒有什麼特別之處。但承認已入「末法」，就意味著對隋唐時人所處的世間和所修的佛法，到了進一步墮落和衰退的階段。相當多的佛教中人，一方面還要保持對印度佛教關於佛陀預言佛法最終消亡這一傳統的尊重，另一方面卻又不願意承認自己已經身處「末法」之世。所以就把「末法」開始的時間有意推遲，調整「正像二時」的時長，使「末法」要遲至一〇五二年才會開始。當一〇五二年終於到來時，中國佛教已完成了歷史性的轉變，似乎對於何時，以及是否進入「末法」時期，已經不太關注了。這樣的事實本身也就進一步證明：中國佛教因把佛滅年代提前，造成「正像二時」一五〇〇年之期已經過去，「末法思想」就是應對事實上已經進入「後像法時代」的尷尬局面的一種權宜之計。正因「末法」本非印度佛典中有權威性的界定和說明，所以何時開始「末法」，「末法」之世的佛法究竟應該呈現什麼樣的狀態，就都可以憑中國佛教的需要而做各式各樣的調整。事實上，當中國佛教不再拘泥於是否「末法」之時，也正是中國佛教徹底擺脫對印度佛教依附和遵從的境地，形成中國佛教自己特色的時期。

到了近代，當西方學術界開始探索學術意義上的佛陀生滅年代時，大約在從十七世紀末至十八世紀末的近百年時間，都是按照中國文獻中出現的「昭王二十四年佛誕，穆王五十二年佛滅」來作為佛陀生存的年代。直到南

傳佛教的佛滅年代被西方學界所知曉。可以說「穆王五十二年佛滅說」，在學術史上也佔據重要的地位，是西方最早獲知的佛滅年代，也是足以代表東亞佛教世界的、影響最大的一種佛滅年代說。[28]

　　直到二十世紀初，中國佛教還以佛陀降誕於昭王二十四年來推算佛誕的紀念之年。由此引發了中國佛教界和學術界對佛滅年代問題的重新考論。[29]此後，這樣一種歷經一千多年的傳統，才告中斷。

---

28 相關情況，見劉屹：〈佛滅年代問題的舊困局與新出路〉，待刊。
29 詳見張曼濤主編：《佛滅系年論考》中太虛、呂澂、唐慧明等人的文章。

僧傳與靈驗記中「舌根舍利」的書寫與發展

梁麗玲

銘傳大學應用中文系教授

提要

舌根舍利是指高僧圓寂、大德往生以後，經過火化出現形骸粉碎，唯舌不朽的現象；或是瘞埋多年後，掘塚發現身肉皆銷，舌不壞爛等祥瑞。本文先從歷時觀點，考察傳主獲得「舌根舍利」的成因及情節差異，發現僧傳感得舌根不朽的原因不一，對舌相刻畫從《高僧傳》的「薪滅形碎，唯舌不灰」，至《續高僧傳》新增為「舌彌紅赤」，到《宋高僧傳》以芙蓉為喻，及《大明高僧傳》的「齒舌不壞」與《補續高僧傳》的舌根自塔中放光，這些書寫差異正反映了信仰的時代演變，且囿於史傳徵實的要求，對情節鋪陳略顯平淡。至於靈驗記獲「舌根舍利」之報，自《弘贊法華傳》起多與持誦、宣講《法華經》有關，情節鋪陳有逐漸誇張的趨勢，尤其是「舌常誦經」與「舌根生蓮」的離奇情節，具有不可思議的神奇魅力，不但提供了文人創作的新題材，南宋以後，史地類書籍運用「舌根生蓮」的感應情節與寺名相結合已蔚然成風，到了宗曉《法華經顯應錄》形成固定的敘事模式：生前持誦《法華經》─→塚上生出蓮花─→掘見花自舌根出─→州郡上奏而建寺，呈現「舌根舍利」靈驗故事的另一種風貌。

關鍵詞：僧傳　靈驗記　《弘贊法華傳》　舌不爛　舍利

一 前言

　　所謂舌根舍利，是指高僧圓寂、大德往生以後，經過火化出現形骸粉碎，唯舌不朽的現象；或是瘞埋多年後，掘塚發現身肉皆銷，舌不壞爛等祥瑞。為了凸顯傳主修行成果的神聖性，見證者多半會將不朽之舌視為聖物，以函盛裝當作舍利般立塔供養。這種超現實的神奇徵驗，不僅是對傳主自力修持的肯定，也成為佛教信徒弘法的利器，因此高僧傳記與靈驗記中出現不少緇俗身故後獲舌根不朽的感應故事。就文本性質而言，高僧傳記是以史傳模式撰寫傳主一生修行有成的宗教經歷，僧傳作者除了以史實為依據之外，也運用一些不可思議的神奇應驗，強調高僧大德的修證功夫，或形塑其聖化特質；靈驗記係指信徒透過書寫、念誦或造像等功德，感得神異經驗的記述，為佛教信徒蒐羅奉佛感應的見證，向來被視為輔教之具。兩者載錄內容雖互有交涉，然而寫作態度與立場的不同，對於徵驗故實的敘事手法亦有明顯差別，隨著時代更迭，對於舌根舍利的形象刻畫與情節描繪各有其發展與變化。

　　緣此，筆者曾撰寫〈佛教傳記中有關「舌不爛」情節書寫之演變〉[1]一文，主要就歷代佛教傳記分析傳主感得舌不爛的原因與修持方式，考察舌根不壞的書寫變化與情節發展，藉以瞭解傳記作者如何運用徵驗情節凸顯高僧大德的修行成就。今再以〈僧傳與靈驗記中「舌根舍利」的書寫與發展〉為題，從歷時的觀點分析僧傳與靈驗記中傳主獲得「舌根舍利」的形成因素、形象刻畫與情節鋪陳的差異，考察作者在史實與虛構之間的取捨與運用，再藉由「舌常誦經」與「舌根生蓮」等神異情節的發展、變化與應用，說明靈驗記的流行不但豐富了舌根舍利的徵驗書寫，對於宗教宣傳更有推波助瀾之效。

---

[1] 詳參拙著〈佛教傳記中有關「舌不爛」情節書寫之演變〉，收錄於《「第五屆佛教文獻與文學國際學術研討會」論文集》（成都市：四川大學中國俗文化研究所主辦，2018年11月），頁205-218。

二 「舌根舍利」的歷時書寫與形象演變

傳世文獻中最早記載舌根不朽者，當屬〔梁〕慧皎《高僧傳》卷二鳩摩羅什（344-413）傳。羅什示寂前仍牽掛《十誦律》審訂未完，因而作誓：「若所傳無謬者，當使焚身之後，舌不焦爛。」卒後果得「以火焚屍，薪滅形碎，唯舌不灰」的應驗。慧皎側重以生前發誓與荼毗後唯舌不爛的驗徵，凸顯鳩摩羅什在譯經史上的權威與貢獻，但尚未將不壞之舌視作聖物供奉。

最早將「舌根舍利」起塔供養者，肇始於《高僧傳》卷十二釋法進。為了救濟飢荒，法進自割股肉布施百姓。闍維時出現烟炎衝天七日，「屍骸都盡，唯舌不爛」等祥徵，信眾為表彰殊勝，即起三層塔供奉之。[2]實際上，綜觀僧傳對於不朽之舌的描繪，也以「餘骸枯朽，惟舌如故」的狀態居多，例如《續高僧傳》卷二十七貞觀三年（629），荊州比丘尼姊妹因誦《法華經》深厭形器，決定在佛陀出家紀念日焚身供養，感得「骸骨摧朽，二舌俱存」的瑞應，信眾讚嘆之餘起高塔供養。[3]

至於鮮紅如生的形象，則起於〔唐〕道宣的《續高僧傳》。卷十七載大業初年釋僧善（約514-605）遷化時，弟子僧襲因事外出未能處理後事。為了彌補遺憾，上山尋師遺骸並自辦法會，突然之間墓地爆裂，瓷出於外，只見「骸骨如雪，唯舌存焉，紅赤鮮映，逾於生日」，[4]便取骨舌起塔供奉。這段描述透露了兩點訊息：其一，傳記中雖未交代僧善獲舌不朽壞的原因，[5]但是瘞埋之舌具有感應能力，頗富神異色彩；其二，道宣刻意加強舌相紅潤

2　CBETA, T50, no. 2059, p. 404, b16-18。

3　同書卷二十八志湛傳中的范陽五侯寺僧和雍州僧、遺俗的「身肉都銷，惟舌不朽」亦然。

4　CBETA, T50, no. 2060, p. 569, b2-11。

5　事實上，高僧傳記中未描述傳主動機，未強調持誦經典或修持法門，仍出現舌根不壞的往生瑞應者，尚有《續高僧傳》靜琳（約565-640）、慧滿（589-642）等二位，《大明高僧傳》有蘊能（1066-1116）、守珣（1079-1134）、有權（1081-1180）、端裕（1085-1150）、安民（1086-1136）、道行（1089-1151）、景元（1094-1146）七位，以及《補續高僧傳》有克勤（1063-1135）、至溫（1217-1267）、一如（1352-1425）三位。

色澤的具體描繪，以彰顯其殊勝。此外，還加強了舌根變化的情節描寫，如終生諷誦《法華經》的釋慧顯（578-632），[6] 遺骸暫置石窟被虎啖盡，惟存髏舌。經三周「舌彌紅赤，柔軟勝常」，直至變成紫色且堅硬如石，方封緘其舌安置石塔。至於流傳最廣的舌根舍利感應事跡，當屬卷二八〈讀誦篇〉釋志湛附傳引述并州東看山事：[7]

> 齊武成世，并州東看山側，有人掘地，見一處土，其色黃白，與旁有異。**尋見一物，狀如兩脣，其中有舌，鮮紅赤色**。以事聞奏。帝問諸道人，無能知者。沙門大統法上奏曰：「此持法華者，六根不壞報耳，誦滿千遍，其徵驗乎。」[8]

作者生動描繪不朽之舌的形貌，再藉由沙門大統法上奏報，證實此為《法華經》誦滿千遍的徵驗。值得注意的是，道宣在卷末清楚交代附傳所載范陽五侯寺僧、雍州僧、并州東看山事三則舌不壞的徵驗，皆參考隋代侯白《旌異記》[9] 的內容。據此可知，靈驗記運用神奇的不爛之舌作為宗教宣傳，弘揚《法華經》及其信仰的風氣，自南北朝時期已逐漸展開。

　　入唐以後，慧祥《弘贊法華傳》（成書於706年以後）是首部輯錄《法華經》信仰的靈驗記，在「講解」與「誦持」篇中有十九則感得舌根舍利的事件。[10] 對於舌形象的刻畫，慧祥除了延續高僧傳記撰寫的形態，如卷五蔣王

6　CBETA, T50, no. 2060, p. 687, c16-19。

7　除了《續高僧傳》以外，《弘贊法華傳》、《法華傳記》、《法華顯應錄》和《法華經持驗記》皆有載錄。

8　CBETA, T50, no. 2060, p. 686, a17-29。

9　《旌異記》原書未見，今所存遺文，大抵記感應、靈驗故事，作為釋氏輔教之書。據《續高僧傳》卷二：「時有秀才儒林郎侯白，奉勅撰《旌異傳》一部二十卷。多敘感應，即事丞涉，弘演釋門者。」CBETA, T50, no. 2060, p. 436, a9-19。

10　就舌根不壞的傳主而言，慧祥除了承繼《續高僧傳》中持誦《法華經》感得舌根不朽的荊州比丘尼姊妹、范陽五侯寺僧、雍州僧、并州東看山人、慧顯、遺俗、史阿誓七位僧俗以外，在卷三講解篇增加了釋緣光、釋智儼；誦持篇增錄蔣王家部曲、清信士王梵行、釋慧向、比丘尼法潤、釋智業、揚難及、釋道正、道士史崇、秦州權氏女和釋弘照等十二位，共計十九位。

家部曲焚身後「形骨都盡，乃於灰中，唯得一舌，肉色鮮澤，猶若生時」之外，更著力於感應情節的鋪陳，如卷七中自幼失明的王梵行，[11]持誦《法華經》一萬七千遍後，竟能行動自如無異常人，身後雖肌膚全毀，「唯餘白骨，舌方出口，長一尺餘，如蓮花」，不僅具體描繪舌的長度，也運用蓮花比喻顏色，使其意象更加傳神。

　　對於不朽之舌的形象刻畫，最富傳奇色彩者當為「舌根生蓮」的徵驗，值得關注的是高僧傳記中未見此類記載，首次出現於《弘贊法華傳》卷七釋慧向和釋智業二則。茲引釋慧向獲得舌根舍利的內容：

> 釋慧向……唯誦法華……年一百二歲。初無疾病，而忽云：「貧道當行，與檀越別。」於是端坐而終。村人輿出林間，未敢埋殯。經一七日，其屍忽自仰臥，初申後屈已合掌，了不爛壞，轉久，但乾腑而已，村人埋之於銅山之側。採樵人**時有聞誦經聲，不知的在何處**？揚州總管府司馬趙元恪因公行次，從向墓傍過，見一莖蓮華，生於陸地。怪而訪之，村人云：「是慧向師之塚。此僧生存，誦《法華經》，或當是其所致。」乃堀而視之，**唯白骨口中，其舌如舊，紅赤柔軟，都不變壞。從此舌根，生此蓮花**。因遂聞奏，表其靈異，又起七層磚塔，塔今見在。[12]

就情節發展來看，首先以採樵人常聞誦經聲，卻不知出自何處製造了懸疑，接著由揚州總管府司馬見蓮華生在墓地更引發好奇，掘墓後真相大白，見不朽舌根處長出神奇蓮花，象徵持誦《法華經》的功德圓滿，遂起七層塔表彰靈異。慧祥運用了聞誦經聲、其舌如舊、紅赤柔軟、都不變壞、舌根生蓮等文字鋪排，繪聲繪色地將慧向的舌根舍利呈現在讀者面前，可謂極渲染之能事。自此以後，靈驗記中新增誦經感得舌不爛壞的情節皆與蓮花有密切關係，[13]且對於舌根不朽的形象刻畫幾乎就此定型而少有變化。

---

11 此故事在《法華顯應錄》、《法華靈驗傳》、《法華經持驗記》皆有載錄，《法華靈驗傳》將標題改作「瞽叟無目而能觀」。

12 CBETA, T51, no. 2067, p. 32, c28-p. 33, a12。

13 例如〔宋〕宗曉《法華經顯應錄》中增添虎丘法師生、潭州青衣寺僧、湖州蹟禪尼、

　　反觀高僧傳記對於舌根舍利的描繪，自宋代以後，不但傳主的數量持續增多，形容舌根不朽的樣貌與情節也越顯多采。贊寧的《宋高僧傳》除了承繼僧傳「薪盡火滅，其舌猶存」等傳統敘述以外，新增以蓮花古稱「芙蓉」或「芙蕖」[14]比擬舌的顏色，如卷十六釋法相捨報多年，舊塔欲重修，「發之見相，遺骨若銅色，舌相不壞，若芙蓉焉，齒全四十二」。再舉卷二十三師蘊傳為例：

> 開寶六年（973）七月內無疾坐終，如入禪定。時炎蒸，停屍二七日，身無攲側，竅無氣穢。及遷神座就寺之東隅闍維，煨爐中收舍利外，舌根不壞，灰寒拾之，如紅芙蕖色，柔軟可憐。或曰：「伊僧別無奇異，此物偶存」。乃重燔蓺其舌，隨同火色，遲久還如蓮葉，遂議結小塔于寺中緘藏。後有不信者，重燒鍛凡數十過矣。[15]

針對傳主成就的舌根舍利，有三處值得留意：其一，師蘊禪師終身以誦經及密咒為業，獲舌根不壞與《法華經》沒有直接關連；其二，自北宋起，雖然舌舍利仍受到矚目，但信徒開始重視遺體火化後的舍利子；[16]其三，為了驗證師蘊狂僧感應的舌根不朽絕非僥倖，特別用火鍛燒數十次，以舌相依舊紅潤如生證明其功力深厚，不但更具說服力，也讓歧視者信服。

　　到了如惺撰《大明高僧傳》時，由於舍利信仰的流行，信眾爭相競取的是高僧荼毘後留下的身舍利，尤其是絢爛的五色舍利，僧傳中雖仍出現舌根舍利的書寫，但多半與頂骨、牙齒或心並列，如卷一釋真淨的夙興默課《法

　　淮寧姑娉二人等四則；〔明〕（高麗）了圓《法華靈驗傳》的金義鈞；〔清〕周克復《法華經持驗記》的釋知禮等。

14　據明海《法華經意語》卷一〈妙法蓮華經意語序〉：「蓮惟一種，處變有三：在水曰芙渠，出水曰菡萏，開放曰蓮華。」見 CBETAX31, no. 613, p. 654, b12-14。

15　CBETA, T50, no. 2061, p. 860, a13-b6。

16　《宋高僧傳》卷二十三：「宋衡陽大聖寺守賢傳……收闍維之，得舍利無數，報齡七十四，今小浮圖藏遺體焉。……宋杭州真身寶塔寺紹巖傳……跏趺坐亡，享齡七十三，法臘五十五。喪事官供荼毘于龍井山，獲舍利無算，遺骨若玉瑩然，遂收合作石函實于影堂。」CBETA, T50, no. 2061, p. 860, b7-29。

華經》，「闍維得舌根、頂骨不壞，舍利五色」；[17]卷六習禪的釋道行「闍維獲五色舍利，煙所至處，舍利纍然，齒舌不壞，塔于寺西」[18]和卷七釋蘊能「闍維時暴風忽起，煙之所至，皆雨舍利，道俗釃地亦有得者，心舌不壞，而建塔焉」；[19]還有卷一修行淨土的釋必才因稱念彌陀聖號，「興龕荼毘，有五色光自龕中發，火餘不壞者二，舌根如紅蓮華，齒牙若珂貝。舍利滿地，眾競取之，一時俱盡」。[20]據此可知，《大明高僧傳》裡舌舍利的形象已不再單獨出現，僅作為六根不壞的徵驗之一，而且傳主的修持方式也不限於誦經，修習淨土或禪宗的高僧皆有相同的果報。此外，到了明河《補續高僧傳》還有舌根舍利夜間發光的形象書寫，卷二釋令觀「居三日頂猶溫，荼毘于寺之北岡，火行異香。收爐得舌根不壞，其徒塔之。夜有光炯然，自荼毘所，屬塔中，如往還狀。又三日，現金銀色舍利，環五里餘，尺草寸木，悉發光曜」。[21]

綜而言之，從歷時性的視角進行考察，可以發現僧傳傳主感得舌根不朽的原因不一[22]，作者對於舌根舍利的形象刻畫亦有明顯區別，從〔梁〕慧皎《高僧傳》的「薪滅形碎，唯舌不灰」，至〔唐〕道宣《續高僧傳》增添「舌彌紅赤」的顏色，到〔宋〕贊寧《宋高僧傳》以具體的芙蓉花色作為比喻，及〔明〕如惺撰《大明高僧傳》的「齒舌不壞」或「心舌不壞」與明河《補續高僧傳》的舌根舍利自塔中散發明亮之光，各時代的書寫差異反映了作者的寫作風格與信仰的流行趨勢。相形之下，靈驗記中獲得「舌根舍利」的果報，大多與持誦《法華經》有密切關係。至於舌根不壞的形象，除了承續僧傳惟舌不朽與舌色鮮紅以外，〔唐〕慧祥《弘贊法華傳》新增了舌如紅蓮的比喻、舌常誦經的聲情與舌根生蓮的神奇意象。自此以後，《法華經》系列

---

17 CBETA, T50, no. 2062, p. 903, b10-c7。

18 CBETA, T50, no. 2062, p. 920, c5-22。

19 CBETA, T50, no. 2062, p. 928, a25-b20。

20 CBETA, T50, no. 2062, p. 904, a27-c7。

21 CBETA, X77, no. 1524, p. 379, c21-p. 380, a16。

22 同註1，頁206-213。

靈驗記中的形象書寫，大抵伴隨著舌常誦經與舌根生蓮等靈異事件而顯現。

　　值得一提的是，僧傳囿於徵實的要求，或側重傳主的修行成就，對於傳主感得舌根舍利的情節鋪陳略顯平淡。六朝靈驗故事的興起與流行，豐富了舌根舍利的情節書寫，道宣在撰寫《續高僧傳》時曾多方採集佛教通史、靈驗記等元素[23]，并州東看山側發現不朽之舌的曲折過程，便是參考《旌異記》這類「釋氏輔教之書」的內容。慧祥《弘贊法華傳》描寫讀誦、宣講《法華經》感應舌根舍利的靈異事蹟，總是帶有一種意想不到的神秘氣氛，特別是舌常誦經或蓮出舌根的離奇情節，更具有不可思議的神奇魅力，吸引文人投入再創作，於是靈驗記中舌根舍利的情節書寫有逐漸誇張的趨勢。

三　從「舌猶鼓動」到「舌常誦經」

　　有關持誦經典獲得「舌根舍利」的徵驗，大部分集中在《法華經》[24]的靈驗事蹟，主要依據《法華經》卷六〈法師功德品〉特別弘揚讀誦、解說或書寫，可獲六根莊嚴的果報：「爾時佛告常精進菩薩摩訶薩：若善男子、善女人，受持是《法華經》，若讀、若誦、若解說、若書寫，是人當得八百眼功德、千二百耳功德、八百鼻功德、千二百舌功德、八百身功德、千二百意功德，以是功德、莊嚴六根，皆令清淨。」[25]透過經典的積極鼓吹與弘揚，在僧傳與靈驗記中出現許多「唯舌不朽」的感應故實。又據劉亞丁指出：「有關《法華經》的靈驗記中，大量存在著這樣的故事模式：生前誦念《法華經》的僧侶或居士，在燒身或自然亡故後，其身體或成灰，或腐爛，惟其

23　《續高僧傳》卷一：「今余所撰，恐墜接前緒，故不獲已而陳之。或博諮先達，或取訊行人，或即目舒之，或討讎集傳，南北國史附見徵音，郊郭碑碣旌其懿德，皆撮其志行，舉其器略。」CBETA, T50, no. 2060, p. 425, b16-20。

24　僧傳中精勤持誦《法華經》感得舌根不爛的傳主，有《續高僧傳》有會通（荊州比丘尼姊妹）、志湛（包括范陽五侯寺僧、雍州僧、并州東看山）、慧顯、遺俗；《宋高僧傳》的傳章父子、法相、洪真，以及《大明高僧傳》的真淨等。

25　CBETA, T09, no. 262, p. 47, c3-11。

舌頭不朽壞,它甚至還能念《法華經》。」[26]可見不朽之舌猶能誦經已然成為修行果報的情節之一。

最早記載舌舍利猶能誦讀者,在《續高僧傳》并州東看山事中,齊武帝派高珍去見證奇蹟:

> 珍奉勅至彼,集諸持法華沙門,執爐潔齋,遶旋而呪曰:「菩薩涅槃,年代已遠,像法流行,奉無謬者,請現感應。」纔始發聲,**此之脣舌一時鼓動,雖無響及,而相似讀誦**。諸同見者,莫不毛豎。珍以狀聞,詔遣石函藏之,遷于山室。[27]

為了證實誦滿千遍《法華經》無誤,不朽脣舌以鼓動回應高珍的祈請,雖無發出聲響,但狀若讀頌,令見證者無不震懾寒毛卓豎,遂以石函珍藏。其次,《弘贊法華傳》卷七隋末亂世飢荒仍專心誦持《法華經》,最後餓死房中的釋智業,寺眾將舌舍利供奉於華上堂,每當「鳴鐘集眾,為轉法華,其舌聞經,猶能振動」。這兩則不朽之舌的樣態描寫,皆是感應他人的祈請或誦經聲,而脣舌鼓動屬於被動式的呼應,且未發出任何聲響。

至於舌舍利能自誦《法華經》的情節,始見《弘贊法華傳》卷三〈講解篇〉的新羅僧釋緣光。[28]隋仁壽年間(601-604)緣光到天臺山拜入智者大師門下,短短數年已會通精要,講解《法華經》亦備受尊崇,不僅曾應天帝邀請至天宮宣講,返回新羅途中又受海神迎往龍宮講經。因每日持誦與講經弘法的功德,闍維後獲得髏舌獨存的祥徵,由緣光妹收之供養。自此以後,不僅常聞舌根舍利自動誦持《法華經》的聲音,其妹有不識法華字者還能如活字典般即時解答,為《法華經》傳入高麗增添幾許奇異色彩。為了證明所言非虛,慧祥在卷末特意交代故事來源,「有新羅僧連義,年方八十,弊衣

---

26 劉亞丁《佛教靈驗記研究——以晉唐為中心》(成都市:巴蜀書社,2006年7月),頁202。

27 CBETA, T50, no. 2060, p. 686, a17-29。

28 CBETA, T51, no. 2067, p. 20, a17-b13。

一食，精苦超倫。與余同止，因說此事，錄之云爾。」[29]

此外，庋藏於石函內的舌舍利，主動發出誦經聲的靈驗情節，多與長安悟真寺有關。其一是《弘贊法華傳》卷八〈誦持篇〉藍田山悟真寺釋法誠[30]的俗家弟子楊難及，[31]年過半百方學佛，法誠指導讀誦《法華經》，短短數月已通暢無礙。因誦經不輟的功德，火化後獲髏舌獨存之報。法誠用石函盛裝舌舍利，置法華堂供養。為了凸顯楊難及修持有成，慧祥刻意強化舌根舍利的諷誦聲，不僅詞句清晰，音量宏大還能振動石函。這則故事一直流傳不斷，元和九年（815）白居易〈遊悟真寺詩〉也吟詠了楊難（及）的不朽舌根，但未強調持續諷誦的靈異：

> 經成號聖僧，**弟子名楊難**；
> 誦此蓮花偈，數滿百億千；
> 身壞口不壞，**舌根如紅蓮**；
> 顱骨今不見，石函尚存焉。

除了僧人所輯的《弘贊法華傳》，唐懿宗咸通年間（860-873）張讀的《宣室志》也運用了不朽之舌常誦經的題材，卷七「玉潤山悟真寺僧」載：

> 唐貞觀中，有玉潤山悟真寺僧，夜於藍溪，忽聞有讀《法華經》者，其聲纖遠。時星月回臨，四望數十里，闃然無覩，其僧慘然有懼。及至寺，具白其事於群僧。明夕，俱於藍溪聽之，果聞經聲自地中發，於是以標表其所。明日，窮表下，得一顱骨在積壤中，其骨槁然，獨脣吻與舌鮮而且潤。遂持歸寺，乃以石函置於千佛殿西軒下。自是，每夕常有讀《法華經》聲在石函內，長安士女觀者千數。後新羅僧客於寺，僅歲餘。一日寺

---

29 CBETA, T51, no. 2067, p. 20, b11-13。

30 依據《續高僧傳》法誠捨報於貞觀十四年（640）夏末，據此推測楊難及的舌舍利應早於此。CBETA, T50, no. 2060, p. 689, b3-5。

31 楊難及一事，同見了圓《法華靈驗傳》，標題作「舌常諷典」。CBETA, X78, no. 1539, p. 12, c1-8。

僧盡下山，獨新羅僧在，遂竊石函而去。寺僧跡其所往，已歸海東矣。時
開元末年（740）也。[32]

相較於《弘贊法華傳》著重弘揚傳主持誦功德的成就，《宣室志》發揮了小
說筆法刻意營造發掘過程的詭譎氣氛。首先，以悟真寺僧人夜行藍溪畔，聽
見遠方傳來誦經聲，配合天色昏暗，四下無人，成功製造恐怖效果而引發眾
人好奇。其次，一行人前往窺探究竟，確認聲音的來源和位置，翌日掘地揭
示謎底，呈現鮮潤如生的唇與舌。為了增添不朽之舌的神聖性，即以石函盛
裝置千佛殿供奉，最後以吸引數千長安士女見證稀罕及招來新羅僧竊取，為
舌根舍利增添幾筆傳奇。這則故事先後被宋代李昉《太平廣記》和清代周克
復《法華經持驗記》轉錄，可見廣受歡迎的程度。

另外，敦煌寫卷 S.4037收錄兩首釋貫休[33]（832-912）的〈贊念《法華
經》僧〉，其中一首亦引述不朽之舌誦經事勸勉同好當精進：

> 長松下，深窗裏，歷歷清音韻宮徵。短偈長行主客分，不使閒聲挂牙齒。
> 外人聞，聳雙耳，香風襲鼻寒毛起。祇見天花落座前，空中必定有鬼神。
> 吾師吾師須努力，年深已是戒功積。桑田變海骨為塵，舌相長似紅蓮色。

詩中藉長松、深窗的寂靜，凸顯傳出的誦經聲不但字句清晰且高低有韻，但
只聞其聲，不見其人的氛圍，仍令人毛骨聳然，最後謎底揭曉乃誦《法華
經》所獲不朽之舌的徵驗。

綜合上述可知，不朽之舌能念誦《法華經》的故事流行於唐代，成為靈
驗記與文人創作的題材。就情節發展而言，賦予動力的舌舍利從感應他人誦
經聲能隨之振動，轉變為自動誦經聲從石函傳出，更具有故事的吸引力。就
撰寫態度而言，道宣《續高僧傳》雖參考侯白《旌異記》的內容，但描繪唇

---

32 張永欽、侯志明點校《獨異志‧宣室志》（北京市：中華書局，1983年），頁100。

33 據《宋高僧傳》卷三十〈梁成都府東禪院貫休傳〉載：「釋貫休……七歲父母雅愛之，
投本縣圓貞禪師出家，為童侍，日誦《法華經》一千字。耳所暫聞，不忘於心。……
受具之後，詩名聳動，于時乃往豫章傳《法華經》、《起信論》，皆精奧義，講訓且
勤。」可見貫休除了以詩聞名外，對《法華經》亦有鑽研。

舌震動若讀頌貌的神奇應驗，相形之下顯得保守許多。慧祥《弘贊法華傳》目的在推崇持誦經典的功德，特別強調感應舌舍利事蹟的前因，使閱讀者產生崇敬的心理進而效法，如釋智業的「道俗聞之，觀者如堵，莫不嗟歎，咸發勝心矣」；楊難及的「有聞者敬悚，知受持之力焉」。至於張讀《宣室志》和釋貫休的文人書寫，不再重視修行成果的驗收，取而代之的是舌舍利自動誦經的氣氛營造，亦不必交代舌舍利的主人與修持過程，數以千計的信徒（如長安士女）紛至沓來悟真寺之目的，只為目睹不朽之舌發出誦經聲的靈異，對《法華經》的宣傳具有推波助瀾之功。

四 「舌根生蓮」的情節發展與應用

雖然「舌根生蓮」的神奇徵驗，未出現在忠於史實的歷代僧傳中，但蓮花生於舌根的意象非常鮮明又具有感染力，成為靈驗記經常書寫的題材。繼前述《弘贊法華傳》中釋慧向和釋智業二則「舌根生蓮」與持誦《法華經》有關以後，弘揚《華嚴經》者也有類似的創作。〔唐〕胡幽貞刊纂《大方廣佛華嚴經感應傳》卷一，記載師姑因誦持《華嚴經》的功德與兩位有心剃度童女的至誠，三年後墳上開出五莖光彩鮮豔的紅蓮：

> 如意元年（692），降洲有二童女，皆性識靜正，眇年依師姑誦《華嚴經》，得三十餘卷。師姑戒行精苦，常誦《華嚴》為業，欲教二女令得剃度。無幾，師姑忽然端坐而終。二女朝朝詣墳所號泣，經於三年，墳上忽生紅蓮五莖。二女睹華感異，益以號慕。……洲縣知之，兼花檢覆聞奏。則天異之，詔遣二女兼花根莖同入。發墓取花，乃見花莖透棺而出。破棺取根，根自師始舌上而生，光彩鮮豔，洲縣同見。二女京召入內，則天自手執刀落髮，并賜三衣瓶缽等，俱配天女寺。[34]

為了彰顯《華嚴經》的神聖性，此故事刻意安排兩條情節交錯發展，一方面

---

34 CBETA, T51, no. 2074, p. 177, a22-b12。

透過二童女志求出家的決心與毅力，每日前往師姑墳前哀哭，感得梵僧現身授予甄像，令其虔誠供養，日長一寸的神奇甄像被洲縣上奏，終能如願出家，並獲武則天親自執刀落髮的殊榮。另一方面藉由兩位童女的親自見證，讚揚戒行精進的師姑因至心誦持《華嚴經》，終感得舌根孕育出五莖鮮艷蓮華的神奇徵驗。相較於《弘贊法華傳》卷七釋慧向和釋智業「舌生蓮花」的徵驗敘事，可明顯看出師姑墳上的五莖紅蓮乃崇奉《華嚴經》信徒的有意創作，且為了擡高《華嚴經》靈驗故事的神聖地位，不但將故事發生時間設定在武則天稱帝之時，更強調武則天親下詔書遣二女兼花根莖一同入京接受表彰。此外，俄藏黑水城 TK61號《華嚴經感通靈應傳記》寫卷中，標舉念誦《華嚴經》功德之一的「紅蓮生於舌表」，注文中簡要摘錄為「如意元年，漳州有尼，戒行精苦，常頌《華嚴》。忽然坐化。三年墳上生紅蓮五莖，因發墳破棺，見從舌上而生，光彩鮮麗。」可見舌根生蓮的靈驗事蹟，隨著《華嚴經》的弘揚曾於西夏和遼時在黑水城一帶流傳。

南宋以後，生前勤誦《法華經》死後舌根生蓮的靈驗故事，開始出現在史地著作中，用以說明寺院命名的由來。張敦頤撰《六朝事蹟編類》[35]（自序寫於宋高宗紹興三十年：1160）卷十一：

> 瓦棺寺之名起自西晉，長興年（930-933）中，長沙城阿陸地生青蓮兩朵。民間聞之，官司掘，得一瓦棺，開之見一僧，形貌儼然，其花從舌根頂顱生出。詢及父老，曰：「昔有一僧，不說姓名，平生誦《法華經》萬餘部，臨死遺言曰：『以瓦棺葬之。』」此地所司具奏朝廷，乃賜建蓮花寺。[36]

此傳說與《弘贊法華傳》釋智業舌根生蓮的情節發展大抵相近，新增情節為交代需以瓦棺安葬的遺言，以及朝廷為標舉稀有難得，特賜瓦棺寺改名為蓮

---

35 《六朝事蹟編類》係以描述六朝故都（南京）為中心的史地專著，由張敦頤（字養正）於紹興三十年（1160）在建康任安撫使幕府時編寫完成。

36 張枕石點校、〔南宋〕張敦頤撰《六朝事蹟編類》（上海市：上海古籍出版社，1995年），頁116。

花寺。其次，南宋范成大（1126-1193）撰《吳郡志》卷三四，也引用墳生蓮花與舌常誦經的情節：

> 半塘法華院在長洲縣西北七里，彩雲橋西。寺有雉兒塔。晉道生法師有誦《法華經》童子，死葬此。義熙十一年（415）商人謝本夜泊此岸，聞誦經聲。旦尋求，見墳上生青蓮華。郡以聞詔建是塔，號法華院。南宋紹興七年（1137）重修，鳩工之始，夜聞塔中誦經聲，數夕不絕。[37]

此方志僅提及半塘寺裡的雉兒塔乃安葬竺道生弟子之所，但未交代其來歷。接著引東晉謝本夜間聽聞誦經聲，隔日尋見墳上青蓮的神蹟，最後奉詔修建為法華院。范成大雖未說明青蓮出自不朽之舌，但直至紹興七年聚集工匠重修舊塔時，仍不時傳出舌誦經聲，已與此類靈應故事相連結。

值得一提的是，史地類書籍運用舌根生蓮的靈驗故事與寺名相結合，到南宋時似乎已蔚然成風。在宗曉（1151-1214）編《法華經顯應錄》（1198）中修得舌根生蓮的成就有五則，除了慧向延續《弘贊法華傳》以外，其餘四則故事的感應情節，皆作為解說建寺的緣由，且形成固定的敘事模式：生前持誦《法華經》──塚上生出蓮花──掘見花自舌根出──州郡上奏而建寺。例如〈虎丘法師生〉的「啟看乃獲一舌，生青蓮華。因是起塔，後葺成寺，即今半塘寺是也」[38]；〈潭州青衣僧〉的「忽於冢上生二蓮華，發而看之，乃自舌根而出。時州郡錄其實，申奏朝廷，因給青衣寺額，建是寺焉」[39]；〈湖州道蹟禪師〉的「其華從舌根生，又於中獲蓮經一部。州郡錄實表奏，勅置法華寺」[40]、〈淮寧姑嫂二人〉的「啟看乃見蓮根自嫂之口連貫姑墓，又發姑墓，其根蓋出于姑之舌本焉。蓋嫂之經，從姑以授，表相因由也。州

---

37 〔宋〕范成大撰、陸振嶽點校《吳郡志》，南京市：江蘇古籍出版社，1999年。
38 CBETA, X78, no. 1540, p. 26, b8-23。
39 CBETA, X78, no. 1540, p. 42, b2-7。
40 CBETA, X78, no. 1540, p. 43, c7-23。

郡知聞，遂申奏，乃賜華臺寺額，以建立焉」[41]。其中以「虎丘生法師」的情節較為離奇，茲引文如下：

> 師諱道生，從師姓竺……後遁蹟虎丘寺，有講臺石至今存焉。一時居半塘誦《法華經》，忽有一雉常來聽受。一日不見，師念之。夜入夢云：「某因聽經，遂獲改報。今在某家為兒子，待過數年，卻來奉事。」洎師詢之，果爾。及出家，無何，童子之年便命終。因瘞于林，一夕俄而放光，輝照塘塢。鄉人異之，啟看，乃獲一舌，生青蓮華。因是起塔，後葺成寺，即今半塘寺是也。

這則故事補充了《吳郡志》「雉兒塔」的來歷，說明童子的前世是雉鳥，因常聽竺道生誦《法華經》的功德，不但從畜生道投胎轉世為人，還能托夢述其原委。至於童子命終感得舌生蓮華的果報，與高麗了圓《法華靈驗傳》卷上標題作「野雉忽爾轉身」一樣，皆著重雉鳥因聽經功德獲改報的靈驗，相較於潭州青衣僧、湖州道蹟禪師、淮寧姑嫂二人皆以持誦《法華經》獲得的瑞應，顯然有悖常理，可能與宗曉撰寫半塘寺蹟時參考了元穎法師的《續靈瑞集》有關。到了清代周克復《法華經持驗記》卷一的「宋釋道生」[42]，省略了雉鳥聽經轉報及托夢情節，直接補充了「有一童子從師出家，亦誦《法華》」，清楚交代童子得此徵驗乃誦《法華經》的功德成就。至於引起鄉人關注的原因，則由「一夕俄而放光，輝照塘塢」，變成了「一夕聞誦經聲」。

五　結語

　　就歷時性的觀點來看，本文針對舌根舍利的形象進行考察，發現僧傳與靈驗記對於獲得舌根不壞的原因與形象各有不同。歷代僧傳獲得舌根不朽的

---

41 CBETA, X78, no. 1540, p. 60, b5-13。本故事見〔清〕周克復撰《法華經持驗記》卷一：「唐武德中……又淮寧城北，有姑嫂同誦法華，聲如金玉。歿後，塚生紅蓮一朵，開敷妙盛。後人因於其地，建華臺寺。」CBETA, X78, no. 1541, p. 80, c22-p. 81, a3。

42 CBETA, X78, no. 1541, p. 67, a8-18。

原因，有發願、誦經、念佛、習禪等多元因素，對於舌相描繪則依時代差異有唯舌不灰、舌彌紅赤、舌若芙蓉、齒舌不壞、舌自放光等明顯的區別。然而由於傳記文學側重傳主的修行成就，雖偶有神異情節的運用，但作者忠於史實的撰寫態度，對於舌根舍利的形象刻畫顯得平淡和保守。相對而言，靈驗記之撰寫目的是為了宣傳佛教，透過超現實的情節敘述，闡揚持誦《法華經》、《華嚴經》的功德，特別是「舌常誦經」與「舌根生蓮」的靈異事件，具有不可思議的神奇魅力，不但提供文人創作的新題材，南宋以後，史地類書籍運用舌根生蓮的靈驗故事與寺名相結合已蔚然成風，展現靈驗故事的另一種風貌。

　　就共時性的觀點來看，舌根舍利的形象書寫在唐代特別盛行。首先是道宣撰寫《續高僧傳》時曾參考《旌異記》敘述雍州僧、并州東看山側發現不朽之舌的曲折過程。其次，慧祥《弘贊法華傳》描寫十九位傳主讀誦、宣講《法華經》感應舌根舍利的靈異事蹟。再者，胡幽貞《大方廣佛華嚴經感應傳》因常誦《華嚴經》的功德，坐化三年墳上生紅蓮五莖，因發墳破棺，見從舌上而生，光彩鮮麗。還有張讀《宣室志》和釋貫休的文人書寫，刻意營造舌舍利自動誦經的詭譎氣氛，取代修行成果的驗收。不論是高僧傳記、靈驗記（感應傳）、唐人小說、文人詩作等文學素材，皆可為靈驗故事的流行，充實了舌根舍利的書寫內容提供有力的證據。

臺灣日治時代「盂蘭盆會」法事
觀念與實踐探究

林仁昱

中興大學中國文學系副教授

提要

　　由〔西晉〕竺法護譯出的《佛說盂蘭盆經》，以其提倡尊親（感念親恩，救拔親難）、廣為布施等義理，正與中國傳統孝、仁等觀念符合，故受到君王提倡與民間廣泛接納，尤其是融合「中元」祭祀地官及於先人等風俗，而成為夏秋之際重要的民間祭祀活動，且擴及日、韓、越等國，又隨華人移民傳向東南亞，成為廣及東亞的信仰文化。而這能及於不同環境，並產生豐富面貌的信仰活動，若是在政治隸屬變化的過程中，產生某些自然或刻意推動的浸染現象，將產生何種面貌與觀念的改變（或者說是發展），將是探討佛教文化適應力與多樣化價值，乃至於近代東亞「盂蘭盆會」文化發展的重要課題。而在臺灣「日治時代」這個特殊的文化時空中，原本多傳承自福州湧泉寺、泉州龍山寺法派的佛寺，在「盂蘭盆會」這個年度重要行事上，既要面對清代以來浸染民間信仰文化，又須面對日本佛教在臺佈教，甚至宗派隸屬「收編」，於是產生何種法事面貌與觀念的改變或擴充？將是個牽涉殖民地執政者立場與宗教主體性立場的課題，特別值得注意與探究。故本文將透過《臺灣日日新報》、《南瀛佛教》、《光乃園》、《圓通》等報刊資料，進行現象與觀念之觀察與解讀，探討臺灣日治時代「盂蘭盆會」的不同面貌、意義論述與改良實況，進而以此諸多觀念流傳與發展樣貌，來探討佛教文化適應力與多樣化的問題。

關鍵詞：盂蘭盆會　中元普度　臺灣日治時代　佛教法事

一　前言

　　「盂蘭盆會」是盛行於東亞的重要年中行事，其思想淵源於〔西晉〕竺法護譯出的《佛說盂蘭盆經》，旨在提倡感念親恩、救拔親難等尊親觀念與廣為布施的具體作法，合於中國傳統孝、仁觀念，故受到君王提倡與民間廣泛接納，進而融合「中元」祭祀地官及於先人等風俗，並擴及日、韓、越等國，又隨華人移民傳向東南亞，成為夏秋之際重要的民間祭祀活動。然而如此由佛教普及於民間的行事活動，必然會在不同的時空情境，受到各種「外力」影響而改變面貌，或者有新的發展，這將是關係宗教文化傳播與影響力的重要課題，值得特別注意。而臺灣的「盂蘭盆會」既合「中元」祭祀文化，隨著閩、粵漢民而來，又歷經墾拓時期諸多凶險，自然成為結合祭祀鬼魂以求保境安民的重要行事。然而進入日治時代之後，面對著挾著西化力量，卻又本有相近文化淵源的殖民者，「盂蘭盆會」將要面對的「外力」是明顯特殊的。一方面來自殖民地執政者的立場，在殖民地同化政策之下，產生對於如此「同俗」（相近習俗）的觀察、評斷與改變（強調日化與現代化）；一方面則有宗教主體性的立場，也就是臺灣佛教界（包括明清以來的重要法派寺院、日本佛教宗派寺院），在新時代弘法需求的壓力下，面對佛教法事活動浸染民俗信仰觀念與行事，或者是佛教法事活動轉為民間信仰所用，甚至成為社區（或族群）凝聚力量的看法、檢討與改革。這都使「盂蘭盆會」成為在「臺灣日治時代」這特定時空環境下，產生許多觀察論述、改良呼籲及具體變革，成為觀察政治與宗教團體施力民間信仰的標本，提供探討「盂蘭盆會」的意義與行儀，在面對不同環境的可能改變與新發展，尤其是「超薦親人」與「普度眾生」觀念分合的種種可能面貌的重要材料，而具有研析佛教文化適應力與多樣化的價值。而本文就將透過《臺灣日日新報》、《南瀛佛教》、《光乃園》、《圓通》等報刊資料，來觀察與解讀，「盂蘭盆會」的不同面貌、意義論述與改良實況，並盼望能以此探討佛教文化適應力與多樣化的問題。

二 臺灣日治時代「盂蘭盆會」的不同類型

　　臺灣日治時代「盂蘭盆會」的舉辦，若依主持法事的背景來看，大致上有區域性或族群性佛寺與廟宇（如艋舺龍山寺、板橋接雲寺）[1]、具有明確法派傳承的寺院（如臺南開元寺、中壢圓光寺）、日本宗派寺院（如臺北西本願寺、臨濟寺、基隆光尊寺）及公事慰靈等不同類型。其具體舉行的樣貌，可從《臺灣日日新報》、《臺灣民報》、《臺法月刊》等眾多報刊的報導中得知。然整體說來，大多數的報導並未區分「盂蘭盆會」與「中元普度（施）」的概念，這對應著臺灣民間傳統上將佛、道教法事與民俗祭典結合的實況。因此，當報刊的標題是「盂蘭盆會」，甚至指明與源於目蓮救母的因緣時，可能實際報導的活動，卻非佛教寺院所舉辦的盂蘭盆法會，而是市井街庄與某些廟宇合辦的「中元普度」活動。例如一九〇五年八月在《臺灣日日新報》有「臺南盂蘭盆會」的標題，而實際的內容則是呈現各街庄中元普度的情況：

> 竿長丈二招魂幡，道場高轟風翻翻，中元鬼門放鬼出，鬼來覓食盂蘭盆。盂蘭盆之會何自訪哉。蓋自目蓮剪紙燃燈，度食眾生，歷傳於今，循故事也。臺南市有百五十餘街，歷年至七月，每日平均四五街宮廟設壇建醮，各店銷家戶，隨之開盂蘭盆會，窮極奢華……。[2]

這個現象，雖然可以視為一般民間大眾（甚至包括許多文人）多未能細究「盂蘭盆」與「中元」不同淵源，而普遍將二者等同觀之的說法，卻也顯現當時「盂蘭盆」法事的概念，在社會實際施行的狀況，確實是和道教「中元」概念，原本祭祀地官，轉而普度諸多餓鬼的情形，難以有所區隔。或者更明確說，一方面多有道教（或民間信仰）宮廟融合「盂蘭盆」與「放焰口

1　這是最接近漢民的類型，而區域性或族群性佛寺，是指以佛菩薩為主祀，但未必有僧人長期住持的佛寺，為區域（或族群）信仰中心，「盂蘭盆會」多為延請鄰近寺院僧人，甚至是道士來主持，故與非主祀佛菩薩的宮廟近似。

2　〈臺南盂蘭盆會〉，《臺灣日日新報》1905年8月24日，第4版。

普度」等佛教的概念與儀節，行其「中元」普度之事，而被報導稱作「盂蘭盆會」，如大龍峒保安宮、桃園景福宮福德祠、新竹城隍廟等廟宇的中元普施祭典，《臺灣日日新報》均如是稱呼之。[3]甚至一九一二年《臺灣日日新報》報導當年「盂蘭盆會」之期，因為國家適逢「大葬」（明治天皇駕崩），乃由「中元」移至「下元」，使得「盂蘭盆會」在作為普施的概念之下，出現「下元普施」的情況。[4]另一方面則有許多未入於山林的佛教寺院，本由帶髮修行者，或者是民間地方人士來興造、管理，進而成為社區、街、庄信仰中心，自然也就融入道教「中元」習俗，進而以宰殺牛羊雞鴨來普度餓鬼，甚至舉辦搶孤活動。尤其是在經過漢民所開拓、營造出來的臺灣傳統社會中，以曾經歷眾多天災、械鬥凶死之事，亟需透過祭祀儀節來安撫民心，凝聚族群力量，這種融入地方信仰的「佛寺」，舉辦農曆七月普度法事，似乎顯得特別興盛。例如艋舺龍山寺、頭城開成寺、板橋接雲寺，雖皆以「寺」為名，且主祀觀世音菩薩，甚至曾經延請僧人主持寺內法事，但作為區域與族群（如漳州人或泉州人）信仰中心，結合民間各種行業（如市場雞鴨商、魚肉商、蔬果商、雜貨商），於七月大行牲禮普度，乃至作為一地舉辦搶孤競技之主催者，皆屬必然。於是，《臺灣日日新報》幾乎連年以「盂蘭盆會」的稱呼，報導艋舺龍山寺與清水巖祖師廟的普度盛況，如：

> 一昨夜為舊曆七月十二艋舺龍山寺，以年例舉行盂蘭盆會，大放水燈，廣招餓鬼來就普施之食。時夕陽已下，燈火齊明，鼓樂喧鬧，人山人海，紅男綠女，觀者如堵，一時街道為之擁擠，比諸前年尤見熱鬧，亦太平景象，譜出一片雅頌聲也。[5]

此外，《臺灣日日新報》曾對板橋接雲寺的「普度祭」，特別是搶孤活動特別

3　如1908年8月18日《臺灣日日新報》第4版「新竹通信」即報導：「本月十五日為陰曆七月十九日，新竹城隍廟，例應開盂蘭盆會……。」

4　〈下元普施〉，《臺灣日日新報》1912年11月26日，第6版。

5　〈龍山燈火〉，《臺灣日日新報》1901年8月27日，第4版。

製作圖文並茂的報導；[6]而臺北帝國大學助教授增田福太郎，更於《南瀛佛教》發表專文〈頭圍庄に於ける搶孤の習俗に就て〉，詳細記錄頭城開成寺搶孤活動的相關程序與面貌。[7]顯然這些成為地方（或族群）信仰中心的佛寺，就如其他各種民間廟宇，成為各報刊呈顯「臺灣式盂蘭盆會」的事例。而如此貼近於傳統普度孤魂，鋪張祭祀「好兄弟」的作法，不但是佛教的民間信仰化現象，也將成為後來殖民地官方檢討的目標。

　　至於具有嚴格於法派傳承，以僧眾修行為主體的佛教寺院，依例仍會在舊曆七月十五前後舉辦「盂蘭盆會」相關法事，並施行普度，只是法事場面大多僅限於寺內，相較作為地方（或族群）信仰中心之寺廟要簡便許多，報刊報導亦少，僅如一九二三年《臺灣日日新報》報導中壢圓光寺由妙果和尚啟宣籤口，則附近紅男綠女趁此涼風習習的時節，前往參觀者如堵，一時頗呈盛況，[8]又一九二五年報導「臺南開元寺盆祭」：

> 臺南市開元寺於昨五日夜，在寺內舉盂蘭盆祭，寺中設壇，諷誦真詮，夜則大施孤魂，啟建瑜珈燄口甘露斛食，頗為盛況。[9]

這作為佛寺的依例行事，在特殊的時空環境下，也必須配合政策另外增添內容，例如一九四〇年報導臺灣佛教龍華會（應為齋教系統組織）於嘉義天龍堂舉行盂蘭盆會，且因逢戰時並祝皇軍武運長久，又針對戰歿者舉行盛大的慰靈祭。[10]不過，這些具有法派傳承性質的寺院僧人，卻也可能受聘參與一般社區、市井的普施祭典，如一九二五年報載高雄打鼓岩由田町的社區「盂蘭盆會」，就延聘岡山超峰寺十數僧前來誦經。[11]

　　日本佛教的八宗十四派（一說十二派）從明治二十八年臺灣改隸之後，

6　水馬生：〈普施祭〉，《臺灣日日新報》1921年8月27日，第7版。

7　增田福太郎：〈頭圍庄に於ける搶孤の習俗に就て〉，《南瀛佛教》第14卷第10期（1936年10月），頁11-16。

8　〈中壢開例祭會〉，《臺灣日日新報》1923年9月24日，第4版。

9　〈臺南開元寺盆祭〉，《臺灣日日新報》1925年9月6日，第4版。

10　〈盂蘭盆會〉，《臺灣日日新報》1940年8月12日，第4版。

11　〈市場普施〉，《臺灣日日新報》1925年9月23日，第4版。

就積極在此展開布教的工作，並從臺北向各地建立寺院或布教所，且部分臺灣本有的佛寺也加入其宗派，[12]於是《臺灣日日新報》就可以見到許多關於日本佛教寺院，依例舉辦「盂蘭盆會」的報導。而日本佛教寺院大多改在新曆七月十三至十六日之間舉辦相關活動，與臺灣傳統依照舊曆舉辦的時間，相差大約一個月，使「盂蘭盆會」與普度行事的舉行，形同一年兩次。針對這個現象，一九○八年七月《臺灣日日新報》曾以「餓鬼不餒」為標題作報導：

> 盂蘭盆會固已施濟餓鬼也，島俗例于中元行之，然新曆此時已中元，臺北各宗寺院，皆自昨日始，營其事凡三天，俾一切餓鬼得所供養。而舊曆現又屆六月中旬，其去盂蘭盆不遠矣。是臺灣一經改隸，而餓鬼反得兩番之施濟，可云得所也。[13]

不過，也有少數的日本佛教寺院仍在舊曆舉行「盂蘭盆會」，例如《臺灣日日新報》於一九○一年八月報導臺北城內曹洞宗布教所，因逢陰曆盂蘭盆會，故連夜大施餓鬼並且開筵、說教；[14]一九○八及一九一一年的八月初《臺灣日日新報》亦均有報導，適逢「陰曆盂蘭盆會」時節，臺北新起街本願寺別院（即西本願寺），每夜舉行法會及演說會，並且將獻納之數百燈籠，掛於庭內樹木，以「供奉靈前」[15]；一九一六年報導基隆曹洞宗久寶寺於舊曆七月十三日，舉行盂蘭盆會與河施餓鬼的祭典法事，特別以「燈籠流し」行之，並祈願精靈冥福與海上安全；[16]還有日本臨濟宗妙心寺派在臺北圓山所建立的「臨濟寺」，由於接納了稻江（大稻埕）諸紳商建立「萬靈

12　如原本傳承自福州鼓山湧泉寺的觀音山凌雲寺加入臨濟宗妙心寺派；基隆月眉山靈泉寺加入曹洞宗；傳承泉州龍山寺的鹿港龍山寺加入淨土真宗本願寺派。

13　〈餓鬼不餒〉，《臺灣日日新報》1908年7月15日，第5版。

14　〈盂蘭盆會執行〉，《臺灣日日新報》1901年8月27日，第5版。

15　〈開燈籠會〉，《臺灣日日新報》1908年8月8日，第5版；〈催燈籠會〉，《臺灣日日新報》1911年9月8日，第3版。

16　〈盂蘭盆と河施餓鬼〉，《臺灣日日新報》1916年8月12日，第7版。

塔」，因此依例還要在每年舊曆七月（新曆八月）舉行中元普施。[17]這或許是改依新曆過渡期的狀況，也可視為日本佛教在臺灣欲拉近與本島（臺灣）人距離，強化布教效果的權宜措施。但是值得注意：這些報導大多於「盂蘭盆會」的稱呼之前，加上「陰曆」二字以識別之，似乎意味這些寺院於「陽曆」可能另有關係「盂蘭盆會」活動。事實上也確實如此，如一九一〇年《臺灣日日新報》即報導新起街本願寺亦於新曆七月十五日舉辦「討蕃盆踊」活動，也就是透過盂蘭盆會進行「燈籠流し」法事，期望能對討蕃隊之戰病死者行慰靈祭，而搭配此禮儀並有餘興節目，由藝妓二十餘名著浴衣表演，場面興盛。[18]數日後，又有專欄報導當日有「魚金の盆踊」的場面，此盆舞透過手足拍子的動作，將有緣與無緣的群眾集結起來，而後關於供養盆踊的描述亦相當仔細，大致上指出有十五位「踊子」穿著有著黑襯衣與具「字結」帶子的服飾，在「地方音頭」輪唱歌曲的旋律中動作，且有琵琶作伴奏，顯然能讓原本祭典嚴肅的場面，因此得以緩解。[19]然而到了一九二〇年代之後，關於各日本佛教宗派寺院「盂蘭盆會」的報導，似乎就都集中在新曆七月，可見統一信仰活動的效果更趨完整，一九一九年《臺灣日日新報》還刊出整合臺北市內寺院「盂蘭盆會」的行事說明，含東本願寺、西本願寺、曹洞宗（東和寺）、了覺寺、淨土宗布教所等寺院，活動均從新曆七月十三至十六日舉行。[20]此外，《臺灣日日新報》歷年尚有報導臺中、新竹、基隆、桃園、蘇澳、臺南等地本願寺、臨濟寺、法華寺之屬，於新曆七月中旬舉辦「盂蘭盆會」的訊息，均可以見到此項法事之盛。而一九三一年臨濟宗刊物《圓通》，則有臺灣臨濟宗圓通婦人會本部的「婦人會報」通啟，詳細預告七月十五、十六日即將舉行的「盂蘭盆會」相關活動之內容與意義：

---

17 〈盂蘭盆會執行〉，《臺灣日日新報》1901年8月27日，第5版。

18 〈討蕃盆踊〉，《臺灣日日新報》1910年7月16日，第5版。

19 〈魚金の盆踊〉，《臺灣日日新報》1910年7月21日，第5版。

20 〈盂蘭盆と各寺院〉，《臺灣日日新報》1919年7月13日，第7版。

十五日午前十時より盂蘭盆大施餓鬼會を修行致し引續き婦人會例會
に移り觀音禮讚竝に法語かございます。會員の皆樣には酷暑の節で
はございますが過去數代の父母への報恩追善のため萬障御繰合せ御
參詣下さいませ。十六日午後六時より基隆川（圓山明治橋下）にで
燈籠流しを致します。一人も多く御參加下さいませ。[21]

這項啟示預告之後，更有祈使話語，引人想像在夕陽西下的時分，傍晚的涼
風正從川上吹來，隨著基隆川上舟子的詠歌之聲，正是盂蘭盆會為了送走祖
先的精靈而放燈籠的時刻。這可以說是讓人注意的宣傳詞，也概括了日本佛
教宗派寺院，在臺灣傳播其宗教傳統所作的「盂蘭盆會」法事內容。對照於
臺灣「盂蘭盆會」雜揉「中元」的祭典面貌，自有相當大的差異。

　　不過，值得注意的是日本「盂蘭盆會」法事的進行，雖然以追懷先祖為
主要的內涵，其實還是包含了川施餓鬼等普施鬼道眾生的概念，這使「盂蘭
盆會」的舉行亦除了在寺院之外，還有眾多由官方主催、寺院協助辦理的
「盂蘭盆會」，可能也會在忠靈（魂）堂、刑務所、河濱水門，甚至是內地
（日本）人墓地等處所進行，以作為平撫戰事、爭訟或意外而死歿的鬼魂。
如一九○四年基隆佛教各宗布教所於公會堂，為「征露」海陸軍戰死者舉辦
「盂蘭盆會」，重要軍政首長蒞臨參會，[22]且類似「征露」慰靈盂蘭盆會，
臺北圓山臨濟護國寺亦有舉辦；[23]一九一八年臺南淨土宗知恩寺為陸海軍戰
歿者辦「盂蘭盆會」，同年臺北東門曹洞宗別院盂蘭盆會大施餓鬼，並日
清、日露、日獨及討蕃戰死病歿者慰靈祭，又圓山忠魂堂內淨土宗布教所，
依年例於七月十五日舉盂蘭盆會說教，皆是以陣亡者作為盂蘭盆會慰靈之對
象，一九四一年之後，隨著太平洋戰爭越發激烈，關於戰歿勇士「盂蘭盆
會」的報導就越密集，甚至愛國婦人會等組織亦成為舉辦「盂蘭盆會」的主

---

21 臺灣臨濟宗圓通婦人會本部「婦人會報」，《圓通》第56期（1931〔昭和6〕年7月1
　　日），頁48。

22 〈基隆の戰死者出盆會〉，《臺灣日日新報》1904年7月22日，第5版。

23 〈戰死者追弔と盂蘭盆〉，《臺灣日日新報》1904年7月15日，第5版。

催者，既安撫戰歿者，又可讓遺族弔問。[24]另外，一九二一年《臺法月報》登載監所「盂蘭盆會」以祭度在監死亡者；一九二七年《まこと》雜誌，則有關於臺北刑務所之盂蘭盆會的專欄報導，文中指出此為「年例」，而教誨師以盂蘭盆為訓話，祈願多數無緣亡靈，至後日「永遠受刑務所官吏，恩厚同情」，並言「不論何人，一到黃泉地下，皆為淨化，又對世上之人，可為無上絕對之訓誡」，[25]此或為刑務所盂蘭盆會之另一層顯現的意義。至於，祭度意外亡靈者每於河海濱區舉行，如一九三一年新起町青年會、同志會亦連年舉辦「盂蘭盆會」，並於淡水河的三水門附近，施放「燈籠流し」以普施歿於水流者，[26]如此作法則似乎更與臺灣中元普度，撫慰諸多無緣之靈的作法類似。而一九三九年在臺北發行的《ゆうかり》雜誌，則登載烏山生〈盆の想ひ出など〉及永清壽美〈精靈舟〉二文，均描述淡水河「盂蘭盆會」有施放「精靈舟（西方丸）」配合舉辦「俳句會」的情形，其中烏山生於文末提出：此活動由「市主催」且作島都重要年中行事的期許，則是建立在「同化」與慰靈、安居的效益上。[27]

三 臺灣日治時代「盂蘭盆會」意義之論述

經由前文可知臺灣日治時代的「盂蘭盆會」有多種屬性，這牽涉到「臺」與「日」；「佛」、「道」與「民間信仰」；「寺院」、「官方」與「民間組織」等對應的背景關係。而這些關係在實際的儀式進行與意義闡發上面，由於有所混雜也有必須順應民情的妥協，因此可以並存。然而對於統治當局（殖民政府）與佛教改革力量（包括臺、日不同背景）而言，就有所取捨，進而產生「改革」的議論。而這樣的討論，尤其是在一九三〇年代前段，也

---

24 〈愛婦國婦兩分會盂蘭盆に遺族を弔問〉，《臺灣日日新報》1941年7月16日，第8版。

25 〈臺北刑務所の盂蘭盆〉，《まこと》第65號（1927年7月1日），頁13。

26 〈新起同志會の燈籠流し〉，《臺灣日日新報》1931年7月15日，第2版。

27 烏山生〈盆の想ひ出など〉、永清壽美〈精靈舟〉，《ゆうかり》第19卷第9期（1939年9月1日），頁11-12及19-20。

就是戰前經濟達到高峰的時候，可以在許多報刊上見到專文論述。其中重要因素固然有殖民當局的民俗「本位」考量，希冀往「內地（日）化」的方向發展，但有更大的理由，是在「杜絕鋪張浪費」與「提倡衛生」的考量方面。而這樣的檢討、論述其實從一九〇〇年代（明治後段）就陸續出現在《臺灣日日新報》的相關報導之中，逐漸形成輿論風向。如一九〇五年報導「臺南盂蘭盆會」，就有報導指出「改隸後街道人眾，擁擠不開，大有妨害衛生，禁勿許搭棚在街面上，既不能演唱炫耀……」[28]；關於澎湖「盂蘭盆會」就以「競尚豪華」作為標題評論之：

> ……計一鄉分為五大甲，應排五壇，內所有應用之玩器雜物，以及字畫碗盤等件，各不辭勞瘁，連日奔走借貸，或央親眷代為請假。聞有極好排場之物品，必欲得之而甘心焉。間或不惜重資，爭雇有名廚匠，造就植物假山，以及動物肖像，爭奇鬥巧，奪目炫新……宜如何黜奢崇儉，以備荒凶，況澎湖無三年好收，非旱魃為虐，即鹹雨為災，必三年蓄積，庶幾遇荒有備……今該鄉之貧小如此，而乃奢華靡麗，幾欲與石家郎鬥富，真不可解……。[29]

如此批判浪費的論述，清楚描述人們即使經濟狀況不佳，猶打腫臉充胖子，耗費巨資的情況，而類似的批判也不斷出現在《臺灣日日新報》，尤其延僧建醮與施放「水燈排」之事，更被認為是耗費巨資「糜費金錢」的做法。[30]另外，在這祭典中大量宰殺禽畜，更使「盂蘭盆會」本應結合「普濟眾生」的精神展現，幾乎是往相反的方向發展，於是《臺灣日日新報》曾經以「大稻埕屠獸場を觀る」來描述大龍峒保安宮盂蘭盆會殘忍屠殺豬羊的情況，除副標題形容這是「阿鼻叫喚の修羅場」，又以「秋風吹く犧牲豚」、「異樣なる異臭」、「慘淡たる修羅場」、「血腥りを浴びる」等小標題來描述場面。[31]

---

28 〈臺南盂蘭盆會〉，《臺灣日日新報》1905年8月24日，第4版。

29 〈澎湖鯉素競尚豪華〉，《漢文臺灣日日新報》1905年9月8日，第5版。

30 〈蟬琴蛙鼓（島人舊染未除）〉，《臺灣日日新報》1909年8月29日，第7版。

31 〈大稻埕屠獸場を觀る〉，《臺灣日日新報》1911年9月29日，第7版。

而這血腥屠獸的情形，除了帶來殘忍的爭論外，衛生情況亦引人擔憂，更何況舊曆七月中旬的臺灣氣候，通常持續炎熱，依然是許多夏令疾病盛行的時候，特別是「吐瀉時行」，故報刊提醒民眾「祭品饋遺，饗宴酬酢」仍應多加留意[32]。而面對臺灣「本島人」之「盂蘭盆會」的觀察與檢討，也出現在若干雜誌中。如一九一七年洪宣碧於《臺灣教育》發表〈盂蘭盆會〉一文，亦對於浪費之事提出批評：

> 盂蘭盆會，盛行於今，而其始則起於釋氏也……普度者，猶道德上博施濟眾也，其原意未嘗不善……而盂蘭盆會，歲歲行之而不倦，富者耀之於前，貧者繼之於後，是道德不可行之於素封之家，而釋氏普度，反可行諸屢空之子，何其吝於生而施於死，緩於人，而急於鬼也……普度之費多者百餘金，中者數十金，少者亦近十金，貧屢之人，有欲一年衣食以就之，殷實之人，有破半世慳囊以出之者……使人人而孝其父祖，人人而養其親屬，何有餓鬼之可度耶？[33]

洪氏為鹿港公學校訓導，有深厚家學淵源，於傳統儒家觀點看盂蘭盆會之舉行，並針對其中普度之事提出看法，特別是批判社會上不論貧富，皆耗費巨資於其中的現象，而以其身分投稿於教育會的刊物，或有其作為知識界表述立場與看法的目的。而擔任總督府內務局編修的江木生，則於一九三五年七月於《南瀛佛教》以日文發表〈臺灣の盂蘭盆の話〉一文，[34]卻頗有為臺灣盂蘭盆會普度活動辯解之意，首先以盂蘭盆會為例，說明本島人行事多而繁複，從旁人來看似乎覺得這是既迷信又喜歡熱鬧的民族，然其實只是許多的作法和內地人不同而已。江氏接著談盂蘭盆的語義、由來與發展，認為臺灣的盂蘭盆會會特別盛大的原因，與其說是供養祖先與一切有緣無緣的亡靈，不如說是在於「厲鬼崇拜」，其中的關鍵因素在於設想鬼魂在陰間也要生活所需，必須得到人們的供養，不然就會引起禍端，這個道理反映在每個月

---

32 〈諸羅特訊盂蘭盆會〉，《臺灣日日新報》1920年8月17日，第6版。

33 洪宣碧：〈盂蘭盆會〉，《臺灣教育》第184期（1917〔大正6〕年10月），頁6。

34 江木生：〈臺灣の盂蘭盆の話〉，《南瀛佛教》第13卷第7期（1935年7月），頁11-17。

二、十六日「做牙」（拜好兄弟或地基主）的行事，而七月道教稱作「中元」，本是地官赦罪之時，而赦罪的範圍特別是在陰府亡魂，這和盂蘭盆會赦罪愆解倒懸的概念相合，很容易就攪合在一起，成為重要的年中民俗活動。江氏又指出《佛說救拔焰口餓鬼陀羅尼經》（即佛告阿難有陀羅尼救度無量餓鬼事）更是從濟度自家親人（如目蓮救母），推而廣施餓鬼的重要因緣。江氏進而列舉多項本島人與內地人「盂蘭盆會」的差異，相當明確、細緻，筆者摘其重要內容，並製表列舉如下：

內地人	本島人
以六親、眷屬先亡的精靈為主，旁及有緣無緣之鬼魂。	祭度一切精靈，但主要是孤魂。
請僧侶誦經，稱為棚經。	公普誦經，私普未必。
主要在家庭或寺院。	除寺院或家庭外，還有跟佛教無關的廟宇、工作場所（如市場）。
七月上旬到二十四日。	七月一日到三十日。
燈籠流為了送走先亡的精靈，所以會在施餓鬼終了之日，或先亡的靈迎至自家祭拜後第三天晚上。	放水燈為了引請水中孤魂，所以在普度前夜流放，主要是公普舉辦之前，家庭的盂蘭盆沒有放水燈。
大多為家庭式，做法簡單、經濟。	大多為民眾化，作法熱鬧、鋪張。
在自家門前燒火迎請先亡精靈。	沒有燒火的習俗。[35]
對有恩的人送禮物；女性回娘家一起掃墓，也表達感念親恩與家族親近。	會將普度供品贈送親戚與鄰居，聯繫感情。但掃墓在清明、回娘家在正月。
有「盆舞」。	有「路邊戲」。

　　江氏在文章末尾有感而發，強調本島人的「盂蘭盆會」或許有需要改善之處，但若是稱其為迷信，甚至加以排斥，那是不瞭解「盂蘭盆會」的真正意義才會如此說，這些人有必要重新認識它，特別是報答祖先恩德的孝心，

---

35 其實臺灣有些地方會在門口點普度路燈，替好兄弟照路，也怕其誤闖人家。

和普施餓鬼，拯救三界萬靈的慈悲心，在道德實踐上都是相當有意義的行事。而江氏在當時臺灣佛教界重要刊物發此文，可以說為改善「盂蘭盆會」的風潮中，提出了屬於臺灣主體性的重要論述。而作為日本內地人的西岡英夫，畢業於早稻田大學政治經濟學科，任職於臺灣銀行，並涉足煉瓦、證券、電影、電機等實業，又積極推廣童話事業，關注臺灣漢族與原住民風俗，有大量文章登載於報刊雜誌，尤其一九三三於《社會事業の友》第五十及五十一期連載〈臺灣人の迷信檢討〉，相當深入探討臺灣的自然崇拜與鬼神信仰面貌，尤其對於各種鬼魂的分析相當仔細，可惜該文只提及「扒龍船」和祭祀水鬼的聯繫，未提及盂蘭盆會普度之事。但一九三六至一九三七年間，即於《南瀛佛教》發表連續發表〈盂蘭盆會と臺灣の公普〉[36]、〈施餓鬼と臺灣の普度〉[37]及〈魂まつりと盆行事〉[38]等文，甚至一九四一再於《臺灣佛教》發表〈佛行事盂蘭盆會に就て〉[39]，可以說是以日本知識分子的立場，在臺灣持續關注「盂蘭盆會」的舉行情形。諸文一方面說明「盂蘭盆」行事在中國與日本流傳與發展的歷史，為這項法事活動追溯本源，另一方面透過其實際觀察，進而討論關於臺灣傳統「盂蘭盆會」的相關現象與問題。其中特別值得注意的是：西岡氏特別針對「公普」與「私普」的不同進行論述，又特別關注「公普」的舉行，認為這是各聚落居民在共同所在的祀廟中執行的活動，可以說是凝聚地方力量的重要象徵，特別是從供物的排列，就可以見到地方人士不惜誇張費用來進行競賽的場面。然而推究這鋪張的原因，正是對於「好兄弟」（也就是「無緣餓鬼」）信仰與恐懼非常強烈的結果，西岡氏特別強調在這樣的概念之下，普施祭品的豐富，就是要讓餓鬼在馳走的過程中，盡量得到滿足：

36　西岡英夫：〈盂蘭盆會と臺灣の公普〉，《南瀛佛教》第14卷第7期（1936年7月），頁2-6。

37　西岡英夫：〈施餓鬼と臺灣の普度〉，《南瀛佛教》第14卷第8期（1936年8月），頁25-29。

38　西岡英夫：〈魂まつりと盆行事〉，《南瀛佛教》第15卷第7期（1937年7月），頁18-23。

39　西岡英夫：〈佛行事盂蘭盆會に就て〉，《臺灣佛教》第19卷第7期（1941年7月），頁2-5。

かく一般に普度を競ふて盛大に行ひ、數々の供物を捧げるのは、好
兄弟たる無緣餓鬼が、幽冥界から陽間即ち娑婆のこの人の世に出て、
各所を徘徊し、切りに御馳走を要求するから、若し供物の御馳走が
少く、餓鬼が滿足し得ないと、種々の祟りをすると云ふ迷信に因る
のである。[40]

這個看法其實與江木生類似，只是西岡氏不免仍將這鋪張的現象，歸諸於畏
懼餓鬼作祟的種種「迷信」之上。而特別令西岡氏感到驚訝的是「搶孤」活
動，面對著爭奪搶食的場面，更以「雜踏修羅場」來形容之，特別是因此產
生死傷的情狀，西岡氏更表示他更能理解劉銘傳領臺時，為何要禁止舉行搶
孤的原因了。[41]此外，西岡氏還在系列的文章中，描述臺灣對於冥界的十殿
王信仰現象，並與日本「閻魔大王」的崇拜作比較，也可以說是從「盂蘭盆
會」延伸的文化比較。[42]而基隆真宗本願寺派光尊寺（今佛光山極樂寺）所
發行的《光乃園》雜誌，在一九三六年出版「盂蘭盆號」，刊登野口里城〈お
盆の童謠〉、高橋良誠〈盂蘭盆の現代的意義〉、無哲道人〈盂蘭盆の精神〉
等資料與文章。[43]但主要的內容在以日本佛教宗派的立場，闡述「盂蘭盆
會」的現代施行意義，從「報恩」而「信」而「忠孝」，形成美德的延伸。

四　臺灣日治時代「盂蘭盆會」之改革實況

雖然日治時代對於「盂蘭盆會」的觀察與討論，有不同的立場與看法，
但是改革之事必然在時代環境變遷，社會觀念轉變與政策力量的推動下展
開。對於具體的作法，出身臺灣的曹洞宗僧人林德林，一九三五年於《南瀛
佛教》發表〈正信運動佛教講座（二）——盂蘭盆真義〉講詞，除講述盂蘭

---

40 西岡英夫：〈盂蘭盆會と臺灣の公普〉，《南瀛佛教》第14卷第7期（1936年7月），頁4。

41 西岡英夫：〈盂蘭盆會と臺灣の公普〉，《南瀛佛教》第14卷第7期（1936年7月），頁6。

42 西岡英夫：〈施餓鬼と臺灣の普度〉，《南瀛佛教》第14卷第8期（1936年8月），頁25-
　　29。

43 諸文均登載於《光乃園》第百三十五號，1936年7月。

盆會的緣起、意義與變化沿革之外，更特別申明「盂蘭盆會」的目的，在於孝順行、慈悲行、精進行，以作為導正臺灣七月行事誤謬的方針。這也就是從重視諸多祭典儀式、供品普施，乃至於眾多繁盛的娛樂助興，轉為以「盂蘭盆會」意義思想為核心的省思與實踐的歷程。林德林特別展開三大行的聯繫方向：

> 孝順行—供養三寶—報親恩—家庭的—利己—自覺—美德
> 慈悲行—社會事業—同情心—社會的—利人—覺他—善德
> 精進行—大我主義—勇猛力—人類的—兩初—圓覺—真德[44]

這位勇於挑戰傳統佛教觀念，而有「佛教馬丁路德」之稱的人物，將「盂蘭盆會」的目的，落實在現世的德行上，讓佛教從自覺、覺他而覺行圓滿的修證目標，能與真、善、美德業聯結，林氏且解釋其義，例如孝親報恩的範圍，將擴及到師僧、三寶，於是「孝順至道」就為「成佛之道」，是修證最上無比真理的開端。林德林還引述「石禪禪師」所云，強調「盂蘭盆一日，是諸佛種子，諸佛之行持也。」而此一日，若「具足報恩利人之功德」即能「成就『即心是佛』之一大安樂」。然而，林氏提出的改革著重在思想的變革與轉發，固然有明確的實踐目標與方向，但未見具體導引信眾的做法，進而可以修改或取代現實法事，再加上其行事風格在教界確實也引起相當大的爭議（例如主張僧侶可結婚），如此「盂蘭盆會」的新價值，終究沒能產生具體革新的力量。只是官方所推動的改革確實開動，在《語苑》雜誌可見臺灣語通信研究會編製的「警察官福建語講習教材」有〈盂蘭盆祭の改善〉一篇，強調「盂蘭盆會」的鋪張風氣，讓「艱苦人」不得已要「賣皮當骨」，所以要有如下的作法：

> 今要按怎改即好，照我的意見來講。各庄頭各街市，定一個期日，做

---

44 林德林：〈正信運動佛教講座（二）——盂蘭盆真義〉，《南瀛佛教》第13卷第8期，昭和十年（1935）八月一日，頁22-26。

一夥普，不可輪日各跡普，請來請去。[45]

這就是統一普度期（或普度減期）的作法，避免在禮尚往來的情況下，造成祭拜場面與供品的競爭，激化鋪張浪費的風氣。在《向陽》雜誌中，則刊出了臺中州教化聯盟〈各地教化運動〉的具體作法，包括神岡、潭子、清水等地都有關於盂蘭盆會改革的報導，其中，對於埔里的「盂蘭盆改善に關する實行方案」，有相當清楚的描述。其改善事項的主要對策，將著眼在於將「盂蘭盆會」變化本質內涵為對於父母、祖先報恩之目的，各項行事的推動，都將連繫這個目的而改善。期望能夠逐漸將臺灣的「盂蘭盆會」活動，轉變為日式風格（漸次日本式に改むること）。[46]其後，分別從信仰、經濟、衛生三方面指出改善「盂蘭盆會」的具體作法。在信仰方面，首要將崇媚鬼神的思想，轉為祖先崇拜的精神涵養，而於家庭祖先靈前，以香花燈果供養，營造出莊嚴的氣氛，另外參與寺廟齋場集合信眾所舉行的活動，也必須參照前述的原則。在經濟方面，要廢止結肉山、燒銀紙等習俗，祭品要減量，祭典時間也要縮短，避免過度的吵雜騷亂，破壞莊嚴氣氛。在衛生、風紀方面，廢止五牲祭拜，特別是豬頭祭拜，粿粽類限於互相授受，廢除米籃飯等，供物主要以果物、蔬菜為主。此文並強調如此儀式執行的改革，正是人類文化向上提升的表現。此外，並指定儀式團體組織，將以街庄長為代表，引領儀式進行。至於布置分五段祭壇，由上而下依序分為五段，第一段以佛像為中心，兩邊各有造花、幡又は、聯文；第二段以位牌為中心，兩邊各有燭臺、菓子；第三段以御膳為中心，兩邊各有生花、果物、御膳；第四段以香爐為中心，兩邊各有燭臺與湯；第五段以宣爐為中心，兩邊各為供米及供物。且針對儀式進行制訂明確程序為：

（一）號報、（二）著席、（三）一同起立敬禮、（四）讚佛歌、（五）導師香語、（六）讀經、（七）夜疏（又は祭文）、（八）式辭、（九）

---

45 臺灣語通信研究會「警察官福建語講習教材」〈盂蘭盆祭の改善（上）〉，《語苑》1936年11月15日，頁22-27。

46 臺中州教化聯盟：〈各地教化運動〉，《向陽》1935年3月1日，頁27。

盂蘭盆經、（十）代表者燒香，五分間休憩、（十一）說教、（十二）自由燒香、（十三）退席。

舉辦祭典的日期，可以是七月十五日，也可以是前後日，並請合適人選擔任導師，祭壇供品則由寺廟住職或齋場代表作適當處分。[47]綜合以上的改制措施，將使臺式「盂蘭盆會」的豐富熱鬧的內容，全部約束在純佛教、趨向日化（甚至是西化）的簡化程序中。特別是隨著中日戰事全面爆發，打破陋習更成為非常時期的重要政策，於是清水街駐在教化指導員奧山豐秀撰寫〈清水街の盂蘭盆祭徹底的改善〉，強調清水街去除非佛教、非文明行事的成果，甚至廢除燒金銀紙的行事，節約冗費可作國防獻金與皇軍慰問金，而在盂蘭盆大供養會中，除了誦《盂蘭盆報恩經》、主催者與街民總代表念祭文、施餓鬼、讀經萬靈回向外，更緊接著舉辦演講，邀請三浦淨仙以國語（日語）談「祖先崇拜の儀式語精神」、林德林以臺灣語談「盂蘭盆の真意義」，皆可見走入「皇民化」時期於「盂蘭盆會」改革更積極的行事實踐。[48]而且這種「盂蘭盆會」改革的行動，甚至出現在漢詩創作的活動上，成為此時官方政策主導詩題的明證，如一九三七年《吟稿合刊詩報社》登載「豐原橫町漢詩研究會」的作品，詩題就稱作「盂蘭盆改革」，登出十一篇五言詩，其詞宗擬作與前二名如：

> （詞宗擬作：維喬）七月饗孤魂，流傳已遍村，惡風須早廢，那可久長存。（元：淇園）難救生民策，欲酬餓鬼恩，國家多事日，宜廢不宜存。（眼：瑞麟）祭祀須知力，普施事已煩，同胞無救濟，只管饜孤魂。

從此三篇可知此組漢詩創作，既以改革為題，則內容即以惡風定論，以廢除為主張，似乎比減省更加決絕。又如一九四二年《吟稿合刊詩報社》登載「墩山吟社」的作品，亦以「盂蘭盆改革」為題，登出十四篇七言詩，由其

---

47 臺中州教化聯盟：〈各地教化運動〉，《向陽》1935年3月1日，頁20-22。

48 奧山豐秀：〈清水街の盂蘭盆祭徹底的改善〉，《向陽》1937年11月1日，頁20-22。

中左、右詞宗擬作，則可見其主廢之態度：

> （左詞宗張九疇擬作）不見肉林並果粲，中元賽廢衛生宜。同思二十
> 年前事，人海魚龍百戲為。（右詞宗林淇園）邀福孤魂詔祭之，如何
> 陋習不能移，人間貧困知多少，好把金錢轉濟伊。廢祭中元久實施，
> 吾人媚鬼欲何為，三憐果品三牲飯，徒使蒼蠅得療飢。

可見在這個以廢祭為主流政策的戰時，左詞宗雖以衛生作為入題的核心，卻
隱約透露對於昔日盂蘭盆會的懷念，特別是懷想魚龍百戲演出的盛況。而右
詞宗採用律詩體，關於節約與衛生仍是當中的主體，不過採用擬人的方式，
增加謀篇的趣味效果，卻也為戰時省思盂蘭盆會之事，留下記錄。

五　結語

　　臺灣日治時代是個特殊的歷史時空情境，由閩粵移民為主體的社會，面
對日本殖民統治五十年，形成許多相近文化的衝擊與融合現象，其中「盂蘭
盆會」自是重要的事例。這個原本來自於佛教拯救親人倒懸之苦的法事，在
閩粵、臺灣與日本的傳播與實踐過程中，自然會吸收各自不同的文化觀念與
習俗，顯現不同的樣貌，尤其臺灣墾拓時期多爭鬥凶死的經驗，讓其盂蘭盆
文化結合「中元」，更往普施鬼魂的方面緊密結合，甚至成為社區（或族
群）的重要祭典，這和以寺院、家庭為中心，仍以報親恩為主體的日本盂蘭
盆文化，顯然有相當大的差異。而經本文考索報刊文獻的結果，可知這兩種
盂蘭盆文化，原本是可以並存發展，尤其在分隔新、舊曆的時間舉行，更使
二度盂蘭盆會的現象順勢成形。然而臺灣傳統的盂蘭盆會在過度鋪張、多殺
生、壞衛生的情況下，給了殖民統治當局更推向日本化、回歸佛教化、簡單
化的理由。於是，改革盂蘭盆會成了重要的趨勢，有臺、日背景的學者、文
人、僧侶為文論述，或追索源流、剖析義理，或指出缺失、提倡新貌，或說
明傳統、在維護中改革，多方論述，或許能讓諸多現象背後的因由與道理更
清楚，然而在殖民地不對等的文化傳播與實踐位置上，加以時局現實，這臺

灣傳統式盂蘭盆會遭到廢止的現象，也曾確實發生，然隨著時局再次轉變，戰後臺灣再次恢復傳統，卻也不能不留意更多簡約與衛生的考量，至於有些地區已接納日式「燈籠流し」、「精靈流（西方丸）」的現象，是否為日治遺風還是戰後再傳入，則尚待釐清。但無論如何，經由本文的探討，確實也見到文化傳播的環境適應力與多樣發展的可能性，既屬於歷史記憶，又屬於文化認同，當然更屬於信仰與價值觀的充分影響力。

《顏氏家訓》〈涉務篇〉釋義及其務實思想探析

康世昌

嘉義大學中國文學系副教授

提要

顏之推撰寫《家訓》告誡子孫，全書都重視務實的應世思想，而〈涉務〉一篇尤其扣緊這個論題，要求子孫當「應世經務」、「多涉世務」。「涉」謂涉略，「務」謂世務。而王利器《集解》以為「涉務」二字義同，謂專心致力也。對涉務二字之詮釋不正確，然而王氏校勘名家，導致其後出版之三民版李振興《新譯顏氏家訓》、古籍出版社程小銘《顏氏家訓》皆從其說，影響不可謂不大。本文旨在正名「涉務」二字，並闡明其全書多涉世務之務實思想。大綱如下：

一、〈涉務篇〉「涉務」二字之詮釋

二、勉學強調學習的目的在應世

三、文章重視實用功能

四、養生講究驗證與效果

五、雜藝可以兼明不可專精

關鍵詞：顏氏家訓　涉務　務實思想　勉學　文章　養生　雜藝

一 前言

先秦家訓以口頭訓誡為主，兩漢之後逐漸流行「誡子書」，魏晉之際，天下大亂，形成一種專門的文體「家誡」，至南北朝而篇幅擴充，積累成卷，入隋之後，顏之推《顏氏家訓》七卷二十篇可以說把家訓作品推向自古以來未有的高峰。唐、宋以後，雖家書、訓誡之作常見，而再未有如《家訓》一書如此體大思精、文辭華贍的專著了。因此宋代陳振孫《直齋書錄解題》盛讚其為「古今家訓，以此為祖。」[1]明、清以後，此書流行天下，廣為各家家訓所樂讀。

此書的註解，有三種最具代表性。第一種為清盧文弨校、趙曦明注《顏氏家訓注》[2]，此書由盧文弨抱經堂主持刊刻校勘，並由當時樸學大師錢大昕、段玉裁等鑑定、參訂。該書蒐集宋、元、明、清舊本加以彙校，並對典故詳加註解，解決了文本的錯誤以及基本的典故出處，加上抱經堂刊書校對精良，因此該書自乾隆五十四年刊行後[3]，幾乎成為《顏氏家訓》最理想的善本。近世校勘，多以此為底本。

民國三十八年兩岸分治後，臺灣中央研究院院士語言學大師周法高於民國四十九年出版《顏氏家訓彙注》[4]。周氏以抱經堂本盧校、趙注為底本，彙入乾隆以後至民國三、四十年間十餘家校注，外加自己的補正而成。該書附有專名索引、普通詞索引、宋董正功《續家訓》[5]影本，頗具特色。周氏《彙注》整合乾隆以來諸家校注，添以己意，出版後也廣為臺灣學者所樂用。

---

1 陳振孫：《直齋書錄解題》（上海市：上海古籍出版社，1987年12月），頁305。

2 趙曦明：《顏氏家訓注》（臺北市：藝文印書館，1973年10月）。

3 趙曦明：《顏氏家訓注》，前引，書前有盧文弨乾隆54年序，頁2。

4 周法高：《顏氏家訓彙注》（臺北市：臺聯國風出版社，1960年10月初版，1975年4月再版）。

5 〔宋〕董正功：《續家訓》8卷，今殘存57葉，藏臺灣中央研究院歷史語言研究所。據周氏所附影本：卷六殘去前兩葉，存23葉；卷七，全，存32葉；卷八，殘存前兩葉。此書海內外罕見，賴《彙注》影印得以流傳。

　　一九八〇年北大王利器，幾經易稿，出版《顏氏家訓集解》[6]。此書出版不到兩年，於民國七十一年二月，由臺北明文書局影印出版。該書於一九九三年十二月略加增補稱為「增補本」，收入北京中華書局《新編諸子集成》叢書之中。從此王氏《集解》遂通行海內外，成為學術界研讀《顏氏家訓》不可或缺之書。王氏《集解》仍以盧文弨抱經堂校訂、趙曦明注本為基礎，再參校各本，彙集各家注解，而成是書。此書校注詳明，資料彙整最為完善[7]。至於今日，暢行兩岸海內外。如今學術徵引、網路檢索，仍以此書最為大宗。該書對後來的學者，閱讀《家訓》、研究《家訓》，確實有廣泛而巨大的影響。

　　本文即針對王氏《集解》中，對〈涉務篇〉詮釋引發的問題，進行探討。首先從〈涉務篇〉全文的解讀，來釐清「涉務」二字的意涵，接著透過《家訓》一書中〈勉學〉、〈文章〉、〈養生〉、〈雜藝〉來詮釋「涉務」衍生出來的務實思想。

二　〈涉務篇〉「涉務」二字之詮釋

　　顏之推撰《家訓》七卷二十篇，以告誡子孫，全書都充滿務實的應世思想。而〈涉務〉一篇，尤其扣緊這個論題，要求子孫當「應世經務」、「多涉世務」。「涉」字謂涉略，「務」字謂世務。本篇主旨在希望子孫廣泛的接觸世間各種事務，加強生活的競爭力，拓展視野，充實生命。切不可沉湎於優渥的生活，只會飲酒作樂，全不知民間疾苦。他警告子孫，如果不事先有所

6　王利器：《顏氏家訓集解》（上海市：上海古籍出版社，1980年7月一版；臺北市：明文書局，1982年2月初版；北京市：中華書局，《新編諸子集成》增補本，1993年12月第1版）。

7　王利器《集解》雖未言參考周法高《彙注》，但他在書前〈敘錄〉中明言「又得見董正功《續家訓》宋刻殘本卷六至卷八共三卷」（前引，頁12），董正功《續家訓》為臺灣中研院史語所所獨藏，賴周氏取以影印附書後，世人才得以見其梗概。可知王氏《集解》實吸收周氏《彙注》之成果於一編。

警戒，加強勞動，等到時局動盪，難免輾轉死於溝壑。因此〈涉務〉一篇的撰寫，實有其正面積極的務實思想。

王利器《顏氏家訓集解》在〈涉務〉第十一下註解說：

> 涉務二字義同，謂專心致力也。〈勉學〉篇：「恥涉農商，羞務工技。」即以涉務對文成義。《魏書‧成淹傳》：「子霄……亦學涉，好為文詠。」涉字用法與此同。[8]

這種看法，在王氏書流行於兩岸、海內外之後，臺灣、大陸相繼出刊的普及版白話新譯本注解，得到完全的採用，並且加以推衍揣摩。臺灣三民書局於民國八十二年八月初版李振興、黃沛榮、賴明德合著《新譯顏氏家訓》「涉務」條下注解說：

> 涉務，集中心志，致力於某種事務。[9]

又於該書〈導論〉說：

> 「涉務」，乃顏氏訓勉其家人應專心致力於某一世務，多吸取有關各方面的知識，進而詳察、細審、深思、熟慮，不僅要知其然，尤當知其所以然。[10]

其後，大陸學者程小銘在一九九六年八月臺灣古籍出版社出版之一系列《中國古籍大觀》編號七○一《顏氏家訓》中對「涉務」的解釋說：

> 涉務二字義同，都是專心致力於某事的意思。〈勉學〉：「恥涉農商，羞務工技」，即以涉務對文成義。[11]

8　王利器：《顏氏家訓集解》（臺北市：明文書局，1982年2月初版），頁291。本文所引《家訓》原文，皆用此本，僅在引文後直接標明篇名、頁碼，不再出註。

9　李振興等：《新譯顏氏家訓》（臺北市：三民書局，1993年8月初版1刷，2001年2月初版2刷），頁225。

10　李振興等：《新譯顏氏家訓》，前引，頁7。

11　程小銘譯注：《顏氏家訓》（臺北市：臺灣古籍出版社，1996年8月初版1刷），頁240。

王利器校釋古籍，著述等身，號為兩岸名家。緣於此，對後世的影響也更大，錯誤的沿用，會讓我們在閱讀古籍時產生嚴重的誤解，甚而明知其與全篇內容扞格不入的情況，仍然順從大師的注解，導致如今這樣的疏失。

「涉務」二字的正解，不必透過〈文學篇〉的旁證來詮釋，只要看〈涉務篇〉中的四段正文，即可明白。第一段：

> 士君子之處世，貴能有益於物耳，不徒高談虛論，左琴右書，以費人君祿位也。國之用材，大較不過六事：一則朝廷之臣……二則文史之臣……三則軍旅之臣……四則藩屏之臣……五則使命之臣……六則興造之臣……此則皆勤學守行者所能辨也。人性有長短，豈責具美於六塗哉？但當皆曉指趣，能守一職，便無愧耳。（〈涉務〉頁290、291）

此段文字是在為後面的三段內容做鋪陳，與〈涉務〉之名篇無關。之推的意思很明顯，士君子為國家服務，依照工作性質不同，分為六類。這六類各有職守，能做好其中一項，就算沒有愧對國家了，並不需要樣樣精通。君子處世，原本就必須對社會人群有貢獻，領國家的俸祿，不可能整天高談闊論，無所事事。

重點來了，只要勤學守行，人人都可以做好自己本分的工作，這是份內應該的。但是怎樣才能順應國家當前之所需而做出貢獻呢？怎樣才能在瞬息萬變、戰亂頻仍的時代裡生存下去呢？怎樣才能在自己所擔任的工作裡，發揮最大的效益呢？之推針對這三個問題，推衍出以「涉務」為核心的三段論述。

他在第二段說：

> 吾見世中文學之士，品藻古今，若指諸掌，及有試用，多無所堪。居承平之世，不知有喪亂之禍；處廟堂之下，不知有戰陳之急；保俸祿之資，不知有耕稼之苦；肆吏民之上，不知有勞役之勤，故難可以應世經務也。晉朝南渡，優借士族；故江南冠帶，有才幹者，擢為令僕已下尚書郎中書舍人已上，典掌機要。其餘文義之士，多迂誕浮華，

> **不涉世務**；纖微過失，又惜行捶楚，所以處於清高，蓋護其短也。至
> 於臺閣令史，主書監帥，諸王籤省，並曉習吏用，濟辦時須，縱有小
> 人之態，皆可鞭杖肅督，故多見委使，蓋用其長也。人每不自量，舉
> 世怨梁武帝父子愛小人而疏士大夫，此亦眼不能見其睫耳。(〈涉務〉
> 頁292)

本段重心就在講，如何順應國家時代的需要，培養辦事能力的才幹，顏之推
認為這是當務之急。他在文中明確指出，當前國家最迫切的議題，如：國家
的安危（喪亂之禍）、戰爭的緊急（戰陳之急）、農民耕種的勞苦（耕稼之
苦）、百姓繇役的艱辛（勞役之勤）等，這些是目前國家最重要的工作，「應
世經務」就要去面對，這裡的「務」字，就是指事務。他批評那些沒有才幹
的文義之士，多半「迂誕浮華，不涉世務」，「涉」字，如同我們今天說的
碰，世間的實務工作，連碰都不碰。也有接觸的意味，不接觸人世間的事
務。本段點出關鍵詞「涉務」二字，雖然「不涉世務」是負面的批評，相反
詞「多涉世務」正是「涉務」二字的真諦。國家的需求刻不容緩，梁武帝父
子只能重用那些有能力的「小人」，而疏遠迂誕浮華的「士大夫」，之推從務
實的思維來講，認為是正確的選擇。

他在第三段說：

> 梁世士大夫，皆尚褒衣博帶，大冠高履，出則車輿，入則扶侍，郊郭
> 之內，無乘馬者。周弘正為宣城王所愛，給一果下馬，常服御之，舉
> 朝以為放達。至乃尚書郎乘馬，則糾劾之。及侯景之亂，膚脆骨柔，
> 不堪行步，體羸氣弱，不耐寒暑，坐死倉猝者，往往而然。建康令王
> 復性既儒雅，未嘗乘騎，見馬嘶歕陸梁，莫不震懾，乃謂人曰：「正
> 是虎，何故名為馬乎？」其風俗至此。(〈涉務〉頁295)

要在戰亂頻仍的時代裡生存下去，首先要鍛鍊好自己的體魄，騎馬射箭，不
只可以保家衛國，還能強健身心。遇到緊急的時候，還可以保命。之推在這
一段信筆寫來，略帶一些幽默。不過幽默之中，仍然面對生死的重要議題。

這裡之推強調騎馬可以強健自己，生活不能過於安逸。然而騎馬是外出時的活動，未必能天天為之，或專心致力去從事。這裡就有涉略俗務的味道了。騎馬不必專精，但是經常練習，遇有倉皇匆促之時，可以應用得上。本段講騎馬健身，從內容結構來說，似乎也是對第二段「不知有喪亂之禍」、「不知有戰陳之急」的呼應，是之推對「涉務」進一步的延伸。

第四段說：

> 古人欲知稼穡之艱難，斯蓋貴穀務本之道也。夫食為民天，民非食不生矣，三日不粒，父子不能相存。耕種之，莠鉏之，刈穫之，載積之，打拂之，簸揚之，**凡幾涉手**，而入倉廩，安可輕農事而貴末業哉？江南朝士，因晉中興，南渡江，卒為羈旅，至今八九世，未有力田，悉資俸祿而食耳。假令有者，皆信僮僕為之，未嘗目觀起一墢土，耘一株苗；不知幾月當下，幾月當收，**安識世間餘務手**？故治官則不了，營家則不辦，皆優閑之過也。（〈涉務〉頁297）

要在自己所擔任的工作裡，發揮最大的效益，就是親自動手去做，親自下田耕種，體驗廣大農民的稼穡之苦。末段談稼穡的重要，民以食為天，人無食則不能生，因此必須看重。之推以為，生命維繫的基本來源都不知道，又如何瞭解世間其他事務呢？文中提到「涉手」，王利器注云「猶言經手」[12]，這是對的，進一步說就是「用雙手去做」。「世間餘務」的「務」字，也指事務。本段承第二段「不知有耕稼之苦」的呼應而來[13]，強調士大夫應該瞭解農耕，下田工作，體驗稼穡的艱難，可以讓「治官」、「營家」達到最好得成果。江南朝士的失敗，就是生活太過悠閑造成的。

對〈涉務篇〉全文的分析，如上所述。接下來我想進一步說一說對〈涉

---

12 王利器：《顏氏家訓集解》（臺北市：明文書局，1982年2月初版），頁298。

13 依據我對文義的瞭解，按照前後文的呼應，顏之推似乎沒有提到「不知有勞役之勤」的相關內容。《家訓》全書，經歷顏之推二十餘年的撰述，即便同一篇章，不同段落之間，可能也不是同一時間所寫，只是後來成書，彙集成冊，把相關筆記整合起來，內容上難免顯得零碎而隨意。

務〉篇名的理解。文中提到的關鍵字詞有「應世經務」、「不涉世務」、「凡幾涉手」、「世間餘務」,「涉」是涉略、經手、從事的意思,「務」是事務、實務、工作的意思。這是「動詞＋名詞」的順序語態,絕非如王利器所言「涉務同意,謂專心致力也」這樣的詮釋。

進一步說,專心致力,意何所指?難道騎馬、種田也是之推所要子孫去專心致力的嗎?《顏氏家訓》全書的核心思想在家族發展的長治久安,要長治久安就要先「紹家世之業」[14],而讀書以求冠冕,就是家世之業,而非種田、養馬[15]。他在〈勉學篇〉說:「雖百世小人,知讀《論語》、《孝經》者,尚為人師;雖千載冠冕,不曉書記者,莫不耕田養馬。以此觀之,安可不自勉耶?若能常保數百卷書,千載終不為小人也。」(〈勉學〉頁145)為人師還是屬於家世之業可以接受的範圍,至於耕田、養馬,則之推所不樂見。可見〈涉務〉之「涉」,意如《說文解字》「徒行厲水也」[16],「涉」字從水從步,「步,行也。」[17],意謂徒步涉水而過。涉水者,足必然沾濕,不同於舟、船渡河,也異於沉潛而過,引而伸之,有「涉略」之意。文中「不涉世務」即完全使用此意,「涉略世間實務」也正是〈涉務〉名篇的真正意涵。

綜觀〈涉務篇〉的內容,我們不難發現,所謂「涉略世間實務」,正是顏之推急於革除當時士大夫弟諸多弊病(清談不切實務、浮華沒有才幹、耽樂不知上進、安逸不能勞苦)的良方,這也是一種入世務實的人生觀。文中提到「士君子之處世,貴能有益於物」、「應世經務」、「貴穀務本」,都強調入世務實的重要,對不切實際的批評充斥全篇,如「高談虛論,左琴右書,費人君之祿」、「品藻古今,若指諸掌,及有試用,多無所堪」、「文義之

---

14 《顏氏家訓》〈勉學〉之推呼告思魯語。王利器:《顏氏家訓集解》,前引,頁194。

15 漢魏六朝家訓的撰述者,仕宦家庭是為最大宗,讀書求冠冕以「紹家世之業」,也是大半訓家者的共同目標。這種思維,從西漢東方朔〈誡子〉發其端,三國王昶〈家誡〉繼其後,顏之推《家訓》集其大成。說參拙著《漢魏六朝家訓研究》(臺北市:花木蘭出版社,2009年3月),第六章漢魏六朝家訓之人生準則及其思想「重視冠冕而忽略聖賢」條,頁185-187。

16 段玉裁:《說文解字注》(臺北市:藝文印書館),頁573。

17 段玉裁:《說文解字注》(臺北市:藝文印書館),頁69。

士，多迂誕浮華，不涉世務」、「膚脆骨柔，不堪行步，體羸氣弱，不耐寒暑，坐死倉猝者，往往而然」、「治官則不了，營家則不辦，皆優閑之過也」。看來務實人生觀，正是顏之推所真正要表達的精神。凡事講究「實用」、「驗證」、「應世」，反對「虛假」、「抽象」、「空談」，是《家訓》務實思想的一貫理路。這種思維，貫串全書，本文接下來想進一步針對較具鮮明色彩的〈勉學〉、〈文章〉、〈養生〉、〈雜藝〉諸篇的務實思想進行探討。

三　勉學強調學習的目的在應世

〈勉學篇〉強調學習的重要，把知識比方為工匠的技藝，認為萬貫家財，不如薄技在身。他說：

> 夫明六經之指，涉百家之書，縱不能增益德行，敦厲風俗，猶為一藝，得以自資。父兄不可常依，鄉國不可常保，一旦流離，無人庇廕，當自求諸身耳。諺曰：「積財千萬，不如薄伎在身。」伎之易習而可貴者，無過讀書也。（〈勉學〉頁153）

身處在南北朝戰爭頻仍的年代，顏氏尤其深刻體會父兄不可常依、鄉國不可長保的感慨。唯有讀書，知識在自身，可以不假外求，不必依靠別人。他進一步強調學習不只是讀書，所有世上農、商、工、賈，販夫走卒，都值得學習。他說：

> 爰及農商工賈，廝役奴隸，釣魚屠肉，飯牛牧羊，皆有先達，可為師表，博學求之，無不利於事也。（〈勉學〉頁157）

他很鮮明點出學習的目的在利於事，因此除了古書載籍，藏有豐富的知識，市井小民，各行各業，都有先達可為師表。這種以眾人為師，以利事為目的的學習態度，正是實用精神的體現。他接著更明確的點出，讀書的目的在利於行，有利於人生在世的一切活動施行，如果文人讀書，不能對生命作為有所改善，能言而不能行，是會遭人恥笑的。他說：

夫所以讀書學問，本欲開心明目，利於行耳。未知養親者，欲其觀古
人之先意承顏，怡聲下氣，不憚劬勞，以致甘嫩，惕然慚懼，起而行
之也；未知事君者，欲其……；素驕奢者，欲其……；素鄙吝者，欲
其……；素暴悍者，欲其……；素怯懦者，欲其……：歷茲以往，百
行皆然。（〈勉學〉頁160）

之推認為，讀書貴在改變人的風格行為，使原來存在的缺失可以透過學習來
加以矯正。他進一步批評當世的人讀書，只重視口說，不能力行。他說：

世人讀書者，但能言之，不能行之，忠孝無聞，仁義不足……吟嘯談
謔，諷詠辭賦，事既優閑，材增迂誕，軍國經綸，略無施用：故為武
人俗吏所共嗤詆，良由是乎！（〈勉學〉頁161）

他強調讀書是要拿來用的，如果整天只是吟風誦月，談辭論賦，悠閑度日，
迂闊荒誕，所有學習內容不能用在經綸軍國大事上，那自命為讀書人被武
夫、俗吏所嗤笑，也不為過。他進一步重申讀書學習，要重視現實生活上的
改善，以補自身的不足。他說：

夫學者所以求益耳。見人讀數十卷書，便自高大，凌忽長者，輕慢同
列；人疾之如讎敵，惡之如鴟梟。如此以學自損，不如無學也。（〈勉
學〉頁165）

又說：

古之學者為己，以補不足也；今之學者為人，但能說之也。古之學者
為人，行道以利世也；今之學者為己，脩身以求進也。夫學者猶種樹
也，春玩其華，秋登其實；講論文章，春華也，脩身利行，秋實也。
（〈勉學〉頁165）

他認為讀書學習，在求得自身言行的改善，講論文章雖是手段之一，但是修
身利行才是真正目的。這種一再強調力行、實用的讀書目的，足以顯現他一

貫的務實精神。南北朝的經疏注釋，趨向於繁複，經常糾纏於無謂的歧見之中，甚或咬文嚼字，辭不達意，之推說：

> 學之興廢，隨世輕重。漢時賢俊，皆以一經弘聖人之道，上明天時，下該人事，用此致卿相者多矣。末俗已來不復爾，空守章句，但誦師言，施之世務，殆無一可。（〈勉學〉頁169）

這裡說「世務」二字與〈涉務篇〉「不涉世務」，意涵上是相同的。之推向來主張一切的追求要落實在實用的生活中，經書的閱讀也要能與人世間的事務相連結，並加以應用。然而，當時俗學迂闊，不能切合時用，他說：

> 田野閒人，音辭鄙陋，風操蚩拙，相與專固，無所堪能，問一言輒酬數百，責其指歸，或無要會。鄴下諺云：「博士買驢，書券三紙，未有驢字。」使汝以此為師，令人氣塞。（〈勉學〉頁170）

「券」指的是契約，買賣驢必須要寫銀貨兩訖的契約。契約是實用的文書，如果不能直接了當，就失去了它的功能與作用，這是當時學者博士給人的負面印象。他接著說：

> 夫聖人之書，所以設教，但明練經文，粗通注義，常使言行有得，亦足為人；何必「仲尼居」即須兩紙疏義，燕寢講堂，亦復何在？以此得勝，寧有益乎？光陰可惜，譬諸逝水。當博覽機要，以濟功業；必能兼美，吾無閒焉。（〈勉學〉頁170）

他再一次說明讀書必須掌握大體，經世致用。《孝經》〈開宗明義〉第一句「仲尼居」，就寫了兩紙疏義，爭論孔子在「燕寢」還是「講堂」傳授曾子孝道，不是研讀《孝經》的重點。光陰難得，譬如流水，「博覽機要，以濟功業」仍舊是之推很看重的務實思維。

　　儒家重視修身、齊家，這與《家訓》中「紹家世之業」（〈勉學〉頁194）追求家族的長治久安，目標是一致的。相對來說，當時盛行的玄學，以《老》、《莊》、《周易》為追逐講究的學問，完全是背道而馳的。從務實、實

用的角度，就會難以認同專講心靈修為的無為、無用、論虛、執中等概念。對道家的的負面批評，完全展現《家訓》追求「濟世成俗」的目標。他說：

> 夫老、莊之書，蓋全真養性，不肯以物累己也。故藏名柱史，終蹈流沙；匿跡漆園，卒辭楚相，此任縱之徒耳。（〈勉學〉頁178）

他連道家宗師都批評為「任縱之徒」，其他魏晉玄學名家就更不用說了，他歷舉何晏、王弼、山濤、夏侯玄、荀粲、王戎、嵇康、郭象、阮籍、謝鯤等玄學領袖，評論他們多半言行不一，以致身敗名裂。至於其他追逐者，更是等而下之，他說：

> 直取其清談雅論，剖玄析微，賓主往復，娛心悅耳，非濟世成俗之要也。（〈勉學〉頁179）

他反對子孫追逐魏晉以來玄學清談的風氣，並直言非「濟世成俗」之要，而且坦白自己「性既頑魯，亦所不好」。道家、玄學的追求重心與家訓中的務實思維，背道而馳，才是之推反對的原因。

四　文章重視實用功能

《家訓》〈文章篇〉主要闡明自己對文章書寫的各種心得，歷來研究魏晉南北朝文論者，莫不取資於此。他在此篇首先提出，文章最大的功能在於應用，舉凡朝廷憲章，軍旅誓誥，仁義之敷顯，功德之發明，建國治民，用途甚廣。是文章的首要用途，也是最應該講究的。其次他以為，陶冶性靈，諷刺勸諫，滋味燦然，則行有餘力可以兼習之。他說：

> 夫文章者，原出五經：詔命策檄，生於《書》者也；序述論議，生於《易》者也；歌詠賦頌，生於《詩》者也；祭祀哀誄，生於《禮》者也；書奏箴銘，生於《春秋》者也。朝廷憲章，軍旅誓誥，敷顯仁義，發明功德，牧民建國，施用多途。至於陶冶性靈，從容諷諫，入

其滋味，亦樂事也。行有餘力，則可習之。（〈文章〉頁221）

之推言文章源出於五經，觀點與劉勰《文心雕龍》〈宗經〉一致，劉勰也說：「故論說辭序，則《易》統其首；詔策章奏，則《書》發其源；賦頌歌贊，則《詩》立其本；銘誄箴祝，則《禮》總其端；記傳盟檄，則《春秋》為根。」[18]但是劉勰此言意在宗經，說明文章宗經的好處。之推此言，意在條列應用文書的根源，以張表其實用的功能。他緊接著話鋒一轉，提出了「自古文人，多陷輕薄」（〈文章〉頁221）的批評，他歷舉屈原、宋玉……王弘、謝朓等，共三十六人，幾乎囊括先秦、漢、魏、晉以來文學名家，說他們，雖是文學的翹楚，但多半損敗收場。之推以成敗論文人的價值，看似偏頗，然而他真正想表達的是，肯定文章務實、經世致用的作用，至於文章易流於抒發己見，暢所欲言，而惹禍上身，他則以為應謹慎為之。他說：

文章之體，標舉興會，發引性靈，使人矜伐，故忽於持操，果於進取。今世文士，此患彌切，一事愜當，一句清巧，神屬九霄，志凌千載，自吟自賞，不覺更有傍人。加以砂礫所傷，慘於矛戟，諷刺之禍，速乎風塵，深宜防慮，以保元吉。（〈文章〉頁222）

他對文章以及文士的負面評價，遠遠超過正面的肯定，主因在於文士表現的自傲自慢，以及文章的內容對他人造成的傷害，會引來災禍。引來災禍會傷及性命，傷及性命則家族崩壞。這也是務實視野下，之推貶損文章的主軸立場。此外他又提到文章天成，不可強求，他認為寫文章只要不失體裁，辭意可觀，便稱才士，他說：

學問有利鈍，文章有巧拙。鈍學累功，不妨精熟；拙文研思，終歸蚩鄙。但成學士，自足為人。必乏天才，勿強操筆……自古執筆為文者，何可勝言。然至於宏麗精華，不過數十篇耳。但使不失體裁，辭意可觀，便稱才士；要須動俗蓋世，亦俟河之清乎！（〈文章〉頁237、239）

---

18 周振甫：《文心雕龍注釋》（臺北市：里仁書局），頁32。

天才說是之推文章理論的重要觀點，這種觀點也源於他對古來文章現實的考量。他特別把學問與文章對比論述，認為學問不好，努力是可以彌補的，至於文章拙劣，即便研思推敲，也無濟於事。因此，他站在務實的觀點認為，學士可以苦學而成，如乏文才，勿以文章自命。而且，自古以來文章，宏麗精華，不過數十來篇，那是無法追求的。如果一定要寫出動俗蓋世的文章，就等黃河清吧！顏之推對文章的立論，確實深受其務實的思維所左右。而這種經過生活的驗證，生命的積累，確實能展現他在現實生活中的深刻體悟。

五　養生講究驗證與效果

　　《家訓》中〈止足〉、〈誡兵〉與〈養生〉三篇相連，較為特殊，因為這三篇的命題多半出現在道家的主張裡，與儒家主張則相去較遠，而究其內容，〈止足〉、〈誡兵〉兩篇主旨在免禍，是消極維繫家族長治久安的生活態度與選擇，與積極的務實思維，略有不同。此處專就〈養生〉一篇論述之。

　　「養生」的命題自《莊子》〈養生主〉名篇以來，其後言養生者，如嵇康〈養生論〉、世傳《抱朴子》〈養生論〉[19]皆為道家立論。顏之推〈養生篇〉則獨樹一格，以務實的態度面對養生的議題，甚而針對古來道家的養生論述，提出質疑與建議。全篇貫串著自身的真實驗證與體會。

　　首先，他言明：神仙之事，未可全誣，但學做神仙，非一般人所能置辦。更何況從現實面來看，學者如牛毛，成者如麟角。事實擺在眼前，華山腳下，白骨如莽，哪有可以成仙的道理？他引佛教的說法，以為即便成仙，終有一死，不能出世，表明不願子孫專精於此。他認定養生要成仙是不可預

---

19 嚴可均《鐵橋漫稿》卷六〈代繼蓮龕為抱朴子敘〉云：「《道藏》臨字號有〈抱朴子養生論〉一篇，前半即〈地真篇〉也，後半與〈極言篇〉相輔。」（臺北市：世界書局，民國53年2月初版，卷6頁9）孫星衍云：「考《道藏》所收，又有《抱朴子養生論》及《稚川真人較證術》一卷，《抱朴子神仙金汋經》三卷，《葛稚川金木萬靈論》，俱不見於〈自敘〉。然則《別旨》，正同斯例，蓋皆非稚川所撰也。」（王明：《抱朴子內篇校釋》，北京市：中華書局，1996年，頁386引）

期的，乃不可為之事。而調養生息，不影響自身的生活作息，則可以斟酌行之。他說：

> 若其愛養神明，調護氣息，慎節起臥，均適寒暄，禁忌食飲，將餌藥物，遂其所稟，不為夭折者，吾無間然。諸藥餌法，不廢世務也。（〈養生〉頁327）

他在調養身心的原則上，很明白標示「不廢世務」，表是不能因此而妨礙日常的工作與生活，只要能達到「遂其所稟，不為夭折」就是很理想的養生方法了。他進一步舉庾肩吾的例子，說他：「常服槐實，年七十餘，目看細字，鬚髮猶黑。」（〈養生〉頁327）[20]他更舉自己的經驗說：

> 吾嘗患齒，搖動欲落，飲食熱冷，皆苦疼痛。見《抱朴子》牢齒之法，早朝叩齒三百下為良；行之數日，即便平愈，今恆持之。此輩小術，無損於事，亦可脩也。（〈養生〉頁327）

以上兩件事，據之推所言，頗為可信，庾肩吾之事，似所親見，自身經驗，則經過驗證，也是可以確信的。他舉庾肩吾吃槐實，可以明目黑髮，舉自身的體驗，說早上叩齒三百下，可以改善牙齒痛的毛病。而最重要的，他認為，這些小小的養生技巧，除了有效之外，並不會影響日常生活，都是可以兼修的。

可見，經過實際的驗證，又容易置辦，不影響日常生活，是兩個可以兼修的條件。至於服藥求長生不老，他則抱持審慎的態度，甚至舉當時名為王愛州的人，說他服松脂，不知節制，腸塞而死。他認為當時誤食丹藥，妄求

---

20 庾肩吾，庾信父，生平事蹟，載在《梁書》卷49〈文學上〉庾於陵附傳、《南史》卷50庾易附傳，皆未載此事跡。然考諸二傳，庾肩吾曾經遭逢侯景之亂，後逃赴江陵，任江州刺史。李延壽：《南史》（臺北市：鼎文書局，1981年1月。卷50，頁1248），顏之推於十九歲至二十二歲之間，遭逢侯景之亂，二十二歲入江陵，任散騎侍郎（參繆越〈顏之推年譜〉，收入周法高《顏氏家訓彙注》附錄二），則二人曾同朝於梁元帝在江陵自立為帝時也。之推當曾親見之。

長壽的人很多，不可不慎。接著，他提出養生須先慮禍，說：

> 夫養生者先須慮禍，全身保性，有此生然後養之，勿徒養其無生也。
> 單豹養於內而喪外，張毅養於外而喪內，前賢所戒也。嵇康著養生之
> 論，而以傲物受刑；石崇冀服餌之徵，而以貪溺取禍，往世之所迷
> 也。（〈養生〉頁332）

之推在養生的議題上，不相信長生不老，不相信神仙不死，因為它無法透過
實際上行為的驗證，去證實其可行性。但是他相信日常的生活小技巧，可以
增進健康而且「不廢世務」、「無損於事」，是他追求養生，務實面對生命的
最高原則。

養生過去在道家、玄學者的推波助瀾之下，成為眾人熱議的話題。富有
天下的周穆王、秦始皇、漢武帝，莫不極力追逐養生的最高境界長生不死，
學者如嵇康〈養生論〉更侈言：「至於導養得理，以盡性命，上獲千餘歲，
下可數百年，可有之耳。」[21]這些眾人追逐，玄學泰斗言之鑿鑿的論說，並
不能被顏之推所採信，主因也在於他訓誡子孫仍堅守務實的態度，可以順理
而求，可以驗證而得，無礙於世務，無傷於情事。居今而言，這種務實思
維，在現今科學昌明的環境之下，越發顯得難能可貴。

六　雜藝可以兼明不可專精

《家訓》〈雜藝篇〉羅列書法、繪畫、射箭、卜筮、算數、醫方、音
樂、博弈、投壺、彈棋等十項各種技藝，他都持一貫的看法，表達可以兼習
不可專精的立場。究其理由，不外五端：其一，才藝優劣，多為與生俱來，
天分多寡，影響學習成效。因此如果天分欠缺，將會影響學習成效。其二，
雜藝學習，多半無關齊家、治國大業，即便專精，也常被他人所役使，徒取
其辱而已。其三，技藝的專精，經常會反客為主，遮掩自己在其他專業上的

---

21 李善注《文選》（臺北市：藝文印書館，1991年12月12版），卷53，頁741。

貢獻。其四，某些技藝，在當時的客觀環境中，取妙極難，無法專精。其五，某些技藝，雖可以釋勞解困，但是涉及賭博，兼行惡道。

這五項理由，都是之推根據自己相關的所見、所聞、所經歷、所體驗而得來的，並不是空言無實的理論，確實隱藏著他生命的真實體會。務實的思維就是要落實在生活的體驗，唯有透過自身生活的洗鍊，才能確認各種技藝在人生中所扮演的角色，該如何拿捏？如何追求？如何面對？之推總是掌握實用與應世的視角，遵循務實的人生觀，來告誡子孫。以下針對這五項理由條列說明之。

其一，才藝優劣，多為與生俱來，天分多寡，影響學習成效。因此如果天分欠缺，將會影響學習成效。他在〈雜藝篇〉首論書法時說：

> 真草書跡，微須留意。江南諺云：「尺牘書疏，千里面目也。」承晉、宋餘俗，相與事之，故無頓狼狽者。吾幼承門業，加性愛重，所見法書亦多，而翫習功夫頗至，遂不能佳者，良由無分故也。（〈雜藝〉頁507）

書法在傳統藝術的表現上，自漢魏以來，經常是文士心中的首務。很多書法家因此留名青史，傳統文士也十分重視，如就文藝創作的角度上，書法應僅次於文章。而「文章」之推已立專篇討論，故而把書法列於雜藝之首。他引江南俗諺「尺牘書疏，千里面目」來說明書跡的重要性。並說自己幼承門業，外加喜愛，所見法帖甚多，曾經下功夫學習，而終究書藝難精，說是「良由無分故也」。他自認的無分，似乎就是說明不是自己努力不夠，不是環境條件不允許，家中法書眾多[22]，「無分」即隱含著天分不足，是努力所無法精進的。這與他在〈文章篇〉所言「必乏天才，勿強操筆」（頁237）的

---

22 之推父親顏協在南朝梁時，是知名的書法家，史載當時荊楚碑碣皆是顏協所書。《梁書·顏協傳》云：「（協）博涉群書，工於草隸。」（姚思廉：《梁書》卷50〈文學下〉，臺北市：鼎文書局，1983年1月，頁727）；《南史》〈顏協傳〉云：「（協）博涉群書，工於草隸飛白……荊楚碑碣皆協所書。」（李延壽：《南史》卷72〈文學〉，臺北市：鼎文書局，1981年1月，頁1785）。

思維是相通的。

其二，雜藝學習，多半無關齊家、治國大業，即便專精，也常被他人所役使，徒取其辱而已。他在談論書法時說：

> 然而此藝不須過精。夫巧者勞而智者憂，常為人所役使，更覺為累；
> 韋仲將遺戒，深有以也。（〈雜藝〉頁507）

之推舉韋誕的例子，說他因擅長書法，題榜受辱，於是禁止兒孫學習他的楷法[23]。「常為人所役使，更覺為累」是因為他客觀的認定，書法無關大業，難有建樹，而徒取勞苦。另外他在論繪畫時也提到：

> 若官未通顯，每被公私使令，亦為猥役。吳縣顧士端出身湘東王國侍
> 郎，後為鎮南府刑獄參軍，有子曰庭，西朝中書舍人，父子並有琴書
> 之藝，尤妙丹青，常被元帝所使，每懷羞恨。彭城劉岳，橐之子也，
> 仕為驃騎府管記、平氏縣令，才學快士，而畫絕倫。後隨武陵王入
> 蜀，下牢之敗，遂為陸護軍畫支江寺壁，與諸工巧雜處。向使三賢都
> 不曉畫，直運素業，豈見此恥乎？（〈雜藝〉頁517）

吳縣顧士端及其子庭，都有書法、彈琴的才藝，尤其擅長丹青，常被梁元帝蕭繹使喚，而羞愧憤恨。彭城劉岳，才學快士，因繪畫絕倫，被編派繪壁畫，與諸工雜處。之推以為這三個人，各有才學，如果沒有這些才藝，不會受到與諸工雜處的屈辱。他在論音樂時又說：

> 《禮》曰：「君子無故不徹琴瑟。」古來名士，多所愛好……不可令
> 有稱譽，見役勳貴，處之下坐，以取殘盃冷炙之辱。戴安道猶遭之，
> 況爾曹乎！（〈雜藝〉頁526）

---

23 韋誕，三國時書法家。魏明帝築陵霄觀，誤先釘榜，於是用竹籠盛韋誕引上高樓題字，榜離地二十五丈，誕甚危懼。既下，頭鬢皓然，因誡子孫，絕此楷法，著之「家令」。（參趙曦明《顏氏家訓注》〈雜藝〉篇注引《世說》〈巧藝篇〉、《衛恆》〈四體書勢〉云云。前引書，頁359。）

他認為君子無故不徹琴瑟，載在典籍，是古來名士的愛好。但是不可以讓自己有好的名聲，他舉東晉名士戴逵受到屈辱的例子[24]，不希望子孫專精。

綜上所引三條，無論書法名家韋仲將，善丹青的顧、劉三賢，能鼓琴的戴道安，都無法避免遭受被役使羞辱的對待。可以看出，他反對各項雜藝的專精，這一點是比較強烈的。

其三，技藝的專精，經常會反客為主，遮掩自己在其他專業上的貢獻。他在評論王羲之、蕭子雲、王褒的書法時說：

> 王逸少風流才士，蕭散名人，舉世惟知其書，翻以能自蔽也。蕭子雲每歎曰：「吾著《齊書》，勒成一典，文章弘義，自謂可觀；唯以筆跡得名，亦異事也。」王褒地冑清華，才學優敏，後雖入關，亦被禮遇。猶以書工，崎嶇碑碣之間，辛苦筆硯之役，嘗悔恨曰：「假使吾不知書，可不至今日邪？」以此觀之，慎勿以書自命。（〈雜藝〉頁509）

之推認為王羲之風流才士，蕭子雲著《齊書》，文章可觀，王褒門第清高，才學優敏。這三人都是人門兼美，卻只因書法而聞名。之推所謂「舉世惟知其書，翻以能自蔽也」就是指出，當書法的高名勝過一切的時候，反而掩埋了三人其他專業修為上的貢獻。如以之推《家訓》「紹家世之業」以求冠冕的角度，無異是一種傷害。

其四，某些技藝，在當時的客觀環境中，取妙極難，無法專精。他認為無法專精的有卜筮與醫方。他論卜筮時說：

> 卜筮者，聖人之業也；但近世無復佳師，多不能中……且十中六、七，以為上手，粗知大意，又不委曲。凡射奇偶，自然半收，何足賴

---

24 戴逵，晉人，字道安，少博學，善屬文，能鼓琴，工書畫，是一位負有盛名、多才多藝的學者。晉武陵王司馬晞聽說他很會彈琴，派人召見，逵不願意，在來使面前，把琴打破，並且說：「戴安道不為王門伶人！」（戴逵事詳載房玄齡：《晉書》，臺北市：鼎文書局，1983年7月4版，卷94〈隱逸〉，頁2457。）

也。……星文風氣，率不勞為之。吾嘗學〈六壬式〉……討求無驗，尋亦悔罷。凡陰陽之術，與天地俱生，亦吉凶德刑，不可不信；但去聖既遠，世傳術書，皆出流俗，言辭鄙淺，驗少妄多。至如反支不行，竟以遇害；歸忌寄宿，不免凶終：拘而多忌，亦無益也。（〈雜藝〉頁520、521）

之推論卜筮，展現理性與務實，他雖說聖人之業，指的是《周易》經手三聖，但近年未有佳師，多不能中。其實之推心中也多半對它抱持懷疑的態度，卜筮是用來預測未知之事的，如占卜結果是「粗知大意」，又有何用？如果以奇、偶象吉凶，則自然有一半的機率，怎能信賴呢？它更提出自身的學習經驗，學習〈六壬式〉以斷吉凶，最後也因無由驗證，悔恨作罷。他最後提出很具有建設性的兩句話「拘而多忌，亦無益也」，展現一種通達務實的先進思想。他生於南北朝之際，能有此破除諸多避忌、破除諸多迷信的觀念與看法，確實理性澄明，有過人之處。[25] 另外他對醫方也提到「醫方之事，取妙極難，不勸汝曹以自命也。」（〈雜藝〉頁525）但他並不反對微解藥性，居家可以急救，這與他在〈養生篇〉的主張是一致的。

其五，某些技藝，雖可以釋勞解困，但是涉及賭博，兼行惡道。兼行惡道的，在雜藝之中有兩項。他在談論射箭時說：「弧矢之利，以威天下，先王所以觀德擇賢，亦濟身之急務也。」（〈雜藝〉頁519）基本上他並不反對兵射的練習，但是如果利用射箭，不務正業，所謂「要輕禽，截狡獸」（〈雜藝〉頁519）他是反對的。另外談論博弈時更明確指出：

《家語》曰：「君子不博，為其兼行惡道故也。」《論語》云：「不有博弈者乎？為之，猶賢乎已。」然則聖人不用博弈為教；但以學者不可常精，有時疲倦，則儻為之，猶勝飽食昏睡，兀然端坐耳。至如吳太子以為無益，命韋昭論之；王肅、葛洪、陶侃之徒，不許目觀手執，此並勤篤之志也。能爾為佳。（〈雜藝〉頁527）

---

25 今人遇到婚、喪吉凶大事，仍然有很多避忌與迷信，也是令人嘆息的事。

他認為博弈只是聊勝於飽食終日無所用心而已，但究其衍生的禍端，不容輕忽，應該學習王肅、葛洪、陶侃等人的謹嚴主張，連目觀手執都不能容許，就因為它會兼行惡道。

七　小結

《顏氏家訓》〈涉務篇〉，立意於涉略世務，逮無疑義，而「涉略世務」正是針砭當朝文士，生活過於安逸，不知天下安危之弊病。因此全書充滿了以致用、應世為主的務實思維。他的〈勉學篇〉強調學習的目的在於應世，要有益於人。〈文章篇〉重視表情達意，不失體裁的實用功能。〈養生篇〉強調驗證與效果，空口理論不如眼見的實證。〈雜藝篇〉講究兼明，不可專精。這些立論都是務實面對生命的人生觀。

顏氏的一生，充滿起起伏伏的轉折。他在建康經歷侯景殺簡文帝，在江陵遇到元帝覆滅，在北齊位至黃門侍郎，而亡於周，因此感嘆一生的無常，自嘲「三為亡國之人」[26]，這是何等的沉痛。其間憑著擅長書翰，方能免於侯景、北周的殺戮；仗著勇氣與果決，才能衝過砥柱之險；取急還家，躲過崔季舒之禍。這些經歷，只要一個環節出狀況，生命就難以延續。常人一生之中，遭逢一次，能全身而退，就稱得上大難不死。更何況，一而再，再而三，三而四呢？這些經歷，或許也造就他特別珍惜生命、重視生活、講究力行、入世務實的人生觀。

---

26 李百藥《北齊書》卷45〈文苑〉之推傳，錄其〈觀我生賦〉「予一生而三化，備荼苦而蓼辛」句，顏氏自注語。（《北齊書》，臺北市：鼎文書局，1983年4月4版，頁625。）

中晚唐宦官與宰相對科舉的影響[*]

金瀅坤

首都師範大學歷史學院教授

提要

本文重點針對中晚唐宦官、宰相對科舉考試的干撓、干預和改革，結合中晚唐社會變遷進行深度分析。中晚唐宦官對科舉的干預實際上是宦官專權的延伸，主要有兩種形式：一是通過對禮部知貢舉的干預、請託，為舉子謀求科名；二是干預制舉考試，防止制舉人對策詆詈宦官專權，進而廢止制舉考試。中晚唐李黨宰相李德裕奏請停廢「呈榜」、改革進士考試內容，宰相鄭覃主張罷免進士科，對避免宰相等權要干撓科舉考試、防止牛黨黨魁通過進士朋甲干預知貢舉都有積極意義。這些改革舉措其實都是牛李黨爭在科舉考試中的延續，也反映了隨著科舉影響力的不斷提高，各種利益集團對科名的爭奪日益激烈，進而迫使知貢舉主司的品位、層級不斷提升，科舉考試需要宰相、權閹干預、請託和支持方能有效，最終導致皇帝殿試的出現。

關鍵詞：晚唐 宦官 宰相 科舉

---

[*] 項目基金：二〇一七年度北京市長城學者培養計劃（CIT&TCD2018330）支持。

　　唐代科舉制度較漢魏南北朝察舉制進步的最主要因素是以考試作為選士最重要依據。唐代在科舉考試公平建設方面取得了很大成就，唐前期科舉考試主要由吏部考功員外郎典舉，「二李」之爭就直接導致了知貢舉改為禮部專知。[1]中唐以後皇權的衰微，科舉考試在制度層面發生了一些變化，為宰相干預貢舉、宦官干撓貢舉創造了條件，直接引發「子弟之爭」和多場科舉覆試案，不僅導致朋黨、朋甲干撓主司，而且出現了宦官干預科舉考試的情況。

　　晚唐宦官專政對朝廷政務的干預無處不在，科舉考試主導朝廷用人，牽扯各方利益。宦官通過干預科舉考試，來達到影響朋黨、選拔官員等諸多朝中政務的目的。陳寅恪、韓先生等前輩學者已就朋黨、宦官與科舉的關係展開了深入討論，[2]但對宦官和宰相對科舉考試具體干撓、干預著筆不多，本文就晚唐宦官干撓貢舉與宰相干預貢舉問題，結合晚唐社會變遷進行探討。

一　宦官專政與干撓科舉

　　唐代宦官對科舉的干預以晚唐為甚，晚唐宦官對科舉的干預主要表現在以下兩種方式：一是，通過對禮部知貢舉的干預、請託，為舉子謀求科名；二是，干預制舉考試，限制制舉考試甗嘗宦官專權，進而廢止制舉考試。

（一）宦官對知貢舉的干預

　　「甘露之變」後，南衙完全受制於北司，宦官公開干撓禮部知貢舉就成了必然。文宗朝大宦官仇士良首先公然開始干撓知貢舉。據《唐摭言》〈惡得及第〉云，開成元年（西元836年），裴思謙第一次通過神策中尉仇士良囑託，想取狀頭，知貢舉高鍇未放其及第。大概是「甘露之變」後，雖然仇士

1　參閱劉海峰：《科舉考試的教育視角》（武漢市：湖北教育出版社，1996年版），頁43。

2　參閱陳寅恪撰，唐振常導讀：《唐代政治史述論稿》（上海市：上海古籍出版社，1997年版），頁98；韓國磐師：〈唐朝的科舉制度與朋黨之爭〉，收入其《隋唐五代史論集》（北京市：生活・讀書・新知三聯書店出版社，1979年版），頁267-283。

良已獨攬大權，但形勢不明，朝中牴觸勢力尚大。到了開成二年（西元837年），裴思謙竟然懷揣仇士良的親筆狀，直接告訴知貢舉主司高鍇，自己是仇士良所薦，聲稱：「卑吏面奉軍容處分，裴秀才非狀元，請侍郎不放。」[3]此時，應該是仇士良氣焰已盛，「天下事皆決於北司，宰相行文書而已」，[4]南衙已經完全依附於北司，故高鍇不得已放裴思謙進士科狀元及第。於是，風流成性的裴思謙，從此在著名的紅粉之地平康里鶯歌燕舞，[5]為士大夫所不齒。乾寧二年（西元895年），崔凝榜放，進士李滾落第，沒想到李滾「附於中貴，既憤退黜，百計摧之」，加上昭宗也「深器滾文學」，結果引發了是年進士科覆試案。[6]

　　晚唐宦官干撓知貢舉最多的是田令孜。僖宗繼位後，田令孜位至左神策軍中尉、左監門衛大將軍，從此恃寵橫暴，把持大權，專橫跋扈。黃巢起義後，田令孜挾持僖宗逃往四川。[7]為舉人謀取科名，很多舉子也因遊走令孜之門而獲得科名。如衢州人黃郁，「早游田令孜門」，於廣明二年（西元881年）「擢進士第，正郎金紫」。同年，韶州李端，「受知於令孜，擢進士第，又為令孜賓佐」。[8]又秦韜玉應進士舉，「屢為有司所斥」，[9]便「出入大閹田令孜之門」，中和二年（西元882年），秦韜玉終獲「准敕放及第，仍編入其

3　〔五代〕王定保：《唐摭言》卷9〈惡得及第〉（上海市：上海古籍出版社，1978年版），頁100。按：《登科記考》卷21開成三年進士科條云：「《唐摭言》載裴思謙第二榜及第，誤，當為第三榜。」（徐松撰，孟二冬補正：《登科記考》卷21，北京市：北京燕山出版社，2003年版，頁777）

4　〔宋〕司馬光：《資治通鑑》卷245文宗大和九年十一月條（北京市：中華書局，1956年版），頁7919。

5　〔唐〕孫棨著，曹中孚校點：《北里志》附錄〈裴思謙狀元〉，收入《唐五代筆記小說大觀》（上海市：上海古籍出版社，2000年版），頁1416。

6　《唐摭言》卷14〈主司失意〉，頁158。

7　〔後晉〕劉昫等撰：《舊唐書》卷184〈宦官傳・田令孜傳〉（北京市：中華書局，1975年版），頁4772。

8　《唐摭言》卷9〈惡得及第〉，頁100；《登科記考》卷23廣明二年條，頁879-880。

9　〔宋〕王讜撰，周勛初校證：《唐語林校證》卷7〈補遺〉（北京市：中華書局，1987年版），頁678。

年榜中」。[10]在某種意義上開創了敕賜及第的先河。秦韜玉對田令孜感激涕零，賦詩云：「三條燭下，雖阻文闈，數仞牆邊，幸同恩地。」[11]

晚唐舉子出入宦官之門，獲得取解者，稱為「對軍解頭」。如秦韜玉獲得大宦官田令孜解送之外，還有進士劉曄、李崑士、姜垍、蔡鋌等通過「交遊中貴，各將兩軍書尺，僥求巍科」，以致當時人戲稱其為「對軍解頭」。[12]其中，最有名者應該是「芳林十哲」，[13]秦韜玉、郭熏、沈雲翔、林絢、鄭玘、劉業、唐珣、吳商叟，兩人佚名。

在唐代科舉考試中由援引宦官及第者，屈指可數，對科舉考試的公平性影響還是有限。主要是「士子不與內官交遊」，[14]否則會為士大夫所不齒。舉人若是因援引宦官及第，通常仕途坎坷，受人排斥。如晚唐建州人葉京，極有賦名，「向游大梁，嘗預公宴。因與監軍使面熟，及至京師，時已登科，與同年連鑣而行，逢其人於通衢，馬上相揖，因之謗議喧然」，葉京因此仕途坎坷，終太學博士。[15]「方林十哲」雖受知於權閹，卻為士大夫所不齒，終難獲大用。其實，進士通過宦官獲取科名，實際上是外朝卿相名流與進士「朋甲」社會風氣的延續。

---

10 《唐摭言》卷9〈敕賜及第〉，頁98。傅璇琮主編：《唐才子傳校箋》卷9〈秦韜玉〉（北京市：中華書局，1990年版），記載此事很詳細：「韜玉少有詞藻……然險而好進，諂事大閹田令孜，巧宦，未期年，官至丞郎、判鹽鐵、保大軍節度判官。僖宗幸蜀，從駕。中和二年，禮部侍郎歸仁紹放榜，特敕賜進士及第，令於二十四人內安排，編入春榜。」（頁145-148）

11 《唐摭言》卷9〈敕賜及第〉，頁98。

12 〔宋〕尤袤：《全唐詩話》卷5〈秦韜玉〉（北京市：中華書局，1985年版），頁100。

13 《唐摭言》卷9〈芳林十哲〉，頁100-101。

14 〔五代〕孫光憲撰，賈二強點校：《北夢瑣言》卷5〈張濬樂朋龜與田軍容中外事〉（北京市：中華書局，2002年版），頁103。

15 《唐摭言》卷9〈誤掇惡名〉，頁94-95。

（二）劉蕡對策與制舉的停廢

中晚唐宦官專政的問題，是皇權衰落、朝政腐敗的一個重大根源，也是士大夫階層最為痛恨之事。[16]因此，參加制舉對策的舉人，在對策中對宦官專政問題，往往是苦詆時政，冒死極諫，敢於指斥宦官專政所導致的嚴重政治和社會問題，在某種程度上也促進了朝官與宦官鬥爭的激化。

隨著永貞革新的失敗，順宗禪位憲宗，憲宗銳意革新，頗有消除宦官專政之宏志，朝野為之振奮，[17]制舉對策也有反映。元和三年（西元808年），皇甫湜在賢良方正對策中，便疾呼「去漢之末禍」，[18]「苦詆時政」，以至於有「權幸哭訴」憲宗。儘管如此，考官還是放皇甫湜及第，在一定程度上反映了朝野士大夫階層在反對宦官專政問題上的共識。憲宗為了平復來自宦官的壓力，雖然貶謫了裴垍等考策官和覆核官，但內心更加敬重裴垍，不久便擇機將其升為宰相。[19]說明憲宗對皇甫湜等舉人「苦詆」時政深有同感，也想消除宦官勢力，但對宦官有所顧忌，貶謫相關人員只是權宜之策。

文宗時宦官已完全掌握了皇帝的廢立大權，皇權岌岌可危。大和二年（西元828年），劉蕡制舉對策引發了宦官對制舉考試的干預。據《通鑑》記載：

> 上親策制舉人，賢良方正昌平劉蕡對策，極言其禍，其略曰：「陛下宜先尤者，宮闈將變、社稷將危、天下將傾、海內將亂。」……又曰：「忠賢無腹心之寄，閹寺持廢立之權，陷先君不得正其終，致陛下不得正其始。」[20]

---

16 參閱陳寅恪：《唐代政治史述論稿》，頁49-124；胡如雷：〈試論唐朝「甘露之變」中文宗和「南衙」朝官失敗的主要原因〉，收入其《隋唐政治史論集》（石家莊市：河北教育出版社，1997年版），頁353-362。

17 參閱李天石：《唐憲宗》（長春市：吉林文史出版社，1995年版），頁60-138。

18 〔宋〕李昉等輯：《文苑英華》卷489〈第十三·對賢良方正直言極諫策〉（北京市：中華書局，1966年版），頁2500。

19 《舊唐書》卷148〈裴垍傳〉，頁3990。

20 《資治通鑑》卷242唐文宗太和二年三月條，頁7856；《舊唐書》卷190下〈文苑傳下·劉蕡傳〉，頁5067-5068。

這次劉蕡制舉對策直言不諱地批判宦官專政之禍，切中朝廷要害，雖然考官左散騎常侍馮宿等非常嘆服劉蕡的對策，但因畏懼宦官竟將其落第。[21]劉蕡對策所批評的宦官專政、綱紀敗壞、藩鎮割據、賦稅苛重等直指晚唐最為嚴重的社會問題，[22]「甘露之變」的爆發，便印證了劉蕡對策的正確性。

　　眾所周知，從順宗皇帝起，宦官連續廢立皇帝，皇帝幾乎成了宦官的傀儡。制舉人劉蕡在對策中引《春秋》的話「人君之道，在體元以居正」，是在針對時弊，呼籲皇帝即位必須「正其始」，退位要「正其終」。身為國君必須「所發必正言，所履必正道，所居必正位，所近必正人」。[23]而當時朝廷的狀況卻是宦官專政，皇帝尚且不得正其始、正其位，更不用說正其終。劉蕡還痛斥：「臣恐曹節、侯覽，復生於今日矣。此宮闈之所以將變也。」又云：「忠賢無腹心之寄，閹寺專廢立之權，陷先帝不得正其終，致陛下不得正其始。況皇儲未建，郊祀未修，將相之職不歸，名分之宜不定。此社稷之所以將危也。」[24]劉蕡的擔憂並非危言聳聽，自代宗皇帝始，中朝宰相逐漸喪失了與內朝宦官對抗的能力，逐漸與宦官同流合污，唐朝皇帝的廢立落入宦官之手，即所謂的「忠賢無腹心之寄，閹寺專廢立之權」，陷皇帝於不得「正其始」。[25]劉蕡對朝政的判斷和擔憂非常準確，充分顯示了其非凡的政治才能和膽識，雖然本人在宦官干預下未能得到重用，但是七年之後，甘露之變正好印證了其預言，[26]宦官完全把持了朝政，南衙完全成了北司附庸，唐王朝果真「社稷之所以將危也」。[27]宦官對劉蕡對策中直言詆忤時政，宦

21　參考《舊唐書》卷190下〈文苑傳下‧劉蕡傳〉，頁5077。

22　參閱胡如雷：〈試論唐朝甘露之變中文宗和南衙朝官失敗的主要原因〉，《隋唐政治史論集》，頁366。

23　《舊唐書》卷190下〈文苑傳下‧劉蕡傳〉，頁5068。

24　《文苑英華》卷493〈第十七對直言賢良方正直言極諫（劉蕡）〉，頁2523。

25　陳寅恪：《唐代政治史述論稿》，頁67。

26　〔五代〕孫光憲撰，賈二強點校：《新唐書》卷178〈劉蕡傳〉云：「蕡對後七年，有甘露之難。」（北京市：中華書局，1975年版），頁5306。

27　參閱陳寅恪：《唐代政治史述論稿》，頁114-117；胡如雷：〈試論唐朝「甘露之變」中文宗和「南衙」朝官失敗的主要原因〉，收入其《隋唐政治史論集》，頁353-362。

官「尤所嫉忌」，中尉仇士良甚至責問放其進士及第的座主楊嗣復曰：「奈何以國家科第放此風漢耶？」[28] 仇士良所說的「風漢」就是因為東漢末年宦官外戚輪流執政，漢末士大夫掀起了清議之風，一個重要的任務就是批判宦官專政。這足以說明劉蕡敢於直言極諫的勇氣及其對策的激烈引發了社會的強烈反響。

文宗以後宦官專權日益嚴重，考策官畏懼宦官，再不敢放抨擊宦官的舉人及第了。正如會昌二年（西元842年），李鄩在其兄李郜的墓誌中云：「時友生劉蕡對詔，盡所欲言，乞上放左右貴幸，復家人指役。自艱難以來，左右貴幸主禁中，事者皆立使目，權勢日大。近者耳目相接，無所經怪。」[29] 在宦官完全掌握宮廷和朝政內外事務時，考策官無人敢牴牾宦官的意志，只好看宦官的眼色行事，劉蕡落第就成了歷史的必然。

這件事在當時朝野振動很大，雖然劉蕡落第，但得到廣大朝官的支持和共鳴。儘管劉蕡制舉考試落第，但「士人讀其辭，至感慨流涕者。諫官御史交章論其直。於時，被選者二十有三人，所言皆冗黷常務，類得優調。河南府參軍事李郜曰：『蕡逐我留，吾顏其厚邪！』」[30] 所幸的是最近出土的〈李郜墓誌〉，還特意記錄此事：雖然「考司慮不合旨，即罷去，然蕡策高甚，人間喧然傳寫，不旬日，滿京師」，在社會引起了極大反響。其對策自然傳到了左右貴幸即仇士良的耳中，宦官「意不平」，於是眾宦官欲加害劉蕡此事洩露後，李郜擔心宦官將對劉蕡不利，「慮禍卒起，不可解，欲發其事，俾陰毒不能中，冀上知其事本末，即蕡得不死」。於是上疏奏文宗，「以為於古未有」，以致「由此上盡知，責蕡策中語」。文宗召問宰相問怎麼辦？宰相奏不能加害劉蕡。[31] 從墓誌記載的情況來看，文宗雖然親試制舉人，但沒有

---

28 〔唐〕闕名撰，陽羨生校點：《玉泉子》，收入《唐五代筆記小說大觀》，頁1431。

29 〈唐故賀州刺史李府君墓誌銘並序〉，中國社科院考古研究所：《偃師杏園唐墓》（北京市：科學出版社，2001年版），頁333。

30 《新唐書》卷178〈劉蕡傳〉，頁5305。

31 〈唐故賀州刺史李府君墓誌銘並序〉，中國社科院考古研究所：《偃師杏園唐墓》，頁333；胡可先：〈新出土〈李郜墓誌銘〉發隱〉，《中國典籍與文化》2003年第1期，頁61。

看劉蕡的對策，劉蕡落第完全是制策官揣摩宦官的心思所為，甚至可以解讀為制策官害怕官宦而為之。李邰為了解救劉蕡的危難，不惜上疏文宗，奏明事情的原委、曉以此事的利害；文宗就此事專門詢問宰相的意見，宰相表示劉蕡罪不至死，這才化解了劉蕡的危機。此方墓誌也使我們瞭解了李邰上疏的背景。李邰〈乞旌劉蕡直言疏〉云：

> 陛下御正殿，求直言使人得自奮。臣才智懦劣，不能質今古是非，使陛下聞未聞之言，行未行之事。忽忽內思，愧羞神明，今蕡所對，敢空臆盡言，至皇上之成敗。陛下所防閑，時政之安危，不私所料，又引《春秋》為據。漢魏以來，無與蕡比。有司以言涉訐忤，不敢聞。自詔書下，萬口籍籍，歎其誠鯁，至於垂泣。謂蕡指切左右，畏近臣銜怒，變興非常，朝野惴息，誠恐忠良道窮，綱紀遂絕，季漢之亂，復興於今。以陛下仁聖，近臣故無害忠良之謀；以宗廟威嚴，近臣故無速敗亡之禍，指事取驗，何懼直言！且陛下以直言召天下士，蕡以直言副陛下所問，雖訐必容，雖過當獎，壽於史策，千古光明。使萬有一，蕡不幸死，天下必曰：『陛下陰殺讜直，結仇海內。』忠義之士，皆憚誅夷，人心一搖，無以自解……乞回臣所授，以旌蕡直，臣逃苟且之慚，朝有公正之路！[32]

李邰上疏雖不及劉蕡直言、尖銳，但言辭也比較讜直。顯然，李邰的擔心不無道理，劉蕡抨擊宦官專政，必然引起宦官的銜怒。因此，他擔心萬一宦官「變興非常」，加害劉蕡，引發「朝野惴息」，「忠良道窮，綱紀遂絕」，重蹈東漢末年黨錮之禍，忠良遭禁錮，宦官專權。李邰還大聲疾呼，一旦劉蕡不幸，天下必曰「陛下陰殺讜直，結仇海內」，忠義之士，唯恐株連，「人心一搖」，將無藥可救，因此建議應該高調旌表劉蕡敢於批駁時政，伸張公正之道。大概正是在像李邰這樣一批讜直之士大夫的呼籲之下，宦官迫於輿論的壓力才放棄了加害劉蕡的企圖。六十年後的唐末，羅袞仍上疏請褒贈劉蕡云：

---

32 周紹良主編：《全唐文新編》卷744李邰〈乞旌劉蕡直言疏〉（長春市：吉林文史出版社，2000年版），頁8673。

當大和年，對直言策。是時宦官方熾，朝政已侵，人誰敢言？蕡獨能指抑墮雨回天之勢，欲使當門奪官卿爵土之權，將令擁篡，遂遭退黜，實負冤欺。其後竟陷侵誣，終罹譴逐。沉淪絕世，六十餘年。正士為之吞聲，義夫為之飲泣……特乞宣付中書門下，顯加褒贈，仍敕天下州府，求蕡子孫，振拔錄用。[33]

顯然，劉蕡對策「大行於時」[34]，不僅博得了士大夫的共鳴，得到了士大夫的支持，也擊中了宦官的要害，加劇了宦官的不滿和恐懼。

劉蕡之所以如此激烈批判宦官專政是與太和初的政局有關。太和初，敬宗被弒，雖然敬宗為童昏之君，不及憲宗英武，但仍在士大夫中間引起了一定聲討宦官的呼聲。文宗初立，對宦官弒兄之事記憶猶新，對宦官專政，自然心懷不滿，面對「元和末弒逆之徒尚在左右，雖外示優假，心不堪之。思欲芟落本根，以雪仇恥，九重深處，難與將相明言」。[35]顯然，面對宦官專政的囂張，劉蕡事件一定程度上反映了朝野在宦官專政問題上的擔憂和共鳴。加上，晚唐皇位不穩固的一個重要因素，是宦官內部也存在黨爭關係，[36]也為依附宦官黨派的士大夫敢於批判宦官專政提供了相對空間。不幸的是「甘露之變」的失敗導致了宦官逐漸團結，外朝遂成為北司的附庸，「將相之職不歸」，[37]敢於指斥宦官專政的外朝聲音因此受到壓制。特別是屢次敢於斥責宦官專政的制舉考試，就難逃受到打壓的命運，必然會在晚唐走上悄無聲息的道路。

大和二年（西元828年），自劉蕡參加制舉對策指斥宦官專政、朝政敗壞以後，至唐末制科未見再有實行。其原因大概是中晚唐制舉對策漸趨注重時務，舉人對策往往以苦詆時政、抨擊時政為重，擡高身價以獲取科名，尤以

---

33 〔清〕董誥：《全唐文》卷828羅克〈請褒贈劉蕡疏〉（北京市：中華書局，1983年版），頁8723-8724。

34 《舊唐書》卷166〈龐嚴傳〉，頁4339。

35 《舊唐書》卷169〈李訓傳〉，頁4396。

36 參閱陳寅恪：《唐代政治史述論稿》，頁108。

37 參閱陳寅恪：《唐代政治史述論稿》，頁119。

賢良方正能直言極諫科為最為讜直、犀利,此科屢有對策指斥權幸之事。加之文宗以後,宦官完全控制了朝政,制舉多由天子親試,天子也視制舉舉人為自己的門生,[38]而且天子借此可以不次提拔人才以圖自強。這些都是宦官所不能容忍的,因此在宦官專政的情況下,制舉考試受到抑制,也是在所難免的。而並非何漢心先生所說的制科在代德以後開科漸趨定期化、科目變固定化,使制科變成正常的制度,不定期招有特別資格人才的制科變成了正常的,特點沒有了,制舉就無用了的那樣。[39]此後,雖有皇帝下詔舉行制舉考試,但都沒有實現。

二 相權對知貢舉的干預

宰相不能干預知貢舉是唐代科舉考試的一個重要特徵,但隨著政局的敗壞,宰相干預知貢舉的實例從中唐開始就逐漸增多,至晚唐更加突出。宰相干預貢舉主要借助知貢舉主司向宰相「呈榜」制度和宰相對科舉考試方式改革來實現。

(一)相權與知貢舉

唐代科舉考試為了防止宰相等高官和權幸干撓主司,從開元二十九年(西元741年)開始,就逐漸實行了「別頭試」,一定程度上防範了宰相為子弟謀取科名的行為。如令狐綯子令狐滈在其父身居相位的時候一直沒敢參加科舉考試,直到其父離開相位的時候才通過「拔解」應舉。儘管如此,令狐滈進士及第後,還是被士大夫所訿病,顯然,「別頭試」對宰相子弟應舉多

---

38 〔唐〕蘇鶚撰,陽羨生校點:《杜陽雜編》卷上云:代宗「試製科于宣政殿,或有詞理乖謬者,即濃筆抹之至尾,如輒稱旨者,必翹足朗吟。翌日,則遍示宰臣、學士曰:『此皆朕門生也。』」收入《唐五代筆記小說大觀》,頁1379。

39 何漢心:〈唐朝制舉和制科〉,收入中國唐代學會主編:《第二屆國際唐代學術會議論文集(史學)》下冊(臺北市:文津出版社,1993年版),頁1215-1223。

少有一定限制和監督。

關於「呈榜」的具體情況，目前掌握的資料不多。《續玄怪錄》中記載了一個有關進士李俊及第的鬼怪故事，其中就涉及到「呈榜」的一些細節。李俊連舉進士不中，於貞元二年（西元786年），在國子祭酒包佶的幫助下，私通主司，謀取科名。按照唐代禮部知貢舉的舊例，「榜前一日，當以名聞執政」。當天早上五更（3-5點），李俊便隨包佶在執政家門口守候，無意中遇上冥間送進士名的小吏，自稱：「送堂之榜在此，可自尋之。」並將擬定的榜單給李俊，李俊看後，垂泣不已。冥吏見此，說：「君之成名，在十年之外，祿位甚盛。今欲求之……才獲一郡，如何？」李俊回答：「所求者名，名得足矣。」冥吏便授李俊筆，讓其在同姓人名自注。李俊見榜上師李夷簡名，欲揩之，冥吏遽曰：「不可，此人祿重，未易動也。」遂改李溫名為李俊。冥吏走後，李俊去求見國子祭酒包佶，包佶還沒起床，聽說是李俊求謁，便非常生氣地說：「吾與主司分深，一言狀頭可致。公何躁甚？」還質問李俊：「吾其輕語者耶？」李俊也是再三解釋：「俊懇於名者，若恩決此一朝。今當呈榜之晨，冒責奉謁。」包佶還是怒氣不解，李俊更加擔憂，於是更換衣服尾隨包佶，經過皇城東北隅的時候，包佶「逢春官懷其榜，將赴中書」。包佶問道：「前言遂否。」春官說：「誠知獲罪，負荊不足以謝。然迫於大權，難副高命。」包佶大為失望，聞之怒曰：「今君移妄於某，蓋以某官閑也。平生交契，今日絕矣！」轉身就走，春官遽追之曰：「迫於豪權，留之不得。竊恃深顧，外於形骸，見責如此。甯得罪於權右耳。」請包佶一起尋榜，揩名填之。包佶打開榜，看見李夷簡之名，欲改換其名，春官急忙說：「此人宰相處分，不可去。」指其下李溫，請改換李俊名。是年榜出，李俊果然在李夷簡的名下。[40]這則故事有諸多荒誕之處，應該說是後人為神話及第進士李俊，杜撰的故事，增加進士及第的神秘和科場成敗天定的思想，但也反映了有關「呈榜」和放榜的一些真實情況。從側面反映了禮部

---

40 〔唐〕李復言編，程毅中點校：《續玄怪錄》卷2〈李岳州〉（北京市：中華書局，1982年版），頁150-152。

知貢舉主司向宰相呈榜是在放榜當日的凌晨，榜上名單順序已由知貢舉主司擬定，並按固定的格式書寫，不宜修改，若想修改，必須找榜重新製作；呈榜的地點應該在中書門下的政事堂。

中唐宰相若無充分理由，是不可以隨意卻落知貢舉主司擬定進士「榜單」中的名單。如李吉甫任信州刺史時，曾被當州舉子吳武陵牴牾。元和二年（西元807年）春，崔侍郎邠重知貢舉，將放二十七人及第，「持名來呈相府」，剛剛見到首座宰相李吉甫，李吉甫問：「吳武陵及第否？」崔邠擔心兩人是舊知關係，情急之中謊稱及第。實際上，「其榜尚在懷袖」，崔邠趕忙找藉口，返回禮部，「遂注武陵姓字呈李公」。等到李吉甫看了「呈榜」以後，怪罪崔邠：「吳武陵至粗人，何以當科第？」崔邠這才反應過來，只好辯解：「吳武陵德行未聞，文筆乃堪採錄。名已上榜，不可卻也。」最後找了個理由以「吳君不附國庠，名第在於榜末」。[41]

中唐宰相利用「呈榜」制度，可以更換及第名單，甚至重落「呈榜」中點及第名單。《唐摭言》〈誤放〉記載：進士包誼曾經唐突過中書舍人劉太真，劉太真對其「甚銜之」，沒想到劉太真知貢舉時，包誼一心想將其落第，先是準備讓過雜文，等到次場帖經將其落第，後來又擔心：「此子既忤我，從而報之，是為淺丈夫也；必矣但能永廢其人，何必在此！」於是放其入策，等到最後試策落之。劉太真將榜「呈宰相」時，宰相以朱泚之亂為名，認為呈榜中有朱姓人及第，「未欲以此姓及第，亟遣易之」。劉太真一時錯愕，不知所措，竟然忘記了其他舉子的名字，只記得包誼，最後竟然以包誼更換。[42]雖然此事記載的很滑稽，但說明中唐宰相更換榜中人名要有足夠的理由，這便是一個典型的例子。中晚唐宰相定去留的權力似乎增大。如長慶三年（西元823年），王起知貢舉擬榜準備放孟寧及第，卻「至中書，為時相所退」。[43]

41　《唐語林校證》卷6〈補遺〉，頁218。

42　《唐摭言》卷8〈誤放〉，頁87-88。

43　〔宋〕錢易撰，黃壽成點校：《南部新書》卷己（北京市：中華書局，2002年版），頁83。

中晚唐知貢舉主司向宰相「呈榜」的地點在「中書」，[44] 即中書門下政事堂。包佶就是「逢春官懷其榜，將赴中書」。會昌三年、四年（西元843-844年），左僕射王起連知貢舉，「每貢院考試訖，上榜後，更呈宰相取可否」。有宰相反對此制：「主司試藝，不合取宰相與奪。」[45] 可以肯定至少會昌初，正當「呈榜」是在政事堂。

其實，中唐知貢舉主司「呈榜」的地點，有時候會在宰相府進行。如貞元四年（西元788年），中書舍人劉太真知貢舉，「將放榜，先巡宅呈宰相」。[46]「巡宅」的意思應該就是前往宰相私人府宅，而不是政事堂。

禮部「呈榜」既然可以到宰相府，就必然會引起宰相干擾知貢舉。於是，中晚唐也出現了對「呈榜」限制的呼聲和改革，長慶元年（西元821年），孟寧進士及第，被時相覆落。受此影響，「呈榜」制度引起了朝臣爭議，禮部侍郎王起掌貢舉，奏請把禮部省試後擬定放榜名單，及將相關舉子的詩賦，先送中書門下詳覆，通過中書門下政事堂會議，用眾宰相集體裁決的方式定名第，然後放榜。雖然這在某種程度上是避免呈榜時被首座宰相覆落的尷尬情況，減輕知貢舉的壓力，但朝要議論之後，一致認為「令宰臣閱視可否，然後下當司放榜」的做法，是知貢舉者「避是非，失貢職也」，[47] 王起也因此出為河南尹。[48] 從程式上來講，中書門下宰相需要一起例行覆核知貢舉主司的初選人選的答卷，可以有效避免知貢舉單獨向首座宰相呈榜容易舞弊的情況，更具有可操作性、合理性。可惜此奏未能推行，又回到了原點。大和八年（西元834年）中書門下奏：「進士放榜，舊例禮部侍郎皆將及第人名先呈宰相，然後放榜。伏以委在有司，固宜精慎，宰臣先知取捨事，匪至公。今年已後，請便令放榜，不用先呈人名，其及第人所試雜文，及鄉

---

44 〔宋〕李昉等編：《太平廣記》卷341〈鬼二十六‧李俊〉（北京市：中華書局，1961年版），頁2702-2703。

45 《舊唐書》卷18上〈武宗本紀上〉，頁602。

46 《唐摭言》卷8〈誤放〉，頁88。

47 《舊唐書》卷164〈王播傳附王起傳〉，頁4278。

48 《舊唐書》卷164〈王播傳附王起傳〉，頁4278。

貢、三代名諱,並當日送中書門下,便令定例。」[49]這次提出廢「呈榜」者應該是李德裕,李德裕在大和八年(西元834年)為宰相,並進行了一系列關於科舉方面的改革,廢「呈榜」為其中之一。李德裕指出「呈榜」的最大危害就是「宰臣先知取捨,事匪至公」,容易滋生相權干撓知貢舉的舞弊行為。此奏雖得到恩准,短暫實行,但隨著李德裕的罷相,「呈榜」制度隨即又被恢復。會昌初李德裕再度入相,於會昌三年(西元843年)正月再度奏請廢除「呈榜」,他認為呈榜導致知貢舉主司,擬定放榜名單,「多有改換,頗致流言;宰相稍有寄情,有司固無畏忌,取士之濫,莫不繇斯」。他建議「今年便任有司放榜,更不得先呈,臣等仍向後,便為定例」。[50]李德裕自然對「呈榜」的危害十分清楚,主張禮部知貢舉不必先呈宰相及第進士名單,「如有固違,御史糾舉」。[51]可惜此奏,因受棲靈塔火災影響沒有實行。會昌四年十一月,「王起頻年知貢舉,每貢院考試訖,上榜後,更呈宰相取可否」。此事引起了朝野關注,宰相延英論言:「主司試藝,不合取宰相與奪。」[52]儘管此制在晚唐未能執行,但「呈榜」在五代就很少記載,到了宋代「呈榜」制最終被廢除。

李德裕之所以再三要廢「呈榜」的原因,是他深知「呈榜」便於宰相干撓貢舉,對科舉制度危害甚大,就連自己也在所難免。據《玉泉子》載:「舊制:禮部放榜,先呈宰相。會昌三年,王起知舉,問德裕所欲,答曰:『安問所欲?如盧肇、丁棱、姚鵠,豈可不與及第耶!』起於是依其次而放。」[53]李德裕上奏是在會昌元年(西元841年)正月,其干撓王起知貢舉應在其後,可見廢除呈榜制度的意義之重要。廢除「呈榜」制,無疑是科舉制度中的一個重大進步,有利於避免宰相干預貢舉考試相關標準。

---

49 〔宋〕王欽若等編:《宋本冊府元龜》卷641〈貢舉部・條制三〉(北京市:中華書局,1989年版),頁2107。

50 《宋本冊府元龜》卷641〈貢舉部・條制三〉,頁2108。

51 《宋本冊府元龜》卷641〈貢舉部・條制三〉,頁2108。

52 《舊唐書》卷18上〈武宗本紀上〉,頁602。

53 《玉泉子》,收入《唐五代筆記小說大觀》,頁1422。

晚唐宰相通過「呈榜」制度無形中可以間接決定省試的去留，干擾主司知貢舉。崔元翰為楊炎所知，「欲拜補闕，懇曰：『願得進士。』由此獨步場中，然亦不曉呈試，故先求題目為地。崔敖知之，旭日都堂始開，敖盛氣白侍郎曰：『若試〈白雲起封中賦〉，傲請退。』侍郎為其所中，愕然換其題。是歲二崔俱捷」。[54]崔元翰進士及第在建中二年（西元781年），時楊炎為宰相，權傾中外。楊炎竟然干擾知貢舉，提前得知進士科考試的題目，實屬罕見，助長了宰相干擾知貢舉的風氣。進士許道敏在大和六年（西元832年），獲知於宰相，知貢舉主司在入主貢院之前，私謁宰相，獲得大加讚賞，將其列在公選名單；主司欲放其及第，不料遇上時相突然出鎮外郡，主司竟然立刻反悔，居然沒放其及第。[55]許道敏的命運，因受知宰相的罷相，而發生了戲劇變化。此事突顯了晚唐相權對知貢舉干預真實情況。又光啟二年（西元886年），鄭延昌知貢舉，溫憲以父庭筠「文多刺時，復傲毀朝士，抑而不錄」。溫憲落第後，遂題一絕句於崇慶寺壁，鄭延昌登宰相後，因國忌行香，見其詩，憫然動容，回家後，專門招來知貢舉主司趙崇，囑託：「某頃主文衡，以溫憲庭筠之子，深怒嫉之。今日見一絕，令人惻然，幸勿遺也。」[56]溫憲因此於龍紀元年（西元889年）及第成名。此事雖然是科場美談，但說明晚唐宰相對知貢舉的干預程度很高。

（二）相權對科舉考試變革的影響

伴隨著晚唐牛李黨爭始終的一個重要議題，就是科舉考試選才標準的問題，在以詩賦，或經學孰先孰後的問題上，兩者分歧較大。隨著兩黨黨魁交替入相，在科場的選舉標準問題上，也隨之出現了爭論和博弈。晚唐進士科考詩賦、帖經和對策的三場制已經實行已久。大和七年（西元833年）二

54 〔唐〕李肇撰：《唐國史補》卷下（上海市：上海古籍出版社，1979年版），頁57。

55 〔唐〕高彥休撰，陽羨生校點：《唐闕史》卷上〈許道敏同年〉，收入《唐五代筆記小說大觀》，頁1340-1341。

56 《全唐詩話》卷5〈溫憲〉，頁110。

月，隨著李德裕入相，著手對進士科三場制考試進行改革。七月，宰相李德
裕請依楊綰議，進士試議論，不試詩賦。[57] 八月，禮部奏請對進士省試進行
改革，「請帖大、小經各十帖，通五、通六為及格，所問大義，便與習大經
內」。[58] 此奏應該是在李德裕的推動下上奏的，因此得到了實行，一改以前
進士科考試三場試的做法，廢詩賦，轉而改為帖經、問大義、試議論三場
試，要求精通經文義。這是由於在大和七年（西元833年），主張以經術取人
的李黨黨魁李德裕入相，鄭覃為御史大夫，為積極推動科舉考試的系列改革
創造了條件。[59] 宰相李德裕尊崇經學，奉行「士以才堪即用，何必文辭」的
選賢觀念，[60] 在改革科舉制度方面有具體體現。

至大和八年（西元834年）正月，李漢奏請准大和七年八月敕，進士不
考詩賦，實際上是執行了大和七年的李德裕科舉改革內容。大和八年的科舉
考試考完後，牛黨便積極推動恢復進士科考試舊制，[61] 取消了大和七年八月
敕規定的進士科考試廢詩賦，「試帖經、口義、論議」的辦法，只是在帖經
數量依新格，進士科考試又回到詩賦、帖經、對策三場試的原點，「請准太
和六年以前格處分」。

大和八年十月，李德裕罷相，出山南西道節度使。李宗閔入相，便推動
恢復進士科試詩賦的舊制，以反對李德裕推行的進士科考試主要試帖經、議
論的辦法。[62] 顯然大和八年進士科考試變革是朝廷宰相之間朋黨政治鬥爭的
產物，也是黨爭政見不同的反映。

大和九年（西元835年）牛黨失勢，「甘露之變」後，鄭覃被召入禁中草
制敕，十一月入相。至此，情況又發生了變化。鄭覃雖精經義，但不能為
文，尤嫉進士浮華。開成元年（西元836年），鄭覃奏請禮部貢院宜罷進士

---

57 《資治通鑑》卷244唐文宗大和七年七月條，頁7886。
58 〔宋〕王溥：《唐會要》卷76〈貢舉部中・進士〉（北京市：中華書局，1955年版），頁
   1381；《宋本冊府元龜》卷641〈貢舉・條制三〉，誤記在大和三年八月，頁2107。
59 《舊唐書》卷173〈鄭覃傳〉，頁4490。
60 《舊唐書》卷173〈鄭覃傳〉，頁4491。
61 《宋本冊府元龜》卷641〈貢舉部・條制三〉，頁2107-2108。
62 《資治通鑑》卷245唐文宗太和八年十月條，頁7898。

科，在紫宸殿與文宗進行了辯論。鄭覃認為「南北朝多用文華，所以不治」，[63]取士重在才堪即用，不必文辭。文宗喜好文辭，認為進士及第者應先須出任州縣佐官，然後准許其入幕，經過基層歷練後，方可委以重任。鄭覃主張：「此科率多輕薄，不必盡用。」文宗還是不認可鄭覃的說法，認為：「輕薄敦厚，色色有之，未必獨在進士。此科置已二百年，亦不可遽改。」不過，鄭覃還是認為進士科，「不可過有崇樹」。[64]從文宗君臣的辯論中可以感覺到場面之激烈，文宗仍然堅持保留進士科，鄭覃也有所保留。

儘管鄭覃沒有如願廢進士科，但仍奏請文宗「以經義啟導，稍折文章之士」。[65]這也是中國科舉制度史上第二次進士科存廢的爭論。[66]文宗皇帝便親自出題，壓制進士「浮華」的風氣姿態，以緩和鄭覃為首的廢除進士科的呼聲。開成元年（西元836年）春，中書舍人高鍇權知貢舉，進呈及第人名，文宗看後謂侍臣曰：「從前文格非佳，昨出進士題目，是朕出之，所試似勝去年。」鄭覃曰：「陛下改詩賦格調，以正頹俗，然高鍇亦能勵精選士，仰副聖旨。」文宗答道：「近日諸侯章奏，語太浮華，有乖典實，宜罰掌書記，以誡其流。」李石對曰：「古人因事為文，今人以文害事，懲弊抑末，實在盛時。」[67]從君臣三人的對話來看，三人都認為進士「浮華」，以文害事，有乖典實，想從「改詩賦格調」著手，藉以改變考試的標準，以達到改變進士科「浮華」風氣的目的，進而改變公文奏章「語太浮華」的問題。

會昌中李德裕再度為相，大概是鄭覃廢進士科失敗的緣故，便採取了厘革科舉弊病的策略。在會昌三年（西元843年）再次奏請廢「呈榜」，意在杜絕權臣干撓主司，以限制在進士科考試中處於優勢地位的新興官僚士族子弟，奔走於權幸之門謀取科第的現象。雖然李德裕廢「呈榜」的舉措未能實行，但仍堅持「抑退浮薄，獎拔孤寒」的政見，對當時牛黨的「朝貴朋黨」

63　《舊唐書》卷173〈鄭覃傳〉，頁4491。

64　參考《舊唐書》卷173〈鄭覃傳〉，頁4491。

65　《舊唐書》卷17下〈文宗本紀下〉，頁571。

66　參閱劉海峰、李兵：《中國科舉史》（上海市：東方出版社，2004年版），頁102-115。

67　《舊唐書》卷168〈高鈇傳附高鍇傳〉，頁4388。

為子弟請託科第之事，加以抵制。李德裕雖然就此與牛黨結怨，「而絕於附會，門無賓客」，但唯獨有宜春進士盧肇，有奇才，以文投卷，獲得見知，「後隨計京師，每謁見，待以優禮」。會昌三年，王起知貢舉，將入貢院，請李德裕所欲，李德裕借機推薦孤寒盧肇、丁棱、姚鵠三人，王起於是依次而放。[68] 時稱王起此次權知貢舉，「所選皆當代辭藝之士，有名於時」，[69] 多為「有名」之士。會昌四年王起知貢舉，先放二十五人，又續奏五人堪放及第。續奏五人，「皆世胄」子弟，[70] 四人與牛黨有著密切關係。在牛黨把持科場，「廣納貨財，幸門大啟，而公道喪」的情況下，[71] 舊士族、沒落士族子弟轉而成為了「孤寒」。跟李德裕關係較密的王起知貢舉時，稍有意抑制子弟，便招致武宗親自關注。武宗曰：「貢院不會我意。不放子弟，即太過，無論子弟、寒門，但取實藝耳。」[72] 李德裕與武宗的看法基本一致，主張「朝廷顯官，須是公卿子弟」，「子弟成名，不可輕矣」。[73] 實際上李德裕所主張的門第與科第結合，資歷與實藝相結合，也是李黨和牛黨在賢能觀念上的差異所致，牛黨認為入仕應當以「才」學為主，李黨則認為以「德」行為主。[74]

　　此外，李德裕還反對中晚唐座主門生關係擾亂科場。在會昌三年（西元843年），宰相李德裕奏請期集、謝恩、參謁宰相、曲江宴、慈恩塔題名等宴集活動予以停廢，[75] 僅允許小範圍內的同年聚會。

---

68 《玉泉子》，收入《唐五代筆記小說大觀》，頁1422；《唐語林校證》卷7〈補遺〉，頁232。

69 《舊唐書》卷164〈王播傳附王起傳〉，頁4280。

70 《新唐書》卷184〈楊收傳附楊嚴傳〉，頁5396。

71 《牛羊日曆》，收入繆荃孫編：《藕香零拾》第5冊（北京市：中華書局，1999年版），頁104。

72 《舊唐書》卷18上〈武宗本紀上〉，頁602。

73 《舊唐書》卷18上〈武宗本紀上〉，頁603。

74 毛漢光：〈中國中古賢能觀念之研究——任官標準之觀察〉，《中央研究院歷史語言研究所集刊》，第48本第3分，1977年，頁333-373。

75 《唐摭言》卷3〈慈恩寺題名遊賞賦詠雜紀〉，頁28-29。

三　小結

　　唐代在科舉考試公平方面取得了很大成就，開元二十四年（西元736年）以前，由吏部考功員外郎負責典舉，其後主要由禮部侍郎知貢舉，同時中書舍人、戶部侍郎等四、五品省寺清要官員權知貢舉成為一種常態，目的都是通過提高知貢舉的權重，變易知貢舉主司，避免卿相和權要干預、干撓知貢舉主司，以確保科舉考試的公平性。開元以後，隨著進士出身成為卿相的後備人選，科名的競爭也就漸趨激烈，導致知貢舉的權重和品級、層級不斷提升，考試內容和制度不斷調整，以避免卿相、宦官等干預、干撓貢舉，確保科舉考試的公正性。

　　中晚唐科場風氣取決於政局變化，「甘露之變」後，南衙聽命於北司，[76]宦官專權也影響到科舉考試。其表現有二：一是通過干預、請託禮部知貢舉，為舉子謀求科名。「芳林十哲」就是其中典型代表，這種現象實際上也是外朝卿相名流與進士「朋甲」社會風氣的延續。二是干預制舉考試，防止制舉人對策詆罵宦官專權，進而廢止制舉考試。大和二年（西元828年）制舉考試，劉蕡對策指斥宦官專政，直接導致宦官干撓制舉考試，長期停廢制舉考試。

　　晚唐「呈榜」制度在某種程度上為牛黨干撓知貢舉的提供了制度方便，因此，以李德裕為領袖的李黨先後三次奏請廢除「呈榜」制度，為所謂「寒素」爭取「公平」考試的機會就尤為重要。伴隨著黨爭，牛李兩黨黨魁入相之後，兩黨的鬥爭在科舉考試制度上也有所反應。李黨黨魁李德裕力主進士科考試內容改革和鄭覃主張廢除進士科考試，其實均為改革科舉考試內容和選才標準，代表李黨重視經學即德行，反對文學浮薄。雖然此奏未能改變隋唐以來科舉「以文取士」的歷史趨勢，[77]也未被採用，但開啟了科舉考試經學和文學之爭，直到宋代王安石變法，設置明經和詩賦兩科進士，代表了科

76　參閱陳寅恪：《唐代政治史述論稿》，頁114-124。

77　祖慧、龔延明：〈科舉制定義再商榷〉，《歷史研究》2003年第6期，頁31-44。

舉考試兩個不同的發展方向。

　　中晚唐宰相對科舉考試的干預和改革，基本上反映了牛李黨爭的根本利益訴求。其根本原因是中晚唐科舉考試在選舉中的地位提升，導致來自各方的競爭激烈，干擾科舉考試的難度增加，很多時候需要宰相、宦官等權要干擾知貢舉才能有效，從而迫使科舉考試考官的品級不斷提升，增加知貢舉主司的不確定性，增設科舉考試的等級，最終導致皇帝對科舉的干預，直到宋代，殿試成為皇帝干預、親試環節。

宋金元磁州窯瓷器題唐五代詩歌考論

楊明璋

政治大學中國文學系副教授

提要

　　宋金元磁州窯瓷器題唐五代詩歌，就題寫之原詩體裁而言，半數為七言絕句，而五言絕句、五言律詩則各佔四分之一，少部分為七言律詩、七言對句。就題寫之形態而言，有半數瓷器題寫原詩全首，另一半則從原詩簡擇二句，僅少數題寫一句。題寫原詩全首者，幾乎都是五、七言絕句；簡擇原詩一、二句題寫者，往往是截取律、絕中的景語。就題寫之詩句的主題情調而言，大體以閑適的節候景物最多，其次是懷人閨情，少部分是詠史或與酒相關。此一現象應與瓷器之用途相關，由於題寫唐五代詩歌的宋金元磁州窯瓷器，多數為供作寢具之用的瓷枕，閑適、懷人的詩歌主旋律是合適的；而部分題寫詠史詩，則應是用以自我惕厲；至於題寫與酒相關詩句的器型，正好多為罈、瓶，可見製瓷者題寫什麼詩句，能與器物的用途結合，應是重要的考量。還有一點，部分宋金元磁州窯瓷器題詩對唐五代文人詩歌進行了改寫化用，大抵而言，它們有通俗化的現象，形成雅、俗交融的獨特樣貌。

關鍵詞：磁州窯　瓷器題詩　唐五代　文人　通俗

一 前言

　　題寫有詩文的陶瓷，從九世紀至十世紀的長沙窯開始，各製瓷窯口即時有所見，其中，以宋金元燒製平民百姓日用陶瓷的民窯——磁州窯最多。可說是中土繼長沙窯瓷器之後，較大量地題寫詩文詞曲，並成為它作為商品與藝術品的一項重要特色。而磁州窯指的是中國河北邯鄲磁縣觀臺鎮、峰峰礦區彭城鎮等地發現的宋代以來民間窯場。隋代開皇十年始置磁州，有磁石山出磁石，因而取為名，後歷經數度廢、復，[1]但磁州窯之名號，宋以來已為人所熟知，如明代謝肇淛《五雜組》卷十二即云：「今俗語窯器謂之磁器者，蓋河南磁州窯最多，故相沿名之。」[2]又明代張萱《疑耀》卷七「磁器」引《宣和格古論》云：「古人稱磁器皆曰某窯器，某窯器不稱磁也，惟河南彰德府磁州窯器，乃稱磁耳。」[3]磁州窯所生產瓷器以劃花、繡花為重要特徵，如明代《新增格古要論》卷七就說：「古磁器出河南彰德府磁州，好者與定器相似，但無淚痕，亦有劃花、繡花，素者價高於定器，新者不足論也。」[4]現在一般就稱以白地畫黑花、鐵鏽花或刻、劃花之器皿為磁州窯型瓷器，主要的產地除了河北觀臺鎮、彭城鎮外，周遭的河南、山西、陝西也有不少窯場燒製這一類型的瓷器。[5]

　　目前有關磁州窯瓷器題寫之詩文詞曲，研究較多的是詞曲，如楊棟《元曲起源考古研究》、[6]王興《磁州窯詩詞》、[7]葉喆民主編《中國磁州窯》，[8]後

1　參〔宋〕樂史：《太平寰宇記》（臺北市：文海出版社，1963年），卷56〈河北道五〉，頁446。

2　〔明〕謝肇淛：《五雜組》卷12〈物部四〉，收於《和刻本漢籍隨筆集》第1集（東京都：汲古書院，1972年），頁253。

3　〔明〕張萱：《疑耀》（新北市：新文豐出版公司，1984年），卷7「磁器」，頁139。

4　〔明〕曹昭撰、王佐增補：《新增格古要論》（杭州市：浙江人民美術出版社，2011年），卷7「古磁器」，頁252。

5　陳萬里：〈磁州窯的過去及未來〉，《裝飾》1959年第2期，頁3-4。

6　楊棟：《元曲起源考古研究》（北京市：中國社會科學出版社，2014年）。

7　王興：《磁州窯詩詞》（天津市：天津古籍出版社，2004年）。

二者雖也論及詩歌，但仍未系統性地爬梳與分析。筆者於二〇一八年曾針對宋金元磁州窯瓷器題寫的樂府詩發表過〈宋金元磁州窯瓷器題樂府詩輯考〉一文，[9]輯考出樂府詩十一首，發現就瓷器題寫之形態來看，多數為截取眾樂府詩中的一句、二句或四句，抄錄整首詩者則有四例；而就題寫之樂府詩的主題情調來看，則有宮怨閨情與閑適曠達二種類型，又以閑適曠達為多，應與題寫的器物多為瓷枕有關。本文則擬轉移視角，並擴大範圍，就宋金元磁州窯瓷器題寫的唐五代詩歌，進行討論。

　　筆者近年來搜羅、掌握到的宋金元磁州窯瓷器，題寫有詩歌的器物，凡有近一五〇件，題寫約一三八則詩句，器型以瓷枕為最大宗。其中有約八十則詩句可考察出作者名氏，按時代來區分：僅一件與先唐文人詩歌相關，為出自江西吉州窯現藏於廣州西漢南越王墓博物館的南宋白地褐彩花卉束腰枕，題有：「春水滿川澤，夏雲多奇峰。秋月揚明暉，冬嶺秀孤松。」[10]為東晉顧愷之的作品，宋代許顗撰《彥周詩話》云：「春水滿四澤，夏雲多奇峰，秋月揚明輝，冬嶺秀孤松。此顧長康詩，誤編入《彭澤集》中。」[11]二者僅一字之差，原作為「四澤」，瓷器作「川澤」。其他宋金元磁州窯瓷器題詩與唐五代詩歌相關者，凡有四十一件瓷器，共存留有唐五代詩歌四十五首。其中有二件瓷器較為特別，分別題寫有近同於長沙窯瓷器題詩、敦煌詩歌的，其他瓷器題寫的均為文人作品。這些瓷器所題寫的唐五代文人作品，

8　葉喆民主編：《中國磁州窯》（石家莊市：河北美術出版社，2009年）。其他期刊論文論及磁州窯瓷器題寫之詩文者，如王健麗：〈磁州窯器物上的詩情畫意〉，《收藏家》1999年第5期；沈天鷹：〈金代瓷枕詩詞文輯錄〉，《文獻季刊》2001年第1期；申家仁〈枕上的詩情——論古代瓷枕詩〉，《九江學院學報》2005年第2期；馬小青：〈宋元磁州窯文字枕概述及斷代（上篇）〉，《收藏界》2006年第4期；馬小青：〈宋元磁州窯文字枕概述及斷代（下篇）〉，《收藏界》2006年第5期；王時磊、李寒梅：〈磁州窯的唐詩枕〉，《收藏家》2009年第12期；王偉：〈宋元磁州窯瓷器的詩文裝飾〉，《藝術探索》2011年第6期。

9　楊明璋：〈宋金元磁州窯瓷器題樂府詩輯考〉，《樂府學》第17輯（北京市：社會科學文獻出版社，2018年8月），頁267-279。

10　李林娜主編：《南越藏珍》（北京市：中華書局，2002年），頁221。

11　〔宋〕胡仔：《苕溪漁隱叢話後集》（臺北市：世界書局，2017年），卷3，頁748。

並未集中於某些詩人或某幾首詩，大多數是一位詩人題寫一、二首，僅李白、杜甫、賈島等三人各有四首；而一首詩，絕大多數也僅見於一件瓷器上，僅白居易〈自河南經亂，關內阻饑，兄弟離散，各在一處，因望月有感，聊書所寄〉可見題於二件瓷器。

二 宋金元磁州窯瓷器題詩中直接引述的唐五代文人詩歌

宋金元磁州窯瓷器題寫的唐五代文人詩，大抵可分為直接引述、改寫化用二種類型。直接引述唐五代文人詩歌的，計有三十二件瓷器題寫共三十二首（包含編號10及14等二件明代磁州窯瓷器，一併置於此），分屬二十四位唐五代文人的作品。如下：

表一 宋金元瓷器題詩直接引述的唐五代文人詩歌

宋金元磁州窯瓷器題詩	唐五代文人詩
一、王之渙（西元688-742年）	
磁州窯 金 白釉豆形枕 白日依山盡，黃河入海流。欲窮千里目，更上一層樓。[12]	唐代王之渙〈登鸛雀樓〉，一作朱斌詩，詩云：「白日依山盡，黃河入海流。欲窮千里目，更上一層樓。」[13]
二、孟浩然（西元689-740年）	
河北邯鄲市博物館藏河北磁縣觀臺窯 金 白地黑花八角形枕 野曠天低樹，江清月近人。[14]	王興已指出為唐孟浩然詩。[15]唐代孟浩然〈宿建德江〉：「移舟泊煙（一作幽）渚，日暮客愁新。

---

12 葉喆民主編：《中國磁州窯‧上》，頁95-96，圖1-35。

13 〔清〕曹寅：《全唐詩》（北京市：中華書局，1996年），卷253，頁2849。

14 王興：《磁州窯詩詞》，頁45。

15 王興：《磁州窯詩詞》，頁45。

宋金元磁州窯瓷器題詩	唐五代文人詩
	野曠天低樹，江清月近人。」[16]
三、王昌齡（西元698-756年）	
首都博物館藏磁州窯 南宋　三彩劃花人物長方形枕 **閨中少婦不知愁，春日凝妝上翠樓。忽見陌頭楊柳色，悔教夫婿覓封侯。隆興紀元（1163）春二月張沖珍玩。**[17]	唐代王昌齡〈閨怨〉：「閨中少婦不曾愁，春日凝妝上翠樓。忽見陌頭楊柳色，悔教夫壻覓封侯。」[18]
四、李白（西元701-762年）	
私人收藏河南鶴壁窯 元　白地黑花罈 **柳色黃金嫩，梨花白雪□（香）。玉樓巢翡翠，金殿錢（鎖）鴛鴦。**[19]	王興已指出為唐李白〈宮中行樂〉詩八首之二。[20]唐代李白〈絕宮中行樂詞〉八首其二：「柳色黃金嫩，梨花白雪香。玉樓巢（一作關）翡翠，金（一作珠）殿鎖鴛鴦。」[21]
河北磁縣觀臺磁州窯址出土殘片 **月邊 鷹白錦**[22]	李白〈觀放白鷹〉二首其一：「八月邊風高，胡鷹白錦毛。孤飛一片雪，百里見秋毫。」[23]
五、杜甫（西元712-770年）	

16　〔清〕曹寅：《全唐詩》卷160，頁1668。

17　劉濤：《宋金紀年瓷器》（北京市：文物出版社，2004年），頁202，表二〈國內外收藏宋金紀年銘文瓷器簡表〉。按：劉濤轉引自《首都博物館藏瓷選》（北京市：文物出版社，1991年）。

18　〔清〕曹寅：《全唐詩》卷143，頁1446。

19　王興：《磁州窯詩詞》，頁128。

20　王興：《磁州窯詩詞》，頁128。

21　〔宋〕郭茂倩：《樂府詩集》卷82。

22　北京大學考古學系等著：《觀臺磁州窯址》（北京市：文物出版社，1997年），圖版33。

23　〔清〕曹寅：《全唐詩》卷183，頁1869。

宋金元磁州窯瓷器題詩	唐五代文人詩
河北省文物研究所藏磁縣觀臺鎮西出土 宋　白釉大碗殘片 **寬心應時□，遣興莫□□。**[24]	唐代杜甫〈可惜〉：「花飛有底急，老去願春遲。可惜歡娛地，都非少壯時。寬心應是酒，遣興莫過詩。此意陶潛解，吾生後汝期。」[25]
上海博物館藏河北磁縣觀臺窯 金　白地黑花八角形枕 **別來頭併白，相見眼終青。**[26]	唐代杜甫〈秦州見敕目薛三璩授司議郎畢四曜除監察與二子有故遠喜遷官兼述索居凡三十韻〉：「別來頭并白，相見眼終青。」[27]
一九八二年河南內黃出土磁州窯 金　瓷枕 **細網魚兒跳，微風燕子斜。**[28]	《中國歷代陶瓷題記》謂此詩句出自杜甫〈水檻遣心〉之一。[29] 唐代杜甫〈水檻遣心（一作興）〉二首其一：「去郭軒楹敞，無村（一作材）眺望賒。澄江平少岸，幽樹晚多花。細雨魚兒出，微風燕子斜。城中十萬戶，此地兩三家。」[30]
六、劉長卿（約西元726-786年）	
山西窯場	望野已指出為唐劉長卿〈自夏

24　戴書田、張羽：〈河北省文物研究所藏磁州窯題字瓷器〉，頁51-56、頁52（照5）。

25　〔清〕曹寅：《全唐詩》卷226，頁2440。

26　王興：《磁州窯詩詞》，頁44。

27　〔清〕曹寅：《全唐詩》卷225，頁2427。

28　《中國歷代陶瓷題記》以為是宋代，孫彥等著：《中國歷代陶瓷題記》，頁107；馬小青以為金代器物，見馬小青：〈宋金元磁州窯瓷枕上的文字裝飾及斷代〉，趙學鋒主編：《磁州窯裝飾題材研究：第三屆國際磁州窯論壇文集》（石家莊市：河北美術出版社，2015年），頁162-171。

29　孫彥等著：《中國歷代陶瓷題記》，頁107。

30　〔清〕曹寅：《全唐詩》卷227，頁2455。

宋金元磁州窯瓷器題詩	唐五代文人詩
元　禽鳥圖如意枕 漢口夕陽斜渡鳥，洞庭秋水遠連天。[31]	口至鸚鵡洲夕望岳陽寄袁中丞〉。[32] 唐代劉長卿〈自夏口至鸚鵡洲夕望岳陽寄源（一作元）中丞〉：「江洲無浪復無煙，楚客相思益渺然。漢口夕陽斜渡鳥，洞庭秋水遠連天。孤城背嶺寒吹角，獨戍臨江夜泊船。賈誼上書憂漢室，長沙謫去（一作遷謫）古今憐。」[33]
七、耿湋（西元734-？年，西元763年進士及第）	
私人收藏磁州窯系河南窯 金　白地黑花八角形枕 古井碑橫草，陰廊畫雜苔。[34]	唐代耿湋〈廢慶寶寺〉，一作司空曙（西元720-790年）詩，詩云：「黃葉前朝寺，無僧寒（一作閒）殿開。池晴龜出曝，松暝鶴飛迴。古井（一作砌）碑橫草，陰廊畫雜苔。禪宮亦銷（一作衰）歇，塵世轉堪哀。」[35]
八、戎昱（西元744-800年）	
私人收藏磁州窯系河南窯 金　八角形瓷枕 〈霽殘雪〉	唐代戎昱〈霽雪〉（一作〈韓舍人書窗殘雪〉）：「風卷寒（一作黃）雲（一作長空）暮雪晴，江

---

31 望野編著：《千年夢華——中國古代陶瓷枕·第二編》（北京市：文物出版社，2010年），頁100。

32 望野編著：《千年夢華——中國古代陶瓷枕·第二編》，頁100。

33 〔清〕曹寅：《全唐詩》卷151，頁1569。

34 王興：《磁州窯詩詞》，頁43。

35 〔清〕曹寅：《全唐詩》卷268，頁2993。

宋金元磁州窯瓷器題詩	唐五代文人詩
風捲黃雲暮雪晴，江煙洗盡柳條輕。簷前數片無人掃，□得書□□夜明。[36]	煙洗盡柳條（一作枝）輕。簷前數片無人掃，又得書窗一夜明。」[37]
九、孟郊（西元751-814年）	
山西臨汾龍祠窯 元　白地長方枕 青山臨黃河，下有長安道。往來名利人，相逢不知老。[38]	望野已指出為唐孟郊〈送柳淳〉。[39]唐代孟郊〈送柳淳〉：「青山臨黃河，下有長安道。世上（一作歲歲）名利人，相逢不知老。」[40]
十、劉禹錫（西元772-842年）	
<u>長治市博物館藏山西長治縣宋家莊出土磁州窯系</u> <u>明　白地黑花罐（附錄）</u> 〈賞牡丹〉 庭前芍藥妖無格，池上芙蕖淨少情。惟有牡丹真國色，花開時節動京城。[41]	唐代劉禹錫〈賞牡丹〉：「庭前芍藥妖無格，池上芙蕖淨少情。唯有牡丹真國色，花開時節動京城。」[42]
十一、白居易（西元772-846年）	
中國磁州窯博物館藏磁縣都黨鄉冶子村金墓出土[43] 金　綠釉黑彩八角形枕	唐代白居易〈春暖〉：「風痺宜和暖，春來腳較輕。鶯留花下立，鶴引水邊行。髮少嫌巾重，顏衰

---

36 王興：《磁州窯詩詞》，頁58。

37 〔清〕曹寅：《全唐詩》卷270，頁3018。

38 望野編著：《千年夢華——中國古代陶瓷枕·第二編》，頁102。

39 望野編著：《千年夢華——中國古代陶瓷枕·第二編》，頁102。

40 〔清〕曹寅：《全唐詩》卷379，頁4251。

41 郭學雷：《明代磁州窯瓷器》，頁146，圖3-132。

42 〔清〕曹寅：《全唐詩》卷365，頁4119。

43 葉喆民主編：《中國磁州窯·下》，頁168。按：王興謂河北磁縣文保所藏河北磁縣觀臺窯，見王興：《磁州窯詩詞》，頁49。

宋金元磁州窯瓷器題詩	唐五代文人詩
□□花下立，鶴引水邊行。	訝鏡明。不論親與故，自亦昧平生。」[44]
十二、賈島（西元779-843年）	
金　白地黑花八角形枕 **長江風送客，孤館雨留人。**[45]	明代楊慎《丹鉛總錄》卷十八「賈島佳句」：「賈島詩：『長江風送客，孤館雨留人』，二句為平生之冠，而其全集不載，僅見于坡詩注所引。」[46] 宋代蘇軾〈游寶雲寺得唐彥猷為杭州日送客舟中手書一絕句云：「山雨霏微不滿空，畫船來往疾輕鴻。誰知獨臥朱簾裏，一榻無塵四面風。」明日送彥猷之子坰赴鄂州，舟中遇微雨，感歎前事，因和其韻，作兩首送之，且歸其書唐氏〉一詩，南宋施元之注：「賈島詩：『長江風送客，孤館雨留人。』」[47]明代胡應麟《少室山房筆叢・藝林學山一》「賈島佳句」云：「賈島詩：『長江風送客，孤館雨留人。』全集不載，僅見於坡詩注所引。二語

---

44 〔清〕曹寅：《全唐詩》卷458，頁5203。

45 王興：《磁州窯詩詞》，頁46。

46 〔明〕楊慎：《丹鉛總錄》，卷18，收於〔清〕紀昀、永瑢等編：《景印文淵閣四庫全書》第855冊（臺北市：臺灣商務印書館，1986年），頁548。

47 〔宋〕蘇軾撰，施元之注：《施注蘇詩》，卷29，收於〔清〕紀昀、永瑢等編：《景印文淵閣四庫全書》第1110冊（臺北市：臺灣商務印書館，1986年），頁517。

宋金元磁州窯瓷器題詩	唐五代文人詩
	殊不類浪仙，似許渾、姚合語，坡注未足憑。」[48]
磁州窯 金　白地黑彩開光八角長枕 **松下問童子，言師採藥去。只在只（此）山中，雲深不知處。**[49]	《夢落華枕——金代瓷枕藝術》已指出出自唐代賈島〈尋隱者不遇〉。[50]唐代賈島〈尋隱者不遇〉，一作孫革〈訪羊尊師詩〉，詩云：「松下問童子，言師採藥去。只在此山中，雲深不知處。」[51]
磁州窯 金　綠釉劃花豆形枕 **九日不出門，十日見黃菊，時人賞繁英，美人無消息。**[52]	王興已指出為賈島〈對菊〉。[53]唐代賈島〈對菊〉：「九日不出門，十日見黃菊。灼灼尚繁英，美人無消息。」[54]
河北省邯鄲市文物保護研究所藏河北省邯鄲市峰峰礦區滏河大街出土 元　白地黑花大盆殘片 **落葉滿長安**[55]	葉喆民已指出為賈島〈憶江上吳處士〉「秋風生渭水，落葉滿長安」。[56]唐代賈島〈憶江上吳處士〉：「閩國揚帆去，蟾蜍虧（一作還）復團。秋風生渭水，落葉滿長安。此地聚會夕，當時雷雨

48 〔明〕胡應麟：《少室山房筆叢》（上海市：上海書店，2009年），卷19〈藝林學山一〉，頁193。

49 西漢南越王博物館、北京遼金城垣博物館編：《夢落華枕——金代瓷枕藝術》（北京市：北京聯合出版公司，2015年），頁125。

50 西漢南越王博物館、北京遼金城垣博物館編：《夢落華枕——金代瓷枕藝術》，頁125。

51 〔清〕曹寅：《全唐詩》卷574，頁6693。

52 王興：〈磁州窯的綠釉詩文枕〉，頁157-161。

53 王興：〈磁州窯的綠釉詩文枕〉，頁157-161。

54 〔清〕曹寅：《全唐詩》卷571，頁6628。

55 葉喆民主編：《中國磁州窯·上》，頁166，圖1-121。

56 葉喆民主編：《中國磁州窯·上》，頁166，圖1-121。

宋金元磁州窯瓷器題詩	唐五代文人詩
	寒。蘭橈殊未返，消息海雲端。」[57]
十三、張祜（約西元785-849年）	
廣州西漢南越王墓博物館藏山西晉南窯 金　三彩劃花六角形枕 故國三千里，深宮二十年。一聲何滿子，雙淚落君前。[58]	王興已指出為唐張祜〈宮詞〉。[59]唐代張祜〈宮詞〉二首其一：「故國三千里，深宮二十年。一聲河滿子，雙淚落君前。」[60]
十四、李涉（約西元806年前後在世）	
<u>河南許昌禹州窯場出土</u> 明　白地黑花褐彩盆殘片（附錄） 終日昏昏醉夢間，忽聞春盡強登山。因過竹院逢僧□，又得浮生半日□。[61]	郭學雷指出為李涉〈登山〉。[62]唐代李涉〈題鶴林寺僧舍〉（寺在鎮江）：「終日昏昏醉夢間，忽聞春盡強登山。因過竹院逢僧話，又（一作偷）得浮生半日閑。」[63]
十五、高駢（西元821-887年）	
河北省文物研究所藏一九六六年河北寧晉縣長路村東採集磁州窯 宋　白釉珍珠花邊如意形枕殘片 □□陰濃夏景長，□臺倒影入池溏	唐代高駢〈山亭夏日〉：「綠樹陰濃夏日長，樓臺倒影入池塘。水晶簾動微風起，滿架薔薇一院香。」[64]

---

57 〔清〕曹寅：《全唐詩》卷572，頁6647。

58 王興：《磁州窯詩詞》，頁83。

59 王興：《磁州窯詩詞》，頁83。

60 〔清〕曹寅：《全唐詩》卷511，頁5834。

61 郭學雷：《明代磁州窯瓷器》，頁79，圖2-117。按：郭學雷轉引 Yutaka Mino, Freedom of Clay and Brush through Seven Centuries in Northern China：Tz'u-zhou Type Wares, 960-1600A.D. Indiana University Press, Bloomington, 1981, p.249.

62 郭學雷：《明代磁州窯瓷器》，頁79，圖2-117。

63 〔清〕曹寅：《全唐詩》卷477，頁5429。

宋金元磁州窯瓷器題詩	唐五代文人詩
（塘）。□□簾動微風起，□□□□滿院香。[65]	
十六、羅鄴（西元825-？年）	
洪敏昌收藏磁州窯 金　褐釉鐵繪虎形枕 芳草和煙暖更青，閒門要路一時生。年年點檢人間事，唯有春風不世情。[66]	唐代羅鄴〈賞春〉（一作芳草，一作春遊鬱然有懷賦）：「芳草和煙暖更青，閒門要路一時生。年年點檢人間事，唯有春風不世情。」[67]
十七、羅隱（西元833-910年）	
私人收藏河北磁縣觀臺窯 金　綠釉豆形枕 〈古吟〉 道院迎仙客，書堂隱相儒。亭栽棲鳳竹，池養化龍魚。[68]	王興已指出此為羅隱〈過震居留題〉。[69]明代蔣一葵《堯山堂外紀》卷三十九：「高季昌初欲奏梁震為判官，震恥之，欲去，恐及禍，乃請以白衣侍樽俎，終身止稱前進士，不受高氏辟署。晚年，固請退居，築室於土洲，披鶴氅，每詣村，騎黃牛，自稱荊臺隱士，題院中壁曰：『桑田一變賦歸來，爵祿焉能浼我哉。黃犢依然花竹外，清風萬古凜荊

64　戴書田、張羽：〈河北省文物研究所藏磁州窯題字瓷器〉，《文物春秋》2002年第3期，頁51-56、頁51（照1）。

65　〔清〕曹寅：《全唐詩》卷598，頁6921。

66　國立歷史博物館編輯委員會編《百代昌吉——黑釉‧磁州‧吉州窯》（臺北市：國立歷史博物館，2004年），頁42-43。

67　〔清〕曹寅：《全唐詩》卷654，頁7524。

68　王興：《磁州窯詩詞》，頁73。

69　王興：〈磁州窯的綠釉詩文枕〉，趙學鋒主編：《磁州窯裝飾題材研究：第三屆國際磁州窯論壇文集》，頁157-161、頁158（圖2-1、2-2）。

宋金元磁州窯瓷器題詩	唐五代文人詩
	臺。』羅隱過震居留題曰：『道院迎仙客，書堂隱相儒。庭栽棲鳳竹，池養化龍魚。』[70]
上海私人收藏河南當陽峪窯造 金　綠釉劃花豆形枕 不論平地與山尖，無限風光盡被占。採得百花成蜜後，為誰辛苦為誰甜？[71]	王興已謂出自晚唐羅隱〈蜂〉。[72]唐代羅隱〈蜂〉：「不論平地與山尖，無限風光盡被占。採得百花成蜜後，為誰（一作不知）辛苦為誰甜。」[73]
十八、胡曾（西元840？-？年）	
磁州窯 金　綠釉劃花豆形枕 〈圯橋〉 廟算張良獨〔有〕餘，少年逃難下邳初。逡巡不進泥中履，爭得先生一卷書。[74]	王興已指出出自唐胡曾〈圯橋〉。[75]唐代胡曾《詠史詩·圯橋》：「廟算張良獨有餘，少年逃難下邳初。逡巡不進泥中履，爭得先生一卷書。」[76]
山東濟南市博物館藏河北峰峰礦區彭城窯 元　翠藍釉黑花罈 寂寂函關鎖未開，田文車馬出秦來。朱門不養三千客，誰為雞鳴得放回。[77]	唐代胡曾《詠史詩·函谷關》：「寂寂函關鎖未開，田文車馬出秦來。朱門不養三千客，誰為雞鳴得放回。」[78]
十九、杜荀鶴（西元846-906年）	

---

70 〔明〕蔣一葵：《堯山堂外紀》，收於四庫全書存目叢書編纂委員會編：《四庫全書存目叢書》子部第147冊（臺南市：莊嚴文化，1995年），卷39，頁733。

71 王興：〈磁州窯的綠釉詩文枕〉，頁157-161、頁159（圖10）。

72 王興：〈磁州窯的綠釉詩文枕〉，頁157-161。

73 〔清〕曹寅：《全唐詩》卷662，頁7594。

74 王興：〈磁州窯的綠釉詩文枕〉，頁157-161、頁158（圖5）。

75 王興：〈磁州窯的綠釉詩文枕〉，頁157-161。

76 〔清〕曹寅：《全唐詩》卷647，頁7422。

77 王興：《磁州窯詩詞》，頁126。

78 〔清〕曹寅：《全唐詩》卷647，頁7422。

宋金元磁州窯瓷器題詩	唐五代文人詩
邯鄲市峰峰礦區文物保管所藏河北邯鄲峰峰礦區彭城窯 元　白地黑花梅瓶 環肩處有詩句作：「古。半夜燈前十年是（事），一時隨雨到心頭。」[79]	唐代杜荀鶴〈旅舍（一作館）遇雨〉：「月華星彩坐來收，嶽色江聲暗結愁。半夜燈前十年事，一時和（一作隨）雨到心頭。」[80]
二十、曹松（西元？-903年）	
韓城市博物館藏陝西韓城礦務局工地出土磁州窯系 宋　瓷枕 木梢寒未覺，地脈暖先知。	唐代曹松〈立春日〉：「春飲（一作日）一杯酒，便吟春日詩。木梢寒未覺，地脈暖先知。鳥囀星沈後，山分雪薄時。賞心無處說，悵望曲江池（一作寧無剪花手，贈與最芳枝）。」[81]
二十一、船子德誠禪師（唐末）	
廣州西漢南越王墓博物館藏磁州窯系山西窯 北宋　白地劃花黑繪橢圓形枕 夜靜水寒魚不食，滿船空在（載）月明歸。[82]	王興已指出其出自唐代船子和尚德誠禪師詩。[83]宋代釋惠洪《冷齋夜話》卷七〈船子和尚偈〉：「華亭船子和尚偈曰：『千尺絲綸直下垂，一波纔動萬波隨。夜靜水寒魚不食，滿船空載月明歸。』叢林盛傳，想見其為人，宜州倚曲音成長短句曰：『一波纔動萬波隨，簑笠一鈎絲，金鱗

---

79 《磁州窯詩詞》、《磁州窯古瓷》均錄作：「心頭古，半夜燈，燈前十年是一時，一時隨雨到（心頭）。」參王興：《磁州窯詩詞》，頁124；郝良真等編著：《磁州窯古瓷》（西安市：陝西人民美術出版社，2003年），頁78。

80 〔清〕曹寅：《全唐詩》卷693，頁7982。

81 〔清〕曹寅：《全唐詩》卷717，頁8236。

82 王興：《磁州窯詩詞》，頁38。

83 王興：《磁州窯詩詞》，頁38。

宋金元磁州窯瓷器題詩	唐五代文人詩
	正在深處，千尺也須垂，吞又吐，信還疑，上鈎遲，水寒江靜，滿目青山，載月明歸。』」[84] 宋代黃庭堅〈訴衷情・漁父〉：「一波纔動萬波隨，簑笠一鈎絲，錦鱗正在深處，千尺也須垂。　吞又吐，信還疑，上鈎遲，水寒江靜，滿目青山，載月明歸。」[85]
二十二、周曇（唐末）	
山西省晉中市榆次區文管所藏磁州窯 宋　白釉褐彩枕 **師保何人謂琢磨，安知父祖苦辛多。酒酣禽色方為樂，詎肯閑聽五子歌。**[86]	唐代周曇《三代門・太康》：「師保何人為琢磨，安知父祖苦辛多。酒酣禽色方為樂，詎肯閑聽五子歌。」[87]
二十三、褚載（唐末五代宋初，西元898年進士及第）	
汝州市汝瓷博物館藏磁州窯系 金　白地繪黑花八角長方枕 **秦築長城比鐵牢，蕃戎不敢過臨洮。焉知萬里連雲色，不及堯階三尺高。**[88]	葉喆民謂此詩本是晚唐詩人汪遵所作。[89]誤，應為唐代褚載〈長城〉：「秦築長城比鐵牢，蕃戎不敢過臨洮。焉知萬里連雲色，不

---

84 〔宋〕釋惠洪：《冷齋夜話》，卷7，收於〔清〕紀昀、永瑢等編：《景印文淵閣四庫全書》第863冊（臺北市：臺灣商務印書館，1986年），頁265。

85 〔宋〕黃庭堅：〈山谷琴趣外篇〉，收於《四庫叢刊・廣編》第35冊（臺北市：臺灣商務印書館，1981年），卷3，頁15。

86 許桂梅、秦志強：〈榆次館藏磁州窯瓷枕〉，《文物世界》2006第5期，頁5-7，圖5。

87 〔清〕曹寅：《全唐詩》卷728，頁8338。

88 葉喆民：《隋唐宋元陶瓷通論》（北京市：紫禁城出版社，2003年），頁123-124，圖66。

89 葉喆民：《隋唐宋元陶瓷通論》，頁123-124，圖66。

宋金元磁州窯瓷器題詩	唐五代文人詩
	及堯階三尺高。」[90]
二十四、張白（五代宋初）	
觀復博物館藏磁州窯系 金　白釉褐彩梅瓶 **武陵城裡崔家酒，天上應無地下有。**[91]	馬未都已指出為唐張白〈贈酒店崔氏〉。[92]唐代張白〈贈酒店崔氏〉：「武陵城裡崔家酒，地上應無天上有。南游道士飲一斗，臥向白雲深洞口。」[93]

　　上表所列瓷器題唐五代文人詩歌，有半數借重前輩學者考證之成果，已於各欄位加註說明，另半數則為此次筆者考索得出的。左右欄相比較，我們可以發現宋金元磁州窯瓷器題詩中，屬於對唐五代文人詩歌直接引述一類的作品，它們大多數的詩句和原作相同，僅少部分有一、二個字詞有別，且對整體詩意的影響並不大，應是傳播過程無意識下所造成的，可視為同一作品的異文。

三　宋金元磁州窯瓷器題詩對唐五代文人詩歌的改寫化用

　　宋金元磁州窯瓷器題唐五代文人詩歌，也有一部分對原作進行改寫、化用的。它們有的是進行幅度或小、或大的改寫，有的則是不改變原作，但為之增添了新的文句。所謂幅度小的改寫，是瓷器題詩與原作相較，雖僅是一、二字的差別，但詩傳達的意象、情景卻因而不同，如上海博物館藏一件

90　〔清〕曹寅：《全唐詩》卷694，頁7991。

91　馬未都：《瓷之紋》（北京市：故宮出版社，2013年），頁543；杭天：《西夏瓷器》（北京市：文物出版社，2010年），頁128，T6019。

92　馬未都：《瓷之紋》，頁543；杭天：《西夏瓷器》，頁128，T6019。

93　〔清〕曹寅：《全唐詩》卷861，頁9736。

河南禹縣扒村窯金代褐彩臥婦枕題詩云：「葉落猿啼霜滿天，江邊漁父對愁眠。」[94]而張繼〈楓橋夜泊〉（一作〈夜泊楓江〉）作：「月落烏啼霜滿天，江楓漁父（一作火）對愁眠。姑蘇城外寒山寺，夜半鐘聲到客船。」[95]王興以為臥婦瓷枕所題是對張繼的仿作，[96]二者最主要的差別，是「月落烏啼」於臥婦瓷枕作「葉落猿啼」，整體的詩意差異或不大，但展現出的各別物象、景象終究不同，且「葉落猿啼」與劉長卿〈將赴嶺外留題蕭寺遠公院〉的「葉落猿啼傍客舟」[97]反倒更相合。又如一件磁州窯金代白地黑花腰圓形枕題詩云：「百錦蕊腰帶，真珠絡臂鈎。笑時花近黶，舞罷錦纏頭。」[98]即取自杜甫〈即事〉，詩云：「百寶裝腰帶，真珠絡臂韝。笑時花近眼，舞罷錦纏頭。」[99]原作「百寶裝」變為「百錦蕊」，「臂韝」變為「臂鈎」，或可以異文視之，但更大的可能是製瓷者為求平易而改寫，而二者最大的不同，是「笑時花近眼」一句，瓷枕改作「笑時花近黶」，原作勾勒的是嫣然一笑的美麗姿容如花朵映入眼中，瓷枕則是強調笑黶之美勝過花朵，展現出的畫面與效果更為鮮明、直接。

另有一種類型是四句或二句的瓷器題唐五代文人詩歌，僅一、二句和原作相同，如中國磁州窯博物館藏一件一九七三年河北磁縣冶子村出土元代白地黑花長方形枕，題詩云：「危樓高百尺，手可摘星辰。不敢高聲語，恐驚天上人。」[100]王興謂南宋楊大元詩，仿唐李白〈題峰頂寺〉，[101]而葉喆民以為出自李白〈夜宿山寺〉，[102]王興所說的楊大元，應是楊大年的訛誤，而楊

---

94 王興：《磁州窯詩詞》，頁86。

95 〔清〕曹寅：《全唐詩》卷242，頁2721。

96 王興：《磁州窯詩詞》，頁86。

97 〔清〕曹寅：《全唐詩》卷151，頁1567。

98 趙學鋒主編：《白地黑花的綻放：第二屆國際磁州窯論壇邀請展》（石家莊市：河北美術出版社，2012年），頁9。

99 〔清〕曹寅：《全唐詩》卷226，頁2447。

100 葉喆民主編：《中國磁州窯‧下》，頁247。按：王興謂河北磁縣文保所藏，產地河北磁縣觀臺窯，王興：《磁州窯詩詞》，頁111。

101 王興：《磁州窯詩詞》，頁111。

102 葉喆民主編：《中國磁州窯‧下》，頁247。

大年即楊億，卒諡文，故人稱楊文公。[103]其實，與此瓷器題詩相涉的，除了李白、楊億之外，尚有王禹偁。宋代阮閱《詩話總龜》後集卷二引《古今詩話》曰：「楊文公數歲不能言，一日家人抱登樓，忽觸其首，便能語，家人曰：『既能言，可為詩乎？』曰：『可。』遂吟〈登樓詩〉，云：『危樓高百尺，手可摘星辰。不敢高聲語，恐驚天上人。』」[104]據此可知，楊億年幼時作的〈登樓詩〉，和瓷枕所題寫完全相同，只是宋代趙令畤《侯鯖錄》卷二有云：「曾阜為蘄州黃梅令，縣有峯頂寺，去城百餘里，在亂山群峯間，人跡所不到。阜按田偶至其上，梁間小榜，流塵昏晦，乃李白所題詩也，其字亦豪放可愛。詩云：『夜宿峯頂寺，舉手捫星辰。不敢高聲語，恐驚天上人。』（或云：王元之少年〈登樓詩〉云：『危樓高百尺，手可摘星辰。不敢高聲語，恐驚天上人。』）」[105]在此，同樣的〈登樓詩〉卻被認為是王禹偁少年時之作，同時，也提到曾鞏的弟弟曾阜，曾於蘄州黃梅峯頂寺見到有一首李白題詩，與〈登樓詩〉的三、四句是相同的。這樣的狀況比較合理的解釋，是此首題峯頂寺詩本為李白所作，大約到了宋初，第一、二句被改寫成「危樓高百尺，手可摘星辰」，如此，用語更為平易，敘及的物象也更具普遍性，因而更廣泛地流傳於民間，進而被黏附於王禹偁、楊億身上，用以強化二人聰穎早慧的形象，甚至到了元代仍流傳著，才會為製瓷者援引題寫於瓷枕上。

　　這一類型的瓷器題詩，還有其他例子：一件私人收藏河北峰峰礦區彭城窯北宋白釉劃花橢圓形枕題詩云：「禁煙山色雨昏昏，立馬垂鞭看右賁。借問酒家何處好，牧童遙指杏花村。」[106]而杜牧〈清明〉作：「清明時節雨紛紛，路上行人欲斷魂。借問酒家何處有，牧童遙指杏花村。」[107]二者的

103　昌彼得等編：《宋人傳記資料索引》（臺北：鼎文書局，2001年），頁3136。

104　〔宋〕阮閱：《詩話總龜》（臺北市：廣文書局，1973年），後集卷2〈幼敏門〉，頁69。

105　〔宋〕趙令畤：《侯鯖錄》（北京市：中華書局，2004年），卷2「峯頂寺李白題詩」，頁69。

106　王興：《磁州窯詩詞》，頁23。

107　此詩是否為杜牧之作，仍有歧見，今姑置於杜氏名下。詳見吳在慶：《杜牧繫年校注》第4冊（北京市：中華書局，2008年），頁1432。

三、四句相同，瓷枕題詩顯然是以〈清明〉為基礎進行了改寫，「右賣」較費解，考慮與「村」字須同韻，則「賣」應是通「墳」，可解作「三墳五典」，指的是「左右典墳」，如此一來，原本哀傷沉鬱的情調，因而減省了幾分。又據傳出於山西長治窯一件金代白地黑彩八角枕題詩云：「三十餘年學畫眉，無人曾道愛花枝。但看三月春殘後，門外清陰是阿誰。」[108]李山甫〈柳〉十首其六云：「終日堂前學畫眉，幾人曾道勝花枝。試看三月春殘後，門外青陰是阿誰。」[109]二者仍舊是三、四句幾乎相同，一、二句則有些歧異，特別是李山甫的「終日堂前學畫眉」一句，瓷枕作「三十餘年學畫眉」，讓原本時空兼有之的表述，僅剩時間一項，但時間拉長了，也順勢拉長了人比花嬌的時間感。另有私人收藏河南鶴壁窯一件元代白地黑花罈的環肩處題有詩句作：「春醉幾逢花爛熳，秋吟晨（曾）對月嬋娟。」[110]唐代王渙〈上裴侍郎〉一詩作：「青衿七十牓三年，建禮含香次第遷。珠彩下連星錯落，桂花曾對月嬋娟。玉經磨琢多成器，劍拔沈埋更倚天。應念銜恩最深者，春來為壽拜尊前。」[111]製瓷者可能是因瓷罈環肩的空間有限，截取七律中的二句，並做了改造，「珠彩下連星錯落」一句為「春醉幾逢花爛熳」所取代，而「桂花」應當也是為了與「春醉」對仗，改作「秋吟」，這樣的調整、改變，可能也是因應被題寫的器物為酒罈，題寫內容若與酒相關，當更能與器物相互烘襯。

還有一種瓷器題唐五代文人詩歌和原作差別不大，甚至完全相同，只是它們除了題寫原作外，另外新添了其他的文句，讓唐人的詩作，有了新的面貌。如一件私人收藏河北省邯鄲市峰峰礦區北宋末白釉豆形枕，中間分右左二行各別書寫「見賢」與「思齊」四個大字，右左兩側則以較小的文字分別題寫「山花插寶髻」及「石竹繡衣裳」[112]，這二句詩句出自李白〈宮中行

---

108 望野編著：《千年夢華——中國古代陶瓷枕・第二編》，頁48。
109 〔清〕曹寅：《全唐詩》卷643，頁7376。
110 王興：《磁州窯詩詞》，頁129。
111 〔清〕曹寅：《全唐詩》卷690，頁7919。
112 葉喆民主編：《中國磁州窯・下》，頁56。

樂詞〉八首其一，詩云：「小小生金屋，盈盈在紫微。山花插寶髻，石竹繡羅衣。每出深宮裏，常隨步輦歸。只愁歌舞散（一作罷），化作綵雲飛。」[113]本是用以描摹宮娥穿著打扮的「山花插寶髻，石竹繡羅衣」，「羅衣」被改為「衣裳」，題寫於瓷枕上，若未有瓷枕中間「見賢思齊」四個大字，大可以異文視之。惟審視枕面文字題寫的整體布局，置中的「見賢思齊」四大字應是最主要的訴求，「山花插寶髻，石竹繡羅衣」則成了「見賢思齊」的補充說明，也就是說，「山花插寶髻，石竹繡羅衣」在此件瓷器上，應是富貴利達的象徵，這應當也是製瓷者會以較具普遍性的「衣裳」一詞，取代較具陰柔特性的「羅衣」的根本因由。

又有二件瓷枕題寫白居易〈自河南經亂關內阻饑，兄弟離散各在一處，因望月有感，聊書所懷，寄上浮梁大兄，於潛七兄，烏江十五兄，兼示符離及下邽弟妹〉一詩，[114]分別為：第一，美國李清華舊藏南宋紹興元年（1131）白釉劃花豆形枕，題云：「時難年荒事業空，弟兄羈旅各西東。田園寥落干戈後，骨肉流離道路中。弔影分為千里雁，辭根散作九秋蓬。共看明月應垂淚，一夜鄉心五處同。余游于潁水，聞金兵南退，觀路道旁，骨肉滿地，不覺淚下，為路途堵塞，未便前往，仍返原郡，作詩一首。時在紹興紀元春二月朔日也，黃山樵子并題。」[115]第二，日本梅澤彥太郎收藏磁州窯系河南窯南宋紹興三年（1133）綠釉劃花長方形枕，題云：「時難年荒事業空，弟兄羈旅各西東。田園寥落干戈後，骨肉分離道途中。弔影分為千里雁，辭根散作九秋蓬。共看明月應垂淚，一夜鄉心五處同。余游潁川，聞金兵南竄，觀路兩旁，骨肉滿地，可歎！為路途堵塞，不便前往，仍返原郡。又聞一片喧嘩，自覺心慌，思之傷心悲歎。在家千日好，出門一時難，只有作枕少覺心安。余困居寒城半載，同友修枕共廿有餘。時在紹興三年清和望

---

113 〔清〕曹寅：《全唐詩》卷28，頁408。

114 〔清〕曹寅：《全唐詩》卷436，頁4839。

115 北京大學考古學系等著：《觀臺磁州窯址》，圖版123（CXXIII）。《觀臺磁州窯址》一書未交代收藏者，今則據劉濤補，見劉濤：《宋金紀年瓷器》，頁201，表二〈國內外收藏宋金紀年銘文瓷器簡表〉。

日也。」[116]王興已指出第二件在題寫完白居易〈望月有感〉後，製瓷者書寫出自己的感歎。[117]其實，製作年代稍早於第二件的第一件瓷枕，製瓷者黃山樵子在題寫完白居易詩後，也書寫了一段文字，用以表達身處受金兵侵擾的潁川之心境，而且還說「仍返原郡，作詩一首」，儼然將前半段引述自白居易的詩句，當作自己的創作，也就是說，製瓷者結合白居易詩與自己的文字來抒發個人境遇與心情，我們逐可將之視為白居易〈望月有感〉的再創作。第二件雖未直接表述詩歌為己作，但仍舊是融白居易〈望月有感〉與書寫自己心境之文字於一體，且也援引了應是當時流行的俗語「在家千日好，出門一時難」，[118]難能可貴的是製瓷者自謂「作枕少覺心安」，且還說：「余困居寒城半載，同友修枕共廿有餘」，看來這位修製瓷枕者，應是遊走至潁川碰上金兵侵擾而被迫留下的外地人，製瓷非他的本業，他只是協助友人製瓷而已。

最有意思的是一件題名為〈柳枝〉的瓷枕，現藏於浙江省博物館，是出自磁州窯系金代早期白地黑花腰圓形枕，該題詩云：「拂水斜煙一萬條，迴臨村野傍溪橋。情人不折還堪恨，爭那殘春又寂寥。」[119]第一句出自趙嘏〈東亭柳〉，詩云：「拂水斜煙一萬條，幾隨春色倚（一作醉）河橋。不知別後誰攀折，猶自風流勝舞腰。」[120]第二句出自張謂〈早梅〉，一作戎昱，詩云：「一樹寒梅白玉條，迴臨林村（一作村路）傍谿橋。不知（一作應緣）近水花先發，疑是經春（一作冬）雪未銷。」[121]第三句出自薛能〈楊柳

---

116 王興：《磁州窯詩詞》，頁77；北京大學考古學系等著：《觀臺磁州窯址》，圖版123（CXXIII）。

117 王興：《磁州窯詩詞》，頁77。

118 這二句在明清戲曲、小說中也時常可見，如明代李開先《斷髮記‧淑英走雪》有「積雪者漫漫，長風吹鬢寒。在家千日好，出路半朝難。」（〔明〕胡文煥編：《群音類選》第5冊，臺北市：臺灣學生書局，1987年，卷3〈諸腔類〉，頁1638。）由此可知，此二句至少在南宋時已開始流行，到明清仍為人所習用。

119 浙江省博物館編：《夢之緣起：清雅集古珍藏古代瓷枕》（杭州市：浙江人民美術出版社，2015年），頁140，編號037。

120 〔清〕曹寅：《全唐詩》卷550，頁6374。

121 〔清〕曹寅：《全唐詩》卷197，頁2022；卷270，頁3009。

枝〉十首其四，詩云：「狂似纖腰軟勝綿，自多情更要誰憐。遊人不折還堪恨，拋向橋邊與路邊。」[122]〈柳枝〉的頭三句分別與原作相較，會發現它們僅若干字句略有不同，可以異文視之，而第三句的「情人」，原作為「遊人」，則應是有意識地改寫，如此更能和製瓷者自行補上且不避口語詞的末句——「爭那殘春又寂寥」相應，成為一首宛若全新，意象更鮮明，且雅俗交融的惜春情詩。

從上述這一類對唐五代文人詩歌進行改寫化用的瓷器題詩，雖可視為雅文化的延伸，但它們有部分對原作做了修訂與取捨，也有向俗文化靠攏的傾向。

四　宋金元磁州窯瓷器題詩與長沙窯瓷器題詩、敦煌詩歌之關係

宋金元磁州窯瓷器題詩有二件與長沙窯瓷器題詩、敦煌詩歌近同。其一為私人收藏產於河北峰峰礦區彭城窯的金代白地黑花雙繫瓶，詩云：「春人飲春酒，春杖打春牛。」[123]與敦煌文獻日本三井文庫藏一〇三號《成唯識論》卷背題詩近同，詩云：「春日春風動，春山春水流。春人飲春酒，春棒打春牛。」[124]三、四句與瓷器題詩僅一字不同。又 P.3597、北京中國書店藏《佛說無量壽宗要經》卷背二寫本有詩云：「春日春風動，春來春草生。春人飲春酒，春鳥弄春聲。」[125]「春人飲春酒」一句與磁州窯瓷器題詩相同，而唐代長沙窯瓷器也有二件的題詩有「春人飲春酒」之句，詩云：「春水春池滿，春時春草生。春人飲春酒，春鳥嗶春聲。」[126]可見此類春字詩

122　〔清〕曹寅：《全唐詩》卷28，頁402。

123　王興：《磁州窯詩詞》，頁123。

124　徐俊：《敦煌詩集殘卷輯考》（北京市：中華書局，2000年），頁937。

125　徐俊：《敦煌詩集殘卷輯考》，頁285。

126　長沙窯課題組編：《長沙窯》（北京市：紫禁城出版社，1996年）圖版65；徐俊：〈唐五代長沙窯瓷器題詩校證〉，《唐研究》第4卷，1998年，頁67-97。按：對此三種文獻中的春字詩，筆者於〈唐五代詩歌的通俗化與商品化——以敦煌詩歌與長沙窯瓷器題

於民間流傳的時間與空間跨度之廣。其實，類似的作品早在南朝已可見，梁元帝〈春日詩〉曰：「春還春節美，春日春風過。春心日日異，春情<u>處處</u>多。<u>處處</u>春芳動，日日春禽變。春意春已繁，春人春<u>不見</u>。<u>不見</u>懷春人，徒望春光新。春愁春自<u>結</u>，春<u>結</u>詎能申。欲道春園趣，復憶春時<u>人</u>。春<u>人</u>竟何在，空爽上春期。獨念春花落，還似昔春時。」[127]除了每一句有一至二個「春」字外，梁元帝還讓每四句為一章、前後章形成銜頭接尾的連環體，此一形式較上述的長沙窯、磁州窯瓷器題詩或敦煌詩的春字詩難度為高。

其二則是河北省文物研究所藏一件一九五九年磁縣岳城水庫工地出土元代白地黑花長方形枕題〈草書歌〉，云：「磨墨磨墨，飲酒飲酒，展三幅絹，舒一隻手。<u>浩浩風雲筆下生，颯颯龍蛇腕前走</u>。好似趙飛燕，盤舞曲未終，□似周將軍，提定蛟龍首。一筆來，一筆去，通臂猿猴使拈柱，<u>黑虎巴山揭拒石，烏蛇到（倒）掛枯松樹</u>。或時真（嗔），或時喜，半盆□水助神鬼，鍾馗拖定裂繳□，□路拔出大蟲尾。寫來四□□□□，二十八條龍出水。」[128]而 P.2555卷背一首七言四十句的馬雲奇〈懷素師草書歌〉，與上述七言為主穿插三、四、五言的〈草書歌〉句式雖有異，但它們採擇的物象，卻有不少近同之處，該詩云：「懷素纔年三十餘，不出湖南學草書。……<u>含毫勢若斬蛟龍</u>，挫管還同斷犀象。興來索筆縱橫掃，滿座詞人皆道好。<u>一點三峰巨石懸，長畫萬歲枯松倒</u>。……<u>壁上颼颼風雨飛，行間屹屹龍蛇動</u>。在身文翰兩相宜，還如明鏡對西施。三秋月澹青江水，二月花開綠樹枝。聞道懷書西入秦，客中相送轉相親。君王必是收狂客，寄語江潭一路人。」[129]龍蛇、蛟龍、巨石、枯松等都是瓷器題〈草書歌〉與敦煌本〈草書歌〉都有的。對此，筆者曾考證過，以為敦煌本〈草書歌〉的作者馬雲奇，極可能就是唐代

詩為中心〉（《中文學術前沿》第12輯，杭州市：浙江大學出版社，2016年6月，頁31-47）一文曾有過討論。

127 〔唐〕歐陽詢：《宋本藝文類聚》第1冊（上海市：上海古籍出版社，2013年），卷3〈歲時部上〉，頁93。

128 葉喆民主編：《中國磁州窯・上》，頁179-180，圖1-130A、B。按：王興謂產地河北磁縣觀臺窯，王興：《磁州窯詩詞》，頁109。

129 徐俊：《敦煌詩集殘卷輯考》，頁752。

權德輿的〈馬秀才草書歌〉那位大理馬正之子的馬秀才，[130] 而元代瓷枕上題寫的〈草書歌〉作者，至少應是讀過馬雲奇〈懷素師草書歌〉，再進行創作的，二者始有這麼多雷同之處。[131]

五　結論

　　綜觀前文針對宋金元磁州窯瓷器題唐五代詩歌之考論，我們可以發現：就體裁形式來看，磁州窯瓷器題唐五代詩歌，半數為七言絕句，而五言絕句、五言律詩則各佔四分之一，少部分為七言律詩、七言對句。就題寫之形態而言，有半數瓷器題寫原作全首，另一半則從原作簡擇二句，僅少數題寫一句；而題寫原作全首者，原作幾乎都是五、七言絕句，僅白居易〈望月有感〉為七律，簡擇原作一、二句題寫者，原作則是律、絕均有之，往往是截取律、絕中之景語。進而分析題寫之詩句所呈現的整體主題情調，大體以閑適的節候景物為主，懷人閨情為輔，少部分為詠史或與酒相關，此一現象可從瓷器之用途來思考。由於題寫有唐五代詩歌的宋金元磁州窯瓷器，多數為供作寢具之用的瓷枕，閑適、懷人的詩歌主旋律應是合適的，而部分題寫詠史詩，大概是為自我惕厲。而題寫與酒相關詩句的器型，正好多為罈、瓶，可見製瓷者應是考慮到這些器物是為盛裝美酒佳釀，而選擇題寫了不同主題風格的詩歌。另外，宋金元三個不同時期的磁州窯瓷器，均可見它們對唐五代詩歌的題寫，而不管是就數量，或作品的體裁形式、主題情調，並未見有哪個時期對哪一類型、風格的詩歌特別看重的，這大概也是因製瓷者主要思考的仍是器物的用途，宋金元審美觀的流變尚無法從這些瓷器題詩中觀察到。還有一點值得一提的，是部分宋金元磁州窯瓷器題詩對唐五代文人詩歌進行了改寫化用，我們可以發現它們有通俗化的現象，也就是有向俗文化靠攏的傾向，形成雅、俗交融的獨特樣貌。

130　〔清〕曹寅：《全唐詩》卷327，頁3665。

131　楊明璋：〈宋金元磁州窯瓷器題樂府詩輯考〉，《樂府學》第17輯，頁267-279。

指畫絕域山川
——沈垚及其流散海內外的佚文

朱玉麒

北京大學歷史學系暨中國古代史研究中心教授

提要

　　沈垚（1798-1840）是嘉道年間西北輿地學的中堅力量。他雖然以西北歷史地理的研究名世，其博涉廣聞，在傳統學術的多個方面都有所涉獵。由於英年早逝，使其長才未展，著述零散，而隻言片語，都體現出其超邁時代的學識和才分。他的著作雖經友朋廣為搜羅刊刻，仍有遺漏。本文通過對流散在海內外沈垚佚作的搜羅和考索，論述其學術的多方面成就及其學術交往的細節。如流散在俄羅斯莫斯科國立圖書館的《灤陽館遺文》，可能是沈垚著述在生前結集的文本；日本關西大學內藤文庫中的信札，則揭示了作者完成《西遊記金山以東釋》的研究過程，可以幫助我們訂正此篇力作寫成於道光十七年的時間；對於《臺灣鄭氏始末》中海島洲嶼的注釋等，則體現出其地理學的嗜好不僅侷限於西北絕域的廣博視野。

關鍵詞： 沈垚　西北輿地　佚文　《灤陽館遺文》　《臺灣鄭氏始末》注

一　已經刊刻的沈垚文集

　　嘉道之際出現於中國學術史上的西北輿地之學，以祁韻士（1751-1815）、徐松（1781-1848）為代表，已然成為共識。圍繞在他們周邊的一批學者，奠定了作為一個學術流派共生的重要人才因素。沈垚（1798-1840）即其中的中堅力量。

　　沈垚字子惇，浙江烏程（今屬湖州）人。道光十五年（1835）北上參加順天鄉試，屢試不第，即受邀移居徐松家中，幫助整理西域文稿，其後又為姚元之（1776-1852）、徐寶善（1790-1838）所邀，協助編修《國史地理志》、《大清一統志》。在北京窘迫的流寓生活，使其自身長才未及施展，即齎志以歿。沈曾植（1850-1922）以為「使其書成，固當軼出於石洲、默深、願船以上」[1]。其文稿最初由張穆（1805-1849）編輯為《落帆樓文稿》，於道光二十九年由《連筠簃叢書》刻版印行[2]。其後有章壽康（1850-1906）、劉世珩（1874-1926）編輯《落帆樓文集賸稿》二卷，於光緒二十二年（1896）由《聚學軒叢書》付梓。其後又有鄉人汪曰楨（1813-1881）在此基礎上廣肆搜羅，編成《落帆樓文集》，於民國七年（1918）由劉承幹（1881-1963）《嘉業堂叢書》刻版印行（圖一）。

　　以上的幾次編輯，成為我們之前研究西北史地學及沈垚的重要參考。茲列目如下（他人序跋等略去，表一）：

1　沈曾植〈落帆樓文集序〉，沈垚《落帆樓文集》卷首，《嘉業堂叢書》民國七年刊本，葉2正。

2　《落帆樓文稿》四卷，靈石楊氏《連筠簃叢書》本，牌記作「道光廿七年靈石楊氏刊道州何紹基題」，往往作是書刊刻年代，然據卷首張穆〈落颿樓稿序〉，則書「道光二十九年閏四月平定張穆序」，則此二十七年為何紹基題簽時年，刻版印刷則當在道光二十九年或之後。

表一　《落帆樓文稿》、《落帆樓文集賸稿》、《落帆樓文集》目錄比較

序號	《落帆樓文稿》（1849）	《落帆樓文集》（1918）
1	卷一 六鎮釋	卷一　前集一 六鎮釋
2	新疆私議（附：蔥嶺南北河考）	新疆私議（附：蔥嶺南北河考）
3	卷二 宋神宗用兵西夏論（附：宥州答問）	卷二　前集二 為人後者為所生服議上
4	為人後者為所生服議上	為人後者為所生服議下
5	為人後者為所生服議下	殤不當立後議
6	殤不當立後議	宋神宗用兵西夏論（附：宥州答問）
7	晉書賀循傳書後	晉書賀循傳書後
8	喪服足徵記書後	喪服文足徵記書後
9	與張淵甫書（去歲垚以）	與張淵甫書履一名生洲（歲華不留）
10	與張淵甫書二（承示大著）	再與張淵甫書（去歲垚以）
11	答張淵甫書（接尊書於）	答張淵甫書（接尊書於）
12	與張淵甫書（歲華不留）	答徐星伯中書書松（沈垚頓首）
13	與徐星伯中書書（淵甫書來）	與徐星伯中書書（淵甫書來）
14	答徐星伯中書書（沈垚頓首）	卷三　前集三 漳北滱南諸水考
15	丸熊圖跋	卷四　後集一 史論立名篇
16	恩貢生戴君墓表	史論風俗篇
17	陶然亭燕集記	泥水考
18	明御馬監勇士縣牌跋（牌兩面有）	家譜序
19	與王騰軒書（騰軒仁兄）	書盛眉庵唐述山房日錄後朝勳
20	卷三　漳北滱南諸水考	重修徐俟齋先生祠記
21	卷四　西遊記金山以東釋	與徐星伯中書論地理書（星伯先生閣下）

	《落帆樓文集賸稿》（1896）	
22	卷一　答張淵甫書（接奉手書）	與徐星伯中書論河南志書（日前奉教）
23	答許海樵書（來書殷殷）	與龔定庵書_{自珍}（定庵先生閣下）
24	史論立名篇	與溫鐵華書_{曰鑑}（承示所著）
25	史論風俗篇	紀思詒事略_{慶曾}
26	泥水考	卷五　後集二 都統銜工部右侍郎前太子太保武英殿大學士諡文清松筠公事略
27	家譜序	都察院左副都御史提督安徽學政鄂木順額公遺事述
28	書盛眉庵唐述山房日錄後	卷六　後集三 西遊記金山以東釋
29	重修徐俟齋先生祠記	卷七　外集一 連叔度周易辨畫序（以下各篇楷體目錄，為前此《落帆樓文稿》、《落帆樓文集賸稿》所未收）
30	與徐星伯中書論地理書（星伯先生閣下）	元史氏慶源碑跋
31	與徐星伯中書論河南志書（日前奉教）	元史進道碑跋
32	與龔定庵書（定庵先生閣下）	元曲陽縣重修真君觀碑跋
33	與溫鐵華書（承示所著）	元北嶽廟題名殘字跋
34	紀思詒事略	元北嶽廟題名跋
35	卷二 都統銜工部右侍郎前太子太保武英殿大學士諡文清松筠公事略	元真定路中山府成宗崇奉孔子詔碑跋
36	都察院左副都御史提督安徽學政鄂木順額公遺事述	元南宮縣扁鵲廟記跋

37		元保定路唐縣武宗加封孔子誥碑跋
38		又碑陰跋
39		元中山府加號孔子大成碑樓記跋
40		元唐縣學記跋
41		元房山雲居寺藏經記跋
42		元中山周氏義行銘跋
43		元保定路唐縣靈源山壽聖寺雲公大和尚塔銘跋
44		元重修華嚴書經本記跋
45		元中山聖廟禮器記跋
46		丸熊圖跋
47		丙申四月陶然亭燕集記
48		記湯侍郎告門生語金釗
49		記小皮受撻
50		與沈小湖學使書維鐍
51		答王亮生書鎏
52		謝府君家傳
53		恩貢生戴君墓表
54		張孺人墓志銘
55		卷八 外集二 簡札摭存上 與張秋水鑑（凡3札）
56		與盛眉庵朝勳
57		與張淵甫屨（凡20札，「承示大著」、「接奉手書」之外18札，前此未收）
58		與孫愈愚燮（凡9札）
59		卷九 外集三 簡札摭存中 與許海樵旦復（凡33札，僅「來書殷殷」前此已收）

60		卷十 外集四 簡札摭存下 與王亮生鎏（凡4札）
61		與吳半峰汝雯（凡3札）
62		與沈柳橋登瀛（凡9札）
63		與紀石齋磊（凡3札）
64		與丁子香桂（凡8札）
65		卷十一 外集五 雜著彙存上 詩音考
66		讀註疏雜辨
67		爾雅正義雜辨
68		梁書釋官
69		卷十二 外集六 雜著彙存中 後漢書注地名錄
70		水經注地名釋
71		元史地理志釋
72		西北地名雜考
73		卷十三 外集七 雜著彙存下 校河南志
74		校東京夢華錄
75		校唐述山房日錄
76		西域小記
77		元和郡縣志補圖
78		卷十四至二十三 外集八至十七 地道記一至十
79		卷二十四 別集 詩本音解
80		采蘋之詩鄭箋解
81		傳注后土不同解

82		古人廟制南向解
83		諸侯命圭解
84		庸蜀羌髳微盧彭濮攷
85		毛詩傳以重言釋經一字攷
86		論語古今文異同攷
87		尚書今古文辯
88		姚野橋梅花冊跋
89		薦畫友與人書
90		費席山先生七十雙壽序
91		補遺 王約甫文稿敘
92		張頌江遺詩序
93		壽蘇年丈文
94		陳母姜太孺人六十壽
95		某君傳
96		曹母王恭人墓志銘
97		例封安人馬安人墓碣銘
98		公祭王母周太孺人文

　　從以上的收錄來看，《落帆樓文稿》、《落帆樓文集賸稿》的先後搜羅，獲得了沈垚著作的重要文章三十六篇。汪曰楨後來居上，因地利之便，在家鄉廣肆搜集，因而匯集了存世的一八一篇文章。不過，他也遺漏了《落帆樓文稿》中的〈明御馬監勇士縣牌跋〉、〈與王腜軒書〉兩篇。總計以上的刊刻，沈垚存世的文章多達一八三篇，對於我們瞭解這位英年早逝的學者的學術成就，應該說是比較完備的內容。

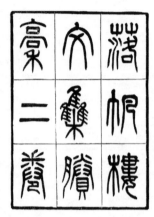

圖一　《落帆樓文稿》、《落帆樓文集賸稿》、《落帆樓文集》書影

　　即使如此，沈垚作品的散落，仍在所難免。據筆者近年搜討，補苴如下，以為沈垚研究者所共享。

二　散佚的沈垚作品

（一）《灤陽館遺文》二卷

　　《灤陽館遺文》二卷，今藏莫斯科俄羅斯國立圖書館（原蘇聯國立列寧圖書館）稿本部。其書為來華的俄羅斯學者康士坦丁・安・斯卡奇科夫（K・I・Skachkov，漢名孔琪庭，1821-1883）的舊藏。斯卡奇科夫於一八四八至一八五七年被派往北京建立俄國東正教團的天文觀測站，這一期間他購買了大量的中國書籍。其後他又被派往新疆的塔城和天津擔任領事，繼續購置中國文獻。這些豐富的典籍最後為 Rumjantsev（魯緬采夫）博物館的圖書館即後來的俄羅斯國立圖書館所收藏。一九七四年莫斯科東方文學出版社出版的《康・安・斯卡奇科夫所藏漢籍寫本和地圖題錄》公佈了斯卡奇科夫漢籍中的寫本和地圖資料，《灤陽館遺文》即在其中：

No. 273（1046）[*] 灉陽館遺文二卷。烏程沈垚〔子敦〕（1798-1840）遺文集。

19世紀中葉抄本。142（71）葉，26×17釐米。紙質書衣，線裝。正文分為兩卷，並為製版作過校改。

內容包括：（1）西遊記金山以東釋（《長春真人西遊記》中提到的金山以東地方考）。在《叢書集成》中刊行；正文後是葉紹本（1838年）的附筆，在刊印本中沒有；（2）與徐星伯中書書（涉及歷史文獻中有關中國北方地理的問題）；（3）傳注后土不同解；（4）毛詩傳以重言釋經一字攷；（5）論語古今文異同攷；（6）庸蜀羌髳微盧彭濮攷；（7）諸侯命圭解；（8）采蘋之詩鄭箋解；（9）古人廟制南鄉解；（10）尚書今古文辯；（11）詩本音解；（12）立名篇；（13）風俗篇；（14）都察院左副都御史提督安徽學政鄂木順額公遺事述（1791-1832）；（15）紀思詒事略；（16）重修徐俟齋先生祠記（徐枋）；（17）家譜序；（18）王約甫文稿敘；（19）書唐述山房日錄後；（20）張孺人墓誌銘（陳銅士亡妻張孺人墓誌銘）；（21）公祭王母周太孺人文。

版心處有「懿文齋」字樣[3]。

筆者曾於二〇一八年十三月三日、二〇一九年六月二十五日兩次前往俄羅斯國立圖書館校閱此書。除了俄羅斯學者在以上書目中的著錄外，還可以補充的記錄是：該書用紙撚裝訂，用紙是「懿文齋」印製的紅格稿紙，半葉九行，行二十五字格。目錄有紅字校勘旁改，正文有墨筆旁改、添補（如〈王約甫文稿敘〉中），首頁天頭有「前添兩行」、右側有「首行頂格」、「二行依此排九格」等排版格式要求注文。二十一篇文章，每篇另起一葉。目錄頁的

---

3 А. И. Мелналкснис. Описание китайских рукописных книг и карт из собрания К. А. Скачкова. Москва: Наука, 1974, 187-189.; 中文本〔俄〕А. И. 麥爾納爾克斯尼斯著，张芳譯，王菡注釋，李福清審訂：《康·安·斯卡奇科夫所藏漢籍寫本和地圖題錄》（北京市：國家圖書館出版社，2010年），頁164-165。

第二行偏下，署名「烏程　沈　垚　子敦」，正文卷一、卷二第一頁同署名（圖二）。

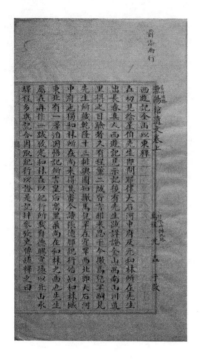

圖二　《灤陽館遺文》書影

　　書名灤陽館是由灤水而來，永定河，古稱灤水，隋代稱桑乾河，金代則稱盧溝。此書的名稱，應該是沈垚自道光十五年到京師之後，以身居北京，在永定河北，故以為號，而將其時部分文章編輯為冊。這與落帆樓一樣，是沈垚生前就曾確定的齋號[4]。之前，我們並不知道他有這樣一個別號。

　　以上的二十一篇文章，在早期的刻本《落帆樓文稿》、《落帆樓文集賸

4　落帆樓之名，據張穆〈落帆樓文稿序〉稱：「子惇以道光十五年入京師，館徐星伯先生家。……越一年，乃相遇於道州何子貞同年所，即承以《長春西遊記金山以東釋》見示，并讀其《落颿樓文稿》，此所刻前二卷是也。」可知其為沈垚生前所自擬。

稿》中，僅收錄到九篇，其後之《落帆樓文集》，則盡數收入。即使這樣，《灤陽館遺文》作為可能是沈垚生前的編輯，仍然有其校勘的價值，特別是一些文章的後面，收錄了同時代人讀後的評語，如〈古人廟制南鄉解〉、〈尚書今古文辯〉等，這些對於瞭解沈垚的交遊及時人對其文章的看法，都有參考價值。

（二）書札四則

1 〈與姚梅伯書〉

> 前日彼此往來相左。昨馮同年來，又以他往，不得一晤。茲特遣人至尊處，望將垚書中所問一示明，以便轉告徐君延之也。小幅尊意欲每幅銀二兩，延之說每幅京蚨三千，與尊意相懸。可否，望即示知。專此奉問，藉頌
>
> 梅伯仁兄大人元安！
>
> 年愚弟沈垚頓首[5]

　　此札為近現代收藏家吳長瑛（？-1926，字省庵，浙江四明人）舊藏，由易孺（1874-1941，字馥，號大厂，廣東鶴山人）影印於《清代名人手札甲集》中流傳（圖三）。

5　吳長瑛輯：《清代名人手札甲集》卷5，沈雲龍主編：《近代中國史料叢刊》第15輯（臺北市：文海出版社，1966年影印本），頁433-434。

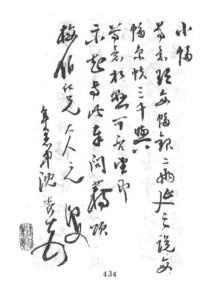

434

圖三　〈與姚梅伯書〉

　　受書人梅伯當即姚燮（1805-1864），字梅伯，號復莊，又號大梅山民、野橋等，浙江鎮海縣（今屬寧波）人，清後期文學家、畫家。道光十四年中舉，次年三月，進京赴考未第，與沈垚一樣滯留京師。以後又多次進京赴考，直到道光二十四年第五次應試失敗，便絕意仕途，發奮著述。

　　姚燮與沈垚是同一年由浙江中舉或優貢入京，同年兼同鄉的關係，使他們成為異鄉的摯友。沈垚道光十六年四月十二日〈與王臒軒書〉提及「（垚在京）所得不足奉親，而友朋之樂頗勝。間與野橋、子貞為文酒之會，惜閣下之不得與於斯集也」[6]，以及〈陶然亭燕集記〉云「道光十六年首夏之朔，道州何紹基子貞與弟紹業子毅燕客於斯亭。客之至者五人：安邱王筠篆友、日照許瀚印林、鎮海姚燮野橋、成都汪堯辰致軒及垚也」[7]，同遊之「野橋」即姚燮。〈與王臒軒書〉甚至稱「都中能知野橋者，獨垚耳」，「去歲送兄，

6　沈垚：〈與王臒軒書〉，《落帆樓文稿》卷2，葉31正。
7　沈垚：〈陶然亭燕集記〉，《落帆樓文稿》卷2，葉29背至30正。

今又送野橋。野橋歸而垚亦孤寂」[8]，可見他與姚燮之間的惺惺相惜。

　　札中「徐君延之」即徐松（字星伯）子徐祖望，字澄之，一字延之，號彥持，道光十二年順天鄉試舉人。此札當作於道光十五年二人在京之際。其時姚燮落第在京，等待來年恩科再試，而以鬻畫為生。正好徐祖望希望獲得姚燮之畫，遂託與徐松父子關係密切的沈垚代為中介商量潤格之事。沈垚道光十五年〈與許海樵〉云：「垚自七月以前俱寓謝公祠，星伯先生邀鄉試後移寓其家，故出場後即遷居徐宅。」[9]道光十六年〈與王臒軒書〉云：「垚去冬在星伯先生家，今春始館姚伯印司寇邸，校脩《國史地理志》，兼課兩學生。」[10]可知沈垚在道光十五年八月之後還曾在徐松家中居住過一段時間，與徐延之自然無話不談。

　　信札篇幅雖小，但也看出姚燮以繪畫名世的才能，以及清代文士進京趕考的窘迫生計。此外，其中提及「小幅尊意欲每幅銀二兩，延之說每幅京蚨三千，與尊意相懸」的比價，也印證了清代前後期銀兩比價失調的實際情況。如清代貨幣史的常識所示：有清一代採用銀銅平行本位的貨幣制度，大額用銀，小額用錢。其間比值，初期在1:1000左右，但是到了嘉慶中期，「銀貴錢賤」的現象開始出現上升趨勢，從嘉慶十三年到咸豐六年的四十九年間，比價從一千二三百文漲到二千二三百文，而以二千文的時間為最久。在最接近於這一信札的時間裡，有道光十六年太常少卿許乃濟奏稱「向來紋銀每兩易制錢千文上下，比歲每兩易錢至千二三百文，銀價有增無減」的參考數值[11]。因此姚燮出價「每幅銀二兩」就相當於二千五百文左右，而徐延之所說「每幅京蚨三千」反而較高，所以沈垚會請姚燮再度確認。

8　沈垚：〈與王臒軒書〉，《落帆樓文稿》卷2，葉31背。

9　沈垚：〈與許海樵〉，《落帆樓文集》卷9，葉4背。

10　沈垚：〈與王臒軒書〉，《落帆樓文稿》卷2，葉31正。

11　楊端六：〈關於清朝銀錢比價變動的問題（上篇）〉，《武漢大學學報》1956年輯，頁266。

2 〈與星伯先生書〉

星伯先生九丈大人閣下：

昨送野橋不及，到東華門久談，遂留宿。今晨送友人入朝就考，始歸寓。此月中牽率酬應，館事多弛，學徒又擅自外出，益不安於心也。垚待人未嘗過刻，而妻喪其僕，無僕則往來遞信無人，不免自以小事，多所奔走。尊書之不及致送野橋，及東華門之宿，皆以給使乏人故耳。垚既無賃僕之貲，又不能不雇人給走，使雇安得妥當之人來備驅使哉？

承委查閱《元史》，今後當排日閱看。長日如年，無端過去，既不讀書，又不遊玩，而負此良辰，念之令人悶絕。疲於馳走，而子貞處卻又未到，亦不自解忙遽之至於如此也。《定盦文集》垚急思一看，晤俞禮翁時，可向彼轉借；《華嚴經音義》便中望賜下；《雲南通志》第一冊一併付來。館僮無暇不得多遣出門。遵紀有事入城，攜來可也。順請箸安，不宣。垚頓首。

覓僕一事，不能不以奉瀆。二十八日[12]。

此札收錄於吳德襄（1828-1909，字俌三，湖南醴陵人）舊藏《大興徐氏同人書札》中（圖四）[13]。

---

12 沈垚：〈與星伯先生書〉，《大興徐氏同人書札》，光緒三十三年刊本，葉27背至28背。

13 《大興徐氏同人書札》原委，可參筆者〈思想與思想史的資源——魏源致徐松三札考論〉，沈衛榮主編《西域歷史語言研究集刊》第4輯（北京市：科學出版社，2010年），頁339-353。

圖四　〈與星伯先生書〉、〈再與星伯先生書〉

　　其中提及為野橋送行，當即道光十六年姚燮會試落第離京歸鄉事。前引沈垚該年四月十二日〈與王籐軒書〉稱「去歲送兄，今又送野橋。野橋歸而垚亦孤寂」，則姚燮離京當在四月十二日之前，而清代道光年間會試之期均在三月上旬。此言「二十八日」者，當即道光十六年三月二十八日，所言送姚燮離別京師，當在前一天即二十七日。

　　〈與王籐軒書〉又云：「垚去冬在星伯先生家，今春始館姚伯印司寇邸。」可知其時沈垚住內城姚元之（字伯昂）家校書、課徒，而徐松住在城南宣武門外[14]，因此二人的交流，往往要通過書札往還。

　　信中多談治學之事，「承委查閱《元史》」，當是徐松就西域史地的考證，而請沈垚進行查檢。《定盦文集》即龔自珍（1792-1841，字璱人，號定庵、定盦，浙江仁和人）的文集，最早有道光八年編刻本，世稱「自刻本」。徐松與龔自珍曾經在道光初年同任內閣中書，徐松對於龔自珍的才華甚為推崇[15]，可能曾經向沈垚推薦其文，而沈垚希望能夠拜觀。「俞禮翁」即俞正

14　繆荃孫：〈徐星伯先生事輯〉：「先生學識閎通，譔箸精博，負重望者三十年，所居在順治門大街廳事前，古檀一株，矗矯空際，顏之曰陰綠軒，讀書處曰治樸學齋。朝野名流，相見恨晚。」作者著《藝風堂文集》卷1，光緒辛丑（1901）刻本，葉42背。順治門即宣武門的俗稱。

15　沈垚〈與孫愈愚〉：「都下古文，星翁與何子貞盛推龔定庵。」《落帆樓文集》卷9，葉20正。

爕（1775-1840），字理初，一作禮初，安徽黟縣人，清代著名的學者。

　　《華嚴經音義》是徐松從魏源處抄得的北藏本，經由陳潮校訂之後，道光十五年四月由徐寶善刻成者。徐松對此書分外看重，刷印多部，贈送友朋[16]。

3 〈再與星伯先生書〉

> 星伯先生九丈大人執事：
>
> 昨蒙枉存，適以奉謁相左，歉甚。《西域圖志》於考覈漢唐故跡頗細，惜但取材《新唐書》而不及《舊書》，兼不取證於《元和志》等書耳。落卷已取到，在第十五房，不知「司士擊豕」出《儀禮》，而誤為塗抹，殊堪捧腹也。
>
> 所欲言者頗多，不知何時在府，可奉談片時，幸示及。藉頌箸安。愚姪沈垚頓首。

　　此札亦收錄於《大興徐氏同人書札》中（圖四）[17]，排列在上一札之前。其中提到「落卷已取到，在第十五房，不知『司士擊豕』出《儀禮》」，事又見沈垚〈與吳半峰〉：「半峰三丈先生閣下：垚三年京寓，一無所成。場作以用《儀禮》『司士擊豕』句，被本房所抹。」[18]當指道光十七年應順天鄉試事。故此札當作於道光十七年八月順天鄉試之後不久。

　　沈垚〈與孫愈愚〉：「垚三年京邸，一無所遂，又以南歸無所得食，仍於都下就犬馬之畜。主人官書已告竣，明年委垚別撰地志。今秋試後，為徐蓮峰編修補修《一統志》新疆數冊，期限迫促。」[19]所言為姚元之完成《國史地理志》，並在秋試後要為徐寶善（字蓮峰、廉峰）補修《一統志》新疆部分，正在其時。信中提及乾隆年間官修《西域圖志》事，可能正是為修《一

---

16 參筆者《徐松與〈西域水道記〉研究》（北京市：北京大學出版社，2015年），頁190、317。

17 沈垚：〈與星伯先生書〉，《大興徐氏同人書札》，光緒三十三年刊本，葉27背。

18 沈垚：〈與吳半峰〉，《落帆樓文集》卷10，葉3背。

19 沈垚：〈與孫愈愚〉，《落帆樓文集》卷9，葉20正。

統志》新疆部分而系統研讀《西域圖志》發現的問題，故與徐松分享這一心得。

4 〈與何子貞太史書〉

子貞仁兄大人閣下：

月前承枉過，垚適他出，歉甚。自二月後擬轉為制舉業，適星伯先生以春海先生將刻《西遊記》，屬垚審覈漠北地名，因作《金山以東釋》凡一萬一千七百言，甫脫稿，即呈星翁幷託延之覓人鈔一副本。今接延之札，知閣下處有人能鈔，即遣人之星翁處取原稿送正，乞付鈔畢，將原稿幷鈔本一齊擲回。以此冊友人多欲取閱，原稿垚欲留存，所鈔副本則往來就正友朋耳。

臞軒於正月十五縣家起程，計此時應已抵都，而尚未見來。前札欲垚預覓一館，待渠來就，屬垚轉告閣下，今不知究於何日到。垚擬於十二三日出城奉談，不知我兄是時在家否？藉請

箸安。不備。愚弟沈垚頓首。

《金山以東釋》，一篇之內凡分九節，第一節釋野狐嶺兼釋會河堡，第二節釋蓋里泊兼釋昌州，第三節釋魚兒濼元與遼名同地異，第四節釋臚朐河幷土剌河及東方諸王分地，第五節釋和林，第六節釋契丹城，第七節釋皇后窩里朵與張參議紀行所言駐夏處地異，第八節釋杭海，第九節釋鎮海城即稱海。《元史》朔漠諸地可攷二支者，大略具於此矣。

垚病近日攷證家文體破碎，故用六朝初唐人體，聯為一篇，不識高明以為何如？幸為題其前行也。

《元史》之難讀，在氏族及地名。有辛楣先生《氏族表》，則官族可攷矣。垚擬別作一書，盡釋西北諸地。

《元史》中原戰爭之地，其故蹟《方輿紀要》多不載，故地志家言唐以前，則遠而校易，言宋以後則近而轉難。惜無寬閒之日力，得盡釋之耳。

（鈐印：白方「沈垚」、朱方「子敦」）

三月八日[20]

　　內藤湖南（1866-1934，名虎次郎，字炳卿，號湖南）是日本著名的漢學家，在他身後，大部分的收藏品，均由關西大學購入，組成圖書館內「內藤文庫」這一特色收藏。內藤湖南因為研究中國史學史以及對於清代學術的濃厚興趣，其收藏品中有大量清人文獻。二〇一〇年，關西大學教授陶德民編輯《內藤湖南と清人書画—関西大学図書館內藤文庫所藏品集》出版，其中公佈了上引沈垚的〈與何子貞太史書〉（圖五）。

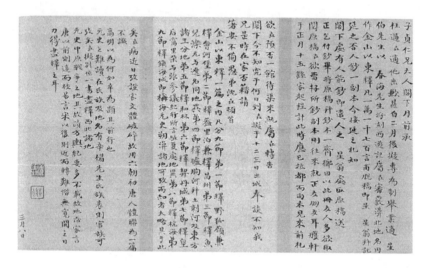

圖五　〈與何子貞太史書〉

　　此書札作於三頁印有人物畫的黃色信箋上，被裝裱成一立軸，畫心高寬凡22.5×39公分。筆者在京都大學訪問期間，於二〇一四年三月二十五日，通過館際申請，在高田時雄、玄幸子二位教授的陪同下，前往關西大學的圖書館拜觀了這一信札。

20　陶德民編：《內藤湖南と清人書画—関西大学図書館內藤文庫所藏品集》（吹田市：関西大學出版部，2010年），頁50。

　　書札的受信人「子貞仁兄」，即何紹基（1799-1873），字子貞，號東洲，晚號蝯叟，湖南道州（今道縣）人，道光十六年進士，是清後期的詩人、畫家、書法家。其父何凌漢（1772-1840），是徐松同年進士，任浙江學政期間，沈垚曾為其所首拔，其後沈垚以優貢來京師，入國子監並應順天鄉試，與何氏父子情分甚厚。沈垚〈與許海樵書〉稱「都下人士所聚，而時儔中知讀書者，僅見何子貞一人」[21]，可見其莫逆。

　　對於西北史地學的研究者而言，沈垚的《西遊記金山以東釋》是有關《長春真人西遊記》歷史地理考證的力作，張穆〈落帆樓文稿序〉稱：

> 子惇以道光十五年入京師，館徐星伯先生家，先生數為言其地學之精。越一年，乃相遇於道州何子貞同年所，即承以《長春西遊記金山以東釋》見示……程春海侍郎嘗讀《西遊記》，擬為一文，疏通春廬宗丞跋所未盡，及見子惇跋，歎曰：地學如此，遐荒萬里，猶目驗矣！我輩犎材，未足語於是也[22]。

　　由以上推許，可知沈垚在西北地理方面的學識為時人所歎服的情形[23]。現在看到這封沈垚寫給何紹基的書信，可以更深入地瞭解其撰寫考證的經過，以及自身也對此文頗為自負的心情。

　　其中提及的「星伯」、「星翁」，即徐松，而「延之」則徐松之子徐祖望；「春海」即程恩澤（1785-1837），字雲芬，號春海，安徽歙縣人，嘉慶十六年進士，歷官禮、工、戶諸部侍郎；「腴軒」則王梓材（1792-1851），號腴軒，浙江鄞縣（今寧波）人，道光十四年優貢生。王梓材亦曾受何凌漢所獎掖，故與何紹基交好，因此沈垚會在書札中提及這位同年來京的情況。王梓材與沈垚一樣，均頻年應鄉試而不舉者。

　　札中云「出城奉談」，是其時沈垚居於內城姚元之家，從事《國史地理

21　沈垚：《落帆樓文集》卷9，葉4背。

22　張穆：〈落帆樓文稿序〉，沈垚《落帆樓文稿》卷首，葉1正背。

23　具體論述，可參拙著《徐松與〈西域水道記〉研究》「《長春真人西遊記》題跋所體現的西北史地學人風誼」，頁100-102。

志》的編纂。前引沈垚道光十六年四月十二日〈與王朡軒書〉云:「垚去冬在星伯先生家,今春始館姚伯印司寇邸,校脩《國史地理志》,兼課兩學生。」即館於姚元之家事。

從上引張穆序言提及沈垚道光十五年入京後「越一年,乃相遇於道州何子貞同年所,即承以《長春西遊記金山以東釋》見示」的表述來看,這封書札似乎應該完成於道光十六年,這也是目前學界通行的認識。

而這封書札末尾署明的時間是「三月八日」。若果然是道光十六年三月初八日,札中提及「朡軒於正月十五繇家起程,計此時應已抵都」,則王梓材在道光十六年三月間,當已在京師。但是從《落帆樓文稿》所刊〈與王朡軒書〉作於道光十六年四月十二日,敘述「接手示,具悉歸涂平善……(垚在京)所得不足分親,而友朋之樂頗勝。間與野橋、子貞為文酒之會,惜閣下之不得與於斯集也」的文字來看[24],道光十六年的王梓材並沒有在京。更重要的是,道光十六年恰好是何紹基高中進士之年,該年三、四月間,連續應付禮部的會試與殿試,而沈垚在此時的三月八日寫信請他代覓鈔胥並「擬於十二三日出城奉談」,也並未提及應試之事,似乎有些「不識時務」。

此外,無論沈垚還是王梓材,作為外地優貢生到京的目的,主要就是參加順天府鄉試,而道光十六年並非鄉試之年。沈垚在給何紹基的信中提及「自二月後擬轉為制舉業」以及王梓材「於正月十五繇家起程,計此時應已抵都」的時間,都應以參加道光十七年八月的順天鄉試為目的,而發生在道光十七年當年為是[25]。根據這封書信提及的沈垚本人的溫習舉業和王梓材赴京行蹤,推遲到道光十七年寫作此信,才是比較符合實際的年頭。

信中還提及《西遊記金山以東釋》這一考證文章的寫作緣由,是「適星伯先生以春海先生將刻《西遊記》,屬垚審覈漠北地名」,而春海先生程恩澤

---

[24] 前引沈垚有〈陶然亭燕集記〉,當即所謂「間與野橋、子貞為文酒之會」之一。其云:「道光十六年首夏之朔,道州何紹基子貞與弟紹業子毅燕客於斯亭。客之至者五人:安邱王筠篆友、日照許瀚印林、鎮海姚燮野橋、成都汪堯辰致軒及垚也。」

[25] 道光年間順天鄉試情況,可參王家相等撰《清秘述聞續》,有張偉點校《清秘述聞三種》本(北京市:中華書局,1982年)。

卒於道光十七年七月二十九日[26]。根據書信提及此事的文意，其作書之時間下限當在道光十七年七月二十九日之前。

道光十七年三月八日，當是沈垚寫信給何紹基的準確時間。

（三）題跋二則

1 〈明氏實錄注跋〉

> 明玉珍乘元末之亂，盜據蜀土兩世，凡十有一年。楊學可撰《明氏實錄》，紀載寥寥。大興徐星伯先生得彭文勤公校本，取《明太祖實錄》及《大事記》、《明史》本傳諸書補注於下，事蹟始備。古來霸史之見於藝文志者，今多不傳，而學可之書猶存。學可文筆未合史法，將賴先生之注以傳，不可謂非幸矣。先生著書數十種，《新疆水道記》及《漢書西域傳補注》等書，精確創所未有。是注特其遊戲之作，然改正錯簡、考核同異，皆極精當。撰出先生，即小種亦非尋常可及。惠松厓先生注《太上感應篇》，人不重感應篇，而重注。先生此書，亦猶是也。一拳之石，具有龍門、太華之觀，真可寶貴者矣。先生屬垚書數語於後，垚於先生無能為役，謹識欽服之忱云爾。烏程沈垚跋。[27]

該書原題《明氏實錄》，署「新都楊學可編，大興徐松校補」。收錄於趙之謙（1829-1884）光緒年間輯刻之《仰視千七百二十九鶴齋叢書》第五集第五種。楊學可為明人，生平不詳，所著《明氏實錄》係元末在四川建立夏

---

26 阮元：〈誥授榮祿大夫戶部右侍郎兼管錢法堂事務春海程公墓志銘〉：「十七年，充經筵講官。夏受暑，醫逾月，病愈深，遂以七月二十九日卒。」繆荃孫纂錄《續碑傳集》卷10，江寧市：江楚編譯書局，宣統庚戌（1910）刊校本，葉13正。

27 沈垚：〈明氏實錄注跋〉，《叢書集成新編》（臺北市：新文豐出版股份有限公司，1985年，第103冊），頁87。

國（1362-1371）之明玉珍（1331-1366）、明昇（1357-？）父子之傳記[28]。《明史》卷九七〈藝文志〉二、《四庫全書總目》卷六六「史部・載記類存目」均有著錄。徐松據《元史》、《元史紀事本末》、《明太祖實錄》、《明史》〈明玉珍傳〉、《宋濂集》、《七修類稿》、朱國楨《大事記》等書，為之校訂、注疏，文字數倍於原作，而事蹟因此詳贍。沈垚所跋，可知徐松注疏之優長（圖六）[29]。

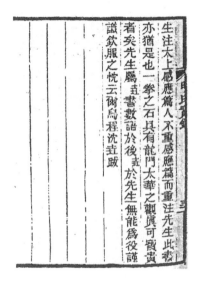

圖六　《明氏實錄注》沈垚跋

觀其文意，這篇題跋應該是沈垚道光十五年初到北京不多久所作。其中提及徐松著作有《新疆水道記》[30]，可見當時定本的《西域水道記》還沒有

---

28 有關明玉珍父子及其大夏國的研究，可參滕新才《明玉珍及其大夏國本末》，作者著《且寄道心與明月：明代人物風俗考證》（北京市：中國社會科學出版社，2003年），頁1-30。

29 相關論述，參拙著《徐松與〈西域水道記〉研究》「徐松著作敘錄・專著・《明氏實錄注》一卷」，頁153-155。

30 《西域水道記》在正式版刻之前，還有《西域水經注》、《西域河源志》等名稱，參拙著《徐松與〈西域水道記〉研究》，頁146。

完成、書名也還沒有完全確定，至少道光十九年的刻本也還沒有出來，否則不會如此隨意稱名的。

沈垚稱道此書：「是注特其遊戲之作，然改正錯簡、考核同異，皆極精當。撰出先生，即小種亦非尋常可及。」這個可能也是他的肺腑之言和切身感受，甚至直接影響了下面所論之《臺灣鄭氏始末注》的撰著。

2 〈臺灣鄭氏始末跋〉

> 《臺灣鄭氏始末》六卷，家閒亭孝廉所著書也。余以海島洲嶼，名目錯雜相混，因取《方輿紀要》、《水道提綱》、《一統志》等書附註於下，以便省閱。有訛誤者，即以己意辨之。戊戌新秋，南江漁父沈垚。

《臺灣鄭氏始末》六卷，為沈雲所著。沈雲字舒白，號閒亭，浙江德清人。道光二十四年進士。官廣西興安知縣。據其道光丙申（十六年）十一月的自序，是當年在京師應試期間，借得康熙間同安人江日昇撰《臺灣紀事本末》四十九篇，敘述天啟四年（1624）至康熙二十二年（1683）鄭芝龍至曾孫克塽四世故實詳盡，「惜體類小說，辭不雅馴」，因此參考他書予以刪繁、潤色，析為六卷。

沈垚到京師，因為同鄉的關係結識沈雲，對其學問人品非常佩服，〈與張淵甫書〉云：「垚在都下三年，惟與德清家閒亭孝廉投契較深。」[31]可見其推崇。因此，當沈垚在稍後不久讀到沈雲新編成的《臺灣鄭氏始末》之後，非常有興趣。這時他也正好在姚元之、徐寶善處幫同編修《國史地理志》、《大清一統志》，手邊的相關地理文獻非常豐富，於是就根據顧祖禹的《讀史方輿紀要》、齊召南的《水道提綱》和官修的《大清一統志》等，為「海島洲嶼」的東南沿海地名進行了附註，並對其中的記錄訛誤進行了辨析。

---

31 沈垚：〈與張淵甫〉，《落帆樓文集》卷8，葉12正。

圖七　《傳經堂叢書》本《臺灣鄭氏始末》沈雲敘、沈垚跋及正文書影

　　這一部合璧的著作，也為同樣是浙江同鄉的凌堃（1796-1862，字厚堂，一字仲訥）所看重，刻入了其《傳經堂叢書》中（圖七）。關於凌堃，沈垚〈與孫愈愚〉也曾提及：「吾郡凌厚堂所行事有極可駴者，而文筆殊陗健。……閒亭學識俱好，文亦潔淨，然鄙見終恨其平弱。厚堂以無道行之，而氣極凌厲，惜不能於二者之間執其中耳。」[32]由以上稱引，可知沈垚對於凌堃的為人並不欣賞，但是「不以人廢言」，終不影響三人之間的友誼，才會有《傳經堂叢書》本《臺灣鄭氏始末》的行世。後來汪曰楨撰〈沈子敦著述總錄〉，也專門提及沈垚在書中的貢獻：「書為德清沈雲撰。注本子敦少年時作，後自毀其稿。在都中復成之。晟舍凌氏刊入《傳經堂叢書》。」[33]其中言「注本子敦少年時作，後自毀其稿。在都中復成之」，據以上序跋，似未必如是，而所謂「晟舍凌氏」，即世居烏程之晟舍地方的凌堃[34]。

　　《臺灣鄭氏始末》更加通行的本子，為同是湖州人的劉承幹《嘉業堂叢書》在一九二〇年的跋刻本。凌福鏡題跋云：「家厚堂教諭堃於道咸間有

32　沈垚：〈與孫愈愚〉，《落帆樓文集》卷8，葉22正背。

33　汪曰楨：〈沈子敦著述總錄〉，沈垚：《落帆樓文集》卷首，葉3背。

34　凌堃生平，可參江藩撰、漆永祥箋釋《國朝漢學師承記箋釋》（上海市：上海古籍出版社，2006年），頁946-954。

《傳經堂叢書》之刻，經、子而外，旁及史類。未蕆事而遭亂板毀，書目亦不及刊。故傳經堂一書，外間絕少流傳。同邑劉子翰怡以表揚前哲為職志，因檢寄傳經堂已刻本十餘種。翰怡深賞是書，先行付梓。」於此可知《嘉業堂叢書》也是由《傳經堂叢書》繼承而來。

沈垚題跋所稱「南江漁父」，他處未見。所署「戊戌」，即道光十八年（1838），熟悉沈垚生平者，以為當然。而其後之整理者，往往以此「戊戌」為光緒二十四年[35]。這種錯誤，也有出現在對該書寫作情況的描述上，如《中國歷史大辭典》：「沈氏在廣西興安知縣任上，得閩人江日昇《臺灣紀事本末》四十九篇，……乃參考他書，刪訂成書。」[36]據沈雲敍，是其在京師應試期間所著。這些寫作地點、時間的錯誤理解，是後人未能細察原書記錄所致。

汪曰楨編《落帆樓文集》，但凡能夠搜得之沈垚片紙隻字，均入集中，如〈校河南志注〉、〈校唐述山房日錄〉、〈西域小記〉等零碎甚至是為沈垚標明「皆當削去」者[37]，猶編入外集雜著卷。然而，雖然在《沈子敦著述總錄》裏著錄了《臺灣鄭氏始末》，卻將其中注釋文字未能編入，可能覺得不能連綴成文，也可能是當時此書並未經眼，所以著錄本身也發生上述對於沈垚注釋有先後兩次的誤解。但毫無疑問，這些注釋仍可見出沈垚讀書的旨趣和編纂地理書的偏好。

今據《傳經堂叢書》本摘錄注釋（《嘉業堂叢書》本異文附校），附錄以為將來重編沈垚文集之助（表二）。計《臺灣鄭氏始末》凡六卷，注釋一四

---

35 以此戊戌誤作光緒二十四年者，如《臺灣文獻史料叢刊》第六輯《臺灣鄭氏始末》標點本（臺北市：臺灣大通書局，1987年），頁81；黃胡群校釋《臺灣鄭氏始末校釋》（臺北市：臺灣書房，2007年），頁161。又傅斯年圖書館藏有鈔本《臺灣鄭氏始末》六卷（索書號922.7204 128），著錄沈垚跋，亦作光緒二十四年，參http://www.ihp.sinica. edu.tw/ttscgi/ttsweb?@@766162791，所據網上資源訪問時間，以本文提交會議之2019年10月15日核檢為準。

36 同書名編纂委員會編《中國歷史大辭典·史學史卷》「《臺灣鄭氏始末》」條（上海市：上海辭書出版社，1983年），頁133-134（袁英光撰）。

37 沈垚：〈校唐述山房日錄〉，《落帆樓文集》卷13，葉15背。

九則，所載鄭氏四世在東南沿海行經今江蘇、浙江、福建、廣東、臺灣各地
之地點、地理位置，均有所注釋，間亦有對於其中人名（如鄭一官、桂王、
巴臣功等）、術語（如海道計數以更、落漈等）之解讀。這些解釋，毫無疑
問都反映出清代中期地理學著作對於東南海上地理的掌握程度，對於瞭解本
書反映的南明歷史與鄭成功收復臺灣過程，有很大的幫助。

表二　《臺灣鄭氏始末》沈垚注釋文字輯錄

序數	卷／葉	正文	注釋
1	卷一1A	雞籠城	在（彰化）縣極北海中。
2		砂馬磯	（鳳山）縣東南二百三十里。
3		澎湖	島。在臺灣縣西五十里海中，臺灣廢城在今縣西南。
4		泉之水澳	寨。即永寧衛。
5		圍頭	鎮。在晉江縣南一百里。
6	2A	舟山	今定海縣。
7	3A	金門	即浯洲嶼，同安縣東南五十里海中。
8		廈門	即嘉禾嶼，同安縣西南五十里海中。
9		廣東靖海（所）	在潮之惠來縣東少南六十里。
10		甲子（所）	舊在惠之海豐縣東南一百五十里，今陸豐縣東南一百里。
11	3B	湄州	在莆田縣東南九十里海中。
12		嵌頭	莆田縣東六十里。
13		漳浦之舊鎮	（漳浦）縣東南。
14	4A	將軍澳	（漳浦）縣東南。
15		六鼇外嶼	（漳浦）縣東南七十里。
16		鎮海	衛城。在（漳浦）縣東北一百里。
17		懸鐘	銅山西南，詔安縣東南四十里。
18		銅山	陸鼇西南，詔安縣東八十里。

序數	卷／葉	正文	注釋
19		六鼇	鎮海西南。
20	4B	閩安	鎮。在閩縣東四十里。
21		永寧	衛城。在晉江縣東南六十里。
22		中左所	即廈門。
23	5A	三汊河	在舊鎮東北，龍溪縣東南。
24	5B	南澳	在詔安縣西南百餘里、饒平縣東南一百六十里，海中有三城，去懸鐘澳口三十餘里。
25		鄭一官	一官，芝龍乳名。詳見前。
26	6A	浯洲港	即金門。
27		南日	山。在興化府城東百里大海中。
28	6B	小埕	塞[38]。在連江縣東百二十里，南接南日山，為連江門戶。
29		田尾洋	當即田尾澳之外洋。澳在碣石衛西門外，可泊。
30		赤澳	即赤嶼，近南澳。
31	6B、7A	前澳	當即錢澳，在潮陽縣東南二十里。碣石在甲子西，甲子東為錢澳，又東南為赤澳。赤澳近柘林。
32	7B	七鯤身	山。在鳳山縣西北，自打鼓山穿田過港，逶迤六十餘里，平地中結為七峰，如鯤魚鼓浪，故名。
33		赤嵌城	屬臺灣縣。
34	9A	仙霞關	仙霞嶺在衢州府江山縣南一百里，南去浦城一百二十里，有關。
35	10A	江寧	南都改府。
36	10B	隆武賜李錦名李赤心	賊號一隻虎。
37		郝永忠	原名搖旗。

---

38 塞，《嘉業堂叢書》本作「寨」。

序數	卷／葉	正文	注釋
38		大帽	山名。
39	11A	棄廣信入關	岑陽關，在上饒縣東南一百二十里，東去浦城縣二渡關三十里，界廣豐、崇安之間。二渡關在浦城縣西北一百十里。
40	12A	安平	鎮。在晉江縣西南六十里。
41	13A	成功遁歸金門	海自泉江口西南至金門百餘里，金門西至廈門百里，廈門西南至南澳四百餘里。
42		隆武封第四弟	聿鐭。
43		桂王	由榔。
44	卷二1A	鼓浪嶼	同安縣西南六十里，廈門西北，多大石。
45		海澄	漳州府東南五十里。
46		九都	堡。在海澄西。
47		海壇	長樂縣東南七十里海中。西南至泉江口二百八十里。
48	1B	桃花山	晉江縣東南三十里。
49		五陵	在大盈堡東、安平西北。
50	2A	大盈	南安縣西南五十里。
51	3B	興陵	端王後。
52	4A	雲霄	在漳浦西南六十里。
53		四明	山。即天台中大蘭山。
54	4B	分水關	在詔安東南二十五里。
55		盤佗嶺	漳浦西南三十里。
56		李過	即一隻虎。
57	5A	達濠	寨。在潮陽縣東三十五里。
58		李過	一名錦，又名赤心。
59	5B	潮陽	縣。在潮南一百四十里，西南至惠來縣百六十里。

序數	卷／葉	正文	注釋
60	5B、6A	廣濟橋	在城東。跨韓江上，廣二丈，長一百八十丈。
61	6B	惠來	在碣石東。
62		虎門	虎頭山在東莞縣西南五十五里大海中。有大虎、小虎二山，名虎頭門。外夷入貢及出使要道。
63	7A	南澳	萬曆四年築城，三里左右，有灣曰白沙（彎）〔灣〕。
64		青嶼	在南澳北。
65		白沙湖	惠來縣西南。
66	8A	漳浦道南溪	在縣南六鼇所西北。
67		馬口	寨。在（漳浦）縣東北。
68	9B	江東	驛。在龍溪東四十里，至長泰三十里。
69		溪西	龍津西溪。
70		江東	江東驛，水始出峽處。
71		同安鳳尾山	大鳳山。在縣北三十里，形如鳳翅，此其支阜。
72	11B	龍江之東	城東四十里。
73	卷三1B	海壇	近福港。
74		湄州	近泉港。
75		鷗汀寨	澄海縣西二十里。
76	5A	丙洲新城	同安縣南四十里。城周四里。
77		興業	縣名。
78		南寧	府名。
79	5B	岑江口	即岑港，在舟山所西北。
80		巴臣功	即副將杞成功。
81		揭陽港	俗名牛田洋，在澄海西南四十五里。
82	6A	揭陽、普寧	兩縣相去七十里。
83	6B	定海關	在鎮海縣南門外。

序數	卷／葉	正文	注釋
84	7B	高崎、潯尾	皆在海澄縣西海。
85		圭嶼	（海澄）縣東北。
86	8B	海門	山。在海澄東北。
87		銅山	在古雷寨隔海之西。古雷在漳浦縣東南五十里。
88	9A	南臺	亦曰釣臺山，在閩縣南九里，去建江百步。
89		奪橋	萬壽橋。在（福州）府南，跨南臺江上，長三百餘丈。
90		烏龍江	即陶江。
91		洪塘水口	（福州）府西十里，與陶江通。
92	9B	鼓山	閩縣東三十里。
93		連江	（福州）府東北九十五里。
94		雲霄八尺門	在雲霄城南、銅山城北。
95	10A	羅源	西南至連江一百里。
96		寧德	西南至羅源一百里。
97	11A	四將來降	巴臣功、馬信、馮用、張洪德。
98	12A	溫州金鄉衛	平陽縣南七十里。
99		羅星塔寨	閩縣東。
100	12B	海門衛	台州府東九十里。
101		前所	（海門）衛城北七里。
102		狼崎	山。在閩縣東。
103	卷四2B	盤石衛	樂清縣西南五十里。
104		沙關	樂清縣東有白沙嶺，嶺東有關，即此。
105	4A	孔庭訓	有德子。
106	4B	談家洲	丹徒縣西北六里有沙洲,橫列江中。
107		焦山	丹徒縣東九里。
108		瓜州	江都縣南四十里。

序數	卷／葉	正文	注釋
109	5A	銀山	府西二里。
110	6B	觀音門	江寧外郭北面三門，最西曰觀音。
111		三汊河口	三新河口近草鞋夾通口。
112		儀鳳門	西出從北弟一門，在三汊河口東北。
113		鍾山	鍾山在府治東北十五里。
114		獅子山	府西北二十里，亦名盧龍山。
115	7A	有門曰神策	在太平之西，金川之東。是年因勝成功於此，改名得勝。
116	10A	笠嶼	即列嶼，在同安東南八十里，介廈、金門之中，周二十里。
117		崇武	所。在惠安東南、泉州東。
118	10B	劉五店	在同安東。
119		五通、高崎	五通嶺在同安東南七十里，高崎在五通之西、鼓浪之東、廈門之北、雜浦嶼之東南，多大石。
120		鼓浪嶼	廈門西北、海澄東北。
121	11A	海旂尾	即岐島大武口，高千仞，屹立海上。其南十里，為鎮海衛，在廈門西南。大武山在廈門南對岸上。
122		海門……同安港	海門在鼓浪西，同安港在海澄東。
123	12A	黃崎	惠安東北。
124	13A	四更可達	海道不可以里計，舟人分一晝夜為十更，故以更計道遠近。
125	13B	守南日、湄州、崇武、圍頭，防護金門	金門東北至圍頭，又東北至崇武，又東北至湄州，又東北至南日。
126		次彭湖，巡視三十六嶼	彭湖島在臺灣縣西大海中，西與金門相望，東至府城五十里，三十六嶼泛若水中之鳧，其最大而

序數	卷／葉	正文	注釋
			居中者，曰大山嶼，縱橫三十餘里。
127	14A	落漈	漈者，水趨下不回也。
128	14B、15A	天興	在今臺灣縣東四十里。
129	15A	萬年	（臺灣）縣東南二十里。
130	16A	東都	今縣西南有廢城。
131	16B	永歷	由榔。
132	卷五2A	大擔	嶼。在廈門前同安縣東南八十里。
133	3A	西嶼	彭湖三十六嶼之正西嶼。
134	9A	鳳皇洲	一名老鴉洲。
135	9B	陳潼關	仙遊縣南，接惠安界。
136		白水驛	惠安北五十里。
137	10A	楓亭	仙遊東南五十里，東北去府城六十里，東南去惠安五十里。
138	11A	開元寺	（漳州）府治西北。
139	卷六2A	長泰天成寨	（長泰）縣東南三十餘里。
140	2B	玉洲	漳州東四十里。
141		三汊河	南溪九龍江會合之所。
142		福河	（漳州）府東南四十五里。
143		石馬	鎮。在海澄北十五里。
144		江東橋	即虎渡橋，跨柳營江上。
145	4B	洛陽橋	泉州東北二十里，跨洛陽江上。
146	5A	定海	所。在連江東北八十里。
147	10B	嵩嶼	海澄東北。
148	12B	虎井（嶼）	在八罩西。八罩在彭湖大山嶼南。
149		桶盤（嶼）	雞籠在大山嶼西、西嶼南，桶盤在西嶼西。

　　沈垚的好友張穆為《落帆樓文稿》作序，以「三反」而稱道沈垚的學術樂趣，其中有「南人足不越關塞，而好指畫絕域山川」[39]，這個學術的「反」，是指其生在江南，而好研究西北域外地理。現在，從其《臺灣鄭氏始末》的注釋來看，這個「絕域山川」，不僅是西北輿地，即使是東南沿海，也進入了他恢弘的學術視野之中。

39 張穆：〈落帆樓稿序〉，《落帆樓文稿》卷前，葉2正。

中國戲曲評點的研究面向與整體發展

王祥穎

南華大學文學系助理教授

提要

　　本論文著重於二十一世紀後，中國戲曲評點學研究的發展面貌。明代中葉之後，戲曲評點文本大量出版，此一出版風氣延續至清末。戲曲評點學在研究上，原本從依附於戲曲文本之參考補充價值，逐漸擴展出戲曲評點學獨特的風貌，做為一種以觀賞為主的案頭戲曲評點本，評點文字的發展，也提供多種出版與觀看策略。本論文首要將目前兩岸戲曲評點學研究面向做一清楚地整理、分析，釐清相關研究的幾個方向。此外，二十世紀的研究，因部分戲曲文本的散落，使評點研究大多集中在明中葉至清初的幾部戲曲評點作品中。然而，由於近年來一些珍貴的古典戲曲文本被整理、出版後，提供更多可研究的方向，且對清中葉後的戲曲評點本相關研究有所助益。故本論文除了整理、探究兩岸目前古典戲曲評點的研究面向外，更在新文獻、新方法之基礎上，提供淺見，列出可行的發展方向。

關鍵詞：戲曲評點　明清戲曲　評點學　二十一世紀

一 前言

評點原是依附在中國古典文學的一種特殊文藝形式，具有批評、補充等功能性，舉凡各類文藝體式都運用了評點，尤其在明清時期，大量俗文學出版品運用評點形式、內容，打造出新興文藝流行風，這股風潮一直到清末後才消歇。

評點可視為觀閱者逐字逐句的閱讀體驗，某一文本經由評閱者在閱讀後，運用文字、符號等實際手段，將介入文本各方面的多元感受逐一體現。因此，一本創作可經由不同人評閱，又形成不一樣的閱讀風景。至於評點者身分更是五花八門，明清時期擔綱評點角色甚多，有時還是作者本人，在創作之餘續以評點方式提點自己的創作作品。

又，在整體評點文類中，戲曲評點類型應最為複雜、多元。主要原因乃是中國戲曲是一個由多項藝術成分所組合成的文類，它集視聽娛樂等涵蓋文學、藝術、戲劇等性質。尤其一開始是以聆賞為主，這亦能與明初戲曲出版最初樣貌連結，最初的戲曲評點，乃不同其他評點文類的點評句讀符號，是從釋音、打版等音樂性濃厚的「準評點」符號開始[1]。直至嘉靖年間，文人評點家沿用評點方式，讓戲曲出版品增加文學功能性，於是戲曲創作兼及評

1　根據文本的評點形式發現，萬曆初時，評點形式陸續將原有的「音注」部分與新產生的「點板」結合起來，例如富春堂、文林閣、廣慶堂、繼志齋都在後期的文本中標示「點板」。所謂點板，即是拍板的點板處，拍板是南曲演奏的樂器之一，作用在於以其樂器提示唱曲的速度，使清唱者跟者板拍的節奏演唱。這種拍板節奏在後來又形成較為複雜的板眼結構，板是調節字與句的快慢關係，眼是調節字與腔的快慢，富春堂所印製的《紫簫記》劇本其板眼結構包括頭板（、）腰板（乚）底板（一），都是用來輔助唱曲速度。這顯示此類的評點本兼具著唱譜的功能，能進一步指導唱者發音音準與節拍規律，這也意味著此時戲曲音樂旋律已深植人心，這類傳奇評點本刊刻與販售實質上要提供群眾達到隨口哼唱的目的。在此可以說明，戲曲本身是個綜合的藝術形式，它不僅具有著文學性，還包含音樂、舞蹈、技藝……等等藝術特質，而它最初的傳播過程中，都藉由註明咬字發音的方式，以「哼唱」來表現娛樂效果，這和其他文類在書籍閱讀的經營上明顯不同，其傳播過程具有它的特殊性。參閱王祥穎：《明代傳奇評點初探》，中正大學中國文學系博士論文，2005年，頁39-109。

點內容之出版品，如雨後春筍般滋生，成為出版界炙手可熱的商品。這也帶動戲曲一開始從著重聽覺、視覺等現場娛樂效果，一變成為以案頭欣賞的文類商品。故萬曆年間，出版界只要印上有李卓吾、陳繼儒、湯顯祖等評點家評點作品，或是販售《牡丹亭》、《西廂記》、《琵琶記》等戲曲評點名著，都成為市場炙手可熱的出版商品。這一波評點影響了後續戲曲評點作品，尤其出版業競爭後，逐漸轉移至文人、曲家、出版商等三方運作模式，使得明末後，新興戲曲作品多數運用評點形式來做宣傳，直至清末均維持此一模式。故，至晚明時期，隨著書籍印刷市場的發展，戲曲評點本在形式上存在若干種版本型態[2]，為讀者提供更多的閱讀觀點。因此，自明中葉後，以「第一讀者」角色從事評點工作的文人或劇作家為數不少，他們依著自己的美學見解介入與解讀作品。但到了清代之後，戲曲評點更是多元，數量豐富[3]。此時在出版界，書商主導勢力削弱，評點出版成為文人—曲家間的合作關係，但也因此不少作品散佚他處，時間一久乏人問津後而消逝。

正如上述所言，「評點」文學自唐代逐漸形成風氣，大盛於明清時期。但在之前的研究，從文體研究來看，多為「附屬」性質，其研究角度將評點內容視之為原文補充說明，或是突顯某些著名評點家個人觀點、名著評點等研究面向。至二十世紀末，評點研究開始有了新突破。一九九九年孫琴安《中國評點文學史》[4]的出版，集中以評點發展歷史為脈絡，探究其來由，特出其形式，並依序略述散文、詩詞、小說、戲曲等各文體評點發展概略，突出了如：劉辰翁、李贄、毛宗崗等元、明、清各朝代評點大師特色，這是第一次圍繞著以「評點」為核心的全面研究，但對於戲曲評點仍較為簡略。隨之二〇〇一年譚帆《中國小說評點研究》[5]、二〇〇二年朱萬曙《明代戲

2　戲曲評點文本的呈現方式，包括有序跋、小識、凡例、集評、總評、題詞、讀法、總批、眉批、夾批、圈點，此外，音釋與箋注方式也是評點本常見的。在評點本中，上述各種評點形式有各種組合的方式，端看坊間出版印刷與市場消費的需要性而定。

3　根據張勇敢《清代戲曲評點史論》提到，目前能查閱到的戲曲評點作品就有三三〇種之多。（華東師範大學中國語文學博士論文，2014年）

4　孫琴安：《中國評點文學史》（上海市：上海社會科學院出版社，1999年）。

5　譚帆：《中國小說評點研究》（上海市：華東師範大學出版社，2001年）。

曲評點研究》[6]等，標誌著自二十一世紀後由於評點學興起，它成為一個獨立的文學相關學科研究。

關於戲曲評點研究，最早於二十世紀開始，一開始評點研究是戲曲文本類的一環，依附於文學批評中，故不少戲曲理論書籍在論述戲曲時，也都會引用評點內容，來補足戲曲文本相關敘事之探究[7]。慢慢的，大部分研究者開始接觸具知名度的評點家，並根據他評點文本相關評語來做分解，且多從文學理論等敘事角度做研究。舉例來說，大陸地區自二十世紀三〇年代開始，研究金聖歎及其相關評點之作相當多元，這也使得其評點專著在各方面研究都有卓越的成果，舉凡敘事觀點、筆法提出等，都具備高成就[8]。

然而，近人研究戲曲評點也朝向戲曲學整體推展角度邁進，突出以戲曲學視角下的評點相關研究成果。舉例而言，明中葉時期評點者打開戲曲、小說的視野，他們對戲曲批評不見得站在戲曲內容上，有時候帶了小說的宏觀角度檢視戲曲文本。李贄、金聖歎、馮夢龍等相關明代評點家，均兼任二種文類評點工作，故，學者們除了以金聖歎做評點研究外，早期研究者吳新雷則對李贄相關十七個戲曲評點版本進行研究，其他專家學者亦各以專著提出對戲曲評點的看法。故自八〇至九〇年代後，戲曲評點研究真能往「戲曲

6　朱萬曙：《明代戲曲評點研究》（合肥市：安徽教育出版社，2002年）。

7　齊森華：《曲論探勝》、葉長海：《中國戲劇學史稿》、譚帆：《金聖歎與中國戲曲批評》、趙山林：《中國戲劇學通論》、陳竹：《中國古代劇作學史》等這些戲劇理論書籍，內容章節部份觸及到評點內容研究，除《金批西廂記》外，拓展至《第七子書琵琶記》、《長生殿》、《桃花扇》等評點本，使得戲曲評點於古代戲曲理論史的地位，開始得到學界關注和重視。張勇敢：〈中國古代戲曲評點研究綜論〉，《戲曲研究》，2016年第1期，頁164-165。

8　張勇敢：〈中國古代戲曲評點研究綜論〉認為：「研究者從文學批評層面考察戲曲評點，金批《西廂》幾為唯一研究物件，故本期的戲曲評點研究實為文學批評視域下的金批《西廂》研究。」他也提出：「人物形象、思想主題、情節結構成為金批《西廂》的研究點，這種格局既與金聖歎『以文論曲』的評點旨向有關，同時又為戲曲評點研究依附文學批評研究之必然，這種視角雖然有礙於戲曲『評點』個性的闡發，但其開啟戲曲評點研究之積極意義卻是值得肯定的。」李克：〈近百年清代戲曲評點研究綜述〉也提到「二十世紀以來，金批《西廂》研究論文八十餘篇，專著十種。」

學」走，做到以「戲曲」觀點來談評點內容。

　　一直到二十一世紀初，真正開始著手以「評點」本位的戲曲「評點」研究為方向，開始獨立集中在評點的專論上，或是以戲曲評點歷史脈絡著手，探討最初源流，並提出相關說明。繼《明代戲曲評點研究》帶出新視野後，「戲曲評點」獨立走出研究面向，開始擴散挖掘出戲曲評點各種特色。張勇敢認為：

> 戲曲評點研究從「文學批評」、「戲曲學」研究中獨立出來，學術界又提出「文化」視角的研究構想，戲曲評點的學術意義得到不同層面的認知和闡釋。

此一觀點的確闡述出二十一世紀後戲曲評點研究的新風貌。故本文則以「戲曲評點」作為關鍵字，嘗試概略出兩岸戲曲評點研究的幾個面向，並簡要提出後續明清戲曲評點學在研究上可能執行的方向。

二　現代戲曲評點的研究方向

　　本節先將兩岸相關書目、論文與期刊等研究內容，嘗試以關鍵字─「戲曲評點」尋找內容，歸類概述二十一世紀之後戲曲評點的幾種研究方向。

（一）以時代為分野，總結戲曲評點的發展特質

　　此部份以評點發展之歷史脈絡為主軸，總結歸納二十世紀相關研究成果後所得。從明、清二代評點學研究成果來看，由於清代戲曲評點起步晚且複雜性高，使明代戲曲評點研究成果相對而言，完整性與發展面向較為具體且全面。

　　朱萬曙於《明代戲曲評點研究》一書，首以「文學評點淵源與戲曲評點之興」、「明代戲曲評點的版本型態與批評功能」等二章節，將特殊的戲曲評點發展，從音樂性打板型態到經由評點家接手後的形式呈現出來。因此，後

續「明代戲曲評點的三大署名系統」、「明代戲曲評點的理論貢獻」、「明代戲曲評點的批評價值」、「三大名劇評點」、「明代戲曲評點與明代戲曲文化」，一直到最後一章總結出「評點的歷史地位」，清晰歸納幾個特質；其一，由於明代戲曲評點於成熟的萬曆年間，多為文人接掌，他們參與其中，利用了評點形式，使之矗立於文壇，遂為著名評點專家；此外，評點內容在最初為何會以單一部戲曲作品為主，則因曲壇戲曲批評最初圍繞著幾部公認的戲曲名作來做討論，而這一觀點也逐漸影響戲曲評點的流行，評點者轉而以此表述出個人的文藝觀點。

　　若從各時代評點形成來看，明代因為評點的發展，將書商、文人、曲家三者關係密切相連一同。最初於明中葉時，文人懂得引用戲曲評點表述自我立場，直接參與戲曲文本的二度創作，評述文字突出個人文藝觀點。此時，書商看準評點市場買氣，接連著以某位評點家名義來販售評點作品，這些作品可能為真實評點家創作，但部分也有書商偽託之作，朱萬曙在《明代評點研究》中，利用各章節總結文人與評點的關係。王祥穎《明代傳奇評點初探》（2005）也對傳奇評點逐步挖掘特質，著重研究於萬曆年間至晚明後戲曲評點現象，提出至明末，許多文人因結社產生出小眾讀者，因而影響戲曲評點模式，例如：孟稱舜《嬌紅記》評點代表著浙東地區文人團體對傳奇創作的觀點，他們認為戲曲創作是為了反映社會，戲劇運用愛情主題等相關主情內容，強化教化思想，這其中的轉化亦反應著末世文人對應時事的心態。此外，文人所創作的新傳奇文本皆附有評點，例如吳炳、阮大鋮等文人創作皆有評點。故原先自明中葉後書商—文人結合的概念，至明末開始移轉為書商—曲家—文人三結合的戲曲評點市場概念。

　　明代戲曲綜合論述大致完備，而清代戲曲評點也在這一波研究上嶄露頭角。相對於明代戲曲評點的開展，清代戲曲評點本顯得多而龐雜，正如百花齊放般各自表述。二〇一四年張勇敢《清代戲曲評點史論》一書，也有別於明代研究，先以時間為縱軸，順著評點發生的時間點，歸納出清代評點三階段之斷線時間，包括：清前期（順治、康熙、雍正）、清中期（乾隆、嘉慶、道光）、清後期（咸豐、同治、光緒、宣統），而這每一個時期，評點面

向皆不同[9]。張勇敢以前期為例，提到：「評點主體從明代書商、文人、曲家
『三足鼎立』轉變為文人『一枝獨秀』，著述體、知己體、參評體是值得關
注的評點現象；明代戲曲簡略、稀疏之評點形式至此發展為繁密化、體系化
之評點形態；文本價值、傳播價值、演劇價值、理論批評價值構成了清前期
戲曲評點價值系統。[10]」文人能善用評點，可能是為自己、為朋友或其他目
的、團體等，讓評點者運用其形式參與創作。同時，在內容部分充滿著多元
性。清初期評點文字存在著文本敘事、傳播出版、戲劇審美等功能性，到了
中期又侷限了評議內容，「戲曲結構章法化」是清代中期戲曲評點特色，而
與劇場導演相關內容則寥寥可數；到清末第三階段看似無新意，但卻在最後
幾年受到報刊影響，將愛國思想置入於評點中，充滿著新社會、新秩序的嚮
往[11]。

因此，若以形式的完整性來看，清初評點階段可為範式。此階段受金聖
歎評點影響，這一段時間的出版品具有系統、條理，並歸納出文法概念內
容，成熟體現出戲曲「文」的觀念，以及評點形式規模。高禎臨《經典的重
建：清初戲曲評點研究》，集結清代前期的著名戲曲評點，試圖梳理其閱讀
方法與批評策略，確認他們成為戲曲經典的意義[12]。

然而，清代評點系統在規模、數量、形式上，都比明代來得複雜。根據
張勇敢初步調查，有清以來目前可見加起來的評點本數共有三三〇本之多，

9　張勇敢：《清代戲曲評點史論》，華東師範大學中國語文學博士論文，2014年。

10　參考資料同前註，為其論著之中文摘要內容，頁6。

11　光緒二十一年至宣統三年間戲曲評點之新變色彩突出，評點主體身上不無政治家身
　　影，報刊體戲曲限制了評點形態。評點家借助戲曲評點宣傳救國保族、振興女權思
　　想，體現著社會文化批評的強化；評點批評關注戲曲文體變革，展現了戲曲結構、角
　　色、賓白的嬗變歷程。（張勇敢：《清代戲曲評點史論》，頁6-7）

12　高禎臨在研究上，以金聖歎《第六才子書西廂記》、毛聲山父子《第七才子書琵琶
　　記》、《吳吳山三婦合評牡丹亭還魂記》以及孔尚任評點《桃花扇》作為研究對象，以
　　閱讀方法與批評策略作為主要的關注焦點，試圖在本書中，建構起清初戲曲評點的時
　　代特色與經典意涵。參閱高禎臨：《經典的重建：清初戲曲評點研究》（臺北市：文津
　　出版社，2015年）。

而李克於《明清戲曲評點研究》，附有三四六種戲曲評點名錄和一五〇位評點家情況，但從已經被研究的數據來看，仍僅只少數評點本被現代研究者所青睞，這一部分期待在未來繼續開發、研究[13]。

（二）再探各類經典名著評點本之價值

李克認為，清代的戲曲評點鼎盛期在於清初順、康年間，至乾隆後又走向衰弱（〈乾嘉時期戲曲評點理論發覆〉[14]），這一個興起的時間點，剛好和崑曲於清代盛期相當，而戲曲評點亦可以乾隆年間來做一個區隔。入清後，延續明中葉討論之文本，標舉為第六才子書的金聖歎評點《西廂記》、第七才子書毛聲山父子評點《琵琶記》，以及《牡丹亭》各類評點本等，於清初仍是相當著名的評點作品，讀者們經由閱讀過程，運用評點形式，建立起俗文學的經典價值。另，清初隨著崑曲另一波興盛，使新作品也加入了評點形式，成為新興戲曲出版品必備之內容。因此，演出與案頭兼備之作品如雨後春筍般滋生，清初之《長生殿》、《桃花扇》等，都加入了評點形式，提供閱讀樂趣。

在二十世紀前的研究，是以梳理評點家評點方式，表彰敘事性文學思維，並參看戲曲文學理論中的文藝思維，來對應戲曲敘事發展。然而，到了二十一世紀後，評點研究面向則以評點家如何「提高經典閱讀性」的觀點，檢視這些作品。高禎臨〈金批《第六才子書西廂記》的經典重建過程〉[15]提出其研究目的：「分析金聖歎《第六才子書西廂記》如何以強烈的讀者意識與立場，面對著既已存在的文學觀念與前人批評傳統，以文本作為對話與競技的場域、藉由評點作為一種發聲與辯論的方式，確認了讀者與閱讀行為在建立經典書目的過程裡所能發揮的能動意義，揭示《西廂記》文本中足以被

---

13 李克：《明清戲曲評點研究》（新北市：花木蘭出版社，2013年）。

14 參閱李克：〈乾嘉時期戲曲評點理論發覆〉，《北方論叢》，2009年5期。

15 高禎臨：〈金批《第六才子書西廂記》的經典重建過程〉，引文摘錄其摘要內容，《淡江中文學報》第32期（2015年6月），頁111-150。

視為天下至文的文學內涵，並以之作為一種重建經典的過程。」

此外，對於女性評點者評點經驗的關注，也是在二十一世紀相關研究者所著重的面向。關於《牡丹亭》評點，就以不同閱讀者的閱讀經驗形成不同評點作品，例如：《才子牡丹亭》[16]、《吳吳山三婦合評牡丹亭還魂記》[17]等，二本清人評點作品相關研究，大約都在一九八〇至二〇〇〇年間陸續被注意到其書的評點特色與價值，尤其評點者身分問題最為關注。前一書於一九九八年由華瑋首先提出〈《才子牡丹亭》作者考述——兼及〈笠閣批評舊戲目〉的作者問題〉，提出此一評點是以程瓊自批之《牡丹亭》（名《繡牡丹》）為藍本，加上吳震生自己的批注和附錄等合編成書，故此一著作應為夫婦二人之合著。就戲曲評本而言，《才子牡丹亭》之思想內容亦十分特殊，除了包含女性觀點外，批者還將《牡丹亭》文本進行了「情色化」的批注解析，有別於其他評點論述。此評點本被關注之後，至二十一世紀後，學者們發表多篇論文，提出了相關評議《牡丹亭》的觀點[18]。

因而女性戲曲批評研究在此時獲得關注，臺灣學者對這方面研究早於大陸，中央研究院中國文哲研究所於二〇〇三年首先刊出《明清婦女戲曲集》[19]和《明清婦女之戲曲創作與批評》[20]，對女性戲曲批評研究打開局面。後，大陸研究者開始發表相關代表性的成果，劉奇玉：〈明清女性戲曲批評群體

---

16 清康熙、雍正間，《才子牡丹亭》為吳震生、程瓊夫婦，因湯顯祖名作《牡丹亭還魂記》所作的一部箋釋、詮講和評點的專著，有別於其他《牡丹亭》之相關評點，該書針對男女性意識自覺提出了許多重要和超前的觀點。

17 《吳吳山三婦合評牡丹亭》是《牡丹亭》於清代的評點本，由清人吳吳山的三位妻子_陳同、談則、錢宜等合作完成。此評點本被定位為「中國歷史上第一部出版的女性文學批評著作。」

18 華瑋針對此一評點作品，提出相關研究報告如：〈《才子牡丹亭》作者考述——兼及《笠閣批評舊戲目》的作者問題〉，《戲曲研究》第55期，頁205-224，2000年7月（原載於《中國文哲研究集刊》，較原文少一部分）、〈《牡丹》能有多危險？——文本空間、《才子牡丹亭》與情色天然〉，《文化藝術研究》第5卷第3期，2012年。

19 華瑋：《明清婦女戲曲集》，中研院中國文哲研究所出版，2003年。

20 華瑋：《明清婦女之戲曲創作與批評》，中研院中國文哲研究所出版，2003年。

初探〉[21]、〈性別・話語・策略——從序跋視角解讀明清女性的戲曲批評〉[22]，寇鵬飛：《明清女性戲曲理論批評研究》[23]等，二〇一四年高雯：〈《才子牡丹亭》在女性戲曲評點史上的價值〉[24]，趙雅麗：〈二十世紀八〇年代以來的《牡丹亭》女性評點研究述略〉[25]，都是分析以女性角度作為評閱者的特殊性，以上均以女性戲曲批評者作為研究專題。

　　《長生殿》與《桃花扇》相關評點研究，在此時亦獲肯定。臺灣學者曾永義：〈《長生殿》眉批之探討〉[26]，黃熾：〈靈犀相通正中肯綮——試論《桃花扇》早期刻本的批評〉[27]，研究成果都有很好的回響。另一和金聖歎研究一般熱門的清代創作者李漁相關研究，相關曲論研究之碩士論文高達四十篇以上[28]。高美華：〈李漁的戲曲評點〉[29]在評點文本選材上別出心裁，使用評點之作不是李漁自己的作品，而是以他曾為友人傳奇所作之增補、評閱之作——《秦樓月》、《香草吟》兩部傳奇為主，研究上突顯李漁寓莊於諧的遊戲精神，並點出其評點內容一方面承繼儒家淑世旨趣，與傳統文人章法思維；二方面，也掌握劇曲本質，對劇場藝術有所提攜。後續陳淑萍於碩論《李漁戲曲理論與創作實踐的遊戲概念》中，針對「遊戲概念」的評點文字，予以更深刻的解析探究[30]。

---

21 劉奇玉：〈明清女性戲曲批評群體初探〉，《文學遺產》2010年1期。

22 劉奇玉：〈性別・話語・策略——從序跋視角解讀明清女性的戲曲批評〉，《中南大學學報（社會科學版）》，2009年5期。

23 寇鵬飛：《明清女性戲曲理論批評研究》，陝西師範大學文藝學碩士論文，2011年。

24 高雯：〈《才子牡丹亭》在女性戲曲評點史上的價值〉，《湖北社會科學學報》，2016年1期。

25 趙雅麗：〈20世紀80年代以來的《牡丹亭》女性評點研究述略〉，《華東理工大學學報（社會科學版）》，2014年第2期第33卷。

26 曾永義：〈《長生殿》眉批之探討〉，發表於上海復旦大學「中國文學評點研究學術研討會」，2002年11月。

27 黃熾：〈靈犀相通正中肯綮——試論《桃花扇》早期刻本的批評〉，《文學遺產》2004年2期。

28 例如何華茹：《笠翁傳奇評點研究》，揚州大學中國古代文學碩士，2018年。

29 高美華〈李漁的戲曲評點〉，《戲曲學報》第16期，2017年6月。

30 陳淑萍：《李漁戲曲理論與創作實踐的遊戲概念》，國立成功大學中文所在職專班碩士論文，2013年7月。

　　然而，各別論述研究之餘，研究方向也開啟對經典評點之作做綜合性的論述。王璦玲在研究中共同檢視四部經典評本—《西廂記》、《琵琶記》、《長生殿》、《桃花扇》等，分析其閱讀者批語，探究每一經典中讀者閱讀語境的各種議題[31]，綜合以閱讀理論為題之各種層次內涵。

（三）以時代為分野突出小眾評點者相關研究

　　這一部份研究逐漸普遍化，乃因明清戲曲文本有規劃地整理出版，以及學界陸續出版以明、清時代等相關評點研究專著，提供相關評點資訊，讓更多小眾戲曲評點專著容易被尋找、研究。

　　這一部分各別評點家研究，如王祥穎：《孟稱舜戲曲選集與評點研究》，即以孟稱舜編選《古今名劇合選》一書為題[32]，以「重組」、「建構」等方式解析孟稱舜對元、明雜劇所做的選擇、刪修、校正、評點等整體編修歷程，突出此書評點價值。此外，入清後如丁耀亢[33]、石韞玉[34]等小眾戲曲評點

31　她在摘要強調：「文學評點、詮釋與接受之理論思考；戲曲品賞中之「觀劇」與「讀劇」，戲曲評本所呈現之讀者精神與批評意識；明清戲曲評點之形態發展與評本中「批評語境」之建構；評者「專業場域」之建立——戲曲評本中「批評者與批評者」之對話空間／文化空間；戲曲著名評本中「評者」之立場與其所展現之批評意識與理論建構；作為「文化現象」之戲曲評點。」利用四部經典，來看戲曲文本做為不同閱讀狀態時，在不同閱讀語境下的各自表現。〈評點、詮釋與接受—晚明清初戲曲評點之批評語境與其理論意涵〉，《中國文學研究（輯刊）》，2017年。

32　孟稱舜所編著之《古今名劇合選》一書，原已散佚不存，然而一九三三年著名文學家鄭振鐸，無意間於北平東安市場某一書肆得全書後，於〈記一九三三年間的古籍發現〉曾撰文提示此書的價值，繼而將此一著作重整出版，收錄於《中國古本戲曲叢刊》第四集。此一著作細分為《柳枝集》、《酹江集》二種。後，《續修四庫全書》（2002）亦將其收入集部戲劇類（1763-1764集），此二出版品皆根據明崇禎六年（1633）刊本影印，而真本原書存藏於上海圖書館中。參閱王祥穎：《孟稱舜戲曲選集與評點研究》（臺北市：新文豐出版社，2019年）。

33　參閱李克：〈丁耀亢戲曲評點理論發微〉一文，《中華戲曲》第40輯。其戲曲評點理論，主要見於《赤松遊題辭》和《蚺蛇膽》（一名《表忠記》）出批，李克從丁氏戲曲批語，體現他對於喜劇形成與戲劇結構的看法。

家，也在此時被現代研究者關注，於是透過評點資料，除了對作品與評點內容有所了解外，時代之文化脈絡也在評點內容中展現。

又，另一種研究是以時間加上區域所做的評點研究，如李克：〈乾嘉時期戲曲評點理論發覆〉一文，他認為當時代從理學轉向樸學時，評點風貌與探究面向也隨之改變[35]，甚至逐漸失去戲曲本身「戲」的味道。然而，到了道光時期，戲曲評點面向又有所變異，王祥穎：〈晚清道光年間戲曲評點活動研究〉提到，從戲曲評點本出版量來看，道光年間就有三十六種之多，代表作家有梁廷枏、黃燮清、椿軒居士、李文翰等劇作者，他們在戲曲創作部分具有一定數量，從評點觀點與內容更可以體驗這些道光年間的戲曲作品具有幾種特質，大體逐漸脫離了「劇」的形式[36]。

（四）探究整體戲曲評點發源、文化脈絡等深度議題

評點從原本依附文體，發展到能獨立且視為一門學說後，相關評點活動[37]，以及周邊研究亦逐步盛行。評點不僅是一種時代流行的產物，它牽涉到多方面人文活動的聚成，而把這些因應時代的文化思維，置入評點學研究

---

34 石韞玉（1756-1837）是清中葉蘇州較有代表性的戲曲家，在五十二歲時曾點定複刻本毛晉所選編《六十種曲》，評點過的批稿成為考察石氏戲曲思想最重要之文獻。其評點內容「均較多地指涉古代戲劇本體理論的核心概念，有其獨特的理論批評意義，當為清代中期戲曲評點的範本之一，是對古代戲曲評點的重要補充」。鄒峰：〈石韞玉錫曲評點研究初探〉，《蘇州教育學院學報》，第28卷第1期（2011年2月），頁36-39。

35 李克認為：「戲曲敘事結構理論的『非戲劇化』傾向、形式批評的崇尚和反劇場化的藝術追求，是清代乾嘉時期戲曲評點的主體特徵」，參閱李克：〈乾嘉時期戲曲評點理論發覆〉，《北方論叢》2009年第5期，頁21-24。

36 包括：以閱讀為出發點，體制精簡短小，情節發科打諢處設計多，突破以文為主的寫作方式；再者，劇本敘事結合民間積陰騭具有濃厚的因果報應論特質；第三，以時事性題材入劇，透過社會寫實性內容反映社會現實；第四，批語章法處多以「筆」字為多，著重於情節話語的連結性，以及收束情節尾聲。

37 朱萬曙：〈明代戲曲評點的形成與發展〉，《東南大學學報（哲學社會科學版）》第2卷第4期（2000年11月），頁82-88。

後，更能豐富評點內涵，對於評點形成、使用形式以及相關術語等形成用法，更能深刻理解之。

最初研究都認為，評點活動的形成和科舉取士是有連帶關係的。陳維昭認為「墨卷評點」則與評點活動息息相關：「墨卷評點與科舉制度同時產生，是科舉制度的一個關鍵環節。考官在墨卷上批上評語，表明取捨的依據，此即為墨評。考官的評語一般比較簡單，直至清代依然如此。」[38]除了卷頁的評語外，相關館課制度、各代坊間銷售之名家評點程墨等，都是讓評點文化能興盛之主要原因。尤其提到明中葉後王士驥程墨評點開展後，將簡單之感興式批語一變為系統化評點模式，即所見之評閱方式，每折前先以題解將問題進行辨析考證，而在每支曲子後，也有辨析性文字互見。故評點者以評點方式除了做到辨析、考證之外，也對內容中字法、句法、章法等進行評點，形成日後我們所見之戲曲評點面貌。

又，以「文藝思潮」觀點來探究評語的內容形成。李贄、金聖歎對於俗文學的推動不遺餘力，他們將小說、戲曲等俗文學價值，提高於一般文體之上，進而提出戲曲真實性乃反映情真，這亦可視為對當時桎梏人心之理學思想所形成之一種反動；此外，二十一世紀對於評點「真實」討論研究，也有更深刻的思維性，田根勝：〈戲曲評點與明清文藝思潮〉[39]所討論的，是當時文藝文化所帶來的另類思潮，朱萬曙：〈明代戲曲評點中的真實論——兼談評點作為文學思想研究資源問題〉[40]一文，以「真」的根源，探究事真、人真、境真的意涵，真實地表現生活中的人情物理，能夠「傳神」，達成「化工」之境，此時評點內容，反映出評閱者將哲學觀置入文藝思潮中。

所以評點活動，不僅只是一種閱讀體現，它其實結合了多種文化形式，後世研究戲曲評點者，可以從文藝文化、印刷文化、理學思維等角度探詢，

---

38 陳維昭：〈程墨評點與明清戲曲評點〉，《長江學術》，2015年第3期（總第47期），頁51-52。

39 田根勝：〈戲曲評點與明清文藝思潮〉，全國中文核心期刊藝術百家，2004年第3期。

40 朱萬曙：〈明代戲曲評點中的真實論——兼談評點作為文學思想研究資源問題〉，《中南大學學報（社會科學版）》第24卷第4期（2018年7月），頁9-18。

皆能透過各種文化角度，了解頻仍的評點活動存在於明清時代的意義。

三 未來戲曲評點研究的幾種可能性

在二十一世紀戲曲評點文學，開創一個獨立研究的局面，然而在出版或研究上，仍有必須突破的侷限與困境。

（一）新評點作品的發掘與整理工作

張勇敢曾統計中國古代戲曲評點應有六百餘種，但目前僅只四十餘種受到學界重視，可見在此類研究上有待開發。然而龐大且散佚的作品如何尋得？這一個問題在二十一世紀戲曲評點研究獲得充分的突破。

相關研究者將戲曲評點之作，羅列於研究成果中。如李克、張勇敢相關清代戲曲評點作品，以附錄方式呈現，都讓後續研究者能按圖索驥，查詢更多戲曲評點資料。筆者也因此翻閱了洪炳文（1848-1918）戲曲評點，對其著作甚感好奇[41]。洪炳文是位愛國文人，嘗試以自編劇、自評點方式宣揚愛國理念。以《芙蓉孽》傳奇創作為例，在劇本前，計有多人〈題詞〉數篇（古春堂居士、王岳崧、張陔、李遂賢、邵池、余筠等人著）、《芙蓉孽》樂府自序〉、〈例言〉、〈上場應派腳色〉、〈齣目〉、〈提綱〉等，而每一齣戲劇末，皆附總評內容，這些外加的非劇本內容，完整交代該劇創作因緣、劇情梗概、重點提示等等細節。此外，他的作品也經常刊登於當時報章雜誌等平面傳播媒體上，而張勇敢附件的評點目錄，詳載他數量繁多的戲曲作品，目前尚存放之地點。

故，利用前人所給予的線索，可將小眾評點者收集整理之，擴大戲曲評

---

41 筆者曾引用洪炳文寓言戲曲評點，發表〈晚清戲曲創作者洪炳文研究〉一文。洪炳文是中國近代戲劇大家，著作等身，是在當時既能兼顧儒學又能接受西方知識的學者之一。他有不少的戲劇創作具備著愛國主義與民族主義的特質，而洪氏自評內容也是著重在愛國主義的宣揚，以及對於現代戲場的相關體會。

點研究的面向。近年來，各類戲曲作品的出版印刷，也對這一類研究有所幫助，例如：《明清孤本戲曲》（2017）[42]、《鄭振鐸藏珍本戲曲文獻叢刊》（2017）[43]、《古本戲曲叢刊六集》（2016）[44]等，這些文本尤其是清中葉後戲曲評點相關出版，均能對這一類型之研究有所助益。

然而，很多在資料補足之後，必須做交叉比對的工作，特別是評點者的身分。以明中葉多數小眾之戲曲文本為例，評點者多以筆名刊載文本之中，他可能與戲曲創作者相互來往，有著結社讀書等活動。以道光年間梁廷枏（1796-1861）為例，他的小四夢戲劇之一的《江梅夢》雜劇，形式上有作者自序，標名為《江夢梅雜劇》。署名「藤花主人」填詞、養花精舍點論，本劇有夾批。而《曇花夢》雜劇，首有〈藤花主人序〉，附錄《西河記》，卷署「藤花主人」填詞，「紅豆村樵」評校，亦有夾批[45]。藤花主人則是梁廷枏之署名，但為其評點者亦以別名相稱，類似這樣的戲曲評點本，在清代中期、晚期的作品相當多，研究上要能以其他作者集會、遊宴的朋友群相互交叉比對才能知曉。然而，這樣的一個訊息透過研究，也可以補足當代評點文化特質。

（二）戲曲評點文獻的整理與刊印

由於以往對於戲曲評點本皆視為戲曲文本的一部份，故尚未有獨立的評點文獻或相關叢刊問世，故推動戲曲評點文獻的整理工作刻不容緩。

對古本戲曲相關印製，可以將已具有成果部份匯集起來做系統性編印工作，尤其具多年時間研究並獲得豐碩成果的評點作品，可運用匯編系列作品

---

42 《明清孤本戲曲選本叢刊（第1輯）》（全46冊）（北京市：北京圖書館出版社，2017年）。

43 《鄭振鐸藏珍本戲曲文獻叢刊》（全70冊）（北京市：北京圖書館出版社，2017年）。

44 《古本戲曲叢刊六集》（17函180冊）（北京市：北京圖書館出版社，2016年）。

45 參閱：梁廷枏《小四夢雜劇》，《傅惜華藏古典戲曲珍本叢刊》（北京市：學苑出版社，2010年）。

方式進行刊印。此外，清代中期、晚期散落在大陸各大圖書館戲曲評點作品相當多，應可運用數位化處理後，將其成果提供網上借閱的服務，或是再次集結出版，都可嘉惠學子更加精進戲曲評點學研究。

此外，在研究成果印製上，必要能符合古典戲曲刊物的完整性。以《洪炳文集》為例[46]，筆者感佩溫州市編輯者辛苦收羅洪氏戲曲作品，也刊刻戲曲評點文字，我們以《芙蓉孽》傳奇的創作為例，在劇本前，計有多人〈題詞〉數篇（古春堂居士、王岳崧、張陔、李遂賢、邵池、余筠等人著）、〈《芙蓉孽》樂府自序〉、〈例言〉、〈上場應派腳色〉、〈齣目〉、〈提綱〉等，而每一齣戲劇末皆附總評內容，這些外加的非劇本內容，完整交代該劇創作因緣、劇情梗概、重點提示等等細節。但有些戲曲作品具有夾批（或眉批）部份，則可能因應排版關係而省略，促使在研究上，無法保有原評點資訊之完整性。戲曲評點作品在現代印刷排版上，要更加謹慎，不疏忽任何評點資訊，包括形式上的保存。

（三）擴大戲曲評點，提升評點學意涵

評點學能成為一個學科，表示出它的複雜性、豐富性，故評點絕不能說它僅只是一個形式。後世研究者要突顯的，是在其形式背後成就它多方的因素，如：評點者、出版商、出版時代、社會風氣……等，都是在後續評點學中，可以逐一被檢視的元素，而在評點學這一塊，詩、文、小說等也各有其評點意涵，但這樣運用各文體的評點能激盪出更深刻的評點學說，也是值得嘗試的方向。臺灣學者楊玉成在〈離魂與譫妄：金聖歎評點與文本幽靈〉[47]，打開金聖歎各類詩、文、小說、戲曲等評點內容，找出各批語中共通話語，包括曾在批語所提：作者的死亡、自動寫作、化身、倩女離魂（離魂語）、

---

46 洪炳文著、沈不沉編：《洪炳文集》（上海市：上海社會科學院，2004年）。

47 本文出自「眾生病，故我病——中國文化書寫中的罪悔語療癒」國際學術研討會會議論文，2010年9月9-10日。

心口相語、不完句法、讕語、隨說隨掃等內容，藉由此來評述他不為人知的一面。而另一篇〈聲口：明清之際文學評點的多音性〉[48]，打開評點學，共同以「敘事聲音」來闡述評點形成的多面性。故，評點學打破文體的隔閡，達成一種擴充交流、研究，也是未來評點學必會走向的研究趨勢。

四　結論

　　戲曲評點學在二十世紀前人研究下，奠定優良的成果，故能於二十一世紀後，讓評點學更具獨特性，戲曲評點學在這樣環境中，獲得充分的能量，並有更多的研究學者參與其中。而在整體研究部份，前半評點研究工作，已運用編年方式將評點階段延展開來，透過評點史料的補述，了解戲曲評點概況，並與時代環境相扣合。然而，集中部份經典評點作品之餘，尚有百部作品未能一窺全貌，故，如何有效對小眾評點作品進行開發、研究，也是未來戲曲評點學科一個刻不容緩的工作。

---

48 楊玉成：〈聲口：明清之際文學評點的多音性〉，政大中文系、暨大中文系合辦，「百年論學」講論會，南投，2010年12月4日。

清代禁令桎梏下的《金瓶梅》傳播

傅想容

鹽城師範學院文學院副教授

提要

　　《金瓶梅》在清代的傳播滲入了政治干預，成了無法在臺面上公開流行的禁書。然而考察文獻資料，可知《金瓶梅》被禁非從清初開始，而是遲至康熙年間。康熙屢次針對小說頒佈禁令，私藏、私售小說者，得受嚴刑峻法。是故清中葉後，《金瓶梅》的小說、戲曲屢遭更名，在坊中暗自流傳。而如此長期的禁毀過程，也影響文人對《金瓶梅》的評價，在可考文獻中對《金瓶梅》的詆毀之言處處可見。清代流傳下來的文獻記錄甚少，故本文由周邊材料旁敲側擊，提供了《金瓶梅》在清代的流傳版本、偽書情況、書價情況及各種商業交易情況。而這些在禁令下悄悄進行的商業行為，交織出《金瓶梅》在清代的傳播面貌。

關鍵詞：金瓶梅　禁書　小說傳播

一　前言

　　《金瓶梅》自明末問世以來，雖毀譽參半，然官方勢力並未正式介入，其流傳並未因此受阻。入清之後，《金瓶梅》正式被列為官方禁書，被統治者視為「淫詞小說」。不過，清代被禁毀的書籍種類繁多，官方為了箝制思想，許多思想家、文學家的作品，但凡有違礙文字，一律視為禁書。因而《金瓶梅》與眾多小說、戲曲在列，同受打壓，非獨為眾矢之的。

　　早期研究清代的禁書，戲曲、小說尤不受關注，吳哲夫首開其端，他在著作中專立一節探討小說戲曲的禁毀，極具拋磚引玉之功。[1]而後王利器輯錄《元明清三代禁毀小說戲曲史料》，方便研究者按時代查索，是目前研究小說禁毀最完善的工具書，然而百密必有一疏，幸後有趙興勤、趙韡等學者相繼增補缺漏。[2]關於清代禁書研究，無論是專書或單篇論文，都已有許多精彩的發揮，有助於研究者了解清朝禁書的歷史、源由、法令及影響。[3]若將範圍縮小至小說的禁毀，則以石昌渝、歐陽健的研究較為完善，前者將論述集中於清代，後者則以中國悠久的歷史為背景，以此勾勒出中國古代小說禁毀歷史。[4]金學研究者也注意到此一議題，例如何香久在討論清代傳播史時，就著重史料的記錄，可惜限於早期研究，還是有若干資料闕而弗錄，[5]尚待補足。

1　吳哲夫：《清代禁燬書目研究》（臺北市：嘉新水泥公司文化基金會，1969年8月），頁64-83。

2　王利器輯錄：《元明清三代禁毀小說戲曲史料》（臺北市：河洛圖書出版社，1980年1月）。趙興勤、趙韡：〈王利器《元明清三代禁毀小說戲曲史料》輯補〉，《晉陽學刊》（2010年第1期），頁123-125。

3　王彬主編：《清代禁書總述》（北京市：中國書店，1999年1月）。丁原基：《清代康雍乾三朝禁書原因之研究》（臺北市：華正書局，1983年2月）。陳益源：〈丁日昌的刻書與禁書〉，《明清小說研究》（1997年第2期），頁204-217。

4　石昌渝：〈清代小說禁毀述略〉，《上海師範大學學報》第39卷第1期（2010年1月），頁65-75。歐陽健：《古代小說禁書漫話》（瀋陽市：遼寧教育出版社，1992年10月）。

5　何香久：《《金瓶梅》傳播史話──一部奇書在全世界的奇遇》（北京市：中國文聯出版公司，1997年12月），頁132-153。

　　而透過前人的研究，我們還可以了解到：儘管《金瓶梅》在清代的特殊政治背景下被視為有害風俗的「淫書」，卻仍傳頌不衰。[6]有別於明代盛行的手抄本，清代的圖書流通形式和明代並不全然相同。明宣宗時，手抄本仍然佔有主要市場，[7]明中葉後，雖然刻本的比重漸增，但是鈔本有時候能夠提供低廉的價格，[8]還是許多清貧讀者閱讀的首選。清代另外還開始流行租書，李家瑞指出清代饅頭舖經常兼做租書業，各種唱本、小說都可以透過租賃取得。[9]而通俗小說的租賃價格，可能是普通百姓能夠負擔的。[10]

　　上述研究已為我們勾勒出清代戲曲、小說流通的大致面貌。此處將進一步把範圍縮小至《金瓶梅》，逐一處理下列問題：一、在官方禁毀下，《金瓶梅》如何繼續流傳？其流傳方式為何？二、在禁令的打壓下，清人對《金瓶梅》的評價為何？與明人是否有顯著的差別？三、在禁令及社會的偏見的影響下，《金瓶梅》在清代是否仍能有商業化的傳播型態？其傳播型態又為何？上述問題將透過史料的耙梳及應證，逐步勾勒出《金瓶梅》在清代的傳播面貌。

二　官方禁毀始末及影響

　　明末清初各種淫詞小說相繼出現，如《弁而釵》、《宜春香質》、《浪史》、《肉蒲團》等。這些小說中的性描寫相當露骨，有些甚至達到不堪入目

6　李梁淑：《金瓶梅詮評史研究》（臺北市：學生書局，2014年9月），頁21-25。

7　《明史》記載當時「秘閣貯書約二萬餘部，近百萬卷，刻本十三，鈔本十七。」〔清〕張廷玉：《明史》，收入《文津閣四庫全書》〈史部〉（北京市：商務印書館，2005年），卷96，頁453。

8　大木康的研究指出鈔本對社會的貢獻在於成為廉價書物。中國有重刊本甚於鈔本的傾向，刊本一出，鈔本咸廢，此與日本重鈔本甚於刊本的情況不同。在中國，鈔本有時較刊本便宜。〔日〕大木康：〈鈔本在明清兩代〉，收入東華大學中文系主編：《文學研究的新進路》（臺北市：洪葉文化公司，2004年7月），頁467-480。

9　李家瑞：〈清代北京饅頭舖租賃唱本的概況〉，收入張靜盧輯註：《中國近現代出版史料》（上海市：上海書店，2003年12月），第6冊，頁134-138。

10　孫文杰：〈清代圖書流通傳播渠道論略〉，《圖書與情報》2012年第6期，頁130-136。

的地步。而清初當權者忙於穩定政局，無暇顧及這些小說，一直到了順治九年，清聖祖才正式下命禁止刊刻「瑣語淫詞」，違者一律「從重究治」，[11]不過這時候還沒有提出具體的懲罰措施。而《三國演義》滿文本於順治七年譯成頒行，對比順治九年開始查禁「瑣語淫詞」，則不啻為「只許州官放火，不許百姓點燈」。

其實在太宗崇德初年的時候，清廷還下詔翻譯中國小說，王昭槤《嘯亭續錄》中如此記載：

> 崇德初，文皇帝患國人不識漢字，罔知治體，乃命達文成公海，翻譯國語《四書》及《三國志》各一部，頒賜者舊，以為臨政規範。及鼎定後，設翻書房於太和門西廊下，揀擇旗員中諳習清文者充之。……有戶曹郎中和素者翻譯絕精，其翻《西廂記》、《金瓶梅》諸書，疏櫛字句，咸中綮肯，人皆爭誦焉。[12]

其翻譯的主要目的是為了便於滿人認識禮教、軍事等各種知識，而後小說、戲曲也成了翻譯的對象。比起經書和史書，通俗小說更容易理解，也有娛樂效果，《金瓶梅》的滿文譯本「人皆爭誦」，顯然極受歡迎。清末進士冒廣生曾說：「往年於廠肆見有《金瓶梅》，全用滿文，惟人名則旁注漢字，後為日本人以四十金購去，賈人謂是內府刻本。……此或當時遊戲出之，未必奉勑也。」[13]而曾經翻譯滿文《金瓶梅》的可能不只和素一人。[14]無論遊戲而作

---

11 王利器輯錄：《元明清三代禁毀小說戲曲史料》，頁19-20。

12 〔清〕昭槤《嘯亭續錄》，收入《筆記小說大觀》（臺北市：新興書局，1985年3月），卷1〈翻書房〉，頁4745。

13 〔清〕鈍宦：《小三吾亭隨筆》，收入黃節等編：《景印國粹學報舊刊全集》（臺北市：臺灣商務印書館，1980年9月），宣統三年正月第七十五號，〈滿文金瓶梅〉，頁10360。

14 〔清〕袁枚著，冒廣生批：《批本隨園詩話》，批語云：「繙譯《金瓶梅》，即出徐蝶園手。其滿漢文為本朝第一。蝶園姓舒穆魯，滿州正白旗人。」〔清〕袁枚著，冒廣生批：《批本隨園詩話》（上海市：中國圖書公司和記，1916年4月），卷5，頁9。徐蝶園是否參與滿文本《金瓶梅》翻譯，黃霖提出疑義，同時也認為《金瓶梅》翻譯者應不只和素一人，如《三國演義》的翻譯者就達十六人。詳見黃霖：《金瓶梅考論》（瀋陽市：遼寧人民出版社，1989年10月），頁330-335。

或奉勅而作，都可看出滿人對《金瓶梅》有一定的興趣和接受程度。

降至康熙，清廷對於小說開始積極打壓，多次頒令禁毀，理由不外乎是這些小說「敗壞風俗」、「易壞人心」、「煽惑愚民」。反觀序於康熙四十七年的滿文本〈金瓶梅序〉，說《金瓶梅》的內容是：「其於修身齊家、裨益於國之事一無所有」，但翻譯此書是為「將陋習編為萬世之戒」，如果讀者「知反諸己而恐有如是者」，則「斯可謂不負是書之意也」，[15]由是可知，滿清政府是以如此堂而皇之的理由，默許《金瓶梅》滿文譯本的通行。

康熙年間雖屢次查禁小說，不過成效不佳，坊間私自印行、販賣者多有之。故當局於康熙五十三年，再下重令：「近見坊間多賣小說淫詞，荒唐俚鄙，殊非正理；不但誘惑愚民，即縉紳士子，未免遊目而蠱心焉。所關於風俗者非細。應即通行嚴禁。」並且無論印、買、賣、看，都處以重刑：「嗣後如有違禁，仍有私行造賣刷印者，係官革職軍民杖一百流三千里，賣者杖一百徒三年，買者杖一百，看者杖一百」。[16]清廷甚至把出版淫詞小說與「造妖書妖言」掛上邊，污名化這些小說。[17]

康熙以來的屬禁，對於小說的流傳多少起了威嚇作用，許多小說因此不傳於世。[18]清朝禁毀書籍從順治開始，歷經康熙、雍正、乾隆，到乾隆達到登峰造極的地步，高宗乾隆特別留意戲曲、小說中的違礙文字，其查繳之深刻與廣泛，足以說明高宗深深忌諱明末清初的稗官野史。[19]乾隆十八年，竟也開始禁止滿人子弟閱讀小說：「近有不肖之徒，並不翻譯正傳，反將《水

---

15 轉引自黃霖：《金瓶梅資料彙編》（北京市：中華書局，1987年3月），頁5-6。

16 康熙五十三年的禁令，可見〔清〕孫丹書：〈定例成案合鈔續增禮部儀制〉，轉引自王利器輯錄：《元明清三代禁毀小說戲曲史料》，頁25。

17 《大清律例》刑律賊盜上「造妖書妖言」即列出淫詞小說。〔清〕劉統勳等纂：《大清律例》（海口市：海南出版社，2000年6月），卷23，「造妖書妖言」條，頁314。

18 鄧之誠《骨董瑣記》即云：「知明季以來小說，多不傳於世，實緣康熙有此屬禁。」鄧之誠：《骨董瑣記》（臺北市：大立出版社，1985年5月），卷6〈小說禁例〉，頁209。

19 關於清高宗禁毀書籍的詳細研究，可參考劉家駒：〈清高宗纂輯四庫全書與禁燬（上）〉，《大陸雜誌》第75卷第2期（1987年8月），頁5-21。劉家駒：〈清高宗纂輯四庫全書與禁燬（下）〉，《大陸雜誌》第75卷第3期（1987年9月），頁6-18。

濟》、《西廂記》等小說翻譯……於滿州舊習，所關甚重，不可不嚴刑禁止」。[20]但是查禁最嚴厲的乾隆皇帝，在宮中卻收藏成套的《金瓶梅畫》，而且書上俱蓋乾隆御覽之印，這些書流傳至今，不曾被銷毀，[21]再次說明了統治者剝奪人民閱讀小說戲曲的陰險手段。《儒林外史》書於乾隆元年的〈閑齋老人序〉即指出：「《水滸》、《金瓶梅》，誨盜誨淫，久干例禁。」[22]可以看出《金瓶梅》長期被查禁，已達惡名昭彰的地步。

　　道光十八年江蘇設局收毀淫書，道光二十四年浙江設局查禁淫詞小說，《金瓶梅》均榜上有名，包括《金瓶梅》、《唱金瓶梅》、《續金瓶梅》、《隔簾花影》。[23]《續金瓶梅》為明末清初丁耀亢所作，遭逢亡國之痛後，以金兵南下隱射清兵，並於書中處處揭露清兵惡行，自難逃查禁命運，後又易名為《隔簾花影》。同治七年，江蘇巡撫丁日昌大規模查禁淫詞小說，《金瓶梅》、《唱金瓶梅》、《續金瓶梅》、《隔簾花影》一樣名列書單，且告示如此說明：

> 淫詞小說，向干例禁；乃近來書賈射利，往往鏤板流傳，揚波扇燄……大率少年浮薄，以綺膩為風流，鄉曲武豪，藉放縱為任俠，而愚民蚩識，遂以犯上作亂之事，視為尋常。地方官漠不經心，方以為盜案奸情，紛歧疊出。殊不知忠孝廉節之事，千百人教之而未見為功，奸盜詐偽之書，一二人導之而立萌其禍，風俗與人心，相為表裏。[24]

當局查繳嚴厲，卻仍阻擋不了坊間的刊印，側面反映出想要徹底剷除這些小

---

20 《大清高宗純皇帝實錄》卷443，乾隆十八年七月壬午。轉引自王利器輯錄：《元明清三代禁毀小說戲曲史料》，頁40。

21 相關資料可參考阿英：《小說二談》，收入阿英：《阿英全集》（合肥市：安徽教育出版社，2003年7月），〈關於清代的查禁小說〉，頁345。

22 〔清〕閑齋老人：〈儒林外史序〉，〔清〕吳敬梓：《儒林外史》，收入《續修四庫全書》（上海市：上海古籍出版社，2002年3月，據清嘉慶八年臥閑草堂刻本影印），頁2。

23 〔清〕余蓮村輯：《得一錄》（臺北市：文海出版社，2003年6月），卷11〈收燬淫書〉，頁11-13。

24 轉引自王利器輯錄：《元明清三代禁毀小說戲曲史料》，頁121。

說並不是那麼容易，因此清王朝只能以封建統治的思想箝制人民，《金瓶梅》在一連串的查禁政策中屢屢被點名，理由多為有違風俗。滿文本〈金瓶梅序〉對小說「可為世戒」的說法已被「奸盜詐偽」等負面詞語取而代之，更被冠上社會敗亂之源。而江蘇自明末以來即是小說刊行的重鎮，因此查禁也最為用力，史料即云：「江蘇紳士，遂有禁燬淫書之舉，計費萬餘金，各書坊均取具永禁切結……除《水滸》、《金瓶梅》百數十種業已全數禁燬外，其餘苟非通部應禁，間有可取者，儘可用刪改之法，擬就其中之不可為訓者，悉為改定，引歸於正，抽換板片，仍可通行，所有添改之處，則必多引造作淫詞及喜看淫書一切果報，使天下後世撰述小說者，皆之殷鑑，不致放言無忌。」[25] 由此可見一般小說若非太過誇張，只要將可議的內容刪除或抽換文字後即可繼續流通，但《金瓶梅》卻是被列為全數禁毀，除了不印、不賣、不買、不看外，即連演唱也是不行的：

> 一應崑徽戲班，祇許演唱忠孝節義故事，如有將《水滸》、《金瓶梅》、《來福山歌》等項姦盜詐偽之齣，在園演唱者，地方官立將班頭並開戲園之人，嚴拏治罪，仍追行頭變價充公。[26]

《金瓶梅》在清代的劇目如〈葡萄架〉、〈挑簾裁衣〉等被目為「風流淫戲」，冠以引誘少年子弟及貞女節婦的罪名，「一概永禁，不准點演」。[27] 此段期間衛道人士的呼請不曾間斷，影響日後丁日昌對小說戲曲的查禁甚劇。[28] 然而統治者的嚴加查禁，並無法完全摧毀小說和戲曲，這是一種撲不滅的火焰。《金瓶梅》在流傳的過程中有各種書名，如《繡像八才子詞話》、《四大奇書第四種》、《新鐫繪圖第一奇書鍾情傳》、《多妻鑑》、《校正加批多妻鑑全集》等，有些僅看書名也無法得知是《金瓶梅》。而《續金瓶梅》被查禁後，也易為《隔簾花影》、《金屋夢》，繼續流通市面。

---

25 〔清〕余蓮村輯：《得一錄》，卷11〈收燬淫書〉，頁16。

26 〔清〕余蓮村輯：《得一錄》，卷15〈訓俗條約〉，頁30。

27 〔清〕余蓮村輯：《得一錄》，卷11〈永禁淫戲目單〉，頁27。

28 陳益源：〈丁日昌的刻書與禁書〉，頁211。

　　歸納統治者禁毀小說的手段，除了嚴懲重治外，也從思想上施以愚民政策，以因果報應企圖恫嚇人民，因此出現許多怪力亂神、似是而非的傳說，如清梁恭辰《勸戒錄四編》記載有人專事出版及販賣《金瓶梅》，終日被病魔所纏，且無子嗣，後幡然覺悟，焚毀《金瓶梅》書版後，病即痊癒，且舉家得子，從此家業興隆。[29] 又據云甲午年間，一廟前的戲臺在演唱完《金瓶梅》〈挑簾裁衣〉等戲曲後，隔天突然無故失火，整座戲臺焚燬殆盡，好事者傳為「神怒」。[30] 像這樣的傳說顯係無稽之談，但卻成了統治者用來洗腦人民不要閱讀小說的手段。

　　流風所及，影響甚劇。乾隆任內多次查辦禁書，又發生多起文字獄，至乾隆末期已不見如李漁、徐震等一流小說家參與創作，僅剩書坊為了射利而刊刻的粗俗小說，多為抄襲和拼湊之作。[31] 降至嘉慶乾嘉學派興起，崇尚考據，也開始鄙棄小說的「無根之談」，小說地位至此更為低下了。乾嘉學派代表人錢大昕（1728-1804）注意到通俗小說的影響力不可小覷，在〈錢竹汀先生禁燬淫書小說議〉云：「小說演義之書，未嘗自以為教也，而士大夫、農、工、商、賈無不習聞之，以至兒童婦女不識字者，亦皆聞而如見之。是其教較之儒釋道而更廣也」，[32] 對教育程度不高的人而言，小說的影響力高於四書五經，而教育程度較高的讀書人也未必不讀小說，因此小說流通的廣度實非經書可比，當然成為統治者箝制人民思想的大忌。同文中錢大昕還如此評價小說：「釋道猶勸人以善，小說導人以惡。姦邪淫盜之事，儒

29　〔清〕梁恭辰：《勸戒錄四編》記載：「蘇揚兩郡城書店中，皆有《金瓶梅》版，蘇城版藏楊氏，楊故長者，以鬻書為業，家藏《金瓶梅》版，雖銷售甚多，而為病魔所困，日夕不離湯藥，娶妻多年，尚未育子，其友人戒之曰：『君早經完娶，而子嗣甚艱，且每歲所入，徒供病藥之費，意者以君《金瓶梅》版印售各坊，人受其害，而君享其利，天故陰禍之歟？為今之計，宜速毀其版，或猶可晚蓋也。』楊為驚悟，立取《金瓶梅》版劈而焚之，自此家無病累，妻即生男，數年間開設文遠堂書坊，家業驟起，人皆頌之。」〔清〕梁恭辰：《勸戒錄四編》卷4，《勸戒錄類編》第十七章〈善書與淫書之勸戒〉，轉引自王利器輯錄：《元明清三代禁毀小說戲曲史料》，頁322。

30　〔清〕余蓮村輯：《得一錄》，卷11〈京江誠意堂戒演淫戲說〉，頁30。

31　石昌渝：〈清代小說禁毀述略〉，頁69。

32　〔清〕余蓮村輯：《得一錄》，卷11〈收燬淫書〉，頁1。

釋道書所不忍斥言者，彼必盡相窮形，津津樂道，以殺人為好漢，以漁色為風流，喪心病狂，無所忌憚」，[33]可看出錢氏對小說是深惡痛絕的。其實在清代並非只有考據學者如此看待小說，禁書風暴中許多文人對小說的評價與錢氏無異，即使是肯定小說的人也逐漸噤聲了。

故清人對《金瓶梅》的評價與明末迥異。在明代，許多文人讚賞《金瓶梅》反映世情的深度和廣度，例如袁宏道認為可比枚乘〈七發〉，並將之與六經並列；[34]〈幽怪詩譚小引〉說《金瓶梅》是一部《世說》；[35]崇禎本評點者則認為《金瓶梅》「直從太史公筆法化來」、「純是史遷之妙」。[36]明代雖也有否定《金瓶梅》的文人，但是他們通常把它拿來和《水滸傳》做比較，如李日華批評《金瓶梅》：「大抵市諢之極穢者，而鋒燄遠遜《水滸傳》。」[37]〈天許齋批點北宋三遂平妖傳序〉也認為《金瓶梅》「效《水滸》而窮者也」，[38]反映大部分的文人對於小說的娛情價值和教化作用仍具有一定的認識和肯定，至於某些衛道人士因忌諱其中的淫穢描寫，而給予《金瓶梅》較低的評價，只是說明小說在他們心中的高下之分自有衡量標準。但是到了清代，在禁毀小說的風聲鶴唳中，徹底否定小說的聲音更多了，如申涵光（1620-1677）就如此評論《金瓶梅》：

> 每怪友輩極贊此書，謂其摹畫人情，有似《史記》，果爾，何不直讀《史記》，反悅其似耶？[39]

33 〔清〕余蓮村輯：《得一錄》，卷11〈收燬淫書〉，頁1。

34 〔明〕袁宏道：〈董思白〉、〈觴政〉，分別收入《袁中郎全集》（臺北市：偉文圖書出版社，1976年9月），卷21，頁1000、卷14，頁710。

35 〔明〕碧山臥樵：《幽怪詩譚》（臺北市：天一出版社，1990年6月），小引。

36 崇禎本第十四回、第二十一回批語。

37 〔明〕李日華：《味水軒日記》，收入《歷代日記叢鈔》（北京市：學苑出版社，2006年4月，據民國12年〔1923〕吳興劉氏嘉業堂刻本影印），卷7，頁540。

38 孫楷第：《中國通俗小說書目（外二種）》（北京市：中華書局，2012年2月），頁88。

39 〔清〕申涵光：《荊園小語》，收入上海古籍出版社編：《清代詩文集彙編》（上海市：上海古籍出版社，2011年2月，據清康熙刻本影印），頁154。

申涵光的言論和明代文人是背道而馳的，按他所言，如果《史記》能取代所有的小說，那麼小說根本無存在必要，而申涵光這段話還引起他人共鳴，也紛紛起而撻伐《金瓶梅》，如鴉片戰爭的愛國詩人林昌彝說引述申涵光這段話，並說《金瓶梅》讓人「身心瓦裂」，應立即焚燬。[40]昭槤的《嘯亭續錄》更直言「小說初無一佳者」，他把《水滸傳》的載事拿來與《史記》比較後，認為《水滸傳》的作者不明官階地理，刻畫人物的技巧更不如太史公，然後說《金瓶梅》「淫褻不待言」，最後得出這樣的結論：

> 是人尚未見商輅《宋元通鑑》者，無論宋、金正史。……世人於古今經史，不過目，而津津於淫邪庸鄙之書，稱贊不已，甚無謂也。[41]

小說不同史書之處，其一在於容許「虛構」，因而昭槤由地理之遠近來考察《水滸傳》中不合常理的部分，實屬無謂。而明人則普遍肯定小說作為「野史」的存在價值，並標舉小說的「補史」功能，如明中葉蔣大器即認為史書「不通乎眾人」，小說的教化作用備受重視，[42]在清代雖然許多小說序跋仍繼續體現這種聲音，但與小說擁護者背道而馳的一方，卻以史書的正統性貶低小說，對小說的詆毀和污名化可謂來勢洶洶，尤其在許多勸善書中可窺其詳，前引之《得一錄》、《勸戒錄》均為此代表。另外，有些文人雖然肯定小說，但受制於社會風氣，言論多所保留。如劉廷璣讚賞《金瓶梅》「欲要止淫，以淫說法；欲要破迷，引迷入悟」、「文心細如牛毛繭絲，凡寫一人，始終口吻酷肖到底」，但隨後便指出讀者恐不善讀，而「天下不善讀書者，百倍於善讀書者。讀而不善，不如不讀。欲人不讀，不如不存」，最後竟引康熙皇帝禁燬小說的諭令，稱讚這是「大哉王言」，身為臣下的他一定實力奉

---

40 黃霖：《金瓶梅資料彙編》，頁288。又梁恭辰：《勸善類書》記載姜西溟疾呼要「力闢此書，盡投水火而後已」。

41 〔清〕昭槤：《嘯亭續錄》，收入《筆記小說大觀》，卷2〈小說〉，頁4777。

42 〔明〕庸愚子：〈三國志通俗演義序〉，〔明〕羅貫中：《三國志通俗演義》，收入《古本小說集成》（上海市：上海古籍出版社，1994年11月，據嘉靖本影印），頁4。

行。[43]劉廷璣曾任江西按察史，受制於身份而在言論上多所保留，由此可知禁毀政策影響小說在清代的評價。

在禁毀的風暴中，小說地位儘管逐日低下，其出版狀況仍是「野火燒不盡」。道光二十五年刊刻的《一般錄雜述》，提到書坊記錄該年所銷之書，《金瓶梅》、《水滸傳》等均在列；[44]鄧之誠也提到道光申禁後兩年，《品花寶鑑》己酉刻本（1849）便問世；[45]光緒十三年夢癡學人說《水滸傳》、《金瓶梅》「久經焚毀，禁止刊刻，至今毒種尚在」。[46]而清代流存下來的史料，也記錄《金瓶梅》的各種戲曲在民間被展演，且獲得熱烈回應。凡此皆可見出小說在統治者的打壓下，仍然在民間欣欣向榮地傳播著，以《金瓶梅》為例，時至今日仍有許多清代刻本可考。

三　文本傳播的商業化

《金瓶梅》在清代的文本傳播，康熙三十四年以前仍有詞話本傳世。順治十七年，丁耀亢旅居西湖時完成《續金瓶梅》，其凡例云：「小說類有詩詞，前集名為《詞話》，多用舊曲」，[47]此處的《詞話》即指詞話本。從明末以來，崇禎本的流傳漸漸凌駕詞話本之上，入清之後亦是如此，康熙三十四年張竹坡評點《金瓶梅》，選擇以崇禎本作為評點的底本，間接說明此一狀況。張竹坡評本，全名《皋鶴堂批評第一奇書金瓶梅》，又稱第一奇書本，刊刻後成為清代最流行的版本，就連康熙四十七年的滿文譯本《金瓶梅》也以竹坡本為底本，詞話本和崇禎本在清代因此逐漸不傳於世。據統計，康熙

---

43 〔清〕劉廷璣：《在園雜誌》，收入《續修四庫全書》〈子部〉（上海市：上海古籍出版社，2002年3月，據清康熙五十四年刻本影印），卷2，頁50-51。

44 青玉山房刊本《一般錄雜述》卷4〈銷書可慨〉，轉引自黃霖：《金瓶梅資料彙編》，頁277。

45 鄧之誠：《骨董瑣記》，卷6〈小說禁例〉，頁209。

46 光緒十三年管可壽齋刊本〈夢癡說夢〉，轉引自黃霖：《金瓶梅資料彙編》，頁281。

47 〔清〕丁耀亢著，陸合、星月校點：《金瓶梅續書三種》（濟南市：齊魯書社，1988年8月），頁5。

三十四年到乾隆十二年，短短五十餘年內，第一奇書各種不同版本相繼問世，總數近二十種，包括「乙亥本」、「本衙藏本」、「在茲堂本」、「六堂藏本」、「影松軒刻本」、「崇經堂刻本」等。[48]而流存下來的乙亥本、在茲堂本及皋鶴草堂本漫漶都相當嚴重，不知經過多少次的印刷，眉批因此逐漸遞減。[49]

依據胡文彬《金瓶梅書錄》所著錄，可知《金瓶梅》在清代的書名種類繁多，除上述最常見的《皋鶴堂批評第一奇書金瓶梅》，又有《彭城張竹坡批評金瓶梅》（日本早稻田大學館藏）、《四大奇書第四種》（乾隆丁卯刻本）、《新刻金瓶梅奇書》、《新刻金瓶梅奇書前後部》（嘉慶二十一年刻本）、《第一奇書金瓶梅》、《繡像第一奇書金瓶梅》、《新鐫繪圖第一奇書鍾情傳》（光緒二十五年石印本）等。[50]其中，《新刻金瓶梅奇書前後部》將八十萬言的《金瓶梅》刪除到不剩十萬字，誠可謂書坊作偽之陋習，而作偽通常都是基於商業考量，藉由壓低成本以求暢銷，或以標高版本價值招徠買氣，如乾隆年間刊刻的《四大奇書第四種》，扉頁題「金聖嘆批點」，又署「彭城張竹坡原本」，可看出書商以求售為考量，不惜作偽、傷害版本真貌的粗劣手段。另外，為了逃避官方查禁，也有冠以「京本」兩字，代表是官方認可的版本。

《金瓶梅》在清代的商業傳播又不全然與明代相同，也有若干資料留下書價記錄，其商機還可由以下情形見出。張竹坡評點完《金瓶梅》時，其弟張道淵曾建議他將書稿賣給書坊，「可獲重價」，後來張竹坡選擇自己出資刻印，[51]張竹坡自云：「小子窮愁著書，亦書生常事，又非借此沽名，本因家無寸土，欲覓蠅頭以養生耳」，[52]從側面說明了著書刻印多少能賺點生活

---

48 劉輝：《金瓶梅論集》（臺北市：貫雅文化，1992年3月），頁161-162。

49 李金泉：〈苹華堂刊《皋鶴堂批評第一奇書金瓶梅》版本考〉，《書目季刊》第45卷第4期（2012年3月），頁129。

50 胡文彬：《金瓶梅書錄》（瀋陽市：遼寧人民出版社，1986年10月），頁75-80。

51 張道淵，〈仲兄竹坡傳〉，見吳敢：《張竹坡與《金瓶梅》研究》（北京市：文物出版社，2009年2月），頁247。

52 張竹坡：〈第一奇書非淫書論〉，參見劉輝、吳敢輯校：《會評會校金瓶梅》（香港：天

費，而張竹坡選擇《金瓶梅》，除了對此書的喜好，也代表他深知《金瓶梅》有一定的讀者群。後來張竹坡過世，他的家人還將《第一奇書金瓶梅》的舊版賣給一個歙縣人汪蒼孚償債。[53]

做為一本禁書，同時也可能是一部暢銷書，《金瓶梅》這樣一本大部頭的小說在清代並非人人購買得起。乾隆四十年，朝鮮李湛來華購買《金瓶梅》凡二十冊，一冊值銀一兩，共要價二十兩，版刻精巧。[54]清代山西、江蘇、安徽、廣東一帶向為小說戲曲的出版地，以乾隆三十七年蘇北的大米為例，每石一六○○文（銀二兩），而四十四年山東、河南二省糧價每石約六四○紋（銀八錢）。[55]因知刻工精美的小說價位極高。光緒五年，文龍在所評的在茲堂本《皋鶴堂批評第一奇書金瓶梅》中，也於附記中留下有關《金瓶梅》的書價記錄：

> 幼年既聞有此書，然未嘗一寓目也，直至咸豐六年，在昌邑縣公幹勾留，住李會堂廣文學署，縱覽一遍，過此則如浮雲旋散，逝水東流。嗣聞原板劈燒，已成廣陵散矣。在安慶書肆中，偶遇一部，索價五元，以其昂貴，置之。……（光緒五年五月十日於南陵縣署以約小屋中）

咸豐六年，文龍在山東昌邑有幸親睹此書，雖然沒有記錄何年造訪安慶書肆，但據劉輝考證，文龍曾於北京生活，也曾到過山東數省，約在同治九年來到安徽，而文龍於光緒五年到光緒十年間，曾任安徽南陵、蕪湖知縣。[56]

地圖書有限公司，2010年5月），頁2109。以下有關張竹坡的評點，均引用自《會評會校金瓶梅》，為了行文流暢，不另註頁碼，僅於引文後刮號標明章回或篇名。

53 劉廷璣云：「惜其年不永，歿後將刊本抵償凤逋於汪蒼孚。」〔清〕劉廷璣：《在園雜誌》，卷2，頁50。

54 〔韓〕李圭景：《五洲衍文長箋散稿》（首爾市：明文堂，1982年6月），卷7〈小說辨證說〉，頁230。

55 〔清〕崑岡等修、劉啟端等纂：《欽定大清會典事例》，收入《續修四庫全書》〈史部〉（上海市：上海古籍出版社，2002年3月，據清光緒石印本影印），卷201〈漕運〉，頁305、卷196〈漕運〉，頁250-251。

56 劉輝：《金瓶梅論集》，頁262-263。

因此文龍可能是在同治九年到光緒五年間,於安徽遊歷時來到安慶。在安慶的書店中,「在茲堂本」《金瓶梅》索價五元。[57]考索清代民生物價,道光十一年在廣東一頭水牛需二十元(合紋銀13.3兩),道光十六年福建省一頭豬需銀十元(合紋銀6.6兩多),道光十七年江蘇一頭牛需銀十九元(合紋銀12兩多),又道光十七年廣東種地長工一年工價僅有銀十五元。[58]而同治七年,鄰近安慶的江西糧價每石約合紋銀一點九兩至二點二兩,[59]因知一部《金瓶梅》在同治、光緒初年價格其實不低。

針對閱讀者購不起小說,書坊為了提高銷售量,紛紛祭出以假亂真的惡劣手段。晚清,像《新刻金瓶梅奇書前後部》這樣對原著大砍特砍,標榜著「真本」、「古本」的《金瓶梅》流竄市面,就是為了騙取不知情的消費者。一則廣告可以反映當時有這樣的風氣,光緒二十年七月十六日的《申報》,刊載一篇〈愛觀奇書人告白〉,文曰:

> 閱報見《大明奇俠傳》一書,理文軒八角、文宜一角,愚向文宜局買來一部,攜歸閱之,殊覺可惡,內中抽去大半,想閱書之人最恨不全,貴賤莫論。故特至理文軒又買一部……文宜局之書只有二十五回,八萬餘字;理文軒有五十四回,二十餘萬字。[60]

這是理文軒和文宜書局惡性競爭互相攻擊的廣告,但由此可知刪減原小說內容,以較為低廉的價格出售,吸引貪圖便宜的消費者購買是許多書商的慣用伎倆。晚清《申報》經常刊載書商促銷小說的各種手段,一方面反應出版市

---

57 清代貨幣以銀、錢為主,單位為分別為「兩」和「文」。外國銀元從明末開始流入中國,而清代開始使用外國銀元則始於嘉慶末年的沿海都市,所謂洋式貨幣以「元」為單位,嘉慶、道光以降廣泛流行,道光年間流通範圍已經擴大到內地,和銀兩並行。參考〔日〕市古尚三:《清代貨幣史考》(東京都:鳳書房,2004年3月),頁250-267。故本文推測文龍此處所記載的五元極可能是以洋元為單位。

58 黃冕堂:《中國歷代物價問題考述》(濟南市:齊魯書社,2008年1月),頁222-223、頁227、頁181。

59 〔清〕崑岡等修、劉啟端等纂:《欽定大清會典事例》,卷201〈漕運〉,頁312。

60 《申報》,光緒二十年七月十六日(1894年8月17日),第6版。

場競爭激烈，削價競爭的狀況，一方面也可看出消費者購書時多有預算限制，背後隱含著小說書價並不是那麼便宜。[61]

不過，清人想閱讀《金瓶梅》，在經濟能力不許可購買的情況下，已經不需要像明人那樣辛苦地抄書了。在清代想閱讀白話小說，可透過租賃的方式，租書在清代很流行，康熙二十六年刑科給事中劉楷上疏請除淫書云：「臣見一二書肆刊單出賃小說，上列一百五十餘種，多不經之語，誨淫之書」，[62] 乾隆三年王丕烈奏禁淫詞小說時也說：「但地方官奉行不力，致向存舊刻銷燬不盡，甚至收買各種，疊架盈箱，列諸市肆，租賃與人觀看。」[63] 可見租書業在清初已經很興盛。嘉慶二十三年，諸明齋《生涯百咏》寫道：

> 藏書何必多，《西遊》、《水滸》架上鋪。借非一瓶，還則需青蚨。喜人家記性無，昨日看完，明日又租。[64]

說明了想要翻看通俗小說，並不一定要有購買能力，租書就是一個很好的選擇。在同治、光緒年間，北京大部分的饅頭舖兼作租書業，可考的就有十三家，出租許多通俗小說和唱本鼓詞，價格也非常經濟實惠，光緒元年一本三美齋《天賜福》是九文錢，[65] 但是唱本一般只有二、三十頁，通俗小說的價格一定比唱本鼓詞再高，但也是普通百姓能夠負擔的價格。[66] 通俗小說透過

---

61 陳大康的研究即指出，吳趼人在上海當職員時月收入八元，黃警頑在進館做學徒時零用金一個月兩元，當時許多上海的上班族可能是買不起小說的。陳大康：〈論晚清小說的書價〉，《華東師範大學學報》第37卷第4期（2005年7月），頁34。

62 〔清〕仁和琴川居士編：《皇清奏議》（臺北市：文海出版社，1967年10月），卷22，頁2042。

63 〔清〕素爾訥：《學政全書》（北京市：北京燕山出版社，2006年8月，據清乾隆三十九年武英殿本影印），卷七〈書坊禁例〉，頁617。

64 朱一玄等編：《西遊記資料彙編》（天津市：南開大學出版社，2002年12月），頁387。

65 李家瑞：〈清代北京饅頭舖租賃唱本的概況〉，收入張靜廬輯註：《中國近現代出版史料》（上海市：上海書店，2003年12月），第六冊，頁134-138。

66 孫文杰的研究引晚清傳崇矩《成都通覽》為例，指出成都的新舊小說約以五角為幅度進行上下調整，而成都的平均工價約為九十九點五文錢。孫文杰：〈清代圖書流通傳播渠道論略〉，《圖書與情報》（2012年第6期），頁132。

租賃大量流通,也成為統治者的大忌,站在統治者的立場,坊間租書的盛行不啻是執行禁毀小說的一大障礙,許多閱讀者未必購買得起這些書,但確實透過租賃方式能夠方便取得。[67]因此官方眼中所謂的淫詞小說,遠比明代更容易流通。但是所謂的閱讀階層,也仍然須要具備一定的文化素養,以及一定的識字水平。對於沒有受過太多教育,文化水平不高的市井之徒,租借《金瓶梅》來閱讀也不是他們選擇的方式,清代《金瓶梅》說唱藝術的興起因此滿足這些人的需求。《金瓶梅》有傳奇、雜劇、子弟書等傳世,在一些清代勸善書中,也屢屢可見作者呼籲民眾勿表演、勿觀看《金瓶梅》相關戲曲,這些說唱藝術是《金瓶梅》在民間傳播的最好方式。

四 結語

考察清代禁書史料,可知最早在順治九年即已開始查禁「瑣語淫詞」,但成效不佳。真正開始嚴格打壓小說、戲曲,則始於康熙年間。康熙四十七年的〈滿文本序〉雖言「將陋習編為萬世之戒」,但這只是官方說法,在民間則以「妖書妖言」恫嚇人民,這從乾隆元年流傳下來的一則史料:「《水滸》、《金瓶梅》,誨盜誨淫,久干例禁」即可證明。

降至道光二十四年,查禁書單上已有《金瓶梅》、《唱金瓶梅》、《續金瓶梅》、《隔簾花影》等,因此可以明白長久以來的查禁政策,對《金瓶梅》傳播的阻礙相當有限。然而統治者對民間散佈「造作淫詞及喜看淫書一切果報」的訊息,長久下來,導致清人對《金瓶梅》的評價走向極端的負面。明人對《金瓶梅》的讚賞之詞在清代已難復見,想在清代史料中一窺對《金瓶梅》的正面評價,更是鳳毛麟角。清代對《金瓶梅》的查禁與打壓,在實質的書本流通上雖沒起到多大的作用,但在思想上的認知卻產生極大的影響。從這方面來看,查禁政策或許是成功的。

---

67 嘉慶十八年內閣陳預奏:「此等小說,未必家有其書,多由坊肆租賃,應行實力禁止。」〔清〕嘉慶諭旨:《仁宗睿皇帝聖訓》,收入《大清十朝聖訓》(臺北市:文海出版社,1965年4月),卷12〈癸丑〉,頁238。

　　有清一朝，張竹坡評本凌駕詞話本。竹坡評點有利潤可圖，可知《金瓶梅》具有一定的讀者群。由現存竹坡本近二十種來看，其刊刻實具商業價值。在削價競爭的壓力下，書商為了壓低成本，出現了各種偽造手段，包括刪減字數、更動原文等，書名又冠以「京本」、「真本」、「古本」等，以假亂真。《金瓶梅》到了清代，版本更加紛雜，各種假本取代真本，對原本的流傳其實是一種傷害。但從另一角度來考察，也能證明《金瓶梅》在清代的商業流通極具競爭力。

　　儘管各種假本橫行市面，但身為長篇大巨頭小說，《金瓶梅》在清代的書架並不便宜，由時代、地域相近的民生物價加以考察，大致推測購買一部《金瓶梅》，可能可使一戶普通人家生活半把個月。如此高的書價，也無法遏止《金瓶梅》的普遍流通，因為清代盛行租書，租書店多，必然也有削價競爭的情況出現，經濟狀況不佳的讀者，可透過便宜的租金輕易取得書籍。而不識字的普通百姓，更可以透過說唱、觀戲等各種展演方式，進行另一種閱讀。

　　限於史料，本文僅能由側面勾勒《金瓶梅》在清代的傳播面貌。若能進一步考索，期望能對各種偽本的刪節狀況、民間戲曲的展演情況、租書店所出租之各種《金瓶梅》版本等，做出更多具體的研究。

中國明清艷情小說流播日本江戶時代的面向之考察

謝瑞隆

明道大學中國文學系副教授兼主任

提要

　　日本江戶時代，因著町人市民階層的擡頭、學習唐話（中國語）風氣的興起，復以儒者文人的喜愛與倡導，再加上當時印刷事業的發達，透過刻本印刷，不少明清艷情小說便以各種形式來大量刊行而逐漸普及。考察《舶載書目》、《小說字彙》、《俗語解》等資料，諸如明人小說《如意君傳》、《癡婆子傳》、《繡榻野史》、《僧尼孽海》、《歡喜冤家》、《龍陽逸史》以及清人小說《一片情》、《肉蒲團》、《杏花天》、《桃花影》、《梧桐影》等多種艷情小說都有流傳日本的紀錄。中國多種明清艷情小說傳入日本後，透過「中國漢籍原典」、「和刻本」、「翻譯本」等形式而流播於日本文壇，從而不少日人得以閱讀中國明清艷情小說，促成日人漢文艷情小說的書寫與創作。

關鍵詞：艷情小說　域外漢文學　中日文化交流　江戶時代

一 前言

　　中國明清時期出現了一批以描寫性愛為主的小說，大膽、露骨地描寫性器官與性愛過程，開闢了一類相當引人側目的艷情小說。關於艷情小說一詞，目前學界仍有不同的界說，此與不少世情、才子佳人、歷史演義小說往往雜揉性愛描寫有關，所以不少小說便產生分類上的歧異；然而，究竟艷情小說為何？齊裕焜指出：「這類小說以表現性欲為主旨，有長篇累牘的淫穢猥褻的細節描寫；全書除表現性欲與淫亂的生活外，幾乎沒有其他內容」[1]筆者大抵據此來指涉艷情小說，也就是豔情小說所體現的男女私情有大量的性欲描寫，若將這些性欲描寫拿掉，小說將支離破碎而不成文，因此部份雜揉性欲情節的作品並不能視為純粹的艷情小說。上述，筆者雖然將艷情小說作了界定，不過實際上還是存在著難以盡然切分的作品，復以不少明清艷情小說散佚待查，所以本文所探討的中國明清艷情小說作品乃暫以陳慶浩等人所彙編的《思無邪匯寶》全集作品為主，此一權宜作法若有不周之處，敬請查諒。

　　《思無邪匯寶》全集收錄《如意君傳》、《癡婆子傳》、《肉蒲團》、《燈草和尚》等明清艷情小說四十餘種，從一九九四年九月開始出版，直至一九九七年八月才告出齊。據《思無邪匯寶》所錄，我們可以發現這批艷情小說產生在明代後期至清代前期，至於這段期間為何會產生這麼多的艷情小說？一般普遍認為與當時社會風氣的影響、哲學思潮的推動和書商牟利的刺激有關。[2]明清時期，城市日益繁榮，市民階層也不斷擴大，造紙業和印刷業也迅速發展，為大眾文化消費奠定了基礎，艷情一類作品也成為文化消費品，所以不少書坊射利之徒乃迎合一些讀者的俗趣，大量刊行販售；此外，當時理學的「存天理，滅人欲」的禁欲主張引發不少反思，黃宗羲、王夫之等人

1　齊裕焜：《明代小說史》（杭州市：浙江古籍出版社，1997年6月第1版），頁305。
2　參見黃廷富：〈20世紀80年代以來的明清艷情小說研究〉，《甘肅社會科學》2007年第1期（2007年），頁173。

肯定「體現人性」的基本要求，順此又衍生出另一個極端─縱欲的趨向。[3]
凡此等因素孳乳了豔情小說的發展，一時呈現雨後春筍般的盛況，許多艷情
小說不斷地出現；然而清代這批艷情小說屢被視為淫書而遭查禁，如康熙皇
帝時期曾頒佈了淫詞小說的管理政策：

> 凡坊肆市賣一應小說淫詞，在內交八旗都統、都察院、順天府，在外
> 交與督撫，轉行所屬文武官弁，嚴查禁絕，將板與書，一併盡行銷
> 毀。如仍行造作刻印者，系官革職，軍民杖一百，流三千里；市賣者
> 杖一百，徒三年。[4]

此等法令對於淫詞小說的著述者、刊刻者、市賣者等立下了懲處措施，然而
嚴禁的措施並沒有立即達到預期效果，因此其後的雍正皇帝、乾隆皇帝等又
屢屢頒佈查禁淫詞小說的法規，經過了長時間的查禁，作為查禁對象的艷情
小說有不少因而佚失，影響所及，也抑制了艷情小說的編作，因而清代中葉
以降艷情小說就不若前期暢行而漸趨衰頹。

　　另一方面，明清時期艷情小說在查禁的時代背景下，卻也有不少文本傳
入異國，包含日本、韓國等地都有明清艷情小說傳佈的紀錄與痕跡[5]，從而
在中國域外流傳與造成若干程度的影響。中國明清艷情小說傳入日本主要落
在江戶時代（1603-1867，即日本近世），這段時間約為中國明末萬曆年間至
清同治年間；此一時期日本漢學隆盛發展，緣於日人對於漢學的喜愛、接
受，因此許多中國明清小說也在這一時期紛紛地舶載輸日，並透過各種方式
傳播於日本社會；當然，作為明清小說一支的艷情小說也有不少作品東傳入
日，並在日本江戶時代以迄於明治（1868-1912）、大正（1912-1926）年間

3　參見張藝：〈明清艷情文學繁盛的歷史原因〉，《湖南科技學院學報》第26卷第7期
　　（2005年7月），頁232。

4　〔清〕張廷玉纂修：《聖祖仁皇帝實錄》（北京市：中華書局，1985年9月），卷258。

5　從目前相關資料可以發現明清艷情小說傳入日本、韓國等地，如：據朝鮮英祖三十八
　　年（1762）完山李氏所作的《中國歷史繪模本》序文中列有《昭陽趣史》、《弁而釵》、
　　《肉蒲團》、《歡喜冤家》、《鬧花叢》、《杏花天》等小說書名，此反映其時不少明清艷
　　情小說已經流傳於朝鮮（韓國）。

形成相當程度的閱讀風潮。緣此，本文擬就明清艷情小說在日本江戶時代的流傳狀況作一討論，闡述中國明清艷情小說在日本的流傳概況，以見日人閱讀了哪些明清艷情小說以及日人如何閱讀它們，從而略見中國明清艷情小說在日本傳播的各種面向。

二　中國明清（艷情）小說流傳日本的時代背景

　　寬永十年（1633）第三代將軍德川家光發佈第一次鎖國令，此後六年間接連發佈了五次鎖國令，五次的鎖國令確立了江戶幕府的鎖國政策，全面禁止日本人和船隻出國出海和對外聯繫。不過，幕府特別允許中國與荷蘭商船得以開入長崎進行停泊和貿易，因而作為貿易商品的中國漢籍仍可藉由舶船輸入日本，經由漢籍進行中日間的文化交流，並對日本學藝產生新的啟發。江戶時代的鎖國政策，無形中促使中國文藝繼續成為日人學習的主要對象，因此中國經學思想、漢詩文仍然盤據著日本文化界；另外，此時中國明清小說也獲得相當的喜愛而綿綿不絕地傳入日本，並對日本學藝的發展產生影響。分析中國明清小說以至於艷情小說得以在江戶文壇獲得相當程度的流傳與喜愛，大概可以歸結如下幾個因素：

（一）町人市民階層的擡頭

　　江戶時代在德川幕府強大權勢的控制下，幕藩體制建立，屬於封建形式的社會組織；在這樣的社會組織之下，各藩之間尚稱安穩，因而有了兩百多年的太平之世。統觀這一時期的社會，因為幕藩體制帶來了社會的安定，諸如江戶（東京）、京都、大阪等城市日益繁榮，町人（工商業者）的經濟逐漸富裕起來，所以町人市民階級逐漸擡頭而成為一股新興的力量。隨著町人階級的擡頭，促使日本教育、文化的主導權由貴族、武士、僧侶等往町人階層傾斜，進而帶動整個文化向下普及，從而町人市民所引領出的「町人文學」成為了日本近世文學的一大特徵。

　　緣於町人階級的擡頭，迎合市民俗趣的文藝有了相當的生命力與活動力，是以鄭樑生《日本通史》：「江戶時代的文化之最大特色，就是隨著町人之經濟活動盛行而無論在學術、藝術、或戲劇方面，都充滿了濃厚的民眾色彩。」[6] 在這樣的時潮下，迎合町人市民的俗趣也無形中成為一股引領文藝的力量，因此一些具有消遣、娛樂作用的文藝作品乃蜂擁而出，從而具有大眾文學性質的中國明清小說也以各種形式（含翻譯本）流傳於日本文藝界。伴隨著町人市民的文化風尚，反映市民生活的情欲也滲入日本的文藝，諸如浮世繪、浮世草子、洒落本、人情本等皆是鎔鑄了平民的情思而發展開來；其中描述性事的艷情作品由於投和不少市民的喜愛，因此也伴隨著町人市民階層的擡頭而頗為流傳、發展。

（二）學習唐話（中國語）風氣的興起

　　十七世紀初期，江戶幕府雖然實施鎖國政策，不過開放長崎作為中日貿易的港口，緣於交流之便，出現了專門從事中國漢語口語翻譯的「唐通事」；「唐通事」是在十七世紀前後，首先在長崎地方發展起來的，以後，在西日本的其他地區以及京都、關東地區，也相繼出現了這一日漢通譯的專門職業。[7] 這些從事中國漢語口語翻譯的「唐通事」是最早學習唐話的一批人，他們時常舉辦諸如「唐韻勤學會」等團體來練習會話[8]，並多以中國明清白話小說為教材來學唐話，諸如《水滸傳》、《三國志演義》等都是常見教科書，經由唐通事的學習與推廣，一批批的中國小說文本漸次流入日本；其後，伴隨著中國小說的流行，為了便於從事漢籍閱讀與翻譯溝通等各種需求，進而開啟了學習唐話的熱潮。

　　此外，中國黃檗宗的傳入日本也對唐話學習的風潮起了推波助瀾的作

6　鄭樑生：《日本通史》（臺北市：明文書局股份有限公司，1993年12月），頁318。

7　嚴紹璗：《中日古代關係史稿》（長沙市：湖南文藝出版社，1987年9月），頁324。

8　參見石崎又造：《近世日本に於ける支那俗語文學史》（東京：弘文堂書房，1940年10月），頁15。

用。黃檗宗為日本佛教禪宗三派之一，清順治十一年（1654）黃檗宗開山祖隱元禪師應日本興福寺逸然之邀請，讓法席於其門徒慧門而東渡日本，宣揚黃檗宗教義，由於隱元禪師享譽各地，各宗高僧多景仰而慕其名，因此黃檗宗勢力一時蔓延日本許多重要都會與文化要地。[9]由於黃檗僧徒用中國語頌經，並以明代禪事方式主持道場，因此，當時日本「唐音所聞，幾遍於全國」。[10]緣於黃檗宗主張用漢語音（唐話）頌經，也間接帶動習唐話的風潮。

在唐通事、黃檗宗僧人的引領下，學習唐話的風氣漸盛，許多文人也投入學習之列，並出現了學習唐話的教材與工具書。知名的江戶通俗文學作家岡嶋冠山即致力推動中國話的學習，並在江戶、京都、大阪等地以講述中國明清通俗小說來學習中國話為業，他曾以中國小說為素材撰寫了一些學習中國話的教材，並編撰《唐話類纂》、《唐話纂要》、《續俗文音譯》等作為學習中國話的教材、參考書，由此可見當時學習漢文唐話的風氣頗盛。

其次，觀察作為學習漢文唐話的教材，可以發現頗多便是以小說型態出現的，江戶時代日人雨森芳洲（1688-1755）《橘窓茶話》有如下的記載：

> 岡島援之，只有「肉蒲團」一本，朝夕念誦，不頃刻歇。他一生唐話，從一本「肉蒲團」中來。[11]

又云：

> 我東人欲學唐話，除小說無下手處。[12]

據此可知包含《肉蒲團》等明清小說是其時日人學習唐話的教材之一，因為學習唐話的風潮而提供了一個明清小說的需求市場，從而促成明清（艷情）小說流行於日本文壇。

9　村上專精著、楊曾文譯：《日本佛教史綱》（北京市：商務印書館，1999年11月第3版），頁287-288。

10　同註7，頁332。

11　雨森芳洲：《橘窓茶話》（東京：吉川弘文館，1994年），頁31。

12　同前註，，頁31。

（三）儒者文人的喜愛與倡導

　　江戶時代以前的漢學家，多以目讀方式來接觸漢籍漢字，或以訓點方式來理解漢籍內容，一些漢文造詣較高的文士甚至可以利用「筆談」方式與中國人溝通情意，然而會講漢語的文人畢竟是少數。不過，到了江戶時期，伴隨著學習中國語的流行，一些儒者文人亦鼓吹學習唐話，如荻生徂徠（1666-1728）便主張「漢文直讀法」，其《譯文荃蹄》：

> 故予嘗為蒙生定學問文法。先為崎陽之學，教以俗語，誦以華音，譯以此方俚語。絕不作和訓迴環之讀。[13]

荻生徂徠極力宣揚直讀唐話，並反定了其時經由訓點來閱讀漢文的習氣；相同地，太宰春臺亦有「有志於漢學者，必學唐話」之論，可見當時學習唐話的風氣獲得了不小的回響。

　　經由不少儒者文士的倡導，當時學習唐話的文士漸多，雨森芳洲《橘窓茶話》：「人或致疑於直讀難通。余教諸生多以唐音。其中直讀稍通者不止數人。」[14]由之或見當時學習唐話的風氣也在儒者文士身上發展開來，諸如荻生徂徠（1666-1728）、太宰春臺（1680-1747）、雨森芳洲（1688-1755）、服部南郭（1723-1769）、安積澹泊（1656-1737）等知名儒士也都加入學習唐話之列。於是在這批儒者文士的鼓吹下，學習唐話與閱讀中國明清小說的風氣更盛，伴隨著這些文士的徙居、傳播，學唐話風氣也從長崎向東擴衍至江戶、京都、大阪等地，從而中國明清小說也成為不少江戶儒者文士愛讀的文學作品，由之促成中國明清小說在日本文壇的流行與開展。

　　或可言之，中國明清小說的舶載輸日促成江戶時代日本文士掀起了一股閱讀、研究、翻譯中國小說的熱潮，他們或鼓吹研讀中國小說，或投入翻譯、改作之業，從而帶動中國明清小說在江戶文壇的流行性，如：荻生徂徠

13　荻生徂徠：《譯文荃蹄》（東京：汲古書院，1979年），〈題言〉。

14　同註11，頁31。

特聘唐通事岡嶋冠山（1674-1728）為譯士到江戶，創立「譯社」，鼓勵儒者
學習當代中國語言，翻譯或改寫中國古典白話小說，經由徂徠的登高一呼，
馬上引起江戶學術界研究稗史小說的流行風氣；此外，「古義學」伊藤仁齋
（1627-1705）學派也重視中國的俗語文學，清田儋叟（1718-1785）、岡白
駒（1692-1767）等具有翻譯中國小說能力的學者紛紛歸於京都，積極地推
動近畿地區對中國俗語與俗文學的興趣。[15]順此一趨勢，中國明清小說自然
也就有相當程度的流通，許多明清艷情小說也因而被日人閱讀與翻譯[16]，所
以接觸明清（艷情）小說的民眾也就逐漸普及開來。

（四）印刷事業的發達

分析江戶文學的隆盛發展，實與出版事業的發達有著密不可分的關係。
文祿二年（1592）豐臣秀吉入侵朝鮮，並帶回銅活字與印刷器具，獻給朝
廷，大大提升了了日本的印刷術；其後，後陽成天皇（1586-1611在位）據
此製造大型的木活字、杉田良庵（1623-1706）發明了整版印刷術，大大提
升了日本的印刷技術。[17]由於日本印刷術的發展，書籍的刊行、傳播更為普
遍，從而促成日本文藝的普及。

江戶時代以降，日本民間印刷事業的隆盛發展實乃根源於富裕的商人階
層以至於庶民追求學問的需求、興趣，由於幕府的文治政策，啟發了民眾旺
盛的學問欲，藉由印刷術來大量生產書籍，提供大眾的需求，這也是日本近
世印刷事業流行的原動力。[18]緣此，印刷事業成為一種具有商業經營性質的
產業而納入商人經營的項目，商人藉此來獲得印刷製品的利潤也就順應時勢
而發展，從而書籍也就成為一項新興的商品，並在民間交易流通開來；這種
印刷業從慶長、元和以來即已逐漸成長，到了寬永年間已經出現了百餘家的

---

15 同註7，頁355。

16 如明和四年（1767）自辭矛齋蒙陸翻譯的《通俗如意君傳》刊行。

17 參見野田壽雄：《近世文學の背景》（東京：塙書房，1971年7月第3版），頁112-113。

18 同前註，頁114-116、120。

出版商家[19]，由之可見印刷業的發展與出版商家的競爭。

分析近世日本印刷事業的發達，民間對於書籍的需求才是最根本的原因，因為民間提供了消費市場，這些印刷事業體才得以生存；此外，出版物的商品化趨向，也促成書籍得有大量印刷出版的機會，從而書籍的流播也更為普遍，民間閱讀文學作品的風尚也隨之興起。在這樣的背景下，東渡日本的中國明清小說之種類雖然不少，但數量畢竟有限，因此透過刻本印刷，不少明清小說便以各種形式（和刻、選編、翻譯等）來大量刊行而逐漸普及、傳閱於日本國土，這對於中國明清（艷情）小說在日本的傳播有著十分積極的作用。

三　中國明清艷情小說流傳日本近世的概況

前述針對中國明清（艷情）小說流傳於日本的時空背景作了一番說明，本節筆者進一步地分析江戶時代日本所流傳的中國明清艷情小說有哪些？中國明清小說為數甚多，在眾多小說作品之中到底有多少東渡輸日？目前經由舶載書目、一些書籍的參引書目等資料，我們可以發現江戶時代中國明清小說舶載日本的種類相當多元，數量也非常大。下述，筆者大抵以《思無邪匯寶》所收錄的艷情小說作為基準，試著整理日本江戶時期幾種書目裡頭所載錄的明清艷情小說，從而窺見哪些中國明清艷情小說曾經流傳或流行於日本江戶時代。

（一）《舶載書目》所載錄的明清艷情小說

關於江戶時代書籍的舶載資料，目前以昭和四十七年（1972）大庭脩編整印行的《（宮內廳書陵部藏）舶載書目》最為豐富。本書的作者及其編作年代已經不可考，裡頭載錄了元祿七年（1694）至寶曆四年（1754）間輸入

19　同註17，頁117。

長崎的書目，雖然這六十年間僅是江戶時期的部份而已，然而從中我們可以看出其時日本輸入了各種型態的中國明清小說。《舶載書目》除了五十八卷載錄了各年的舶載漢籍外，其後更附上了內閣文庫所藏的《分類舶載書目》（寬政七、八年間編，1795-1796），此一分類目錄由中村亮編，並按經史子集四部劃分細類；[20]其中小說家類載錄了數種中國明清艷情小說，下表乃據《分類舶載書目》書目而揀擇、羅列之[21]：

書名	編作者	本、卷數
肉蒲團	情隱先生編	四本
歡喜冤家		八本
桃花影	烟水散人	四本
繡榻野史		
濃情快史	餐花主人編	
杏花天	天放道人	四本四卷
貪歡報（歡喜冤家）		六本

資料來源：筆者整理。

　　上表是經過筆者揀選後的明清艷情小說，實際上還有一些身份不詳的小說文本，此等作品仍有待日後稽考。不過，上表已提供我們一些資料，即是元錄十二年（1699）至寶曆四年（1754）舶載日本的部分明清艷情小說之書目資料，從這些書名、作者、本卷數等資料，我們約略可以掌握到其時傳入日本的明清艷情小說與其版本。

20　參見大庭脩：《江戶時代中國典籍流播日本之研究》（杭州市：杭州大學出版社，1998年3月），頁147。《江戶時代中國典籍流播日本之研究》乃譯自《江戶時代における中國文化受容の研究》。

21　參見大庭脩：《（宮內廳書陵部藏）舶載書目‧分類舶載書目》（吹田市：關西大學東西學術研究會，1972年1月），頁59-67。

（二）《小說字彙》所援引的明清艷情小說

　　《小說字彙》將流傳於日本的中國通俗小說，揀選部分白話俗語，以和文來作解釋，日本讀者可利用此一部工具書來檢索不明其義者，可說是一部學習小說漢語的辭書。本書作者署名為秋水園主人，編作於天明四年（1784），寬政三年（1791）由京都風月堂、大阪稱觥堂等刊行，其後又有天保十四年（1843）等傳本，是一部頗受歡迎的漢語辭書。由於秋水園主人的這本漢語辭書在卷首列有援引書目，因此成為考察中國小說流通於日本近世的重要線索；根據本書卷首所列的援引書目，共計有一百六十種，裡頭亦有不少中國明清艷情小說文本，包含《癡婆子傳》、《肉蒲團》、《僧尼孽海》、《歡喜冤家》、《繡榻野史》、《一片情》、《梧桐影》、《桃花影》、《春燈鬧》、《浪史》、《昭陽趣史》、《杏花天》等[22]，由之可見這些艷情小說在當時已經傳入日本。

（三）《俗語解》所援引的明清艷情小說

　　江戶時代日人澤田一齋（？-1782）頗熱衷於中國通俗小說的閱讀、翻譯，並針對小說、傳奇、隨筆、雜記等漢籍編作一部語句解釋的《俗語解》，《俗語解》的刊行年代不詳，不過至遲在澤田一齋逝世的天明二年（1782）以前即已寫成；書名別稱《清語譯解》，裡頭部分俗語附有唐音（中國話），說明頗為詳細，是一部學習中國語的辭書。[23]今日我們從其文本和文後的引用書目也可以看見不少明清艷情小說，包含：《如意君傳》、《肉蒲團》、《繡榻野史》、《龍陽逸史》等[24]，可知這些艷情小說在江戶時代

22　秋水園主人：《（畫引）小說字彙》，《中國文學語學資料集成》第1篇第1卷（東京：不二出版，1988年4月），頁95-97。

23　同註8，頁153-154。

24　同註8，頁154。另參見長澤規矩也：〈靜嘉堂所藏江戶時代編纂支那語關係書籍解題〉，《長澤規矩也著作集》第5卷（東京：汲古書院，1985年2月），頁350-351；原文刊載於《書誌學》第10卷第2號（1938年2月）。

即已流傳日本。

（四）江戶時代以降流播日本的中國明清艷情小說

綜合《舶載書目》、《小說字彙》、《俗語解》等資料，我們可以發現中國明清艷情小說在日本江戶時代曾獲得了相當程度的流傳與閱讀，包含明人小說《如意君傳》、《癡婆子傳》、《繡榻野史》、《僧尼孽海》、《昭陽趣史》、《浪史》、《歡喜冤家》、《龍陽逸史》以及清人小說《一片情》、《肉蒲團》、《杏花天》、《濃情快史》、《春燈鬧》、《桃花影》、《梧桐影》等多種艷情小說都有流傳日本的紀錄，不過實際上流播日本的明清艷情小說當不僅如此，如：長澤規矩也藏有清刊巾箱本《新刻歡喜浪史》十二回[25]，此刊本何時傳入日本仍有待再作查考，不過至遲在昭和十二年（1937）即已傳入日本。凡此種種，都反映出中國明清艷情小說流傳日本的種類是相當多的，而且它們也獲得日人相當程度的接受。

四 中國明清艷情小說流傳日本的方式

談論中國明清艷情小說在日本的流傳時，總會請升起一股疑惑，即是懂得漢文的日人有多少？江戶時代的日人是如何閱讀中國明清小說？關於此點，一來江戶時代是漢文學發展最鼎盛的時期，學習漢文的風氣相當盛行，因而能閱讀漢文的日人不在少數；至於閱讀中國明清小說，漢文造詣較高的日人似乎不成問題，漢文程度較低的日人也可經由訓讀方式來理解漢文，然而舶載入日的明清小說畢竟數量有限、價錢較高，因此出現了日人據原典翻刻刊行的和刻本[26]，以便提供市場所需；至於漢文能力低弱或不闇漢文者，

---

25 參見長澤規矩也：〈家藏中國小說書目〉，《長澤規矩也著作集》第5卷，頁344；原文刊載於《書誌學》第8卷第5號（1937年5月）。

26 本文為分別中國漢籍原典與日本的翻刻版本，乃以和、漢二詞的觀念，將日本翻刻本稱為「和刻本」。

也可藉由日人針對明清小說所進行的翻譯文本來閱讀。所以伴隨著印刷技術的提升，中國明清艷情小說的和刻或翻譯也成為流通日本的重要橋樑，由此更進一步促發翻案和文小說以至於漢文小說的書寫創作。下述，筆者分析江戶時代中國明清（艷情）小說流傳日本的型態，從而略見日人是透過何種方式來接受明清艷情小說。

（一）以「中國漢籍原典」方式流傳

中國明清小說流傳日本之初自然是以中國原典方式傳播，伴隨著學習唐話的風氣，江戶時代出現了不少能讀懂漢文俗語的日人，尤其是一些漢學造詣較高的僧侶文人或唐通事更是可以直讀中國明清小說。然而中國小說原典閱讀僅及於漢學造詣較高的僧侶文人或唐通事，一些略闇漢文的日人頗多是透過訓讀的方式來閱讀明清小說；由於漢語與日本語的語詞順序並不相同，如漢語「述語＋賓語」的結構在日本語則是「賓語＋述語」，因而日人便添加假名、符號對漢文原著字句、語序等加以標注，透過這種訓點方式將漢文儘可能調整成為日人的語感習慣，以方便日人閱讀。這種透過訓點方式來閱讀中國明清小說的型態，架起了日人閱讀中國漢籍原典的平臺，因而當時部份日人便透過附添訓點來閱讀或翻刻中國明清艷情小說。

（二）以「和刻本」方式流傳

雖然流傳於日本江戶時代的中國明清小說之種類與數量頗為龐大，但面臨廣大的日本國界與人民，這些從中國舶載入日的明清小說原典之數量仍是相當有限，供需關係顯然不足；緣此，日本江戶時代以降印刷事業日益發達，由之不少書商、出版業者乃將明清小說作為商品而翻刻印行，此等翻刻的和刻本多以訓點方式呈現，這乃是因應更多無法直接閱讀漢文的日人所需。經由這些和刻本的出現，促進了中國明清（艷情）小說的流播，根據目前日本的藏書目錄等資料，仍然可以發現許多和刻的中國明清艷情小說，

如：寶永二年（1705）江戶青心閣刊行倚翠樓主人訓點的《肉蒲團》四卷；寶曆七年（1757）敦賀屋九兵衛刊行陶山尚善訓點的《肉蒲團》四冊；寶曆八年（1758）陶山尚善訓點的《春燈鬧》刊行；寶曆十三年（1763）江戶小川彥九郎刊行《鬧娛情傳》（《則天皇后如意君傳》）一卷；明和元年（1764）京都聖華房刊行《新刻痴婆子傳》二卷等。這些明清艷情小說的和刻本見證了中國明清艷情小說在當時候的日本應該受到相當程度地接受，也因此才會有這些和刻本的翻刻。

（三）以「翻譯本」方式流傳

　　江戶時代以來，中國明清小說流傳日本除了透過中國漢籍原典、和刻本之外，最重要的便是翻譯本的出現。整體而言，無法閱讀漢文的日人畢竟多數，為了提供這些民眾的閱讀需求，因此一些熟稔唐話的中國語專家就開始進行翻譯的工作，如：明和四年（1767）小石川雁義堂刊行自辭矛齋蒙陸翻譯的《通俗如意君傳》刊行。透過這些翻譯本，部分中國明清艷情小說更加地在日本普及開來，並對日本文壇產生若干程度的影響。

五　結語

　　本文，筆者闡述日本漢文艷情小說的發展背景，從而可以略見明清艷情小說在日本的流傳狀況與日人閱讀了哪些中國明清艷情小說。江戶時代，因著町人市民階層的擡頭、學習唐話（中國語）風氣的興起，復以儒者文人的喜愛與倡導，一些明清艷情小說也因而被日人閱讀與翻譯，所以接觸明清（艷情）小說的民眾也就逐漸普及開來，再加上當時印刷事業的發達，透過刻本印刷，不少明清小說便以各種形式（和刻、選編、翻譯等）來大量刊行而逐漸普及、傳閱於日本國土，這對於中國明清（艷情）小說在日本的傳播有著十分積極的作用。

　　考察《舶載書目》、《小說字彙》、《俗語解》等資料，諸如明人小說《如

意君傳》、《癡婆子傳》、《繡榻野史》、《僧尼孽海》、《昭陽趣史》、《浪史》、
《歡喜冤家》、《龍陽逸史》以及清人小說《一片情》、《肉蒲團》、《杏花
天》、《濃情快史》、《春燈鬧》、《桃花影》、《梧桐影》等多種艷情小說都有流
傳日本的紀錄。

　　中國多種明清艷情小說傳入日本後，透過「中國漢籍原典」、「和刻
本」、「翻譯本」等形式而流播於日本文壇，從而不少日人得以閱讀中國明清
艷情小說，因此明清艷情小說也就無形中浸潤了部分日本文壇，從而促成日
人漢文艷情小說的書寫與創作。至於日人漢文艷情小說對中國明清艷情小說
的借鑑與受容之現象，本文窘於篇幅而無法賡續討論，凡此種種都是日後可
以再進一步探討的課題。

忠臣‧城隍‧水部尚書

——陳文龍傳說與信仰探賾[*]

李淑如

成功大學中國文學系專案副教授

提要

今日在福州、馬祖北竿有許多尚書公廟，祭祀水部尚書陳文龍，據馬祖北竿尚書公府廟碑誌載：「眾為忠義所感遂奉為神，敬香膜拜，凡災病吉凶禱之必應，至為靈驗。」碑文寫道：「尚書公，初名子龍，字德剛，別號如心，福建省莆田東門外玉湖村人。」《宋史》〈卷451‧陳文龍傳〉傳中有言：「通判曹澄孫開門降，執文龍與其家人至軍中，欲降之，不屈，左右凌挫之，文龍指其腹曰：『此皆節義文章也，可相逼邪？』強之，卒不屈。乃械繫送杭州，文龍去興化即不食，至杭餓死。」

透過《宋史》與碑誌記載，對陳文龍的生平約略可知，然其被奉為神祇乃源於他的節義與賢良，故本論文即就陳文龍傳說探賾與信仰之流播研究為著眼點，進一步擴及清代琉球冊封使與船神信仰的關係為討論對象。討論與媽祖同登男神對福建地方水神的影響，同時關心此信仰現今在福州當地、琉球與馬祖地區的現況與發展。

關鍵詞：福建水神　陳文龍　水部尚書　馬祖　琉球冊封使

---

* 本論文乃科技部專題研究計畫「水部尚書陳文龍傳說及信仰之流播研究——從福建到琉球」(107-2410-H-006-085-)研究成果之一，感謝審查委員提供寶貴意見，特申謝忱。

一 陳文龍生平事蹟與成神傳說

陳文龍，史上真有其人。據《宋史》所載，陳文龍（1232-1277）：

> 字君貴。福州興化人。丞相俊卿之後。……咸淳五年（1269）廷對第
> 一，丞相賈似道（1213-1275）愛其文，雅禮重之。由鎮東軍節度判
> 官、歷崇政殿說書、秘書省校書郎。數年，拜監察御史，皆出似道
> 力。……時邊事甚急，王爚、陳宜中不能畫一策……文龍上疏曰：
> 「《書》言『三后協心，同底於道』。北兵今日取某城，明日築某堡，
> 而我以文相遜，以跡相疑，譬猶拯溺救焚，而為安步徐行之儀
> 也。」……是冬，累遷文龍至參知政事，未幾議降，文龍乃上章乞歸
> 養。……五月，益王稱制于福州，復以文龍參知政事，……〔元〕大
> 兵來攻不克，使其姻家持書招降之，文龍焚書斬其使，有諷其納款
> 者，文龍曰：「諸君特畏死耳。未知此生能不死乎？」乃使其將林華
> 偵伺境上，華即降且導兵至城下，通判曹澄孫開門降，執文龍與其家
> 人至軍中，欲降之，不屈，左右凌挫之，文龍指其腹曰：「此皆節義
> 文章也，可相逼邪？」強之，卒不屈。乃械繫送杭州，文龍去興化即
> 不食，至杭餓死。[1]

依據陳文龍傳所記，可知陳文龍乃南宋人，抗元名將。以其氣節為後人所敬
重，而《宋史》的記錄未有以陳文龍為神的情節。陳文龍信仰流播的祭祀圈
皆與海洋有關，且都在航運發達之處，但其生平故事及官職與水無關，這點
與同樣是福建地方水神地拿公（以拿舟為業）、蘇王爺（生前熟識港道）都
大不相同，我們可從以下研究視角來釐清其傳說與信仰的關聯：

陳文龍傳說與信仰轉變的過程。陳文龍如何由愛國忠臣變成「水部尚
書」？又如何從府城隍變成冊封舟上的船神？關於陳文龍的傳說與神格可以
整理出以下二種說法：

---

1 〔元〕脫脫等撰：《宋史》卷451（臺北市：臺灣商務印書館，1988年），頁5392-5393。

（一）府城隍

　　城、隍原指城牆和護城壕，城隍本無姓氏，北宋後列入國家祀典，方被人格化。《宋史》〈禮志〉：建隆元年（西元960年），太祖平澤、潞，仍祭祆廟、泰山、城隍……。[2]凡有功於民者被封為城隍，傳明朝孝宗年間陳文龍被封為福州府城隍，其從叔陳瓚則封為興化府城隍。城隍誕日期是農曆五月十一日及七月二十四日。據《明史‧禮志》卷五十所載：

> 諸神祠，洪武元年命中書省下郡縣訪求應祀神祇，名山大川、聖帝明王、忠臣烈士，凡有功於國家及惠愛在民者，著於祀典，令有司歲時致祭。……按祀典太祖時應天祀陳喬……福州祀陳文龍、興化祀陳瓚。[3]

其抗元之氣節與以死明志之忠貞，使其得以被封為福州府城隍。其從叔[4]陳瓚亦是忠肝義膽，故封為興化府城隍。陳瓚生平概略如下：

> 陳瓚（1232-1277），字琴玉。宓之孫。少有志節。德佑中，布衣詣闕，上攻守之策，不報。景炎丙子，竭家財航海，助張世傑贍軍。世傑奇其才，欲奏以官，不受。元人既執文龍以去，就命林革為守，瓚陰部署賓客，募民義誅革，復其城。端宗除瓚知軍事，且令乘勝與世傑犄角，復福、泉二州。會唆都兵至，瓚力不支，被執，欲使降，瓚曰：「汝知守城不降，曰文龍者？吾侄也。吾家世忠義，豈向胡狗求活耶？」唆都大怒，車裂以殉。張世傑上其事，贈兵部侍郎，諡「忠

2　〔元〕脫脫等撰：《宋史》（北京市：中華書局，1977年），卷102，頁2497。
3　〔清〕張廷玉等撰：《明史》（臺北市：臺灣商務印書館，1988年），頁534-536。
4　陳文龍與陳瓚誰為叔？誰為侄？向來有所爭議。據《宋史》所載「文龍之侄瓚復舉兵殺林革，據興化」，據此陳瓚是陳文龍的侄子。但據《八閩通志》所載，陳瓚言「文龍者，吾侄也。」顯見史書記載有所矛盾，此問題學界尚未有定論，姑繫於此，以俟後考。

武」。子若水，張世傑關督府架閣。[5]

福州當地因陳文龍與陳瓚皆被封為城隍而將陳氏一族視為滿門忠烈，敬仰其氣節。

明代是城隍信仰發展的巔峰時期，陳文龍被視為福州府城隍祭祀與朱元璋重視宋末抗元的忠臣有關，文天祥、陳瓚等人被祭祀也是相同的道理。可知陳文龍不僅在福州地方神祇系譜佔居要位，更在此時期由地方信仰逐漸走向國家祭祀。

（二）水神

延續上則說法，守護陸境的城隍與水神職能差距懸殊，陳文龍究竟如何轉變為具有水神職能的地方神呢？筆者認為下列文字可稍加佐證：

> 傳說陳文龍在杭州殉難後，有人發現陳文龍的衣冠被水流到了福州烏龍江邊的陽岐鄉。陽岐鄉親認得是陳文龍的衣物，便在江濱建一臺墳墓，為陳文龍作衣冠葬。不久，衣冠塚被改建成尚書廟。[6]

此為陽岐尚書祖廟的建廟傳說，相關說法還有：

> 傳說福州市陽岐村烏龍江邊的化船道建有陳文龍的小廟，民眾尤其是出海漁民，經常前往朝拜，祈求平安，風調雨順。一傳十，十傳百，影響擴大了。明洪武元年（1368年），朝廷特命中書省派員到各地察訪，詔示凡有功於國家及惠愛及民者著於祀典。福州祀陳文龍，就是當時的福州府城隍。這是陳文龍首次欽定為神。[7]

5　（明）黃仲昭修纂：《八閩通志》（下）（福建市：福建人民出版社，2006年），頁1006。

6　林國清等撰：〈陳文龍是怎樣由人成為神的〉，《海峽兩岸紀念民族英雄陳文龍叢書・詩聯散文集》（香港：香港人民出版社，2006年），頁145。

7　鄭頤壽：〈叢書緒言——試論陳文龍的精神、文化和品第〉，《海峽兩岸紀念民族英雄陳文龍叢書》（香港：香港人民出版社，2006年），頁10。

此則傳說透過化船道（興化道）旁的小廟，將陳文龍定位為船道邊護航的水神，也說明陳文龍在明代時因國家祀典而成為正神，但值得注意的是神職的轉變，在首次接受國家敕封前陳文龍仍是地方守護神的府城隍，接受祀典後由守護陸境的城隍，轉向守護水境的海神。筆者於二〇一九年八月實際探訪位於陽岐的尚書祖廟，發現原本的舊廟位在碼頭旁，鄰近媽祖廟，貼近傳說在化船道旁發現漂流衣冠的情節。現今的陽岐祖廟在村內，近嚴復故居，占地廣大。廟內保留古戲臺與眾多石碑，可見年代久遠。

　　陳文龍生前傳說內容情節簡要，但死後顯靈傳說多樣，在不同地區神職上都出現差異，且其信仰在眾多地方性水神中脫穎而出登上冊封舟。然僅憑傳說實難完全推敲出其信仰轉變的脈絡，當考慮其時代因素與社會因素，例如，陳文龍被奉為水神祭祀與宋元時期海神信仰的具體化有關。古代稱海神為「四海神」，是對四方海神的泛稱，宋元之後海上交通起了巨大的發展變化，海神也隨之具體化，信仰亦隨之改變，於是沿海各地都出現了地方性的海神。陳文龍信仰由地方性的守護神轉變為水神，有可能便是在明清之際受海神信仰蓬勃發展所致。陳文龍信仰最特殊之處在其生平與水無關，死後卻為水部尚書。但明清官制六部中並無水部，普遍認為水部一職乃民間百姓私封（衣冠從水漂來及葬衣冠處），為推崇其神格與職能。但卓克華提出不同的觀點，其認為乃因訛傳之故：

> 明清時代，莆田商人將其信仰因行商而傳至福州城內之水部門（是碼頭名稱），臺江一帶，並建廟供奉。廟名「水部陳尚書廟」，日久訛化成「水部尚書廟」，後人因「水部」兩字，誤以為彼是水神。於是清代從福州臺江出發的商船，船長、水手、海商，無不到廟一拜，才敢啟程。[8]

卓克華的說法獨樹一格，關於陳文龍成為水部尚書的說法不一，稱陳文龍為

8　卓克華：〈金板境天后宮的歷史研究〉，《99年度連江縣歷史建築「金板境天后宮」調查研究暨修復計畫》（新竹縣：中國科技大學，2010年），頁7。

水部尚書是民間信仰與崇敬其神格所致者眾，但亦有不同的說法。以水部為官職而言，西漢少府下設都水長及丞，以掌管水利。三國魏置水部，掌航政與水利，主官為水部郎中。兩晉、南北朝尚書有水部一曹，主官為尚書水部郎，掌有關水道政令。可見掌管水利之司一直存在於歷代官制之中，隋朝以水部為工部四司之一，此制度沿用至宋。唐代確定六部為吏部、戶部、禮部、兵部、刑部、工部，明清兩代則均無設水部，明、清改為都水司，掌有關水道之政令。水部亦一直相沿為工部司官的一般稱謂。[9]可見水部雖非六部之一，卻一直都是掌管水道政令官的稱呼，故以「水部尚書」稱有護佑漁民與商人行船的陳文龍，似乎不全然矛盾。透過明代「敕封水部尚書」、清代道光年間請封為「鎮海王」之說，將陳文龍的神格提升，使其於冊封舟上能與天妃齊名。

二　從地方崇拜走向國家祀典

元代的地方民間崇拜，陳文龍以忠義殉國的氣節受當時人所崇敬，成為寄託愛國情懷的對象。發展至明代，隨著中國與琉球的藩屬關係而建立冊封制度，琉球國王嗣立都由中國派遣使團前往琉球，而歷次冊封使都在使事紀錄中詳細描寫航海過程，並對航海中的海神崇拜有所刻畫。再者，中國冊封琉球使團或琉球進貢使團，運輸前往琉球的貨項都在福建採辦，且冊封使團都在福建造船、招募使團成員，因此福州成為中琉貿易活動的主要地區。故以福建為主要信仰傳播的陳文龍崇拜便因此產生變化。關於陳文龍與清代琉球冊封使間的連結，筆者於《閩南文化研究視野下的水神與財神信仰》一書已有部分考證，在此不贅述。

道光十八年（1838）冊封使正使林鴻年與副使高人鑒捐修萬壽尚書廟，陽岐尚書廟存有一副林鴻年所提的對聯，上書「神風吹久米，蔭曜躍維

9　關於水部一司的歷代發展，詳參（唐）杜佑：《通典·職官五》（西安市：陝西人民出版社，2007年），頁226-227。與〔清〕黃本驥：《歷代職官表》卷2（臺北市：史學出版社，1974年），頁72-78。

桑」。道光十九年（1839）冊封使林鴻年為天后、陳尚書公、拿公等神懇請加封之由為「自琉球內渡途中，兩次猝遇風暴，正在汪洋萬頃之中，人力莫施，舉舟惶悚。臣等虔誠祈禱，皆獲化險為平，舟人僉謂神助。」[10]林鴻年之請得道光皇帝賜「海澨昭靈」匾一面予福建省陳尚書廟；同治六年四月初四日「著南書房恭書匾額發閩省於天后等廟懸挂事上諭」，冊封使趙新之請得到回應，尚書廟得「朝宗利濟」[11]之匾。

圖一　陽岐尚書廟林鴻年題字對聯　　　圖二　萬壽尚書廟「海澨昭靈」匾
（筆者攝影，拍照日期：2019年8月3日）　（筆者攝影，拍照日期：2019年8月2日）

10　中國第一歷史檔案館編：《清代媽祖檔案史料匯編》（北京市：中國檔案出版社，2003年），頁260-261。

11　但現今臺江萬壽尚書廟所懸「朝宗利濟」之匾，書為康熙五十八年（1719）由冊封琉球正使海寶、副使徐葆光所請。廟中所懸之匾時間是否有誤，尚待釐清。

圖三　陽岐尚書廟「朝宗利濟」匾　　　圖四　陽岐尚書廟「朝宗利濟」匾
（筆者攝影，拍照日期：2019年8月3日）　（筆者攝影，拍照日期：2019年8月3日）

　　陽岐尚書廟有兩副「朝宗利濟」之匾，均為復刻版本，一為臺灣馬祖廟贈送，一為福州市信徒敬獻。同時我們透過竹原家文書的記載，可見尚書公信仰不僅對冊封舟有所影響，也是當時往返福建、琉球之唐船的崇奉對象：

> 乾隆三十六年十二月二十二日，福建閩侯的漂風船上，奉祀天上聖
> 母、水部尚書、關夫子香火；乾隆五十年十二月十六日，福建侯官的
> 漂風船上，供奉目連尊者、天上聖母、觀音大士。[12]

上述這些資料反映尚書公信仰從地方水神走向國家祀典主要的原因當然是冊封使請願所造成的結果，但這個信仰受到福建商人、百姓、船員的推崇，信其平波順航之神能，方使其信仰圈擴大，而得到冊封使臣的注意，登上冊封舟，展現海神的職能。冊封使與尚書公信仰流播間存在重要的推動性。這些對聯與匾額除了陽岐尚書祖廟外，其他尚書公廟也有懸掛，多為復刻版，照見的是隨冊封舟出使琉球的史實，廟宇經營者或信徒透過匾額、對聯顯示其信仰受國家祀典的榮耀與神威顯赫。然而在現代化社會中，這些尚存或易地重建的尚書廟，如何維繫香火與拓展信仰網絡則是值得探討的議題。故下文即就文獻與實地田野調查來論述其信仰現況。

---

12 竹原家文書：《漂流唐船救助禮狀》，見《琉球鄉土資料》第26冊，琉球大學圖書館藏，1966年，頁48。

三 福建的水部尚書廟

透過實際的田野調查，探究廟宇現存狀況，釐清現今尚書公信仰的祭祀情形。以田野調查對照清代地方志書，與現存的福建地區水部尚書廟兩相比對，並進一步探討流傳到臺灣或琉球的情況：

（一）〔明〕弘治《八閩通志》：

> 陳氏二相祠堂在白湖。以祀宋丞相俊卿塈其從侄孫參知政事文龍。俱詳見《人物志》。祀久圮。成化三年，知府岳正重建。[13]

陳氏二相祠堂尚存，即為現今的玉湖[14]陳氏祖祠，從宋代至今，一九九一年因祖廟歷經滄桑，由仁公三十二世孫、印尼華僑德發宗親慨然捐資，重修陳丞相里第門坊、祖祠大廳、拜亭及祠前石板道等。[15]

（二）〔清〕嘉慶：《大清一統志》卷四百二十六〈福州府‧祠廟〉：

> 陳尚書廟在閩縣南臺，祀宋陳文龍，本朝嘉慶十四年欽頒效順報功匾額，又有挐公廟，亦於是年欽頒「惠洽維桑」匾額。[16]

方志所提之匾乃嘉慶年間冊封使齊鯤回國後所請，可知當時拿公也已同登封

---

13 〔明〕黃仲昭修纂：《八閩通志》（下），〈祠廟〉卷60（福建市：福建人民出版社，2006年），頁570。此段記載亦見於〔清〕金鋐修：（康熙）《福建通志‧壇廟》，卷21（南京市：鳳凰出版社，2011年），頁540。

14 玉湖，又名白湖。

15 詳見鄭頤壽主編：《海峽兩岸紀念民族英雄陳文龍叢書》（香港：香港人民出版社，2006年），頁275-276。

16 〔清〕穆彰阿：嘉慶《大清一統志》，〈卷426‧福州府‧祠廟〉，（四部叢刊續編景舊鈔本）（上海市：上海古籍出版社，2002年），頁57。

舟。方志所載的情況顯現陳文龍廟宇與拿公廟可能在距離上非常相近。

（三）〔清〕康熙《福建通志》：

> 水部尚書廟在泗洲左舖，明初建，祀宋陳忠肅文龍。清康熙三十年里
> 人黃煌重建，乾隆二十九年始入祀典，三十四年總督崔應階給帑諭里
> 人方廷珪募修。布政使楊廷樺記。嘉慶十四年冊使齊鯤、費錫章奏請
> 御書「効順報功」匾額。[17]

此座尚書廟即為今日位於上下杭三通橋邊的萬壽尚書廟。腹地廣大，是現今
福州市內各個尚書廟的連絡中心，因為陽岐祖廟地處偏遠，故各處尚書廟若
有要事相商，多以萬壽尚書廟為聚集地，各廟總理會群聚此處開會協商事
宜，不難看出此廟在尚書公廟系統中佔有一席之地。《福建通志》尚有下則
記載：

> 二忠祠在城隍廟左，祀宋陳文龍、陳瓚叔姪死節。明正德七年郡人評
> 事徐元稔奏建，萬曆十一年裔孫瑛請官重建。[18]

二忠祠現今名存實亡，一九四四年莆田人張琴聯合上海大夏大學校長歐元
懷、莆田中山中學校長鄭仲武、福州商會會長蔡友蘭、立委蔡心權等人，曾
發起募捐重修陳文龍公墓，後因地被佔領引起官司而未果；而二忠祠亦淪為
廢墟。如今祠址尚存二石碑，一豎一臥在不為人注意的角落裡。[19]

陳文龍信仰在琉球地區的傳布情形，則相對曖昧不明。陳文龍信仰隨著
陳文龍在海上屢顯靈異的傳說而具有海神性格，更因成為冊封舟上的船神而

---

17 （道光）《福建通志‧壇廟》，卷20，頁515。李厚基等修、沈瑜慶、陳衍等纂：民國
《福建通志‧壇廟志》亦載，然略簡。

18 （康熙）《福建通志‧壇廟》，卷21，頁541。民國《福建通志‧壇廟志》沿用此說，見
卷2，南京：鳳凰出版社，2011年，頁575。

19 參見鄭頤壽主編：《海峽兩岸紀念民族英雄陳文龍叢書》，香港：香港人民出版社，
2006年，頁281-282。

遠播琉球。據臺江萬壽尚書廟所存〈嘉慶五年庚申（1800）碑記〉載眾善信題捐緣金姓名中有：

> 琉球大船直庫比嘉筑登之親云上番壹拾元。大船內佐事等拾名，番壹拾元。水手五名，錢壹仟文。琉球大船直庫水手肆拾名，番壹拾元。琉球直庫長嶺親云上番壹拾元。大廳作事等玖人，番玖元。定加子共六名，錢壹仟文。水主共貳拾六名，錢貳仟文。琉球封王直庫頭號貳號船，番貳拾柒元。[20]

透過碑記顯示過去琉球朝冊封使與琉球貢使團的船員、水手，曾參與萬壽尚書廟的祭祀活動，並捐款修廟，此碑可說是陳文龍信仰曾遠播琉球最好的證明。碑中所記之大船乃琉球來福建的貿易船，封王頭號、貳號船指的是來福建迎接冊封使的琉球船，「筑登之親云上」、「親云上」都是琉球人的爵位。尚書公信仰在琉球的研究缺少更深入的發掘，萬壽尚書廟中保留四塊琉球國進貢船船員集體捐款修廟的紀錄碑，顯見尚書信仰在琉球曾經風靡過的痕跡，除此之外，徐恭生在其著作中也提供了重要的訊息：

> 但陳文龍作為中琉護航神最早出現在嘉慶十三年齊鯤出使琉球的封舟上，因此萬壽尚書廟保存嘉慶五年琉球人捐款修建天后宮、尚書廟石碑，十分珍貴，說明乾嘉年間，沖繩人民敬仰陳文龍，那霸市民了解尚書廟，他們把福州尚書廟寫入他們學習中國話的課本──《官話問答便語》。[21]

這則訊息透露過去認識尚書公信仰是學習語言的一種方式，更是受教育之必需，陳文龍信仰在琉球當地的重要性相當明顯。謝必震認為「然而，信奉陳文龍的，不僅僅只有福建或福州人，遠在中國東南千里之外的琉球島國，也

---

20 碑文內容轉引自徐恭生：〈九十年代以來中琉關係史研究概述──以中國大陸為中心〉，《福建師範大學學報（哲學社會科學版）》，2002年4期，頁40。

21 徐恭生：〈從萬壽尚書廟碑刻看中琉友好交往〉，《海峽兩岸紀念民族英雄陳文龍叢書研究論文集》（香港：香港人民出版社，2006年），頁83。

有眾多的尚書公的信徒，這是饒人尋味的」[22]。但關於琉球群島信奉陳文龍的狀況卻長期處於未明狀態，甚至連福建地區的尚書公廟信仰網絡也苦無管道與能力研究。

四　馬祖水部尚書廟及其信仰網絡

　　陳文龍信仰流傳地區雖然明確的源於福建，但信仰擴散後的地區如馬祖，現今當地的祭祀狀況並無較為完整的研究論述，且眾說紛紜。例如林國平認為：

> 馬祖也有三座供奉陳文龍的尚書廟，即北竿鄉塘岐村水部尚書廟，祀神源自福州臺江區萬壽尚書公廟；東引鄉中柳村璇璣廟，源自福州臺江；南竿鄉清水村白馬王宮，源自琅岐。[23]

林國平的說法也可見於《福州晚報》[24]，但此說與筆者初步至馬祖探勘的調查結果不符。筆者於二〇一七年十一月至馬祖進行田野調查，範圍以北竿鄉與南竿鄉為主，發現北竿鄉確實有以陳文龍為主祀的水部尚書廟。但南竿鄉則無以陳文龍為主祀或陪祀的廟宇，經筆者調查南竿鄉清水村的白馬王宮，主祀白馬尊王及夫人，陪祀天上聖母、臨水夫人、福德正神，廟殿內立有七爺、八爺之大型造像，廟旁則有一小宮仔緊鄰，內供奉「老郎公」，而無供奉陳文龍之神尊。另外，筆者複查《馬祖地區廟宇調查與研究》與「文化資源地理資訊系統」網站[25]，關於白馬王宮奉祀尚書公一事，均無所獲。東引鄉中柳村璇璣廟也是類似的情形，以現有資料而言與林國平之說有相當的出

---

22 謝必震、胡新：《中琉關係史料與研究》（北京市：海洋出版社，2010年），頁161。

23 林國平：《閩臺民間信仰源流》（北京市：人民出版社，2013年），頁128-129。

24 邱成海、賴正維：〈臺江萬壽尚書廟的琉球情緣〉，《福州晚報》：2016年9月6日閩都大家網址：http://culture.fznews.com.cn/node/10763/20160906/57ce280d479eb_3.shtml。上網日期：2017年12月21日。

25 網址：http://crgis.rchss.sinica.edu.tw/temples/LienchiangCounty/nangan/90070164004-BMZWM。上網時間：2017年12月1日。

入。這些廟宇是否原本有供奉尚書公，而現今無祀？有待進一步追索。在檢索資料過程中發現，東引鄉的中柳村有供奉尚書公的是天后宮，而非主祀朱大姐的璇璣廟。筆者也同時詢問北竿鄉塘岐村水部尚書廟的總幹事陳天喜先生，他坦言：「沒有了。整個馬祖只有我（們）在拜，南竿也沒有。」[26]故針對上述這些祭祀尚書公廟宇歧異的說法，有必要做通盤性的調查與補正。

水部尚書信仰在馬祖，除了保佑漁民出海捕魚的平安與豐收外，筆者在水部尚書公廟的神龕前發現，有許多信眾將其住院開刀的時間與地點等資訊，寫於紙上，並供於尚書公神像前，可知尚書公在當地信仰者的心中，是多種神職的，包含治病。除此之外，尚書公信仰傳至馬祖後，與在地風俗互相影響，而影響的脈絡與範圍也值得探究，可從以下這則報導略窺一二：

〈塘岐水部尚書公府送狀元船祭莊嚴隆重〉[27]

送狀元船的由來依考據為，乾隆時人張際亮在《南浦秋波錄》卷三〈習俗記〉中曾指出：閩俗最信巫鬼，夏秋之交，南臺街市各製紙船，送尚書廟放諸江中，名曰出海。八月十五日是陳文龍的壽誕，五年兩次的正月十八口是他回湄（莆田）省親的日子，所以尚書公也有出海之祭典。此時，一般由商家和其他民眾自動捐獻，建造木舟為之送行。行前，要將此舟在附近各街道上遊行一週，藉以驅逐邪神惡鬼，保佑鄉民太平，附近各街道地頭神多列隊相送。至十九日出海時，將船放出，隨波任其漂流，稱為狀元船，沿閩江各鄉遇到狀元船漂到該鄉，那一鄉就要將其擡上岸，舉行一定的儀式後再放下水。受潮汐影響，閩江下游入海許多鄉鎮，每年都會拾到狀元船，故而每年必有慶典。

這個儀式在尚書公信仰流傳到馬祖之際仍被保留下來，並發展成當地重要的

---

26 受訪者：陳天喜。採訪日期：2017年11月13日。採訪地點：北竿鄉戶政事務所主任室。

27 陳鵬雄：〈塘岐水部尚書公府送狀元船祭莊嚴隆重〉，《馬祖日報》，2007年3月5日。http://board.matsu.idv.tw/board_view.php?board=44&pid=23532&link=23532&start=7770。上網時間：2017年12月11日。

民俗風情，除了送狀元船外，尚書公廟也參與馬祖當地特別的「元宵擺暝」祈福活動。

圖五　南竿鄉清水境白馬王宮
（筆者攝，拍照日期：2017年11月16日）

圖六　清水境白馬王宮龍邊配祀神尊
（筆者攝，虎邊為福德正神。未見有尚書公，拍照日期：2017年11月16日）

　　尚書公信仰流傳到馬祖後成為在地性的信仰，有強烈的地方性與重組，甚至透過扛乩降文濟世的儀式，成為當地信眾仰賴的宗教活動。

　　　　一九四九年，國民政府遷臺後，臺灣和中國的文化斷絕了交流，而馬祖更因此而成為國民政府有效統轄境內，唯一的非閩南文化區，馬祖既被切斷和中國閩東關係，又和臺灣的主體文化形成相當大的隔閡，終至形成了特殊的文化孤島，使得文化發展更趨保守，民間信仰更形成了封閉與拘謹的狀態……。[28]

現今尚書公信仰普遍留存於福州與馬祖，上述這段話很明確的表達了陳文龍信仰在馬祖地區發展的特性，此拘謹的狀態卻也相對的保留相當濃厚的地方色彩。馬祖列島的竿塘、東沙及東湧為中國冊封舟由福州前往琉球必經之地，往後清朝前往琉球之使船亦沿襲相同航線。水部尚書在福州的七座廟宇均分布在閩江邊臨水地區，以陽岐尚書公廟為祖廟，除陽岐外，規模較大、

28　劉還月：〈序・深植土地的果實〉，見王花俤《馬祖地區廟宇調查與研究》（連江縣：連江縣社會教育館，2000年），序無頁碼。

歷史悠久的還有臺江萬壽尚書廟，馬祖北竿的水部尚書公廟即由此廟分香而來。

　　北竿鄉尚書公廟乃民國三十年間，北竿漁民蕭亞金妻周氏，赴大陸祈得尚書公分爐至熾坪家中，供鄉親膜拜，民國五十二年於塘岐大同一村召募社友，並於六十五年募款建廟。廟地就選建在北竿機場的前方，希望藉由機場來往的人潮發展尚書公信仰，讓更多人有接觸當地信仰的機會。筆者赴北竿鄉進行田野調查時發現，北竿地區的廟宇普遍廟門敞開，而廟內無人，零星的香客有之。筆者前往當日亦然，以廟宇規模而言，水部尚書公廟所占面積可說在北竿是規模較為宏大者。就廟宇管理方式論，以主任委員為管理委員會之首，下有總幹事及社員與神轎班，管理委員會與神轎班人員有所重疊。據總幹事陳天喜[29]先生表示：「尚書公廟在社員的努力下，社員約二十九人左右，均為塘岐村人，有少數一兩名臺灣人，是來馬祖做工後才加入當地的地方信仰。」同時他也表明，馬祖人多半各拜各的廟，很少跨村或跨境祭祀，也因此對於它村的信仰便不熟悉。由此，我們可知在北竿鄉水部尚書公廟以塘岐村的信眾為主，同時也因在馬祖工作的臺灣人之故，尚書公的香火也傳播至桃園鶯歌一帶。

---

29 陳天喜於四十五歲時投入尚書公廟的事務，他的父親與祖父都是尚書公的信徒，過去出海捕魚時必定祈求尚書公保佑，連帶著家人也積極投入廟務，而他自身是因調任至戶政事務所工作後，才有閒暇時間協助廟務，隨後擔任總幹事一職。現在主要負責廟中文物與資料的彙整及出版，同時也與福州的各處尚書廟保持非常密切聯繫，形成一個獨特的尚書公廟信仰網絡。因此，筆者認為馬祖北竿鄉塘岐村的水部尚書公廟有其重要性與研究價值，相較起大陸地區尚書公信仰的研究情形，馬祖地區尚書公信仰的討論在研究成果的數量上遠遠落後。以《海峽兩岸紀念民族英雄陳文龍叢書研究論文集》為例，該書收錄九十四篇有關陳文龍信仰的學術論文與研究史料討論，但與馬祖北竿鄉塘岐村的水部尚書公廟直接相關的僅有良政〈馬祖同胞隆重紀念陳文龍〉一篇，且該篇僅二五〇餘字。

圖十　北竿鄉塘岐村水部尚書公廟

（筆者攝，拍照日期：2017年11月13日）

圖十一　水部尚書公府廟宇史略

（筆者攝，拍照日期：2017年11月13日）

　　筆者於二〇一七年十一月十四日前往南竿鄉，展開尚書公信仰相關調查，發現南竿珠螺境玄天上帝廟與北竿塘岐村的水部尚書公廟也有關聯。〈珠螺境玄天上帝廟重建碑〉記載：

> 民國九十四年，士紳有鑒樑牆陳舊，瓦石鬆頹，乃倡擴建之議，旋組委員會，以綜理相關事宜，鄉親知恩重情，無論在地人士抑或旅外鄉賢，無不響應景從，並解囊奉捐，又蒙北竿塘岐境水部尚書公府為新廟卜址定樁，由福建莆田仿古建築隊承建，歷經二年輪奐宮觀順利竣工。

水部尚書公府主委王世才為珠螺境玄天上帝廟之榮譽委員，顯見兩廟情誼深厚。

圖十二　南竿鄉珠螺境玄天上帝廟

（筆者攝，拍照日期：2017年11月14日）

圖十三　珠螺境玄天上帝廟重建碑記

（筆者攝，拍照日期：2017年11月14日）

　　施曉宇認為「僅在臺灣和馬祖島，保存完好的陳文龍廟就有十六座之多」[30]，但經筆者探勘，馬祖北竿鄉僅有塘岐村水部尚書公廟一座廟宇主祀陳文龍，其它村落各有其敬奉的境主神。而南竿鄉則尚未發現有尚書公廟或陪祀尚書公的廟宇。

五　民間文學作品與陳文龍

　　隨著陳文龍信仰的發展，民間文學也出現以陳文龍為主角的作品。這些作品有的是為了推廣信仰，有的是為了教育或娛樂百姓，例如：一九九八年張端彬、張善吉合撰《滿門忠義——陳文龍傳奇》[31]，書本封面題為新編長樂民間故事，顯示福建各地都有陳文龍的傳說。長樂地區流傳有〈陳文龍進京趕考〉故事：

> 陳文龍的父親死得很早，寡母孤兒相依為命。那年，陳文龍才九歲，母親正在廚下炒菜，見蝦油瓶空了，遍叫陳文龍去道頭打瓶蝦油。陳文龍一手提著蝦油瓶，一手拎著銅板，一陣猛跑來到道頭上。
> 道頭空埕上，有位興化客在耍猴子。那興化客是個瘦老頭。只見他右手牽只小猴兒圍場子竄著。那猴兒時而在場子上翻筋斗，時而猛竄上老頭的肩，抱著老頭的頭，在他腮上親了一口，逗得圍觀的人們一陣開心大笑。笑聲一止，猴兒又遠遠地跳開，瘦老頭左手托著一個銅盤，沿場子開始收錢。人們便朝盤子裡不斷地扔著銅板，也有撒落到地上的。那猴兒便彎下身，一枚枚去拾。拾上一枚銅板，便朝人作揖一次，又把人們逗得哈哈大笑。於是一枚枚銅板又不斷地朝盤子裡扔去……陳文龍愈看愈歡心，直到那興化客牽著猴兒走了，這才記起忘了打蝦油了。他忙提著蝦油瓶來到道頭斜對面林記醬油記店，打了半

30　施曉宇：〈陽岐村的「尚書祖廟」〉，發布時間：2013年6月15日。參考網址：http://blog.sina.com.cn/s/blog_4a52ac660102eh8s.html。上網時間：2017年11月19日。

31　張端彬、張善吉：《滿門忠義——陳文龍傳奇》，香港：華星出版社，1998年。

斤蝦油。回到家中時，日頭已掛在頭當頂。

母親問陳文龍：「兒啊，你怎麼去了這麼久？」陳文龍心裡發慌，臉上發紅，口中支支吾吾：「……在路上碰見姑姑，談了一會兒……。」

母親一聽兒子撒謊，很生氣，大聲斥道：「瞎說！」話音未落，只見姑姑笑哈哈地從裡屋走了出來。陳文龍心裡「喀登」一聲，包子露餡了。他只好紅著臉老實承認：「……是看猴戲去了。」

「今後可不許再撒謊了。」母親的口氣仍很嚴厲。

姑姑慈祥地走到陳文龍身邊，用手輕撫著他的頭，和藹地說：「小孩子不能說謊，要說老實話。誠實是為人的根本。」

陳文龍連連點頭。見孩子承認錯誤了，母親也不再多加責備。

陳文龍漸漸長大了。他發奮攻讀，手不釋卷，夜夜都讀到三更天。學業日漸長進。十三歲時，他考上童生，十五歲考中秀才。十七歲那年，金風初動秋闈到，陳文龍準備上省城考舉人。

臨行前一天，母親特意買來一尾大鯉魚。平素，陳文龍最愛吃糖醋魚了。母親倆平素省吃儉用，捨不得一頓飯將魚全吃了。中午只吃了一邊，晚上翻過來又吃了另一邊。第二天，一早陳文龍要上省了。母子分別，說不盡的話。母親就問他：「兒啊，昨天的魚好吃嗎？」「好吃。」「中午那條好吃還是晚上那條好吃？」

陳文龍心裡嘀咕開了：「母親好糊塗！分明只有一條魚，怎麼變成兩條了？」他忙應道：「媽，你記錯了！只有一條魚，中午吃了一半，晚上又吃了一半。」

母親一聽生了氣：「什麼？我分明買了兩條魚。中午做了一條，晚上又做了一條。你怎麼說只有一條魚？」她手中正拿著只水瓢，「啪」一聲，水瓢拍在水缸蓋上，響聲很沉。陳文龍是個孝子，看到母親生氣了，心想犯不著為這芝麻小事惹母親生氣，忙順了母親的心意應道：「媽，唔，我記起來了，是兩條。中午那條好吃，晚上那條醋放多一點，有點酸味……。」

誰知母親聽了卻哈哈大笑起來：「孩子，你怎麼忘了過去的教訓又說

謊了？媽這是考你。你就考砸了。明明只有一條魚，只是媽說兩條，你就不敢堅持說真話。此番你赴省趕考。若得中做官，難道也要迎合別人的心意說謊做禍國殃民的事嗎？」

陳文龍臉色脹成豬肝紫，原來媽在考我啊！只聽母親語重心長地說：「兒啊，媽比不上孟母，更比不上岳母。媽只希望你牢記姑姑的金玉良言：誠實是為人的根本！本著這條原則，今後進了官場，才能做個萬民稱頌的清官。」

陳文龍向母親行了一炷香大禮，感謝母親的教誨。隨後他背起「包袱傘」上省城去了。正是：大鵬展翅望有期，難為慈母一片心。

資料來源：長樂‧張端彬

這個故事用在教育孩童以誠實為人格基礎，套入陳文龍生平，塑造故事的說服力。這個慈母教子的民間故事與陳文龍的母親也受到祭祀有所關連，陳文龍殉國後有墳墓長刺竹的傳說，與岳飛墓松無北枝有異曲同工之妙，皆為忠魂義魄所凝的傳說。傳說起源出自杭州，亦可見於《萬曆杭州府志》、《萬曆錢塘縣志》等。浙江人民不僅對陳文龍十分敬仰，對陳文龍墓也十分愛惜。明代為陳文龍修墓祠及母祠的是浙江杭州的官員。明正德三年大理寺評事徐元穩奏請就墓前建祠，天啟三年杭州知府李燁然詳請按院修祠葺墓，並立一祠，別祀陳文龍母親。清代發起修葺陳文龍墓的是浙江人士丁松生。

其它民間傳說尚有〈尚書廟躲債〉：

古時，福州南臺小橋頭地方，東邊通向下道（今達道路），西向是上、下杭一帶，其接壤處，交叉著兩條小巷，即水巷與上巷（今金馬花園新村）。

有一年，除夕之夜，寒風冷冽，從小巷深處的一戶人家中，走出一個人，垂頭喪氣，滿面憂容，一路上躲躲閃閃地盡往偏僻處走。此人名喚格格，世代經商，買賣公平，近因一批土布被外省拖欠了貨款，以致陷於困境，年關歲暮，結欠三戶人家八十兩銀子，經東挪西借，只

籌到九兩八錢銀子，無可奈何出門躲債，自忖捱過一晚，按當地「約定俗成」正月初一不能索債，格格心想：反正今晚不能回家守歲過年，就在附近餅店中買了一些光餅，從塢尾街進去，要去大同浦找一個「窩風」（避風）地方，正走之間，路過萬壽尚書廟，進得廟來，神案上香煙繚繞，元寶爐中餘灰未盡，尚有微溫，不覺心中一喜，立刻在陳文龍尚書公面前禱告一番後，從牆邊取來一束稻草，鋪在神案下，暫時「定居」，吃光餅過年。

正在此時，忽聽得大殿上一聲響亮，格格不由大吃一驚，定睛一看，原來有一個人進入廟內，被臺階絆了一跤。只見此人翻身而起，跪在神前，連聲禱告：「尚書公在上，念弟子意益，家住新港，世代經營土特產生意，薄利經商。稍有盈餘，事因三年前貨船出海，犯風失水，本利無歸，後來典盡賣光，惟余祖傳小屋一間，遵祖訓絕不售賣。因此就在屋前開張一家小小京果店，由於資金不足，結欠貨款。年關歲暮，逼債臨門，無奈到此躲債——」意益念念有詞的禱告，引得格格「噗哧」一笑，意益聞聲站起，四處張望，不料神案下伸出一臂把他緊緊抓住：「你我都是同路人，何妨隨我進來。」這一來把意益嚇得魂不附體，轉身要逃。格格知道他疑神疑鬼，緊忙現出身來加以解釋，申說自己也是躲債在此，經過二人互訴身世及遭遇。不由相對喟然嘆息，格格笑道：「事既至此，齒痛能知齒痛人，就請同進內廂歇息。小弟尚有佳點款待。」格格在「無柴樂，沒米樂」，意益只好茫然地隨他進入神案下，兩個患難相交的友人擁在一起，暫且充當戚繼光兵士啃著光餅而談天說地——意益問道：「格哥，你結欠人家多少銀子？」「說來也不多，八十兩銀子。你呢？」「我只有你的十分之一，結欠兩戶人家八兩銀子。」「什麼，只欠八兩銀子，弄得走投無路！」「自古道，厘毫壓倒英雄漢，山窮水盡之時，莫說八兩，八錢也沒處張羅！」「不，山窮水盡疑無路，柳暗花明又一村。我這裡尚有九兩八錢銀子，你先用上，八兩銀子還債。一兩八錢拿去辦些年貨，回去過年好了。」意益說道：「萍水相逢，我真不好意思……。」

格格不讓意益再說下去，把銀子塞在他身上：「別推三阻四，走吧，走吧。」說著，硬把意益推出神案下，意益見此情景，只好接受：「好，恭敬不如從命，這銀子算是借你的。我馬上去還債，你就到我家去過年吧。」「這可不必，彼此了不方便，我只在此地躲到子時回去就無礙了。」「那這樣，我去辦些年貨，煮好取來在此跟你一起過年。你等著！」說畢飛奔出廟。

意益理清債務，到市場去辦年貨，但此時已到譙樓二鼓，各家商鋪早已關店。意益走過路通橋時，看到橋下漁火，靈機一動，找到漁人，果然在漁舟中買到一些魚蝦之類，而且還買到兩尾鰻魚，急匆匆地回到家中，把詳情告訴妻兒，一家歡歡喜喜地決定燉好鰻魚，提到廟裡去。不料，心急如火的意益，卻碰翻水桶，兩尾鰻魚竟然鑽入破地板下面。一家人急忙撬開地板，抓到一尾，還有一尾卻鑽入深處。意益手執鋤頭，追蹤掘進，忽聽得「寬當」一聲，鋤頭似是擊中罈罐之聲，其妻忙用雙手扒開泥土，發現地下埋著一個酒壇，意益開蓋一看，竟是一壇白銀，還有一塊小磚頭，上面有字：「勤能補拙儉養廉，且與子孫留些錢。薄利多銷廣積德，硯池無稅種心田。」至此意益一家恍然大悟，原來世代留存家訓，絕不能售賣祖屋，意竟在此。此時意益得到祖上遺產，不忘患難友人。急忙取出十錠元寶，一路飛奔來到尚書廟，對格格說出原委，叫他立即還債。這一來兩家皆大歡喜平平安安地過了一個好年。

正月初一日，兩家雙雙拜過年，一齊來到尚書廟，在神前立誓許願：「每年除夕之夜出資聘請閩劇班，徹夜演戲至天亮。」以便讓躲債窮人都到廟中看戲，因為廟中看戲的人都有同病相憐之感，債主也不敢入廟索債，相沿成俗，萬壽尚書廟演出躲債戲，就成為家喻戶曉的習俗了。解放後，尚書廟已無躲債人眾，但是除夕之夜，尚書廟仍有演戲，還是通宵達旦。

這正是：

　　勤能補拙儉養廉，

　　　　　　為人須存好心田。

　　　　　　薄利多售廣積德，

　　　　　　子孫福澤億萬年。

　　　　　　　　　　　　　資料來源：福州‧李齊樞

這則傳說講述的是尚書廟躲債的風俗，反映過去傳統社會窮人的辛酸與突顯
尚書公慈悲的特質，並照見風俗習慣在傳統與現代社會的流變。另外，《中
國民間故事集成‧福建卷福州市鼓樓分卷》還收錄有〈從尚書公顯聖竹林境
說起〉[32]一則，這是現在可見最早流傳關於尚書公顯聖和建廟的傳說，此則
傳說可與現在已易地閩俗閣重建的竹林境尚書廟相互參照。

　　詩詞部份，福州當地至今仍感念陳文龍的信士眾多，或作詩緬懷其人、
或詠歎其氣節：

　　〈元兵解除文龍過陽岐〉福州‧余斯偉

　　晨曦鋪大地，白露壓橋欄。

　　塵起陽岐驛，雲生五虎巒。

　　離鄉慷慨氣，別理丈夫言。

　　一死風吹帽，遙看北國天。

亦有〈滿江紅——化船道尚書廟懷古〉[33]一首：

　　鎮守鄉邦，支殘局、激昂風發。殲逆虜、兩旗霄立，志堅如鐵。耿耿
　　丹衷神鬼泣，感天動地臨安別。媲信國、正氣壯山河，咸高節。

　　謚忠肅，彰俊傑；封鎮海，靈英哲。制狂濤駭浪，夜叉魚鱉。國泰民
　　安封四境，風調雨順人寰協。並聖妃，如景瑞雙星，臨天闕。

---

32 據《海峽兩岸紀念民族英雄陳文龍叢書詩聯散文集》，頁163所載，這則〈從尚書公顯
　　聖竹林境說起〉在一九八八年根據時已九十五歲高齡的清末塾師林濤圖先生的口述，
　　將此傳說收編在《中國民間故事集成‧福建卷福州市鼓樓分卷》一書中。

33 福州鄭頤壽所作，收入《海峽兩岸紀念民族英雄陳文龍叢書詩聯散文集》（香港：香港
　　人民出版社，2006年），頁161。

這些作品都可見創作者陳文龍的崇敬與對信仰的認同。

六　結論

　　水部尚書陳文龍的傳說，均圍繞著他生時愛國的忠貞故事，死後人們歌詠他的節操，民間封他為水部尚書，將其視為水神並在清代隨著冊封舟前往琉球護佑海航。現階段的研究成果遺漏陳文龍傳說對其信仰的影響，而陳文龍傳說散見於各地或地方故事集，現在民間信仰視祂為海神，庇佑靠海為業的漁民與仰賴海運的商人。陳文龍忠肝義膽的形象，成為福建人搏鬥強悍多變的海洋時心靈的依歸，也展現民間百姓出自於生活欲求而建構的地方信仰。

　　陳文龍傳說與信仰以福建地區為核心，遠及馬祖、臺灣與琉球。但究其生平傳說而言，並與水無關，終其一生也未曾任尚書之職，但隨著其人格魅力與靈驗傳說，久而久之其作為內陸神祇的神職範圍擴大至海上，百姓相信其能護佑船隻與生命財產安全，因此為漁民所奉祀，遂成海神，故本論文針對傳說與信仰形成之間的淵源，連結分析其人與神格，同時補充尚書公信仰在各地流傳的現況。

兩兄弟分家故事之文化現象探析[*]

林登順

臺南大學國語文學系教授

提要

　　兩兄弟型故事是一個世界性的故事類型。故事基本形態有兄弟友善型、兄害弟型和弟害兄型三種；其中兄害弟型是最主要的類型。而兄害弟的故事中，涉及到兄弟分家，兄嫂戕害弟弟、霸佔大多數家產，最後，兄嫂都受到報應。故事情節中，複合許多亞型故事情節做結尾。但讀者多只看到故事情節的變化；卻沒注意分家產的過程中，呈現許多文化現象，如家庭內部之父母去世、兄嫂受挑撥；以及社會、經濟、思想之外部氛圍，涉及到父權問題、母權問題、禮教問題，都值得深刻認識。而故事中，始終以一般民眾的價值觀、道德觀來判斷是非、善惡、美醜。但是，如果全面檢視故事的文學性，並對文化現象再釐清，將可看出，在故事的生動性下，深刻反映著當時社會的家庭制度、人們的家庭觀念與價值取向。

關鍵詞：兩兄弟故事　兄弟分家　繼承權　情節安排　人物塑造

---

* 本論文乃於二○一九漢學與東亞文化國際學術研討會發表，後經修改而成。

一 前言

兩兄弟型故事是一個世界性的故事類型。在中國民間故事中,也流傳非常廣泛。基本形態有兄弟友善型、兄害弟型和弟害兄型三種;其中兄害弟型是最主要的類型。而兄害弟的故事中,涉及到兄弟分家,結果是兄嫂戕害弟弟,或霸佔大多數家產,但最後兄嫂都受到報應;故事情節中,複合很多亞型故事情節做結尾。但讀者多只看到故事情節的變化;卻沒注意分家產的過程中,呈現許多文化現象,如父母去世、或受挑撥之內部問題,或社會、經濟、思想之外部問題,或父權問題、母權問題、禮教問題,都值得深刻認識。

兩兄弟故事社會教化性很強,在故事中,始終以一般民眾的價值觀、道德觀來判斷是非、善惡、美醜,但貫穿其中的認知,還是以傳統倫理道德觀念為主體。因此,藉由全面檢視故事的文學性,而且對文化現象的再釐清,將有助於呈現社會的深層意義。

二 故事型態述論

兄弟分家是民間故事的一個基本類型,在中國文學史中,有許多類似的作品在廣泛流傳。

兩兄弟故事的記載,多以《酉陽雜俎》〈旁㐌〉最早,故事中的兩兄弟,兄貧窮而弟富有,哥哥向弟弟討取蠶種和穀種,而弟弟竟然將種子蒸熟再給哥哥。這個弟惡兄仁的故事,從宋代開始,就被改造成兄惡弟仁的模式。宋人洪邁《夷堅志》卷八有〈符離王氏蠶〉一篇,它先從〈旁㐌〉故事講起,然後講到王友聞、王友諒兄弟,故事中是哥嫂將蠶種用火烤了來坑害弟弟。從這開始,兄惡弟仁就取代了兄仁弟惡,成為「兩兄弟型」故事的典型情節模式。

（一）兄弟分家故事溯源

兄弟分家故事，它是民間文學和作家文學創作的常見主題，長期以來流傳不斷。從先秦神話傳說，到清代文學創作，每個朝代都有新的故事出現，每個朝代也都有代表作品傳世。

先秦時代，舜與象兩兄弟的故事，就是一個典型模式。《史記》〈五帝本紀〉：

> 舜父瞽叟盲，而舜母死，瞽叟更娶妻而生象，象傲。瞽叟愛後妻子，常欲殺舜，舜避逃；及有小過，則受罪。順事父及後母與弟，日以篤謹，匪有解。……舜父瞽叟頑，母嚚，弟象傲，皆欲殺舜。舜順適不失子道，兄弟孝慈。……瞽叟尚複欲殺之，使舜上塗廩，瞽叟從下縱火焚廩。舜乃以兩笠自扞而下，去，得不死。後瞽叟又使舜穿井，舜穿井為匿空旁出。舜既入深，瞽叟與象共下土實井，舜從匿空出，去。瞽叟、象喜，以舜為已死。象曰：本謀者象。象與其父母分，於是曰：舜妻堯二女，與琴，象取之。牛羊倉廩予父母。象乃居舜宮居，鼓其琴。[1]

父親瞽叟與後母及弟弟象，幾次想要殺舜，他們不只想要舜的財產，更因舜為嫡長子，擁有的父親家產繼承權。

此外，牛郎織女故事，從最早的《詩經》〈小雅・大東〉：

> 維天有漢，監亦有光。跂彼織女，終日七襄。雖則七襄，不成報章。睆彼牽牛，不以服箱。[2]

至漢代《古詩十九首》「迢迢牽牛星，皎皎河漢女」和曹丕的〈燕歌行〉，二星已隱含人物形象在其中。至南朝梁殷芸的《小說》，牛郎、織女的傳說已

1　〔西漢〕司馬遷：《史記》〈五帝本紀〉（北京市：中華書局，1987年11月，1版3刷）。

2　〔清〕阮元刻十三經注疏本《詩經》〈小雅・大東〉（臺北市：藝文印書館，1982年8月第9版）。

粗具梗概。傳說在口耳相傳的過程中，融入地方色彩，原本是愛情故事，但在眾多異文中，有一個情節，那就是牛郎父母早逝，他跟哥嫂住在一起，卻受盡哥嫂的欺辱。後來牛郎難以忍受他們的折磨，於是提出分家要求，並且只得到一頭牛來度日。如同「狗耕田」模式中的狗，擔起襄助善良弱小一方的重任。

其它如《漢書》卷八四，〈王商傳〉：

> （王商）父薨，商嗣為侯，推財以分異母諸弟，身無所受，居喪哀戚。[3]

《風俗通義》卷四，〈過譽〉：

> 汝南戴幼起，三年服竟，讓財與兄，將妻子出客舍中住，官池田以耕種。為上計吏，獨車載衣資，表汝南太守上計吏戴紹車。後舉孝廉為陜令。[4]

在分家過程中，有一些品行高尚的人，出於兄弟之情、手足之義讓出自己的部分甚至是全部財產，王商的推財、戴幼起的讓財，都是這種情況。但絕大多數多很難做到謙讓。如南朝梁吳均《續齊諧記》〈紫荊樹〉所述，田真、田慶、田廣三兄弟，家財萬貫卻不和睦，商議分家析產，在錢財析分後，連堂前的一株紫荊樹也想一分為三，沒想到第二天，紫荊樹竟然枯敗了；兄弟三人有所感悟，便又闔家共居，此後田家逐漸興旺，紫荊樹又重新煥發了生機。這個紫荊樹枯而復榮的情節，諷刺兄弟爭財分家行為，表達對兄弟和睦相處的讚揚和嚮往。

至於引起分家的人物因素，兄嫂或弟媳的挑撥，也在這時期加入事件中。，如《後漢書》卷八一，〈獨行列傳〉：

---

3 〔東漢〕班固：《漢書》〈王商傳〉（北京市：中華書局，1990年12月，1版6刷）。
4 〔東漢〕應劭撰，王利器注：《風俗通義》〈過譽〉（北京市：中華書局，1981年第1版）。

> （繆肜）少孤，兄弟四人，皆同財業。及各娶妻，諸婦遂求分異，又
> 數有鬥爭之言。肜深懷憤歎，乃掩戶自撾曰：繆肜，汝修身謹行，學
> 聖人之法，將以齊整風俗，奈何不能正其家乎！弟及諸婦聞之，悉叩
> 頭謝罪，遂更為敦睦之行。[5]

繆肜兄弟四人本來同居共財，只因各自娶妻，妯娌都要求分家產。最終在繆
肜的感化下，兄弟妯娌深以為愧，不再要求分家而是和睦相處。儘管是以道
德教化的方式，批判兄弟分家，但也透露出對女性因素的關注。

蔡振紳《八德須知》二十四悌故事，有一則「彥霄析箸」故事大意如下：

> 晉趙彥霄與兄彥雲。親喪。同爨十二年。彥雲浪遊廢業。彥霄諫不
> 聽。遂求分析。越五年。兄產蕩然。逋負盈門。漸欲逃亡。彥霄因置
> 酒迎兄嫂飲。告曰。弟初無分爨意。以兄不節用。敬為守先業之半。
> 今請歸。仍主家政。即取分券、火之。出所蓄。償諸負。兄慚。遂改
> 過焉。彥霄諫兄不聽。遂求分析。迨兄蕩產。迎歸主家。如此苦心。
> 兄能不改過乎。史玉涵曰。此等處全要純是一片惻怛至誠。纔得泯然
> 無跡。兩兩相忘。若有纖毫介介。便觸人心目。兄嫂受之。亦決不能
> 安矣。[6]

晉朝趙彥雲、趙彥霄兩兄弟，父母去世後，兄弟一起生活十二年。後來哥哥
彥雲到處遊蕩荒廢正業，弟弟彥霄怎麼勸都沒用，於是彥霄提出分家要求。
五年之後，哥哥的家產花盡，還欠一堆債。彥雲知道難以還清債務，想要逃
走。彥霄卻把哥嫂接來，燒掉分家文書，替哥哥償還債務，彥雲從此改過
自新。

《太平廣記》卷三九三〈雷一・虢州人〉記載，唐代虢州兄弟兩人，當
初兄弟分家不均，哥哥多占家產，最後遭受懲罰。唐朝名相姚崇則提早把家

5　〔南朝宋〕范曄：《後漢書》〈獨行列傳〉（北京市：中華書局，1987年10月1版4刷）。

6　參見 http://www.zwbk.org/MyLemmaShow.aspx?lid=127693；https://ctext.org/wiki.pl?if=
　　gb&chapter=76965&searchu=%E8%B6%99%E5%BD%A5%E9%9C%84。

產分好,在〈遺令誡子孫文〉中,告誡後世子孫,不要因為爭家產而反目成仇。

宋代小說集《青瑣高議》記載,尚書張詠任杭州知府時,明斷分家財的故事,判決:「兄之族,入於弟室;弟之族,入於兄室。更不得入室,即時對。」[7]說明在現實生活中,因分家而起爭訟故事,非常普遍。

元雜劇高茂卿《翠紅鄉兒女兩團圓》就是講分家的故事。蕭德祥《楊氏女殺狗勸夫》也有類似問題。武漢臣《散家財天賜老生兒》、秦簡夫《宜秋山趙禮讓肥》、孟漢卿《張孔目智勘魔合羅》等作品,故事情節各異,但大都因分家產而起紛爭。由此可知,兄弟妯娌不和,進而衝突分家,這是一種普遍的社會現象。

明清小說中,也出現許多兄弟分家的故事,較前代有過之而無不及。曾衍東的《小豆棚》中,就涉及多篇兄弟分家的故事。比如〈鄭讓〉篇中,鄭讓的妻子馬氏無德,擔憂翁姑還能行男女之事,生下兒子跟自己分家析產,竟然闖入公公房間想要閹割他。〈趙殿臣〉篇,講錢翁怕養子在他死後,無法分得家產,所以提早分家。紀昀《閱微草堂筆記》、袁枚《子不語》以及《三言》、《二拍》,也多有涉及兄弟分家的故事;至於《聊齋志異》分家故事,更呈現多種類型。

由上述可知,兄弟分家故事,歷經民間傳說,再進入文學領域,逐漸演變成重要的文學主題,這說明兄弟分家故事,是具有深厚的文化生命力,同時也在文學主題發展中,展現出重要影響性。

(二)兄弟分家故事類型衍變

兩兄弟故事,在丁乃通《中國民間故事類型索引》中列入 AT 分類的503E 型,根據故事的基本內容比較而言,第二種類型比第一、三種類型流傳更為廣泛,數量也更多,是兩兄弟型故事的典型代表,目前學界所說的

7　〔宋〕劉斧:《青瑣高議》(前集)卷1(上海市:海古籍出版社,1983年),頁9。

「兩兄弟故事」大都是指此類。故事梗概是兄貪弟善，弟弟得到神仙或動物的幫助過上好日子，兄嫂仿照弟弟的做法卻遭到懲罰。由於該型態作品數量很多，在此基礎上，各地、各民族在傳播流傳過程，產生多樣的變異，形成一定數量的亞型，如狗耕田型、烤種子型、猴子偷瓜型、石頭吐金型、太陽山取金型、入洞害弟型、偶悉天機型、得寶型、動物報恩型、智鬥型、學本領型、勤勞致富型。[8]

兩兄弟故事型態的基本要素，包括：兄弟兩人，兄懶惰貪心，弟勤勞善良，兄（嫂）怕弟弟長大後娶親要用一大筆錢，又要分走一半家產，因此起了歹念，提出分家（或乾脆將弟弟趕出家門），兄（嫂）霸佔了多數家產，弟只得很少或什麼也沒有；然而弟弟因心地善良，得到神仙或動物的幫助而過上好日子；兄嫂知道秘密後，仿照弟弟的做法，卻因心惡或貪心遭到懲罰。

在丁乃通《中國民間故事類型索引》中列入503E「狗耕田」型，這是兩兄弟故事中最為典型、最有影響的故事類型。他歸納故事情節要素：

I 遺產：仁慈的弟弟 a 遺產被兄嫂騙去。b 全部遺產被哥哥奪去，只剩下一些不值錢的東西。他僅有的家畜只是 c 一條狗 d 一隻貓 e 一隻雞。

II 狗：狗自願犁地，它幹的活和牛一樣好，有時甚至比牛更好。弟弟因此 a 種植成功 b 和不相信的人打賭贏了 c 狗還能給田地車水。弟弟因此贏得很多賭注。哥哥聽說，把狗借來替自己耕田。狗不肯耕田，哥哥生了氣，殺死狗並埋掉它。

III 植物：狗埋葬的地方長出一棵 a 樹 b 草（通產是狗尾草）c 竹其他植物。當弟弟搖動這樹時，許多金銀等掉下來（參看511A 型）。當哥哥搖動它時，只掉下 d 糞 e 蠍子等等 f 磚 g 什麼也不掉 h 朽木頭。出於怨恨，哥哥砍倒這棵樹，或 i 哥哥找到一隻馬蜂、一隻公雞、那狗的陰魂也出現了，哥哥嚇死。

---

8 參見鄭土有：〈中國兩兄弟型（AT503E）故事型態介析〉，《廣西民族學院學報（哲學社會科學版）》第25卷第1期（2003年1月）。

IV 用具：用植物的枝杈 a 弟弟做了一個籃子來捉蝦，每天，他從籃子裡得到許多魚。哥哥借了去用，僅僅撈出蛇，把他咬傷。b 弟弟用那植物的一個枝條編成一個籃子，過往的野雁都在籃子裡生蛋，但只落下鳥糞給哥哥。哥哥有時把籃子毀壞或燒掉。c 弟弟用樹莖做成洗衣棒槌，舊衣服搗成了新衣服，哥哥拿來，新衣服搗成了破布。d 弟弟用木頭做鐮刀柄，銷售很好，哥哥照樣去做，但沒人買。他把它們扔進火裡，火焰升起燒掉他的房子。

V 蔬菜：在籃子的灰燼中，弟弟找到 a 豆子 b 蘿蔔（有時下接503M型）。[9]

丁乃通雖已取用近六十例故事，概括中國 AT503E 的情節要素，但隨著大量狗耕田故事的搜集出版，上述的歸納已顯得不夠完全，依據資料顯示，中國各地，累積的異文已有兩百多篇，它們分佈於南北方從事農耕的許多民族地區，而深受廣大民眾喜愛。[10]而在故事中，往往與其它亞型複合，構成一個完整的故事，常見的有：

賣香屁型，AT503M，如流傳於浙江省武義畬族的〈狗耕田〉故事。

動物報恩型，AT408（田螺姑娘）、AT160（報恩動物忘恩漢）、AT480F（兩兄弟和鳥）等，如撒拉族〈分家〉故事、漢族地區的〈牛郎和織女〉、甘肅通渭漢族的〈燕兒和陳家兄弟〉、寧夏回族的〈榆樹錢〉、廣東連山壯族的〈會唱歌的貓〉、貴州荔波布依族的〈吉剛和吉毛〉、貴州都勻布依族的〈螺獅姑娘〉、黑龍江雙城蒙古族的〈可憐兒〉、吉林敦化蒙古族的〈扒犁和牛〉、雲南鶴慶白族的〈當歸的傳說〉、雲南滄源佤族的〈壞心腸的哥哥〉、甘肅東鄉族的〈什司乃比由〉等。

猴子偷瓜型，這是 AT613A 第 III 情節，如廣東海南苗族的〈兩兄弟〉、

---

9 丁乃通：《中國民間故事類型索引》（武漢市：華中師範大學出版社，2008年4月1版），頁108-109。

10 參見劉守華：《中國民間故事類型研究》（武漢市：華中師範大學出版社，2002年10月1版1刷），頁537-538。

納西族的〈兩兄弟的故事〉、侗族的〈兄弟分家〉、廣西金秀瑤族的〈兩兄弟〉等。

烤種子型，往往是 AT503E（I）、AT511B（異母兄弟和炒過的種子）、AT511C（金銀樹）、AT613A（不忠的兄弟和百呼百應的寶貝〔魔蟬王〕）的複合形，此類作品有流傳於廣東海南苗族的〈兩兄弟〉、納西族的〈兩兄弟的故事〉、侗族的〈兄弟分家〉、廣西金秀瑤族的〈兩兄弟〉、雲南白族的〈蠱王〉、雲南滄源佤族的〈貪心的哥哥〉、浙江溫州畬族的〈凹鼻哥〉、貴州織金仡佬族的〈金葫蘆〉等。

含金石像型，AT555B，此類作品有流傳於四川涼山彝族的〈金末子〉、雲南哈尼族的〈青蛙石〉、雲南瀘水傈僳族的〈石人的傳說〉、貴州荔波水族的〈石牛〉、納西族的〈石蛙〉、內蒙古莫力達瓦達斡爾族的〈白麵餅與銀元寶〉、廣西環江毛南族的〈一百頭牛〉、雲南隴川阿昌族的〈兩兄弟〉等。

太陽國型，AT555A，再加上 AT511B（異母兄弟和炒過的種子）部分複合，此類作品有流傳於新疆哈薩克族的〈圖拉普和圖拉什〉、青海互助土族的〈背金人〉、四川茂漢羌族的〈兩兄弟的故事〉、廣西澫尾島京族的〈楊桃樹〉、廣西北部灣京族的〈仙鶴運金子〉、雲南貢山獨龍族的〈太陽山〉等。

得寶型，往往由 AT503E 加其他類型故事如 AT565（仙磨）等複合構成，此類作品有流傳於黑龍江五常朝鮮族的〈神磨〉、海南黎族的〈寶鑼〉、雲南碧江傈僳族的〈火燒臘門〉、浙江溫州畬族的〈凹鼻哥〉、雲南麗江納西族的〈小木盒〉、景頗族的〈金葫蘆〉、青海互助土族的〈拉則雀〉、青海互助土族的〈猴子受騙〉、達斡爾族的〈沒有脖子的哥哥〉、四川松潘羌族的〈窯門窯門開開〉、四川羌族的〈一幅畫〉、貴州石阡仡佬族的〈鼎罐岩〉、雲南貢山怒族的〈智鬥妖魔奪金山〉、雲南怒族的〈公雞和寶磨〉等。[11]

以上是兩兄弟故事中，以分家為主軸的故事型態，其中有多種複合情節，但前提都是兄害弟，兄分得大多數財產，弟卻受到欺凌，幸得奇異事件的發生，完全翻轉最後結果。

---

11 以上參見鄭土有〈中國兩兄弟型（AT503E）故事型態介紹〉，《廣西民族學院學報（哲學社會科學版）》第25卷第1期（2003年1月）。

三 兄弟分家故事文化現象論析

　　舉凡兄弟分家，總離不開社會文化氛圍，以及家庭內部這兩個方面。父母一方或雙方去世，通常會成為兄弟分家的契機；而其中會因兄弟中某一方有惡行，無奈下兄弟只好分家；還有重要原因是悍婦、妒婦挑撥兄弟關係，導致兄弟分家。兄弟分家故事，除家庭內部原因之外，更有多方外部因素作用，導致其結果，例如傳統宗法倫理、各種社會變革帶動下，經濟利益主導人心，導致價值觀念不斷受衝擊，具體表現就是倫理道德的淪喪。這些內、外部因素，都會影響加速分家問題的尖銳化。

（一）分家故事情節之文化意涵

　　兩兄弟故事中，分家是主要情節，如沒有「分家」則不會衍伸出其它情節。所以，分家可以說是這故事的靈魂所在。它是故事的社會文化基礎，但是分家為何會造成兄弟的糾葛衝突呢？就法律層面而言，兄弟均分財產，早有明文規範，即如前述，漢代有「諸子均分」制，到了唐代則予以法制化，一直到明清；甚至到了現代。可是，在訴訟案件中，分家糾紛仍占有最多比例，也常是造成家族交相爭、禍起蕭牆的主因。[12]

　　在故事過程中，多是兄嫂霸道，欺侮幼弱或老實的弟弟。這其中充滿著妒忌、仇恨，甚至互相殘殺。《顏氏家訓》〈兄弟篇〉曾言：

> 人或交天下之士，皆有歡愛，而失敬於兄者，何其能多而不能少也？
> 人或將數萬之師，得其死力，而失恩於弟者，何其能疏而不能親也。[13]

顏之推之感嘆，是有其現實依據，兄弟姐妹在現實生活中，確實存在衝突；

---

12 參見王玉波：《中國古代的家》（臺北市：商務印書館，19998年9月），頁100-106。
13 〔南齊〕顏之推、王利器集解：《顏氏家訓》〈兄弟篇〉（北京市：中華書局，1993年1版）。

反而與朋友僚屬相處間，卻常有歡樂融洽現象。所以，兩兄弟故事的兄弟矛盾，這是有文明以來，不可避免的社會現象之一。

此外，在故事中，常會有「妻婦」挑撥離間的角色存在，這是傳統道德的認知。如《顏氏家訓》〈兄弟篇〉亦言：

> 及其（兄弟）壯也，各妻其妻，各子其子，雖有篤厚之人，不能不少衰也。娣姒之比兄弟，則疏薄矣。今使疏薄之人，而節量親厚之恩，猶方底而圓蓋，必不合矣。惟友悌深至，不為旁人所移者，免夫！……兄弟之際，異於他人，望深則易怨，地親則易彌。譬猶居室，一穴則塞之，一隙則塗之，則無頹毀之慮。如雀鼠之不恤，風雨之不防，壁陷楹淪，無可救矣。僕妾之為雀鼠，妻子之為風雨，甚哉！[14]

在傳統道德上，似乎妻婦的挑撥是兄弟矛盾衝突的主因，甚至是財產分割不均的最大來源。

在現實生活中，確實有很大成分是因此而起。不過，卻無法解釋，為何總是大的（哥哥）欺侮小的（弟弟），是否有其它深刻原因，導致兄弟仇恨妒忌？宋代袁采《袁氏世範》〈睦親〉說：

> 人之兄弟不和，而至於破家者，或由於父母憎愛之偏，衣服飲食言語動靜，必厚於所愛而薄於所憎，見愛者意氣日橫，見憎者心不能平，積久之後，遂成深仇，所謂愛之適所以害之也。苟父母均其所愛，兄弟自相和睦，可以兩全，豈不甚善。[15]

袁氏所言，確能說明這普遍現象，也能符合現代心理學家所作的研究。據心理學家朱蒂絲‧維爾斯特，在《必要的喪失》一書〈你什麼時候把新來的孩子帶回醫院去〉一章，討論兄弟姐妹間的矛盾衝突，說：

14 〔南齊〕顏之推、王利器集解：《顏氏家訓》〈兄弟篇〉（北京市：中華書局，1993年1版）。

15 《古今圖書集成》〈明倫彙編‧家範典〉卷63〈兄弟部〉（臺北市：鼎文書局，1977年）。

> 兄弟姐妹間的對抗是正常和普遍的現象嗎？所有的精神分析學家都作
> 出了肯定的回答。在頭胎的孩子們中間，或是在同性別的兩個（或更
> 多的）孩子之間，或是孩子們年齡很相近，或是家庭規模不大時，這
> 種對抗也許更為激烈。但是，有誰沒有這種對抗情緒，而且完全不會
> 有呢？這是值得懷疑的。因為在生命的初期，我們都曾有過完全佔有
> 母親的幻想。共生現象嚴格地限於我和母親之間。所以，一旦認識到
> 別的人有平等的、甚至優先的權力來要求得到她的愛的話，我們就開
> 始產生嫉妒了。[16]

所以，當長子與父母的一體感，被其它兄弟姐妹破壞了，內心深處的敵視、
詛咒，就油然而生，甚至在潛意識中根深蒂固，若無良好的倫理親情慰藉，
其不仁不義的性格，往往會在父母不在時，展現出來；甚者常有聯合同病相
憐的次子，迫害虐待幼子。

　　故事情節的結尾，都是貪心哥哥受到懲罰，而有報應。善有善報，惡有
惡報這個道德標誌，用於民間故事時，常常表現為「賞善懲惡」的隱喻，引
導民眾向善棄惡，告誡人們，從善就能獲得意想不到的報償，作惡則會遭到
可悲下場。

　　這類故事多在家庭、鄰里等社會倫理背景上展開敘事，而且，在大多數
含有「賞善懲惡」模式的故事類型中，都有鮮明的二元對立因子，使聽者易
於找到學習的榜樣和鞭撻的對象。在 AT480〈仁慈與不仁慈的女子〉、AT480F
〈善與惡的弟兄和感恩的鳥〉、AT613〈二人行故事〉、AT676〈開山口訣〉
等故事類型中，我們都能看到善惡有報的思想，賞善懲惡的敘事模式。

　　透過對兩兄弟故事情節的分析，我們可以看出，其敘事模式主要是由兩
個對立主角、兩個對稱行動和兩種迥異結局構成。第一次行動開始於「弱勢
老實」主角被某種欺侮，結局是「弱勢」主角獲得寶物，彌補了被欺侮的缺
憾；接著第二次行動即「強勢貪心」主角 B 的如法炮製，結局是他受到懲

---

16 參見汪文學：〈民間文學中的兄弟、姐妹矛盾關係解讀〉，《畢節學院學報》2009年第12
　期。

罰，或失去他在故事開頭擁有的財富，甚至死亡。這類故事以強烈對比的賞罰效果，在寓教於樂中培養民眾的善惡觀。

至於人們對於弱小者的同情，似乎也是一種普遍心理，直接反映人民的善惡觀。這種共同通則，會讓人產生憐惜之情，也給故事的傳承，注入源源不絕的動力，使故事的表達，呈現出良善的倫理傳統。

弱小者值得同情，它符合人們的價值準則，也是人民自我內心的突顯，所以故事會被廣泛流傳。這是道德責任感與內驅力的雙重滿足。兩兄弟故事中，弟弟時時處於被欺侮、作弄的狀態，故事情節的傳奇性，恰好給自身歷經苦難，以及被欺侮的人們，一個感情出口與想像空間，這也是民間文學具有撫慰人心、補償受欺侮的社會心理功能與價值。

（二）人物形象之文化意涵

除了以上的社會因素外，如果就人物形象的角度進行分析，仍有許多值得討論的焦點。例如兩兄弟型故事裡，深含著女性對父權社會強烈的反抗意識。

綜觀兩兄弟故事裡的情節要素，財富經濟因素最為關鍵。實際上，兩兄弟之間的衝突，施害與被害，受罰與受惠的矛盾關係，皆是因為經濟問題所引起的。

首先，哥哥佔有絕對財富，弟弟分配到不值錢的東西，如在〈狗耕田〉故事裡只得到狗，而處於受害者的角色。為什麼兩兄弟故事總是塑造如此的人物形象呢？這乃是人類文明發展過程中，集體潛意識積累而來。人類發展是從母系社會向父系社會發展演變而成，父權能夠代替母權，主要是經濟方面的原因，即對物質財富的擁有。

人類在蒙昧時代，男女是處於同一物質狀態；隨著社會分工的細化、生產技術的不斷發展，以及獲取物質所需要的體力，男性獲得、擁有的物質財富不斷增加，使得父權制代替母權制，傳統的繼承制度由有利於女性子女，轉變成男性成員的子女，因此，廢除母系的繼承權，確立了男子繼承權。父

權制的建立，意味著控制經濟主導權和財產繼承權，即成為當今社會，普遍的財產男性繼承制。

因此，在兩兄弟故事裡，哥哥掌控財產，實際上是父權制在日常生活中的一種象徵性表述。另外，兩兄弟故事的敘事背景，多是父母已不在世，這就呈現長兄如父的現象。對弟弟而言，哥哥具有父親的角色，掌控財產應是自然之事。

但在傳統的解讀中，故事往往對哥哥的貪婪形象進行批判。如果從父權制這個角度進行理解，哥哥承擔起更多的社會責任，甚至於哥哥的長子還具有一份財產分配權，那麼分家時，多得財產，似乎也說得過去。只是部分情節，為了淡化這個事實，加上惡意迫害弟弟情節，如弟弟借豆子，兄嫂卻惡意炒過，或迫害、殺害、砍掉弟弟僅有的財產。使得前面分家看似不公的因素，轉移對哥嫂惡意的深刻化，引起讀者同情弱者弟弟。

在兩兄弟型故事裡，還有一個關鍵人物，就是大嫂；哥哥分配財產不均，在故事中，某種程度是受她唆使。嫂子在故事中，被形塑成心地險惡的形象，是一種被社會批判、負面的形象。這是一種母權焦慮集體無意識的呈現，因為，當父權制建立後，婦女便處於附屬、邊緣化的地位，所以嫂子的異常行為，以及對財產的佔有慾，無非是要展現在父權體制下的社會，她也具有一定話語權；對弟弟而言，嫂子還擔負著母親的職能，對弟弟的生活、教育都有一種天職。但在兩兄弟故事裡，嫂子的這些功勞，被隱蔽了，只表現出對物質的原始需求，而成為禮教文化下被批判的對象，這是我們對隱藏性弱者應有的同情。

至於在故事中，弟弟是仁慈的形象，而以受害者的腳色，反襯哥嫂的貪婪。弟弟的善良是為了強化哥嫂的惡毒，這是從受害者形象，最後得以轉為受惠者，機轉的內在推力。但在故事情節中，這種「善良」只是普遍弟敬兄、下尊上的一種社會規範，並無具體詳細的情節描述；至於哥嫂的「惡毒」，卻有各種具體的行為表現。所以，弟弟因此得到各種幫助，乃是具有強烈的傳奇性；而哥嫂因而受到懲罰，卻是呈現深刻的現實性。就故事的實質性而言，本應具有同一性，可是為了達到情節的曲折，以及內涵的轉變，

就以此來做對比，老子曰：「禍兮福所倚，福兮禍所伏。」擁有者竟被受罰，喪失所有；受害者受到庇佑，變成實際掌控者。

具體而言，弟弟得到各種幫助，被解構成一種傳奇，是一種虛幻的存在，比如在〈狗耕田〉故事裡，弟弟用狗耕田贏得賭注、搖樹掉金銀、吃豆子放香屁等種種情節，在現實生活中是不存在的；相反，哥哥受惡報的情節，在現實中隨處可見。而這種獲得財富的傳奇性，體現人們在期望中，滿足了行善得福的理想精神活動。

所以，從倫理道德的角度看，人物形象的表現，以及聽、讀者的心理需求，都在同情弱者，讚揚勤勞善良，鞭策懶惰心惡。勤勞、忠厚者，始終是幸福生活的創造者和擁有者；懶惰、貪財者，最後都沒有好結果。若從財產分配的角度論，兩兄弟分家故事，則表達出人們同情弱小者，鞭撻不合理的財產繼替制度，並認為故事產生的真正動因，乃隱含著季子繼替的潛意識心理所致。

四　結語

民間故事之本質功能，就是社會現實和人們生活狀況的真實反映，並且具有娛樂兼教化作用。兩兄弟分家故事，生動、深刻反映著當時社會的家庭制度、人們的家庭觀念與價值取向。

兄弟分家乃傳統社會中，源遠流長的習俗、制度，雖然儒家思想極力倡揚兄弟共居，雖然自漢代起，多有強調父祖生前，子孫不可別籍異財，但是，由於兄弟共居容易誘發各種家庭矛盾，造成家庭難以維繫；所以，日常生活中，分家異財行為並不少見；父祖去世之後，兄弟分家更是合乎法律規範，而且，隨著社會的發展，兄弟奉在世父母之命分家，也得到制度上的認可。

兩兄弟分家故事的情節安排，在一定程度上，是符合生活常態與手足倫理規範。在故事中，兄長分家時，雖然給予弟弟不公正的待遇，但並未危及弟弟的性命；此類不義行為，在故事中一般只表現一次，這是兄弟之間的倫

理情感，它是源於共同的血緣紐帶，更來自於相同、相似的環境、生活經歷與情感體驗。因此，就倫理本質而言，兄弟倫理關係具有夥伴、朋友關係般的情感與特性。手足這一倫理關係，不僅是家庭生活中的基本關係，更具有深刻的社會特質和社會意義。所以，故事是立足於手足關係的社會特質，借助家庭語境中的兄弟，加以展現社會生活中，兩種截然不同的品格，以及現實生活中，人性的善惡，表達民眾揚善懲惡、善惡有報的倫理期盼，也暗藏著故事本身的深層意義。

從人物塑造來看，兩兄弟故事敘事方式，乃使用民間文學中常見的二元對立法，賦予人物類型化的誇張性描繪，使人物超出家庭生活範疇，呈現善與惡兩種人性。通過對人物的類型化塑造，故事所襃揚的人物，成為善良品格的寫照，所抨擊的人物，則不良甚至醜惡的德行集於一身，所以，故事中的人物，成了現實生活的人物，甚至跨越了手足關係，而成就某種社會倫理象徵。

在眾多兩兄弟故事中，敘述的反面角色，也有設計弟弟欺凌哥哥的情形。所以，若單純以長子繼承制，解釋兄長欺凌弟弟的敘事，就與民間諸子均分家產，和少數民族幼子繼承制度，發生明顯衝突。應該說，兩兄弟分家故事的形成、流傳，具有諸多複雜的因素，故事很大程度已經脫離具體的生活語境，故事中誰欺侮誰，決非故事講述人可以隨意改動，它會真實反映，故事創作或流傳的時代、地域的社會背景並加以變動。在財產繼承方面，長期以來大部分區域長子繼承、或少數地區的幼子繼承制。人們對於支配財產特權的不服，就設法在他們口耳相傳的故事中，呈現爭權的情節潛意識。

因此可知，就人物配置而言，故事也精心呈現人類的潛意識，如兄弟父權的爭奪，女性對父權社會強烈的反抗意識，表達人們同情弱小者，撻伐不合理的財產繼替制度、並認為這也是季子繼替制的心理投射；並給以諷刺、揭露、控訴，乃至懲罰，以求感情上的宣洩，達到心理上的平衡，使民間故事成為社會倫理精神的共同載體，這都是人類共有的文化現象。創造故事的人民大眾，為傳承這種社會文化現象，加入許多傳奇性的情節，使得故事充滿可聽、可看、可共鳴的群眾意識與趣味，而得以流傳更久、更遠。

發現臺灣後花園的奇想世界

——關於花蓮地方風物傳說的田野踏查成果[*]

彭衍綸

東華大學中國語文學系教授

提要

　　地方風物傳說傳述風物故事，風物故事既說風物，亦聯繫人間春秋，人間春秋承載民眾思想情感、記憶想像，久經歲月洗練、人情雕琢而成的民間文化。臺灣本有豐富的地方風物傳說，相關研究更是一值得耕耘的學術場域，筆者特別選擇目前任教學校所在的花蓮縣，這地處臺灣東部，擁有好山好水，習稱「臺灣後花園」的地區，進行全縣之內的地方風物傳說田野踏查采集，並向國科會（今科技部）申請專題研究計畫補助。而在多年的關注及專題計畫的執行後，亦確實獲得豐碩的成果。今茲就花蓮地區為例，藉以說明一區域地方風物傳說的踏查采集成果，並進行初步的外部分析。

關鍵詞：地方風物傳說　傳說　花蓮　田野調查　區域民間文學

---

[*] 感謝評論人香港珠海學院黃志輝教授的不吝指正；本文為國科會（今科技部）專題研究計畫：花蓮地區地方風物傳說采集與考察（NSC 100-2410-H-259-047-）、花蓮地區地方風物傳說采集與考察（II）（NSC 101-2410-H-259-060-）部分成果發表。

一　奇想世界的啓扉

　　多年投入臺灣地方風物傳說研究，深刻體悟這是一個值得耕耘的學術場域，於是選擇任教學校所在的花蓮地區，在二〇一〇年、二〇一一年向國科會（今科技部）申請專題研究計畫補助：花蓮地區地方風物傳說采集與考察（NSC 100-2410-H-259-047-）、花蓮地區地方風物傳說采集與考察（II）（NSC 101-2410-H-259-060-），目前二計畫的執行均已告一段落，亦獲得豐碩的成果。今茲就花蓮地區為例，藉以說明一區域地方風物傳說的采集成果，並進行初步的外部分析。

　　花蓮縣面積約占臺灣總面積的百分之十三，為面積最廣闊的縣市，處中央山脈之東，臨西太平洋海濱，但因西海岸開發較早，而長期為人習稱「後山」。花蓮是國內外旅客優先觀光的地區之一，以好山好水著稱，更有「臺灣後花園」美名，雄偉的太魯閣，浩瀚的太平洋，都是國際的景觀。花蓮縣號稱觀光大縣，擁有許多令人流連忘返的景物、景觀，這些國際聞名、令人流連忘返的山水當屬花蓮的地方風物，既有世人讚嘆的地方風物，如有相關的傳說流傳，景色不僅增添光采，風物亦彷彿賦予生命。所以花蓮地方風物傳說的采集，深具意義和價值。

　　檢閱目前五本針對花蓮地區采錄的民間文學集子，包括以原住民民間故事為蒐錄對象的《臺灣花蓮阿美族民間故事》[1] 和《臺灣花蓮賽德克族民間故事》，[2] 針對客家傳說、民間故事蒐集的《花蓮客家民間文學集》，[3] 以及文類、族群未作特別區分的《花蓮縣民間文學集（一）》[4] 和《花蓮縣民間文學集（二）》，[5] 地方風物傳說的收錄皆不多。其中《臺灣花蓮阿美族民間故事》收錄三十一則故事，但地方風物傳說僅有三則；《臺灣花蓮賽德克族民

1　金榮華整理，臺北市：中國口傳文學學會，2001年POD一版。
2　許端容整理，臺北市：中國口傳文學學會，2007年初版。
3　劉惠萍整理，花蓮縣：花蓮縣文化局，2009年初版。
4　李進益總編輯，花蓮縣：花蓮縣文化局，2005年初版。
5　李進益、簡東源總編輯，花蓮縣：花蓮縣文化局，2005年初版。

間故事》的〈傳說〉又分成六類，有直接關係者為〈地方傳說〉，其中四則屬地方風物傳說，在全書一百五十四則故事中，僅占百分之二點六；《花蓮客家民間文學集》的〈傳說〉收錄三十八則傳說，地方風物傳說僅有一則；《花蓮縣民間文學集（一）》的〈民間故事及傳說〉收錄七則傳說，地方風物傳說亦僅有一則；《花蓮縣民間文學集（二）》的〈閩南民間故事及傳說〉、〈客家民間故事及傳說〉分別收錄十一、五則傳說，前者的地方風物傳說同樣祇有一則，後者則完全沒有。這現象的形成，主要因為並非主題式的采集，不是特別針對地方風物傳說采集，所以這類傳說的收錄自然貧乏。

除上述之外，論及花蓮地方風物傳說的采集，在目前可見的文字載錄方面，如清朝纂輯的方志，今人編修的花蓮縣縣志、鄉鎮志，以及花蓮地名辭書，皆是可著手尋找線索的資料庫。然而，東部於清朝設治較晚，且花蓮一開始屬臺東管轄，未有專門的方志，可供檢索的資料其實十分稀少；花蓮縣十三個鄉、鎮、市，目前並未全部皆具編修地方志；相較之下，花蓮的地名辭書可提供的線索稍多些，但仍有限，所以，透過實地的田野踏查，進行傳說的采集，當可彌補原有的不足。

地方風物種類繁多複雜，一般可粗略區分為「自然」、「人工」兩大類，考量計畫執行的聚焦，乃先以自然類花蓮地方風物傳說的采集為主。

二〇一三年八月十九日筆者曾於「2013'中國青海（格爾木）昆崙文化國際學術論壇」宣讀〈活化旅遊生態的文化工作──談臺灣觀光大縣花蓮地方風物傳說的采集〉一文，文中主要以古今文獻、田野調查二方面采集獲得的自然類花蓮地方風物傳說為切入點說明，惟因當時田野踏查采集所獲資料大部分仍在整理，所以這方面的論述僅為一簡略概說。[6]今日，整理工作已告一段落，本文的撰寫即旨在就花蓮地方風物傳說的田野踏查采集成果作一完整呈現。

---

6 主要集中於介紹新城鄉蕭勝池先生的講述傳說及其人，並附帶提及瑞穗鄉的鄒鐵謙先生。

二　奇想世界的發現：田野踏查所得花蓮地方風物傳說

　　花蓮地方風物傳說的踏查，在執行國科會專題研究計畫前，筆者其實已開始進行，如二〇一〇年一月三十一日，就曾和數位博碩士生前往南花蓮的玉里鎮進行采集，當時采錄到退休牙醫師李榮富先生講述的玉里璞石傳說：「以前在玉里有座舊橋，那裡有一顆大石頭，就叫璞石，我們認為它是玉里之寶，因為它跟風水有關，它在的時候都沒有車禍。後來璞石被挖走，風水就等於被破壞。」另一位八十七歲高齡的曾鼻先生，在協天宮廟口也說淹大水、颱風來襲時，璞石就會浮起來，能夠預顯水患、風災的徵兆，是處地理穴。

　　二位老者講述這富含風水思想的傳說，在筆者進行采集時，未見載文獻記述、民間文學集子收錄。地方風物傳說采集工作的進行，除文獻檢索的基礎作業外，更重要者，自是深入民間，進行實地的田野調查采錄工作。透過實地采集，將能獲得之前未載錄者，使得整體采集成果更為完整、豐碩，許多傳說存在民間，祇是尚未發掘。關於這兩年實地田野踏查所獲得的成果整理如下：[7]

（一）新城鄉

1（1）　大漢村七星潭傳說（蕭勝池）

　　從花師開始有七個潭，潭底都是大顆砂石，終年不乾，每個潭裡都有魚，這些潭附近住了一個能人，在潭邊養鴨子，號稱鴨母王，組建反抗軍。還有就是七星潭開路前，田都元帥廟的上面有個蟾蜍頭，是蟾蜍穴，所以以

7　以下傳說排列順序先山線鄉鎮後海線，自北向南，非位於單一行政區者列最後；壽豐鄉橫跨山、海線，屬於海線地區傳說者，直接列於山線鄉之後；傳說名稱為筆者自訂；各鄉鎮傳說編號後的括號內數字為累計所得的則數，傳說名稱後的括號內姓名為講述人。

前住那邊不用蚊帳，是因為地穴的關係，後來開路就破壞穴位了，最後鴨母王就因此被政府抓走了。那時鴨母王要聞雞起兵反抗，鴨母王妹妹擔心他會兵敗，於是很早就把雞殺了，結果引來雞群開始叫，後來鴨母王就因為錯失良機而兵敗。那邊還有一個天然的埤，要甚麼魚就有甚麼魚，後來開個大水溝挖壞了，那邊也出過一個財主。[8]

2（2）　佳林村佳山大小紗帽山和龍尾山傳說[9]（蕭勝池）

以前有個跳蚤仙來到這裡和祖母說（十六股）後面那個一直綿延到忠烈祠那邊的土丘一旦崩塌，祖母就會死亡，且家裡會敗光，而且祖父在溪邊養鴨子，溪頭的鴨子全死光了，他的鴨子都沒事，就是因為這個地穴的關係。那裡也有條三仙河，那裡有三條溪（砂婆礑溪、茄苳溪、美須溪），是個好地理，三仙就是指有三座山，兩顆紗帽山和一個龍尾穴，因為建佳山基地破壞了地理。加里宛那邊出產沙金，河床被越挖越大，那裡的原住民認為靠這個吃就夠了，所以個性懶散，後來日本人用銅針黑狗血破壞地理（位置在土地公廟前，以前是三仙河交會後流經處），之後金子就沒了。

3（3）　嘉里村三河會流地傳說（蕭勝池）

以前日軍攻打十六股時，每次打到土地公廟（筆者按：永安堂）那邊，也就是三河（也就是砂婆礑溪、茄苳溪、美須溪）會流處，就會起濃霧，且刺竹還會彎下來扎人，打不過去，於是就請日本的地理師在土地公廟前的「蛇臍」處使用銅針黑狗血和符咒去破地理，之後就順利攻下城了。

8　采錄：彭衍綸、葉威伸、李旻峻、鄭乃真、梁玄；整理：李旻峻；2011年12月10日、新城鄉北埔村陳佩君老師住宅。文後蕭先生講述的傳說，采錄資料皆同此。采錄者、整理者後所附時間地點為采錄時地，下同。

9　從地理位置來說，大、小紗帽山和龍尾山應屬秀林鄉，惟因此處主講佳山的地理傳說，佳山屬新城鄉佳林村，所以將傳說歸於新城鄉。

（二）花蓮市

1（4）　民意里美崙山蛇穴傳說（蕭勝池）

　　美崙山舊名笆籬仔山，上面長滿刺竹，一直延伸到這邊，剛好從美崙山延伸到這裡一整條條狀土丘，這條土丘就叫蛇穴。忠烈祠那邊是蛇嘴（口），尾巴在東建大理石那邊，國民政府來臺後在美崙山上現在的少年監獄對面，找了一個地方「蛇耳」，看準那邊的好地理，就把將軍府蓋在那裡，現在花防部司令官還是住在那裡，傳說住在那裡的司令都會很快升遷，所以後來歷任司令都不敢改建那棟官舍，但是現任的司令官不信，大肆修建，所以他就沒再升過官了。以前後面有個水坵，終年不乾，現在填成網球場了。以前有個臺南人到花蓮當官，後來就埋在將軍府西邊，埋在那五十年屍體棺木都沒腐爛，後來才遷回臺南埋葬。以前美崙山那邊很多蛇，甚麼蛇都有，所以才叫蛇穴。

（三）壽豐鄉

1（5）　池南村鯉魚潭傳說（蕭勝池）

　　那邊山形剛好像一尾鯉魚，鯉魚潭不管下大雨或颱風，水都不會滿出來，因為潭底有個水道通向海。

2（6）　池南村鯉魚潭傳說（黃秀瓊）

　　鯉魚潭旁邊也沒有什麼溪流，可是很奇怪，它就都不會乾涸，以前聽我父母、還有住在鯉魚潭邊的一個叔叔說，因為鯉魚潭的水，是從日月潭流過來的，就是在地層下面都有通道，水就這樣流過來，所以只要日月潭有水，我們鯉魚潭就會有水。[10]

10　采錄：魯芳；整理：魯芳；2011年12月10日、花蓮市黃秀瓊女士住宅。

3（7）　池南村鯉魚潭傳說（葉勝光）

以前在花蓮平原這邊，北方是原住民，南方是漢人的土地。兩方常常打仗，北方原住民頭目的兒子長得很英俊，南方漢人村長的女兒長得很漂亮。有一次頭目兒子出草時，看到漂亮的女兒，兩人一見鍾情，兩方家長不允許他們和世仇結婚，兩人便相約到鯉魚潭打算殉情。頭目兒子在一塊布上織兩條鯉魚，兩人便帶著那塊布投潭自盡。兩方家長去尋屍，卻都找不到屍骨，也因為他們的殉情而停戰了。而那塊布上的兩條鯉魚就化成鯉魚精，在鯉魚潭裡繁衍。所以現在的鯉魚潭裡的鯉魚都是她們的後代。[11]

4（8）　池南村荖溪傳說（葉仁龍）

現在的白鮑溪，就是我們說的荖溪，它那邊每年夏天到了，有人去那邊游泳，大部分都一定會有人死，這叫作捉交替，當地人都知道。當地人俗稱荖溪，後來改名字，改叫白鮑溪。也不是說游不好啦！比如說會突然抽筋，或是被什麼東西絆住了，就起不來了。就是等於是冤枉死的，就是說他死不瞑目，要找交替。[12]

5（9）　水璉村蕃薯寮溪峽谷「遺勇成林」傳說（吳國民）

遺勇成林它是有七個……當初蕃薯寮這個部落有七個青壯的要選頭目，選頭目都要從這個橋頭跳到那個岸，必須要用竹子做一個撐竿跳跳過去，藉由竹子的力量跳過去，跳過去的才能夠被稱為部落的頭目。後來就是有七個青壯的，都很壯碩，他們就去採很長的竹子，然後很堅硬、有彈性的竹子，就想辦法要越過對岸，才能夠成為當地的頭目，他們在開會的時候，就是教那些要成為頭目的勇士，教他們怎麼製作要撐竿跳的竹竿，後來他們就選一

---

11 采錄：葉威伸、李旻峻、池珈郁；整理：池珈郁；2011年12月25日、秀林鄉布拉旦社區；葉勝光先生雖有一似原住民別名「Yeda・Mona」，卻是客家人。

12 采錄：楊周君美；整理：彭衍綸、林玉芬；2013年5月19日、壽豐鄉豐山村豐田火車站附近；葉先生當時回覆基本資料時，因僅告知三十八歲，所以推敲約一九七五年生。

個時間一起比賽，誰能夠越過這個橋，蕃薯寮到對岸的橋，誰就是頭目。後來他們就還是一樣抽籤，那時候抽籤是用石頭抽籤，分大小，最大的話就誰先跳，他們就是裝在一個麻袋裡面，就抽……抽……抽……抽到最大的那個石頭就誰先，這樣子。後來第一個開始就跳，因為那個峽谷是有一段很長的距離，那第一個先跳，然後因為跳到中間那個力道不夠，高度他們也沒有跳好，在一半，在橋跟橋的中間的斷層就掉下去了，因為蕃薯寮的那個峽谷差不多有十幾樓層高以上的高度，第一個跳下去就死掉了。大家看到第一個跳下去以後，好像就是腦漿全破、全裂了，那時候有些居民就膽怯、會害怕，對於比賽的人更是一個緊張的氣氛，所以死亡的那個氣息非常強烈，大家就是很緊繃，每一個參賽者的腳都快要站不穩，但是就礙於在原住民的部落，以前男子漢就是說話算話，說了就是要做到，所以換了第二個，第二個就開始起跳，跳過去，但是也是一樣還沒跳到中間他就掉下去了，居民又開始說：「第二個也一樣喪生在此。」之後第三個就想說：「第一個、第二個都已經死亡了、死掉了，那我第三個如果說再不加強的話，我可能還是會沒有生命。」那第三個就想說這次他們跳的起跑點不是很遠，所以說他想說起跑點比較遠的話，可能助力會比較大，比之前的起跑點再拉長一些，然後起跑，然後再往前推，再用撐竿跳這樣撐，但是也超過了對岸的中間再過去一點，就跳不過去，就一樣掉下來，然後當地的居民以及參賽的人都非常緊張，第三個也跳下去也死掉了。第四個就想說：「哇！三個都死掉了，我是不是也是沒有辦法跳下去，那我是不是要想個辦法再把竹竿拉長一點？」，然後就請教那邊的耆老：「我這個竹竿夠不夠？長度夠不夠？韌度夠不夠？」那個耆老就回答他說：「這樣子是夠的。」就給他一個想法、一些想法建議他，他就照著耆老的做法。他就一樣助跑，他也想說助跑長一點助跑力會比較大，他試試看他的那個竹竿是可以越過對岸，他那時候就很有信心越過對岸，起跑很長嘛！他就跳，就是把竿子撐下去，插下去之後跳過去，結果還是一樣，還沒到中間就掉下去了，那是已經四個了。第五個、第六個那時候他們就開始緊張了，四個都死掉，第五個、第六個是不是也都是這樣子？但是剛才我講的，原住民的部落就是說話算話，就是死也要去做，就這樣子第

五個、第六個也是一樣跳，還沒有到中間就死亡了，就葬身谷底。那第七個呢……最後一個，他想說六個都死，是不是問題出在哪裡，他說：「不管怎麼樣，我是最後一個，我想把之前那個為甚麼沒有跳過去的原因查出來。」他就說先暫停，請耆老共商這件正事，要怎麼樣才能夠跳過去，他就看到那個竿子……耆老也說可能竿子是不是太短的原因，這樣子，而且助跑的速度，跟起跑的高度，要跳越過的高度是不是不夠？所以說就經過耆老的……因為已經六個葬身谷底了，耆老也不希望說第七個因此也會這樣子葬身在谷底裏面，後來經過耆老很多的教導分析，就是建議他再找竹子比較長的……長一點的，那時候他們也有預備一些備用的竹竿，他們就找到一支比較長的，韌度也比較堅硬，剩下的就是說在起跑的高度的部分，可能就是像我們這樣起跑用跑的，在平地可能會比較沒有辦法使力，他如果說在一個高度……比我們人高的，我們從那個高度再跳過去，可能那個重力加速度，可能會……能夠跳得更高更遠，那第七個勇士就是照著耆老的建議，他就找一個很長的竹竿，硬度夠，很堅硬，然後找一個比較高的地方，作他的一個跳板。他就起跑，起跑的時候他越過比較高的地方，跳過高的地方作跳板，然後把那個竹竿插下去，然後就用重力加速度的關係就跳過去，結果真的那個勇士終於跳過那個對岸，那時候全村居民就歡聲雷動，就說他是一個勇士，聰明又能夠善戰，又很有勇氣，他是成為當地的頭目的不二人選。[13]

（四）鳳林鎮

1（10）　鳳義里石爺傳說（賴東明）

在我們這條路過去有鐵路隧道旁邊，那個叫石頭公。那是一位林富昌先生小的時候，大約民國十三年，二十年的時候，小的時候身體不好，算命先生說要去拜石頭公身體才會好，他的爸爸在田邊找到一個大石頭，像桌子這麼大。因為扛不動就用鉛板遮一下，用點香油就拜了。他說我的兒子身體很

13　采錄：林玉芬；整理：彭衍綸、林玉芬；2013年6月5日、壽豐鄉水璉村。

弱，拜你作義父爺。後來身體慢慢強壯起來。後來消息慢慢傳開，到花蓮玉里臺東，身體不好的人來拜石頭爺，後來很多人慢慢就來了。……他在鐵路要拓寬的時候，林富昌作木材行很賺錢，就把廟蓋好了。鐵路要拓寬的時候，怪手想要把舊的廟給推走，但很奇怪，時間在民國六十八年、六十九年時候，怪手怎麼樣都不會動，大家說是因為石爺有發靈。人家說石爺你不能動，不然會有意外，司機去跟石爺道歉，之後怪手就可以動了，但是不敢去動它了。林富昌先生蓋了新的廟，但是有但書，之後鐵路要雙線拓寬的話，要自動把石頭公移開。[14]

2（11）　鳳義里石爺傳說（廖高仁）

大概在民國十三年，有一個姓林的人家，他生了一個兒子，這對夫妻生了一個兒子，兒子一直很不好養。臺灣人有信石頭的信仰，人們看到大石頭，認為我們對它一點辦法都沒有，打它啦！或是要把它毀掉，都沒有辦法。對石頭來說，它是非常勇敢、非常堅硬的，所以他說：「孩子，你就要像那石頭一樣那麼堅硬。」我們拜石頭是要做什麼？就是要崇拜它的堅硬。它很堅硬，誰都對它沒辦法，這就是石頭信仰的由來。後來他的孩子的確很好養，養了以後，因為他在拜那石頭，後來也很多人去拜那石頭。因為很多漢人以前來的時候，沒有帶神來，就看到村莊裏面有一顆大石頭，我們就開始拜它，請它保佑我們。也就是土地公的由來。不過後來石頭變成了神像，就變土地公了。那有的變土地公，有的沒有。有的就是石頭還是石頭，有的石頭後來就變成土地公了。……那姓林的孩子叫作「林富昌」，這個人後來他長大了，從事木材生意，因為他的木材生意很好賺，賺了很多錢以後，就念念不忘他小時候拜的石頭，就為了那石頭造了一個廟，我們現在叫「石爺廟」。[15]

---

14 采錄：池珈郁、林桂朱；整理：林桂朱；2012年6月24日、鳳林鎮鳳禮里校長夢工廠。
15 采錄：林玉芬、梁玄；整理：梁玄；2012年6月24日、鳳林鄉鳳禮里校長夢工場。

（五）瑞穗鄉

1（12）　瑞祥村虎頭山傳說（鄒鐵謙）

在我祖母的時代，虎頭山是活的，會發出聲音，聲音往上（北）走，就會有颱風，往下（南）走，就會下雨。大概一個星期內就會靈驗。[16]

2（13）　瑞祥村虎頭山傳說（鄭純靜）

日據時代，日本的將領來到這邊看到虎頭山，感覺這座山蠢蠢欲動好像要活起來，請堪輿師來看說老虎會出宰相，龍會出真命天子。日本人不喜歡漢人做官，就請堪輿師去虎頭山上找穴道，讓老虎不要醒來，就用六角柱插進去後，老虎就不動了，趴在那邊，所以瑞穗到現在就沒有出能人。聽說有人有看到那六角柱。插在那邊後，山上就有泉水湧出，有寺廟就把它引出來，是非常甜的礦泉水。[17]

3（14）　瑞祥村虎頭山傳說（黃永奎）

從清朝時代，鄭成功的兵到這邊來被老虎吃掉。他就開著一門大砲，虎頭山原本有下巴的，被大砲打掉了，這樣老虎就不會吃人了。[18]

4（14）　舞鶴村舞鶴山傳說（蕭勝池）

以前那邊蓋鐵路要挖隧道，因為土質濕軟一挖就坍，有一群不知道那裡來的白鶴（白鷺鷥）就叼了很多草來丟在地上吸乾水分，土就變硬，之後開鑿隧道就很順利了。

---

16 采錄：彭衍綸、賴光宏、梁玄、林桂朱；整理：彭衍綸；2011年12月23日、瑞穗鄉瑞祥村鄒鐵謙先生住宅。

17 采錄：池珈郁、林桂朱；整理：池珈郁；2012年7月1日、瑞穗鄉瑞祥村「山下的厝」民宿。

18 采錄：葉威伸、池珈郁、林桂朱、周玉娟、梁玄、林玉芬；整理：池珈郁；2012年7月1日、瑞穗鄉瑞祥村村長辦公室。

5（16）　舞鶴村舞鶴山傳說（鄒鐵謙）

　　日本時代日本人因為要挖鐵路隧道，就挖了舞鶴山，結果舞鶴山流了七天七夜紅色的水，這裡的龍脈就被破壞了。後來長草了，龍脈的氣又慢慢地恢復，但是最近因為修建公路，龍脈又被破壞。[19]

6（17）　舞鶴村舞鶴山傳說（鍾瑞文）

　　現在那邊通稱為「自強隧道」，剛開始他們在鑿這個隧道的時候，就是因為他們在挖，然後在今天完成，第二天就有很多水流出來，那麼因為他們以前的科技沒有那麼發達，就會覺得這水每天開始又會恢復原狀，所以他們認為這是一個龍脈。如果到瑞穗來看，也很有意思，在西邊山稱之為「虎頭山」，為什麼它是地靈人傑呢？因為對面的一座山，俗稱「猴子山」，然後還有一個「牛山」，還有一個「印斗山」。甚麼叫「印斗山」？「印斗山」就是像皇帝、虎爺的官印。如果你們對「形」也很有興趣的話，不妨可以到虎頭山來看，就可以看到舞鶴那裡就好像一個筆，撲在河溝裡去洗那筆一樣，所以統稱那裡是一個很好的地理環境。[20]

7（18）　舞鶴村舞鶴山傳說（林嵩山）

　　日本人開鑿舞鶴隧道時，初期不太順利。後來有個日本工程師就在隧道裏放鋸子，工程就順利了，但因此舞鶴的龍脈就被破壞了，流了三天三夜的血水。[21]

　　原來這個地方（舞鶴）可能要出這個帝王，風水很好，但是就是開了那個隧道，當時開的時候就跟那個雪隧一樣，它那個泥水非常旺盛，所以一開

19　采錄：彭衍綸、賴光宏、梁玄、林桂朱；整理：彭衍綸；2011年12月23日、瑞穗鄉瑞祥村鄒鐵謙先生住宅。

20　采錄：葉威伸、池珈郁、林桂朱、周玉娟、林玉芬、梁玄；整理：梁玄；2012年6月30日、瑞穗鄉富民村保安宮。

21　采錄：彭衍綸；整理：彭衍綸；2013年6月20日、壽豐鄉志學村國立東華大學人社一館三樓。

它就崩塌，一開就崩塌，一直都沒有辦法開通，那個日本的技師也沒有辦法，後來就聽當地的老一輩的講，他說這個風水是龍山，因為它矮矮的，瑞穗還有一個虎頭山，虎頭山跟龍山它是互相呼應的，這一龍一虎，這龍山很長，隧道穿過的時候，就是那個水一直噴出來，馬上土就填回原地，所以日本技師沒有辦法，他有一次就……大概當地有兩種說法，有一種說他作夢，夢到好像就有一條龍的化身的老人，祂就說：「你們當然對我沒有辦法，我是龍嘛！」對不對？那祂喝醉酒的時候就講，祂說：「除非你弄鋸子啦！開的時候你就開到那裡掛到那裡，才有辦法。」這兩種說法，一個是說他作夢，一個是說當地的老人家懂風水，你要破他就是要用鋸子。鋸子，它就是一種巫術嘛！……最後他就告訴他們這個要掛鋸子，工程師就聽他的話，施工的時候就先拜拜，然後就掛鋸子，然後就開始施工，結果施工到第二天，就沒有那個水或泥土崩下來，那麼弄通了以後，聽說流出來的水都是紅色的，有這個說法。破了風水以後，水通通就流下來，整個龍就死掉了，他們是說龍就死掉了，流作血水嘛！其實可能就是當地的土，你看那鶴岡，那就是所謂的紅土嘛！[22]

8（19）　舞鶴村掃叭石柱傳說（蕭勝池）

以前那邊有個原住民生了三個小孩，分別是黑臉、紅臉、白臉，後來打雷打斷石柱後，這三個小孩也就消失了。

9（20）　舞鶴村掃叭石柱傳說（鄒鐵謙）

清朝的時候，我同學的祖父是閩南人，幫鄰居排灣族人到紅葉溪搬めにき，一種比檜木次級的木材，到舞鶴臺地蓋房子。到了日本時代，排灣族人的後代生了紅面、黑面、花面三個小孩，日本人說這三個小孩是妖精，就將他們帶回日本。後來三個小孩的父母也不敢再住下，就搬走了。房子因為沒人住，便慢慢地損壞，最後祇剩下兩根木柱，就是掃叭石柱。我國小六年級

22 采錄：林玉芬、梁玄；整理：林玉芬；2013年8月2日、吉安鄉慶豐村林嵩山先生住宅。

還看到兩棵樹（石柱）長得一樣高，可以剝樹皮，後來柱子就變成了石頭，而且越長越大。另外連家裏的樹墩、豬槽也都變成了石頭。[23]

10（21）　奇美村秀姑巒溪氣象石傳說（蔣金英）

就老人家一直這麼想、這麼講。就是在去年的最後一個颱風時候，就是看到那個露出來得小的話，那今年就會水災。今年露出來很高很高，所以今年會旱災。我們這樣預測是對的，因為到現在都一直沒有下雨，所以前幾天說颱風，我們這邊根本都沒有下雨這樣子。[24]

（六）玉里鄉

1（22）　東豐里石公山傳說（陳世淵）

我們目前有常在做的，家裡如果有小孩子不好帶的話，通常會去拜一些神祇當義父。我有聽過一個阿嬤說他孫子就是不好帶，有帶去大廟（協天宮）拜，也就是關聖帝君當義父，結果擲筊後，祂不收，那怎麼辦？有人就告訴他說石公都肯收，都肯保佑這些小孩子。之後大家就會開始認那個石公當小孩子的義父。當他乾兒子。每年農曆四月八號要去祭拜，小孩子如果在外地的話，他就要把他的 keng kua 寄回來去那邊再過火一次再寄回去，比較傳統的做法都是這樣。現在已經沒有廟了，都是以山（類似小島為主），沒有任何祭祀的設施或小廟，傳統作法還要剪紅布去給祂祝壽，現在已經很少看到了。把紅布掛在靠在秀姑巒溪的溪邊，帶一些牲禮或香去祭拜，用原始的祭拜方式。[25]

---

23 采錄：彭衍綸、賴光宏、梁玄、林桂朱；整理：彭衍綸；2011年12月23日、瑞穗鄉瑞祥村鄒鐵謙先生住宅。

24 采錄：彭衍綸、王人弘、魯芳、吳昀徽、吳彥鋒；整理：吳昀徽；2013年7月16日、瑞穗鄉奇美村奇美原住民文物館。

25 采錄：李旻峻、池珈郁、林桂朱、梁玄；整理：池珈郁；2012年7月9日、玉里鎮國武里慈濟醫院。

2（23）　東豐里石公山傳說（詹前善）

石公山他們講是一個龍頭，龍眼這樣子，他們講的是，過去老一輩的人講那個是龍頭，龍尾巴現在在富里的對面，吳江村的對面有一個沙洲，一個孤島，叫舟山島，現在還在啊！他們叫船仔山。在河中間，現在看到長良跟安通之間有一個河床，有一塊島這樣，比較高的凸出這樣，它是兩邊那個本來是連接的平地，後來被河沖了，就形成了孤島。那個是一個龍尾。我們過去，這個水陸還沒有變化的時候，從那邊看過來，就好像一條龍這樣……後來是被切斷了，公路啊，開公路、開鐵路，被腰斬了這樣。[26]

3（24）　東豐里石公山傳說（曾進財）

這座石公山在每年的農曆四月初八，每一年都會有人在拜拜。之前，都很多人會來拜拜啦！對，孩子如果比較不好養，都會帶來這邊捨一個貫。那邊神明從以前沒有人在主持，誰都可以去拜。在那邊拜好後，再自己戴上。用銅錢和紅繩子，每一年都有人在拜，那捨貫線就拿回去給小孩配戴。[27]

（七）富里鄉

1（25）　羅山村羅山瀑布傳說（謝開仁）

那時候是老一輩講的，這個羅山瀑布，以前整年都「轟轟」的叫，後來不知道怎麼樣，日據時代過了，日本人走了就沒有了，聽說這個地理給它破壞掉，……他們在說那個山上的，那個山頂上有人埋墨斗還有什麼尺啦！甚麼東西都放在那個地方，放在那個山頭上，山頭的上面。對，放墨斗，還放什麼尺，挖一個洞埋在底下，有人是發現這樣。也是他們老一輩講的，差不

---

26 采錄：彭衍綸、林全洲、王人弘、李旻峻、池珈郁、林桂朱、周玉娟、梁玄、林玉芬；整理：林桂朱；2012年7月10日、玉里鎮詹前善先生住宅。

27 采錄：彭衍綸、林全洲、詹前善、王人弘、李旻峻、池珈郁、林桂朱、周玉娟、梁玄、林玉芬；整理：林玉芬；2012年7月10日、玉里鎮曾進財先生住宅。

多民國四十幾年發現的，破壞這個地理的，每個人都這麼想。這個山喔！又像個蝙蝠，又有像一個象的頭。

那是羅山瀑布那裡面，以前啊！老一輩的說的，老一輩的講說都在瀑布那邊嘛！說時常人碰到，會生金鴨蛋喔什麼的，金鴨母或是金鴨蛋，可是沒有人找到啊！沒有人看到啊！是傳說而已。[28]

2（26）　豐南村女鬼瀑布傳說（潘金菊）

女鬼瀑布有很多傳說。因為以前說，有一對情侶，在論及婚嫁的時候，聽說女方好像不肯，然後兩個到那邊去殉情。殉情之後，因為有遊客來拍照的時候，結果洗出來以後，整個瀑布就有臉，呈現披頭散髮，所以後來人家也是起名稱為「女鬼瀑布」。[29]

（八）豐濱鄉

1（27）　豐濱村拉瓦山（貓公山）傳說（蔣國雄）

Langasan（筆者按：貓公山）就是我們這邊最高的那個山上，就是早期的始祖傳說是這樣子來的，然後就搬遷到奇美，早期是它有一對兄妹，然後就結為夫妻，生了四個小孩。四個小孩在奇美留著是第四個，有一個搬到舞鶴那邊，還一個到水璉那邊，一個是在海岸線的長濱那邊。[30]

2（28）　港口村月洞傳說（陳秋麗）

以前老人家，我們的祖先也是曾經住在裏面（筆者按：月洞中的南

---

28 采錄：彭衍綸、王人弘、魯芳、吳彥鋒；整理：魯芳；2013年7月18日、富里鄉羅山村謝開仁先生住宅。

29 采錄：彭衍綸、王人弘、李旻峻、池珈郁、林桂朱、周玉娟、梁玄、林玉芬；整理：梁玄；2012年7月8日、富里鄉豐南村信義成商店。

30 采錄：彭衍綸、王人弘、魯芳、吳昀徽、吳彥鋒；整理：吳昀徽；2013年7月16日、瑞穗鄉奇美村蔣國雄先生住宅。

洞）。對呀！住在裏面，以前它這裡是都沒有水，它是完全都沒有，它是乾的。……裏面還有隔間……這個地方可以講說以前我們祖先，祖先搬走之後，一些老人家都不敢再來。不敢來這邊。他說裡面都鬼啊！哈哈！它也不是鬼啦！它是聲音聽起來～～很恐怖。[31]

3（29）　靜浦村龍洞傳說（陳金火）

老人家說，有一個女孩子到那個溪那邊，小溪那邊去洗衣服啊！突然間就不見了，這樣～還有再過幾個月的時候，又下去一個女孩子在這邊，年輕的，在洗衣服，結果還是沒有回頭，沒有回家啊！後來部落就～奇怪她怎麼失蹤了，在這裡附近去找啊！後來就發現有一個這裡那個腳印，有一個龍的腳印啊！這個沙灘裏面。對！就～跟著，走到那個洞裏面去看啊！哦原來是，可能那個～女孩子，給那個龍吃掉了，結果那部落就曉得嘛！就發現之後，就～就～那時候部落，就年輕的，或是這個就大家動員，就把那個龍怎麼樣，他說用那個方法是先吊那個狗，上面吊隻狗這樣，然後他們預備那個箭，直接打還是用弓箭，我們不曉得，就把那個龍給打死了，就死掉啦！[32]

4（30）　靜浦村奚卜蘭島（獅球嶼）傳說（李威寰）

你們現在知道的是奚卜蘭島，獅球嶼，之前的名字不是這個獅球嶼，叫秀姑巒島，很早的名字叫秀姑巒島……。那秀姑巒島，在我們整個地形來講，很多搞風水的，就如同你講的，這個地方為什麼那麼好？就是因為有秀姑巒島，你不管是從山上這樣看，看這個島，就好像一個印在那邊。印！印章。就跟當地的國～國～那個國璽，那個印章是不是，我們這邊是阿美族的章蓋在這裡的意思，風水師都這樣講，風水師跟我們建議這邊不能破壞，你

---

31 采錄：彭衍綸、賴光宏、梁玄、林桂朱；整理：林桂朱；2011年12月23日、豐濱鄉港口村月洞遊憩區觀景亭。

32 采錄：彭衍綸、王人弘、魯芳、吳彥鋒；整理：王人弘；2013年7月19日、豐濱鄉靜浦村秀姑巒溪出海口南端廣場。

怎麼看，你從山上看，從這裡看，上面看起來就是說，這個山剛好是這樣，那邊過來，這邊過來，中間這個秀姑巒島就這樣蓋章，對當地一定有照顧，是這樣的意思。[33]

（九）跨區

1（31）　秀姑巒溪傳說（謝玉忠）

老人家說以前秀姑巒溪沒有那麼大，秀姑巒溪其實是一條野溪，它不是那麼大，後來是那條大鰻魚就切過中央山脈，秀姑巒溪才變大。[34]

2（32）　海岸山脈傳說（黃昭章）

聚氣的地方，你們明天早上起來從櫥窗看過去那個山，那邊就是海岸山脈，那山背都是這樣，像龍的龍椎一樣，都是這樣一個小小的，很特殊的現象，它又從東邊出海，你看所有我們臺灣的海，水向東流，就這條溪向東流的。就是這個，這海岸山脈，所以這龍邊嘛！中央山脈就老虎，就虎頭山啊！所以他本身大的環境、大的格局都成立了，所以很多堪輿師來這邊啊！我們這邊也住過好幾個堪輿師，我們有聊這個事情。[35]

3（33）　海岸山脈、虎頭山、舞鶴臺地、秀姑巒溪傳說（鄭純靜）

秀姑巒溪那邊的海岸山脈是龍脈，虎頭山是虎脈，有龍虎相會，舞鶴臺地是一個案桌，所以瑞穗是一個很吉祥的地方，所以取瑞字。本來瑞穗有三條龍，不過在做火車隧道，經過三民那邊，把其中一條龍脈挖洞了，聽說鐵

---

[33] 采錄：彭衍綸、王人弘、魯芳、吳彥鋒；整理：彭衍綸、王人弘；2013年7月19日、豐濱鄉靜浦村秀姑巒溪出海口南端廣場。

[34] 采錄：林玉芬、梁玄、鍾秉諺；整理：彭衍綸、林玉芬；2013年4月12日、瑞穗鄉奇美村奇美原住民文物館。

[35] 采錄：葉威伸、梁玄、林玉芬；整理：林玉芬；2012年6月30日、瑞穗鄉瑞祥村「山下的厝」民宿。

路局在挖的時候有流出很多的血。龍被挖死了,三條龍就少一條了。另一條從鶴岡出來的山脈,還有一條從奇美出來。中央山脈是圓圓的,海岸山脈是尖尖的像龍的背脊。他們兩條會集在秀姑巒溪那邊要稱王會打架,兩敗俱傷,只好各據一方。有時候還會鬥啊!就像秀姑巒溪有時水會漲很高啊![36]

　　上錄傳說,采集當時皆未曾見於文獻的載錄,如非經由田調采錄,是無法獲得。所以田野踏查采集工作的進行,正可以填補既有文字資料的缺漏。傳說來自民間,回歸民間尋訪,當是順理成章之事。

三　奇想世界的表現物和建構者

　　歷經兩年田野踏查采集工作的進行,主要在新城鄉、花蓮市、壽豐鄉、鳳林鎮、瑞穗鄉、玉里鄉、富里鄉、豐濱鄉等八個鄉鎮市,蒐集到三十三則有效的傳說文本,其中瑞穗鄉最多,計十則。傳述的自然風物包括:新城鄉的大漢村七星潭、佳林村佳山大小紗帽山和龍尾山、嘉里村三河會流地;花蓮市的民意里美崙山;壽豐鄉的池南村鯉魚潭、池南村苓溪、水璉村蕃薯寮溪峽谷(含竹林);鳳林鎮的鳳義里石爺(石);瑞穗鄉的瑞祥村虎頭山、舞鶴村舞鶴山、舞鶴村舞鶴臺地、舞鶴村掃叭石柱、奇美村秀姑巒溪氣象石;玉里鄉的東豐里石公山;富里鄉的羅山村羅山瀑布、豐南村女鬼瀑布;豐濱鄉的豐濱村拉瓦山(貓公山)、港口村月洞、靜浦村龍洞、靜浦村奚卜蘭島(獅球嶼);跨區的秀姑巒溪、海岸山脈。總計二十二處風物,[37]種類有山(含臺地)、水(潭、溪、瀑布)、峽谷、植物、石、洞穴、嶼。無論是位於花東縱谷的山線鄉鎮,抑或海岸山脈東側的海濱地區(壽豐鄉、豐濱鄉),均有風物傳說的流傳。

36　采錄:池珈郁、林桂朱;整理:池珈郁;2012年7月1日、瑞穗鄉瑞祥村「山下的厝」民宿。

37　新城鄉的佳林村佳山大小紗帽山和龍尾山合計為一處。

表一　花蓮地區田野踏查所得具傳說依附之風物一覽表

行政區		風物
鄉 鎮 市	村　里	
新城鄉	大漢村	七星潭
	佳林村	佳山大小紗帽山和龍尾山
	嘉里村	三河會流地
花蓮市	民意里	美崙山
壽豐鄉	池南村	鯉魚潭
	池南村	荖溪
	水璉村	蕃薯寮溪峽谷（含竹林）
鳳林鎮	鳳義里	石爺（石）
瑞穗鄉	瑞祥村	虎頭山
	舞鶴村	舞鶴山
	舞鶴村	舞鶴臺地
	舞鶴村	掃叭石柱
	奇美村	秀姑巒溪氣象石
玉里鄉	東豐里	石公山
富里鄉	羅山村	羅山瀑布
	豐南村	女鬼瀑布
豐濱鄉	豐濱村	拉瓦山（貓公山）
	港口村	月洞
	靜浦村	龍洞
	靜浦村	奚卜蘭島（獅球嶼）
跨　區	鄉鎮	風物
	卓溪鄉、瑞穗鄉、豐濱鄉	秀姑巒溪
	壽豐鄉、瑞穗鄉、玉里鄉、富里鄉、豐濱鄉	海岸山脈

　　不過也需強調，畢竟所有的踏查工作皆無法完備，部分鄉鎮甚至雖曾走訪、探詢，卻無所獲，[38]以致秀林鄉、吉安鄉、光復鄉、萬榮鄉、卓溪鄉等五個鄉鎮未有采集成果的呈現。或許踏查采集工作的持續，日後能有收穫。

　　再者，關於這次踏查采集工作受訪對象，即傳說講述人的基本資料，有如下表所示：

表二　花蓮地方風物傳說講述人基本資料一覽表

（依長幼排列）

姓名	性別	年齡	族群	教育程度	職業
鄒鐵謙	男	1938年生	客家	國小畢業	農業
曾進財	男	1940年生	閩南	國小畢業	花蓮縣玉里鎮前東豐里里長
賴東明	男	1941年生	客家	大學畢業	退休校長
陳金火	男	1942年生	阿美族	國小畢業	花蓮縣豐濱鄉前靜浦村村長
詹前善	男	1946年生	客家	大學畢業	《聯合報》退休記者
謝開仁	男	1946年生	客家	初中畢業	花蓮縣富里鄉羅山村村長
林嵩山	男	1948年生	客家	碩士畢業	大學教授
黃秀瓊	女	1948年生	閩南	大學畢業	退休教師
蕭勝池	男	1949年生	閩南	國小畢業	建築業
鄭純靜	女	1951年生	閩南	大學畢業	退休教師
黃永奎	男	1951年生	客家	大學畢業	花蓮縣瑞穗鄉瑞祥村村長
蔣金英（族名「Lixin」）	女	1951年生	阿美族	國小畢業	花蓮縣奇美原住民文物館員工
黃昭章	男	1952年生	客家	大學畢業	民宿經營者

---

38 例如秀林鄉、吉安鄉。

姓名	性別	年齡	族群	教育程度	職業
廖高仁	男	1955年生	客家	專科畢業	退休校長
葉勝光 （「Yeda・Mona」）	男	1956年生	客家	高中肄業	文史工作者
潘金菊	女	1957年生	閩南	高職畢業	雜貨店老板娘
李威寰 （族名「Lahez」）	男	1958年生	阿美族	大學畢業	花蓮縣豐濱鄉靜浦村村長
鍾瑞文	男	1962年生	客家	碩士畢業	退休教官
蔣國雄	男	1962年生	阿美族	國中畢業	花蓮縣瑞穗鄉奇美村村長
陳秋麗	女	1964年生	阿美族	國中畢業	花蓮縣豐濱鄉公所農業觀光課臨時約聘解說員
吳國民 （族名「Hani・Putaerh」）	男	1965年生	阿美族	大學肄業	花蓮縣壽豐鄉吉偉帝庵原住民部落發展協會理事長
謝玉忠 （族名「Kacaw」）	男	1971年生	阿美族	二技在學	花蓮縣奇美原住民文物館導覽員
葉仁龍	男	約1975年生	閩南	未提供	農業
陳世淵	男	1977年生	閩南	專科畢業	未提供

註：職業以講述當時所任者為準

進一步統計講述人的基本資料：

人數：二十四人（男，十九人；女，五人）。

年齡：一九三〇年代出生，一人；

一九四〇年代出生，八人；

一九五〇年代出生，八人；

一九六〇年代出生，四人；

一九七〇年代出生，三人。

族群：閩南，七人；客家，十人；原住民，七人。

教育程度：國中以下，九人；高中，二人；專科，三人；大學以上，九人；

不詳，一人。

特別說明，田野踏查團隊采訪的對象並不止於表格呈現者，表中諸人乃皆能具體講述傳說文本者。

四　再盼下個奇想世界的發現

歷經兩年國科會（科技部）專題研究計畫的執行，對於花蓮地方風物傳說可謂有一較全面的采集。爬梳文獻之外，實地的田野踏查采集工作自是獲得傳說的重要管道。透過基層行政體系的善用，地方文史愛好者的幫忙，以及更多素昧平生的花蓮鄉親熱心協助，取得了豐富且未曾發掘的傳說文本。

雖說是針對地方風物傳說，但少數，如瑞穗鄉的虎頭山傳說，其實亦關涉歷史人物鄭成功，所以將之歸於人物傳說亦無不可。另者，地方風物傳說可謂遍布各處，小至一棵樹木、一粒石頭，大至一座山巒、一條溪流，均能產生傳說；傳說的產生不僅任何風物都有可能，任何族群對於風物亦都能有講述故事的機會，可見每個族群，對於自己土地的點點滴滴，都有著世代相傳的記憶和無邊無際的想像，飽含鍾愛眷戀家鄉的意識情感。

花蓮地方風物傳說的踏查采集，不僅可填補原有文獻載錄的缺漏，建構完整的花蓮地方風物傳說文本資料庫，完成風物地理位置、外在樣貌、相關影像等資料的建檔，更可運用獲得的成果從事研究。采集工作為研究工作的前置作業，經由采集而獲得考察的對象、樣本，研究方能逐步開展。而從花蓮地方風物傳說的采集成果來看，確實能為當地，甚或全臺這類傳說的研究提供不少參考。

花蓮因好山好水而成為民眾心嚮往之的觀光勝地，遊覽同時，如能透過故事性、傳奇性十足的風物傳說傳述，使旅人遊客更為深入地感受當地的人

文歷史、風土民情，增進旅遊深度，離開這片土地時，將不再祇有滿足口腹之慾的美食特產，取而代之的是回味無窮的記憶和眷戀。花蓮如此，全臺亦該如此，期待下一個奇想世界的發現。

神判、法冠、吉祥物

——獬豸神話在東亞的傳播與容受[*]

劉惠萍

東華大學中國語文學系教授

提要

　　本文以中國上古神話傳說中的奇獸——獬豸在東亞地區的形象流變為討論對象，探討其由神話傳說中的上古奇獸，到「能辨曲直」的神獸，後來又被運用到御史等執法人員的「法冠」、「法服」上，而成為中國古代「法律」的象徵。其後，隨著中國與東亞地區的文化交流，而成為首爾市吉祥物之過程。文中發現由於獬豸自古以來即被認為是具神判能力、能辨曲直的奇獸，故很早即與中國古代的「法」文化產生了聯繫，並因此成為中國傳統社會中一種重要的「文化符號」；另一方面，大概到了漢代以後，牠又由象徵公正不阿的任法獸，延伸成彰顯司法精神的「獬豸冠」。後來，此一文化符號傳播到了朝鮮半島，又演變為鎮守宮殿或法院，辟除火災與災難的祥瑞之物，到了二十一世紀，更被首爾市政府注入當代現實價值的追求，而成為能帶來「愛和希望」的吉祥物。

關鍵詞：獬豸　任法獸　法冠　吉祥物

---

* 本文為個人執行科技部專題計畫「圖像與物質文化（II）：漢畫像所見服飾文化之研究」（計畫編號：MOST 104-2410-H-259-049）之部分成果。

一　前言：一種奇獸，兩樣情

　　二〇一八年，為了推動轉型正義的「促進轉型正義委員會」（以下簡稱「促轉會」）的成立，成為臺灣最熱門的話題之一。每天各新聞媒體皆爭相報導「委員提名名單」及「不適任的主任委員」，[1] 讓全國人民對於此一機構的成立與運作，不得不投以高度地關注。據當時媒體報導：「促轉會」於五月三十一日掛牌後的四十天，即七月十六日，召開了首次業務報告，提出了「『不義遺址』待討論」的建議，據二〇一八年七月十六日三立新聞 SET 網報導：

〈促轉會調查「不義遺址」　新店監獄「獬豸」神獸首曝光〉

　　行政院促進轉型正義委員會成立後今（16）日首度舉辦記者會，首度揭露過去外界無法進入調查的「國防部軍人監獄」（新店監獄）內部狀況，**軍監內「獬豸」奇獸首度曝光**。促轉會委員楊翠指出，該監獄曾關押過黃信介、雷震、姚嘉文、張俊宏、涂炳榔、陳英泰、蘇東啟等人，首次重現歷史現場。[2]

圖一　新店軍監內的「獬豸」奇獸

　　從以上報導可知，新店監獄原為「國防部軍人監獄」，原為囚禁政治犯的重要場所，而軍監內的「獬豸」塑像為「司法尊嚴」的象徵，自白色恐怖

1　丘採薇和鄭媁，〈陳翠蓮批黃：出賣集體尊嚴換官位〉，《聯合報》2018年4月1日　A3版。

2　參三立新聞網 https://www.setn.com/News.aspx?NewsID=404387，下載時間：2019年11月11日。

時代留存至今。從報載的新店軍監內的「獬豸」塑像（圖一）來看，其造型類似獅子，蹲坐昂首，怒目圓睜，張口吐舌，紅色獨角向前，角上並帶有刺，十分威猛。塑像下方則題有「回頭是岸」四個大字的標語，令人印象深刻。

圖二　首爾市光化門與獬豸像

　　二○一九年八月，因赴首爾參加學術會議，會後，延世大學朋友帶領參會學者在首爾市區內的景福宮、光化門、世宗大王路等知名景點參觀。在參觀的過程中，發現在朝鮮王朝王宮景福宮正門「光化門」外，也有一巨大的「獬豸」石雕。之後幾日在首爾市區參觀，亦經常可見造型各異的「獬豸」。特意問了韓國友人，皆告知：因為獬豸是首爾市的「吉祥物」，是「愛和希望」的象徵。當下，腦中閃過的卻是新店軍監內兇猛攝人的「獬豸」塑像，還有下方令人不寒而慄的「回頭是岸」警語。

　　由於個人於二○○九年度曾執行國科會「圖像與神話：漢畫像所見神話之研究（II）」專題計畫（NSC 98-2410-H-259-060），於整理漢畫像中「祥瑞」神話題材時發現：在漢代的許多墓門上經常可見「獬豸」的形象；二○一五至二○一七年間，又因執行科技部「圖像與物質文化（II）：漢畫像所見服飾文化之研究」專題計畫，對漢代畫像中偶然可見的疑為「獬豸冠」之冠飾亦印象深刻。尤其，後來在查找資料時又發現：中國手機大廠小米在二○一八年還推出過「小米 MIX 3北京故宮獬豸特別版」手機；而韓國的 SBS 電視臺亦曾於二○一九年二月間製播了一部講述朝鮮時代改革「司憲府」，重新實現正義的故事《獬豸》（韓語：해치）連續劇。[3]其後，又有越南學生

3　此劇主要講述朝鮮時代世子延礽君李昑、萬年科舉準備生朴文秀，以及司憲府熱血茶母呂智三人一起爭取掌握權力，並改革司憲府重新實現正義的故事。參維基百科 https://zh.wikipedia.org/wiki/%E7%8D%AC%E8%B1%B8_（%E9%9B%BB%E8%A6%96%E5%8A%87）。

告知：在越南胡志明市也有一條叫「阮豸路」的路名。由於個人長期關注中國古典神話，故而對「獬豸」這個原為中國神話中的奇獸，後來在東亞地區的傳播，以及演變為首爾市的吉祥物之過程，產生了探尋其形象及意涵演變的動機。

獬豸，為中國古代傳說中的一種神獸，亦作「廌」、「獬」、「解」、「觟𧣾」、「屈軼」、「任法獸」。史籍載錄的獬豸有羊形、牛形、鹿形等不同形體，但共同之處是頭上都長有獨角。相傳牠「能辨曲直，見人爭鬥，即以角觸不直者」，見到有人起紛爭時，便會用牠的獨角頂向理屈的一方，推至此人跌倒；若此人是奸詐小人，牠也會毫不留情地把人抵死。此外，當見到貪官污吏時，牠則會衝上去用角將其抵倒，然後囫圇吞下。後來，在漢儒的神話附會下，原為上古奇獸的獬豸因具有「明辨是非，執法公正」的能力，更成為協助皋陶斷案的獨角神獸。至晚到了東漢時，又與「法」的概念產生了連結，並衍生出一種專為古代御史等執法官吏所穿戴的法冠——獬豸冠。其後，人們更經常援引獬豸的形象，以作為中國傳統司法精神的代表，如在唐代，凡御史臺九品以上的官員都要戴獬豸冠。宋襲唐制，御史大夫等執法官吏亦均戴獬豸冠，及至明清時期，御史等執法者不僅要戴獬豸冠，還要穿繡有獬豸圖案的補服。（圖三）而在現今中華民國的憲兵軍服臂章上，及中華人民共和國法官的法槌上，也都有獬豸的圖樣。（圖四）

圖三　清代御史補服上的獬豸

圖四　中華民國憲兵臂章

　　自古以來被認為具神判能力、能辨曲直的獬豸奇獸，由於很早即與中國古代的「法」文化產生聯繫，因此，在不同的時空，也往往會因人們的不同想像與心理需求，除了可以是象徵公正不阿的「任法獸」；也可以是代表清正廉潔、公平正義、彰顯司法精神的「法冠」；還可以是象徵現代司法精神的憲兵臂章及法院法槌；以及勸人「回頭是岸」的威權象徵和帶來「愛和希望」的吉祥物，可知它已成為一個重要的文化「符號」。

　　一方面，為梳理「獬豸」此一中國上古神話傳說中的奇獸在東亞地區的形象流變；另方面則因近年來個人對於許多民俗「現代化」的現象，以及民間信仰的創新、改造等問題，頗感好奇。故不揣淺陋地擬結合傳世文獻及出土文獻，尤其是圖像的材料，探討「獬豸」由上古奇獸到「法律」的象徵，再到中國古代御史等執法人員的「法冠」、「法服」，還有當代首爾市吉祥物之過程。希望能藉此以探討因社會文化變遷，人們的心理需求改變，而使得傳統神話產生「再神話」之現象，以及民間信仰的變化與社會文化之互動互生關係。

二　關於「獬豸」：「能辨曲直」的異獸

　　在現可知見的傳世文獻中，關於「獬豸」的記載，最早可能見於西漢初司馬相如（約西元前179年至前117年）的〈上林賦〉。〈上林賦〉與〈子虛賦〉合稱為〈天子遊獵賦〉，[4]賦中先藉子虛、烏有二人之論，引出天子「上林苑」的規模之宏大。賦中極力渲染誇飾上林苑中的水勢、水產、草木、走獸、臺觀、樹木、猿類之勝，然後再描寫天子率眾臣在上林狩獵的場面，最後寫天子悔過反思。全賦規模宏大，辭彙豐富，描繪盡致，渲染淋漓。其中，在提及天子校獵時，先寫天子的車、馬、旌旗、隨從人員，以突顯遊獵

4　由於司馬相如曾明言「請為天子游獵賦」，故有研究者將〈上林賦〉與〈子虛賦〉合稱為〈天子遊獵賦〉。參〔漢〕司馬遷撰；〔劉宋〕裴駰集解；〔唐〕司馬貞索隱；〔唐〕張守節正義，《史記》，收入楊家駱主編，《中國學術類編》（臺北市：鼎文書局，1981年），卷117，〈司馬相如傳〉，頁3002。《漢書》則作「請為天子游獵之賦」。

陣容的龐大和天子的威儀，「乘鏤象，六玉虯，拖蜺旌，靡雲旗，前皮軒，後道遊。孫叔奉轡，衛公參乘，扈從橫行，出乎四校之中」；接著描寫獵手們遊獵的過程和壯觀的場面。在此除了有場面的渲染，「鼓嚴簿，縱獵者，河江為陛，泰山為櫓，車騎雷起，殷天動地。」還有寫獵手們尋找獵物、各顯身手的情景「先後陸離，離散別追」，並生動地描寫了捕獵的細節，「生貔豹，搏豺狼，手熊羆，足壄羊」，還對獵手們的穿著打扮作了描寫：「蒙鶡蘇，絝白虎，被班文」；接著又繼續形容打獵的情景。「跨壄馬，凌三嵕之危，下磧歷之坻。徑峻赴險，越壑厲水。椎蜚廉，弄獬豸，格蝦蛤，鋋猛氏，羂騕褭，射封豕。」「箭不苟害，解脰陷腦，弓不虛發，應聲而倒。」這裡提到了獵手們「椎蜚廉，弄獬豸」，可知「獬豸」應為上林苑中的一種動物。

據近人考證，〈上林賦〉大約寫於漢武帝元光元年（西元前134年），是時，武帝初即位，好微行畋獵，特命擴建上林苑。「群臣遠方，各獻名果異卉三千餘種植其中，亦有制為美名，以標奇異。」[5] 整篇賦以虛實相間的筆法渲染誇耀上林苑的獵畋遼闊無垠、珍禽異獸無奇不有。其中，如豺狼、熊羆、野羊、白虎、野馬等，固為現實中常見動物，但如飛廉、封豕、蝦蛤、猛氏等異獸，可能未必為真實的物種，[6] 至於「獬豸」到底是什麼生物？司馬相如並未言明。論者以為或為「遠方」奇獸；但也可能是近臣為了標新立異，不得不以新字、奇字、生字、僻字重新命名普通物種，以取悅武帝者。

及至稍晚的西漢末、東漢初，文人學者對「獬豸」的記載與描述漸多。其中，如在西漢末的揚雄（西元前53-18年）《太玄》卷六〈難〉中記有：

5　何清谷：《三輔黃圖校注》（北京市：中華書局，2005年），頁216。相關說法亦見於《西京雜記》卷1。

6　其中，如「飛廉」即為傳說中的神獸。據郭璞所云：「飛廉，龍雀也，鳥身鹿頭。」又如「猛氏」，郭璞則以為：「今蜀中有獸，狀似熊而小，毛淺有光澤，名猛氏。」至於「封豕」，郭璞以為「封豕，大豬也。」還有「蝦蛤」，孟康以為：「蝦蛤、猛氏，皆獸名也。」由此可知，司馬相如描繪的這些珍禽異獸可能既包括當時傳說中的神獸；也包括當時存在，而後來滅絕了或被馴化了的許多物種，現在可能已無從進行動物學的查考。

上九角觟䚡，終以直，其有犯。測曰：角觟䚡，終以直之也。[7]

「觟」與「獬」古音相同，可通假，「觟䚡」應即獬豸。另在卷六的〈堅〉中還有這樣一段話：

次八㑶堅禍，維用解蝸之貞。測曰：㑶堅禍，用直方也。[8]

從以上《太玄》的記載可知，當時的人認為「獬豸」是一種「貞」且「直」的動物。

到了東漢初期，楊孚（生卒年不詳）於其所作的《異物志》中說：

東北荒中有獸曰獬豸，一角，性忠，見人鬥，觸不直者；聞人論，則咋不正者。[9]

另在《神異經》中則曰：

東北荒中有獸焉，其狀如羊，一角，毛青，四足，似熊，性忠而直，見人鬥，則觸不直；聞人論，咋不正，名曰獬豸，一名任法。今御史用法冠，俗曰獬豸冠也。[10]

《神異經》一書，舊題作「漢東方朔撰、晉張華注」。惟據近世學者的考證，認為此書應非東方朔所撰，是「後世好事者，因奇言怪語附著之朔」。[11]從

---

7 〔漢〕揚雄撰；〔宋〕司馬光集注；劉韶軍點校：《太玄集注》（北京市：中華書局，1998年），頁171。

8 〔漢〕揚雄撰；〔宋〕司馬光集注；劉韶軍點校：《太玄集注》，頁155。

9 〔東漢〕楊孚撰；〔清〕曾釗輯：《異物志》，收入《叢書集成初編》，頁5。另在《後漢書》志30〈輿服志下〉注亦同引《異物志》。

10 〔宋〕李昉等奉敕編：《太平御覽》，收入《四部叢刊・三編》（臺北市：臺灣商務印書館，1975年），卷496引，頁2399-1。

11 《神異經》一書，最早見於《隋書・經籍志・地理類》的著錄，題作「漢東方朔撰、晉張華注」。顏師古注《漢書》、《中興館閣書目》、《史略》皆持此舊說。南宋陳振孫撰《直齋書錄解題》，始對舊說提出質疑，認為此書非東方朔所著，而是「後世好事者，因奇言怪語附著之朔」。至於成書年代，目前則有「漢代說」及「六朝說」兩種觀點。

以上《異物志》與《神異經》中對「獬豸」的描述來看，到了東漢，獬豸已成為一種「狀如羊，一角，毛青，四足，似熊」，「性忠而直」，擁有神判異能的正義神獸。

其實，在中西方神話傳說中都有以神羊或獨角獸（Unicorn）判案的說法，如在《墨子‧明鬼下》中即載有：

> 昔齊莊君之臣，有所謂王里國、中里徼者。此二子者，訟三年而獄不斷。齊君由（欲）謙（兼）殺之，恐不辜，獄（欲）謙（兼）釋之，恐失有罪。乃使二人共一羊，盟齊之神社，二子許諾。於是泏洫，羊而漉其血，讀王里國之辭既已終矣，讀中里徼之辭未半也，羊起而觸之，折其腳，祧神之而槁之，殪之盟所。[12]

在初民社會，人們常託借神力斷是非、決爭訟，即所謂的「神判」，這是一種古老的人類學現象，也是一種古老的「法」文化現象，故又被稱為「神判法」。而在眾多的神判類型中，「動物神判」又是較為常見的一種，這可能與史前居民認為動物行為最易表現神靈的旨意有關。在這則傳說中，「羊」成了溝通人鬼神三界的靈物。由這則記載亦可推知，直至春秋晚期，人們在分判是非遇到困難時，曾以「羊」為動物神判。

此外，由《異物志》及《神異經》的記載還可發現：獬豸的外形有「似羊」、「似牛」、「似鹿」、「似熊」、「似麟」等多種說法。除前引《神異經》中說獬豸「其狀如羊」，又「似熊」外，在比楊孚略晚的許慎（約西元58至約147年）於其所編著的《說文解字》中則又將「法」之古寫法「灋」的右上部「廌」釋為「獬豸」：

持「漢代說」者據《左傳》「天下之民謂之檮杌」條孔疏有引「服虔曰《神異經》」，以為服虔為東漢末年人，與鄭玄同時，主張《神異經》至晚在服虔以前即已成書。參陳建樑：〈《神異經》成書年代平議〉，載《古籍整理研究學刊》1995年第3期。金軍華〈也談《神異經》之成書年代——兼與李劍國先生商榷〉，載《南陽師範學院學報（社會科學版）》2009年第10期。

12 〔清〕孫詒讓著；孫以楷點校：《墨子閒詁》，收入《新編諸子集成‧第一輯》（臺北市：華正書局，1987年），卷8，〈明鬼下〉，頁210。

> 灋：刑也，平之如水，從水；廌，所以觸不直者去之，從廌去。
> 佱，今文省。 𤉡，古文。廌：解廌獸也，似牛一角。古者決訟，令
> 觸不直者。[13]

以為獬豸「似牛一角」。另在裴駰《史記集解》中對「弄解廌」的解釋，則
引《漢書音義》云：

> 解廌，似鹿而一角。人君刑罰得中則生於朝廷，主觸不直者，可得而
> 弄也。[14]

又，在唐人司馬貞《史記索隱》中則引張揖的注釋，亦與此完全相同，也是
認為獬豸「似鹿」。至於在《隋書‧禮儀志》中則引東漢蔡邕之說曰：「如
麟，一角。」[15]綜合以上相關記載可知：歷代學者對獬豸形象的說法不一，
可能是一種形如牛、羊、鹿、麟之類的動物。不過，仍有一共同的特點——
就是頭上有斷是非、辨別善惡的「一角」。

　　傳說中「能辨曲直」的獬豸，到了東漢中後期以後開始出現了其曾助皋
陶判案、治獄的說法。按東漢學者王充於其《論衡》〈是應篇〉中有記：

> 儒者說云：觟䚦者，一角之羊也，青色四足，或曰似熊，能知曲直，
> 性知有罪。皋陶治獄，其罪疑者，令羊觸之。有罪則觸，無罪則不
> 觸。斯蓋天生一角聖獸，助獄為驗，故皋陶敬羊，起坐事之。[16]

王充引「儒者說」皋陶審理案件時常帶著「獬豸」判案，可知相關說法在東
漢時可能頗為流行。另在南朝梁任昉的《述異記》中亦有類似的記載。[17]相

13　〔漢〕許慎撰；〔清〕段玉裁注：《說文解字注》，頁470、469。

14　〔漢〕司馬遷撰；〔劉宋〕裴駰集解；〔唐〕司馬貞索隱；〔唐〕張守節正義：《史記》，
　　卷117，〈司馬相如傳〉集解引文，頁3034。

15　〔唐〕魏徵等撰；楊家駱主編：《隋書》，收入楊家駱主編：《中國學術類編》（臺北
　　市：鼎文書局，1980年），卷12，〈禮儀志‧衣冠二〉，頁272。

16　黃暉：《論衡校釋》（北京市：中華書局，1990年），卷17，〈是應篇〉，頁760。

17　據南朝梁任昉：《述異記》載：「獬豸……性知人罪。皋陶治獄，其罪疑者，令羊觸

傳皋陶生於堯帝統治之時，為東夷部落首領之一，後為負責執掌刑獄之官。以正直聞名天下，故後人譽之為中國的「司法之鼻祖」。先秦兩漢典籍中對於皋陶的記載不少，如在《淮南子》〈修務訓〉中說：「皋陶馬喙，是謂至信，決獄明白，察於人情。」[18]雖然，我們已無從考證皋陶以獬豸來決獄說法之真實性，然獬豸作為中國傳統法律的象徵卻深植人心，並受到歷朝的推崇。

而在山東出土的漢代墓室畫像中，更有一幅被命名為「獬豸判案」的畫像石。畫像正中有一人端坐，其左有一人；其右有一頭戴獬豸冠的法官及一身軀傾斜之人，狀似為身前的羊所抵之狀。畫像石的左部尚有兩隻羊，羊前有一小孩，似乎為牽羊人。（圖五）[19]有學者認為此石是表現傳說中齊莊王以獬豸審判王里國和中里徼的事件。[20]

圖五　山東漢畫像石‧獬豸判案

殆至南北朝與隋唐以後，獬豸正直的形象更深入人心，並成為「法吏」的象徵，且經常出現在一些文學與藝術作品中。如在江蘇淮陰市打鼓墩的樊氏墓中即出土了一塊被命名為「皋陶治獄圖」的畫像石，[21]畫面的中間有一

之。」

18 劉文典撰：《淮南子》，收入《新編諸子集成‧第一輯》（北京市：中華書局，1989年），卷19，〈修務訓〉，頁642。

19 俞偉超主編：《中國畫像石全集4‧江蘇安徽浙江漢畫像石》（濟南市：山東美術出版社，2000年），圖版64。

20 鄭先興：〈論漢代民間的羊信仰〉，《魯東大學學報（哲學社會科學版）》第30卷第5期（2013年9月），頁7。

21 打鼓墩樊氏墓於一九七六年由淮陰市博物館和泗陽縣圖書館聯合清理挖掘，墓址在原江蘇省淮陰市泗陽縣屠園鄉周莊打鼓墩，今江蘇省宿遷市泗陽縣境內。打鼓墩樊氏墓

隻頭上有一角的羊，以角抵住一面容緊張、眼神刁惡且游移之人，此人可能是傳說中獬豸辨識出的不正直之人；另在羊的身後，則有一頭戴高冠，五官端正，神態鎮定自若，面容慈祥之人，以手撫羊的尾部，似為傳說中的「皋陶」。畫像中一角的羊，可能即傳說中的「獬豸」，獬豸上方還刻有兩隻相對鳳鳥。（圖六）研究者認為畫像所表現的即傳說中皋陶帶著「獬豸」判案之事。[22]

圖六　江蘇打鼓墩樊氏墓畫像石‧皋陶治獄圖

　　由於相傳獬豸具有斷是非、別善惡的能力，後來更成了執法公正的化身，故又被稱「任法獸」、「法獸」。如清人厲荃在《事物異名錄》〈獸畜部‧獬豸〉中引《格物論》曰：

是徐淮地區少見的磚石結構墓，根據墓制結構、畫像內容和隨葬器物的特徵，考古研究者初步斷定其屬於魏晉時期的墓葬。參尹增淮：〈江蘇泗陽打鼓墩樊氏畫像石墓〉，《考古》1992年第9期，頁811-830。在墓室的中室門柱、橫額、南北兩壁及前後通道兩側的石壁上共發現五十幅畫像，主要包括：一、墓室中室南北兩壁的畫像石共二十塊，每塊畫像石正面和側面刻有畫像石作品共四十幅；二、墓室中室南北兩壁的橫額共二塊，刻有畫像作品二幅；三、墓室中室前後門柱共二塊，兩門柱正面、背面、左側面、右側面刻有畫像石作品共八幅。其中，有多幅歷史故事畫像，包括「荊軻刺秦王圖」和「蕭史吹簫圖」等畫像。孫玉軍、張春宇：〈江蘇打鼓墩樊氏墓畫像石歷史故事畫藝術特色淺析〉，《天津美術學院學報》2010年3期，頁46-48。

22 孫玉軍、張春宇：〈江蘇打鼓墩樊氏墓畫像石歷史故事畫藝術特色淺析〉，頁47。

> 獬豸性忠直，一名任法獸。[23]

而在隋唐以後的衙門中，更常設有皐陶、獬豸的畫像，以示明辨是非，執法公正，並常被視為「法律」的象徵。後世更有人以「豸」來喻指法律官吏，如據《宋人軼事彙編》所載：

> 唐坰與祖肅、父詢、叔介、兄淑問，稱五豸。[24]

近人也經常引用獬豸的形象來象徵對傳統司法精神的繼承，更有一些與法律相關的機構，將獬豸作為其標誌。[25]

三　從「獬豸冠」到「法冠」

獬豸在中國古代除了被視為「任法獸」外，還因其是「明辨是非，執法公正」的象徵，而成了古代御史等執法官吏所戴的帽冠。如梁人庾信的〈正旦上司憲府〉詩中便有「蒼鷹下獄吏，獬豸飾刑官」[26]之語。可知在中國古代，負責監察的御史彈劾官員時都要戴上一種形如「獬豸」的法冠，以象徵其具有「震肅百僚」的職責與權力。據前引《神異經》所云：「楚王嘗獲此獸，因象其形，以制衣冠。今御史用法冠，俗曰獬豸冠也。」另在今本《淮南子》〈主術訓〉中也載有：「楚文王好服獬冠，楚國效之。」[27]不過，另有一說以為喜歡獬豸冠的是楚莊王。按《墨子》〈公孟〉載：

---

23 〔清〕厲荃原輯；〔清〕關槐增纂：《事物異名錄》（長沙市：嶽麓書社，1991年），卷37，〈獸畜部‧獬豸〉引《格物論》，頁515。

24 丁傳靖輯：《宋人軼事彙編》（北京市：中華書局，1981年），卷9，〈唐介〉，頁420。

25 如中華民國憲兵軍服右臂即縫有「獬豸」及憲兵字樣臂章，另如中華人民共和國法官的法槌上也有獬豸圖案。

26 逯欽立輯校：《先秦漢魏晉南北朝詩》（北京市：中華書局，1983年），卷2，〈庾信詩一‧正旦上司憲府詩〉，頁2357。

27 劉文典：《淮南子》，頁303。不過，在《太平御覽》卷684引《淮南子》則云：「楚莊王好觟冠，楚效之也。」與《墨子》的說法相同，認為是楚莊王。

> 昔者齊桓公……昔者晉文公……昔者楚莊王鮮冠組纓，絳衣博袍，以
> 治其國，其國治。昔者越王勾踐……。[28]

蓋「鮮」與「觟」古音相通，可通假，故「鮮冠」可能即「觟冠」，即獬豸
冠。先毋論好服獬冠的是楚文王或楚莊王，從《淮南子》和《墨子》的敘述
可知，早在戰國時已有一種叫做「獬豸冠」的冠帽。不過，從以上相關記載
來看，無論是「獬冠」或「觟冠」，應都不具有「法律」的意涵。

　　另從近世的出土文物也可得到證明，一九八七年湖北省荊沙鐵路考古隊
在戰國楚古都紀南城北方的荊門市十里鎮王場村包山崗地發掘了一戰國時期
的楚國墓群，其中，二號墓中發現有一批楚簡，在用於記錄隨葬器物的簡
259遣冊上則書有「一桂冕（冠）、組纓」的文字。「桂」當是「觟」的假借
字，[29]按《說文》云：「觟，牝牂羊生角者也。」[30]故「桂冠」應即獬冠，可
知墓中隨葬有獬豸冠。至於「組纓」，則應是以組帶做的冠纓。據考包山二
號墓的墓主為主管楚國司法的左尹邵䲧，[31]故研究者黃鳳春認為遣冊中的
「桂冕」可能是墓主的生前服著之物。[32]並以為這正可說明獬冠為楚國所獨
有，且與法律有關。[33]然或由於墓葬的年代久遠，未見隨葬的獬冠。

　　除了遣冊外，在墓中還出土了一件放女性梳妝用品的「彩繪出行圖夾紵
胎漆奩」，在漆奩蓋上彩繪有二十六個人物、二輛驂乘、二輛駢車、九隻大
雁、二隻狗、一隻豬，另有襯托場景的五棵大樹。（圖七）[34]陳振裕認為這
組畫是在表現墓主生前車馬出行的場面，主車上中間坐乘者應是墓主邵䲧，

28　〔清〕孫詒讓著；孫以楷點校：《墨子閒詁》，卷12，〈公孟〉，頁414。

29　蓋「桂」與「獬」上古音相同，「桂」上古音為見母支部，「獬」為匣母支部，二者音
　　同。因此，這裡的「一桂冕（冠）」應是指「一獬冠」。參湖北省荊沙鐵路考古隊編：
　　《包山楚簡》（北京市：文物出版社，1991年），頁61。

30　但馬敘倫先生認為許說有誤，「如此訓則觟為羊名矣，羊名安得從角？」

31　王紅星：〈序言〉，湖北荊沙鐵路考古隊：《包山楚簡》（北京市：文物出版社，1991
　　年），頁1。

32　黃鳳春、黃婧：《楚器名物研究》（漢口市：湖北教育出版社，2012年），頁14。

33　黃鳳春、黃婧：《楚器名物研究》，頁14。

34　湖北省荊沙鐵路考古隊：《包山楚墓》，頁144。

而他所戴的冠當為楚國的獬冠。[35]另經彭浩、黃鳳春、劉玉堂等多位學者的考察,也認為漆奩上所繪的多個人物戴的就是獬冠。(圖八,①、③、⑥、⑦、⑧、⑨)[36]不過,韓織陽卻發現:漆畫中戴所謂「獬豸冠」的人物數量不少,包括御者、隨從等,雖然,這些人的身份最起碼也是低級貴族,但漆畫所描繪的是王孫迎親的場面,實與「司法」無關。因此,漆畫中人物所戴的冠如是後世所謂的「獬冠」。那麼在戰國時期,獬冠可能只是一種楚地流行的冠帽,未必與「司法」有關。[37]

圖七　包山楚墓出土漆奩上的圖案

35 陳振裕:〈楚國車馬出行圖初論〉,《江漢考古》1989年第4期,頁55。

36 彭浩:《楚人的紡織與服飾》(漢口市:湖北教育出版社,1996年),頁171;黃鳳春、黃婧:《楚器名物研究》,頁12。

37 韓織陽:〈獬豸冠小考〉,《珈珞史苑》2016年卷(2017年4月),頁65。

圖八　包山楚墓出土漆奩上的人物

　　過去，相關的研究者之所以會認為楚國的獬冠與法律有關，可能與《後漢書》〈輿服志下・法冠〉中的這段記載有關：

　　　　法冠，一曰柱後。高五寸，以纚為展筩，鐵柱卷，執法者服之，侍御史、廷尉正監平也。或謂之獬豸冠。獬豸神羊，能別曲直，楚王嘗獲之，故以為冠。胡廣說曰：「《春秋左氏傳》有南冠而縶者，則楚冠也。秦滅楚，以其君服賜執法近臣御史服之。」[38]

從這段記載可知，最初因楚王好服獬豸冠，後漸流行，成為楚人常穿戴的冠帽，因而又被稱為「楚冠」。按文中胡廣所引《春秋左氏傳》之言，則可見

<hr />

38　〔劉宋〕范曄撰；〔唐〕李賢等注；（晉）司馬彪補志：《後漢書》，收入楊家駱主編：《中國學術類編》（臺北市：鼎文書局，1981年），卷30，〈輿服下・法冠〉，頁3667。

於《左傳》〈成公九年〉：

> 晉侯觀於軍府，見鍾儀，問之曰：「南冠而縶者，誰也？」有司對
> 曰：「鄭人所獻楚囚也。」使稅之，召而吊之。再拜稽首。問其族，
> 對曰：「泠人也……。」[39]

鍾儀乃楚國著名的樂師，楚、鄭交戰時被鄭國俘虜，後被獻給了晉國。從晉
侯見到鍾儀會問「南冠而縶者，誰也？」可知當時楚國人戴的帽冠，應與中
原地區的冠式有明顯差異，故晉侯一望便知是「南冠」。且這種原流行於楚
國的獬冠，到了戰國後期，可能已流行於當時的整個南方地區，故又稱「南
冠」。除了楚人以外，陳國人可能也戴此冠，按《國語》〈周語〉載：

> 定王使單襄公聘於宋，遂假道於陳以聘於楚……及陳，陳靈公與孔
> 寧、儀行父南冠如夏氏，留賓不見。單子歸告王曰：「陳侯不有大
> 咎，國必亡。」王曰：「何故？」對曰：「……今陳侯不念胤續之常，
> 棄其伉儷妃嬪，而帥其卿佐以淫於夏氏，不亦瀆姓矣乎？……陳，我
> 大姬之後也，棄袞冕而南冠以出，不亦簡彝乎？」[40]

單襄公受周定王委派，前去宋國、楚國等國聘問，路過陳國，陳靈公不但未
迎接，還戴著當時南方流行的「楚冠」去夏姬家，未接見使者。故單襄公認
為陳靈公不但失禮且失德，可能會招來災禍。而單襄公的預言很快就實現了，
兩年後，陳靈公果然因在談笑中侮辱了夏姬的兒子夏征舒，被夏征舒射死。

殆自東漢起，獬豸冠又成了御史、廷尉等監察、執法者所戴之冠，如東
漢高誘在注《淮南子》時即云：「獬冠如今御史冠。」[41]然為何這種原流行
於楚國的「楚冠」、「南冠」，後來又成了御史、廷尉等監察、執法者所戴的
「法冠」呢？從以上《後漢書‧輿服志下‧法冠》所引東漢經學大師胡廣所

---

39 楊伯峻編著：《春秋左傳注》（北京市：中華書局，1990年），頁844。

40 徐元誥撰、王樹民等點校：《國語集解》（上海市：中華書局，2002年），頁61-68。

41 〔漢〕劉安著；〔漢〕高誘注：《淮南鴻烈解》，收入〔清〕王謨輯：《漢魏叢書》（紅杏
山房刊本），卷9，〈主術訓〉，頁21-2。

言「秦滅楚，以其君服賜執法近臣御史服之」一語可知：原為「楚冠」的獬豸冠，後因秦滅楚，秦王以楚君之服賜執法近臣御史，獬冠才成為「法冠」。相關說法亦見於蔡邕的《獨斷》：

> 法冠：楚冠也，一曰柱後惠文冠，高五寸，以纚裹鐵柱卷，秦制執法服之，今御史廷尉監平服之，謂之獬豸。……太傅胡公說曰：《左氏傳》有南冠而縶者，《國語》曰南冠以如夏姬，是知南冠蓋楚之冠，秦滅楚，以其君冠賜御史。[42]

這也是我們目前能看到的最早關於「法冠」的總結性描述，《後漢書》〈輿服志・法冠〉中的記載應是沿襲其說，[43]只是引用胡廣之言的表述卻略有不同而已。另在應劭《漢官儀》也有類似的說法：

> 侍御史，周官也。為柱下史，冠法冠一名曰「柱後」，以鐵為之，言其審固不撓也。或說古有獬豸獸，主觸邪佞，故執憲者以其角形為冠耳。余覽《秦事》云：「始皇滅楚，以其君冠賜御史。」漢興襲秦，因而不改。[44]

而從這段記載亦可發現：這種源自於楚冠的法冠，到了漢代，又因外形似侍中、中常侍所戴的「柱後惠文冠」，而產生了混淆。按所謂「柱後」，乃御史的別稱。據《通典・職官六》：「侍御史，於周為柱下史，老聃嘗為之……一

---

42 〔東漢〕蔡邕：《獨斷》，收入《百川學海・己集》（民國十六年武進陶氏覆宋咸淳左圭原刻本），頁11-1。

43 據唐人劉知幾及今人吳樹平的考證，「輿服志」這種題材最早為東漢蔡邕組織編訂《東觀漢記》時首創，惟《東觀漢記・車服志》亡佚非常嚴重，今已不可見，所幸蔡邕後續之作《獨斷》中也有關於「輿服」的內容，應是沿襲了《東觀漢記》的相關記載。而《後漢書・輿服志下》同處引用胡廣言的表述卻略有不同。

44 〔宋〕李昉等奉敕編：《太平御覽》，卷227，〈職官部・侍御史〉引應劭《漢官儀》，頁1205-1。

名柱後史，謂〔冠〕以鐵為柱，言其審固不橈
也。」[45] 至於「惠文冠」，相傳為戰國時趙惠文
王所創制的「武冠」，漢謂之「武弁」，又名
「大冠」，諸武官冠之。[46] 而侍中、常侍之冠多
加黃金璫，附蟬為文，貂尾為飾。侍中插左
貂，常侍插右貂，因又稱「貂璫」、「貂蟬」。
據王先謙《集解》云：「趙惠文王，武靈王子
也。其初制必甚麤簡，金玉之飾，當即惠文後
來所增，故冠因之而名。」及至漢代，則成為
「治獄法冠」。[47]

圖九　《三禮圖》中的法冠

　　到了東漢時，或因學者已不知當時的「法
冠」實源於「柱後惠文冠」，而認為其既稱
「獬豸冠」，就應是獨角帽。如前引楊孚在其
《神異經》中便提出了這樣的質疑：「楚執法者所服也。今冠兩角，非象
也。」此外，東漢蔡邕也疑惑獬豸冠為何不是獨角：

　　　今御史、廷尉、監平服之，謂之獬豸冠。獬豸，獸名，蓋一角，今冠
　　　兩角，以獬豸為名，非也。[48]

45　〔唐〕杜佑著；王文錦等點校：《通典》（北京市：中華書局，1988年），卷24，〈職官
　　六・御史臺・侍御史〉，頁668。

46　「惠文冠」，相傳戰國時趙惠文王所制，故名。據王先謙《集解》云：「趙惠文王，武
　　靈王子也。其初制必甚麤簡，金玉之飾，當即惠文後來所增，故冠因之而名。」《隋
　　書・禮儀志六》：「武冠，一名武弁，一名大冠，一名繁冠，一名建冠，今人名曰籠
　　冠，即古惠文冠也。」王國維認為此冠在惠文王父武靈王效胡服時已有，參見王國維
　　《觀堂集林》〈胡服考〉。

47　如在《漢書》〈昌邑王劉賀傳〉載：「王年二十六七，為人青黑色，小目……衣短衣大
　　褲，冠惠文冠。」顏師古注云：「蘇林曰：『治獄法冠也。』孟康曰：『今侍中所著
　　也。』服虔曰：『武冠也，或曰趙惠文王所服，故曰惠文。』晉灼曰：『柱後惠文，法
　　冠也。』但言惠文，侍中冠。孟說是也。」可知「惠文冠」原是一種武冠。

48　（東漢）蔡邕、〔清〕盧文弨校訂：《獨斷》，收入《叢書集成初編》（上海市：商務印
　　書館，1939年），頁28。

直到南朝蕭梁時，為《後漢書》〈輿服志〉作注的劉昭仍感不解，認為：

或謂獬豸迺非定名，在兩角未足斷正，安不存其豎飾，令兩為冠乎？[49]

可知東漢時的「法冠」並不是獨角帽，而是帽上橫插一支細鐵棍，左右各露出一角。及至宋代聶崇義《三禮圖》中所繪「法冠」，（圖十二）[50]應亦是所謂的「柱後惠文冠」。

　　在過去，關於漢代服飾的資料，多僅能依賴如《後漢書》、《續漢書》中的〈輿服志〉，及如《兩漢會要》等專記典章制度的官修史志；或如宋明以後學者所著之《三禮圖》、《三才圖繪》等器象考釋的圖典；甚至如《說文解字》、《釋名》、《急就篇》這類訓詁、童蒙識字之書來進行考察。然而，傳世文獻對歷代冠服的敘述多語焉不詳，並缺乏具體形象的描述，而宋明以後學者所編撰之器象考釋圖典，或因古今名實的差異，而多有誤解。自上世紀中以來，在漢代墓葬中發現了大批帛畫、壁畫、畫像石、畫像磚，甚至明器及陶俑等圖像材料，這些漢代的圖像材料不僅生動地再現了漢代社會生產、生活的各方面，更提供了與歷史文獻相平行，且更為直觀、豐富的實物線索。尤其，在這些畫像材料中，經常可見有許多刻繪了各種戴笠、帽、冠、巾幘、爵弁……的形象，這些畫像材料除了可以幫助我們了解並掌握漢代各類服飾的實際形狀，更是考察穿戴方式的重要參考資料。其中，如在河南洛陽的畫像磚中即可看到一種前面有角的冠帽，（圖十）[51]疑即當時的獬豸冠；另在敦煌莫高窟285窟南壁西魏壁畫也有一疑似戴獬豸冠者。（圖十一）

49　〔劉宋〕范曄撰；〔唐〕李賢等注；（晉）司馬彪補志：《後漢書》，卷30，〈輿服下·法冠〉，頁3667。
50　鄭振鐸編：《新訂三禮圖》（上海市：上海古籍出版社，1988年），頁50。
51　徐州博物館：〈江蘇省銅山縣李屯西漢墓清理簡報〉，《考古》1995年第3期，頁220-225。

圖十　洛陽出土空心磚模印　　　　圖十一　莫高窟285窟南壁壁畫

可見，大概在隋唐時期以前，可能有一種「有角」的獬豸冠。後來則略作改良，據唐・魏徵《隋書》〈禮儀志〉亦載有：

> 法冠，一名獬豸冠，鐵為柱，其上施珠兩枚，為獬豸角形。法官服之。[52]

可知宋代的獬豸冠，則會在梁上設獬豸角狀物。《宋史》〈輿服志〉中則說：「御史則冠獬豸。」「其梁上刻木為獬豸角，碧粉塗之，梁數從本品。」[53]如日本京都法然寺所藏〈十王圖〉中的「三七宋帝大王」，頭上所戴冠頂上便有施珠兩枚，應即所謂的「獬豸冠」。（圖十二）[54]

---

52 〔唐〕魏徵等撰：《隋書》，收入楊家駱主編：《中國學術類編》（臺北市：鼎文書局，1980年），卷12，〈禮儀志・衣冠〉，頁258。

53 〔元〕脫脫等撰：《宋史》，收入楊家駱主編：《中國學術類編》（臺北市：鼎文書局，1980年），卷152，〈輿服志・朝服〉，頁3558。

54 永源寺所藏的〈十王圖〉，共十一幅，因有題款「慶元府車橋石板巷陸信忠筆」，可知為陸信忠的畫坊所繪製。鈴木敬主編：《海外所在中國繪畫目錄 Catalogue of Chinese paintings in foreign collections 》（東京都：東京大學東洋文化研究所附屬東洋學文獻センタ刊行委員會，1977年）。

自明代起，政府官員的補服多
以各種動物圖案區分品階，一般來
說，文官繡禽，以示文明；武官繡
獸，以示威武。御史和按察使等監
察司法官員除了戴獬豸冠，還會在
官服上繡有獬豸的形象。[55]像清代御
史及按察使官服前後的補服皆繡獬
豸圖案。[56]此外。在眾多古代文學作
品中，更常以「獬豸冠」作為執法
者的代稱。[57]

圖十二　永源寺藏十王圖・三七宋帝大王

---

55 據《明會典》記載，洪武二十四年（1391）規定的九品文官、武官的補子圖案：「公、
　侯、駙馬、伯：麒麟、白澤；文官：繡禽，以示文明……武官：繡獸，以示威猛……
　風憲官：獬豸。」〔清〕張廷玉等撰：《明史》（北京市：中華書局，1974年），卷67，
　頁1333。

56 清朝的官袍分為「蟒袍」和「補服」。蟒袍是官員穿的上面繡有蟒形的長袍：一品至三
　品是九蟒五爪；四品至六品是八蟒五爪；七品以下是五蟒四爪。補服是加在蟒袍之外
　的外褂，正中用金線繡成鳥獸的正方圖案。文官為鳥形：一品仙鶴，二品錦雞，三品
　孔雀，四品雪雁，五品白鷴，六品鷺鷥，七品鸂鶒，八品鵪鶉，九品練鵲，未入流黃
　鸝。武官為獸形：一品麒麟，二品狻猊，三品豹，四品虎，五品熊，六、七品彪，八
　品犀牛，九品海馬。按此相對應的品級，主持監察、司法工作的官員御史和按察史等
　一律著獬豸袍。參張榮崢等：《大清律例》（天津市：天津古籍出版社，1995年），頁
　290。邢宇新：〈趣談明清時期的官服「補子」〉，《北京紡織》2002年第3期，頁61。

57 如唐人盧綸〈春日喜雨奉和馬侍中宴白樓〉詩云：「今朝醉舞共鄉老，不覺傾欹獬豸
　冠。」唐代詩人戎昱〈謫官辰州冬至日有懷〉詩云：「去年長至在長安，策杖曾簪獬豸
　冠。」此外，在元人關漢卿的雜劇《玉鏡臺》第一折中亦有：「生前不懼獬豸冠，死來
　圖畫麒麟像。」

四 從守護神獸到首爾市吉祥物

　　從前面的討論可知，經過秦漢時期的加工改造，獬豸在中國古代「法」文化中的地位漸趨穩固。自秦初到清末，獬豸除了一直是法官、監察御史等執法人員的重要標誌外，歷代的衙門亦常設有獬豸畫像或石雕，以象徵「明辨是非」、「執法公正」，同時，並有威懾邪惡之意。

　　一方面或源於獬豸本即為中國神話傳說中的上古奇獸；另方面則因獬豸具「貞」且「直」的特性，大概到東漢以後，獬豸又被賦予了「驅邪避祟」的功能，且經常出現在墓葬中。如在陝西綏德、神木等地發現的漢畫像石上便經常可見到獬豸的形象。其中，如陝西神木大保當墓門的右門扉畫像石上部刻一朱雀，周圍又有五隻小朱雀；畫面最下端則刻一獬豸，銳角突出，脊生雙翼，甩尾狂奔。（圖十三）左門扉畫像石的佈局構圖基本和右門扉一樣，但方向相反，下部也刻有一隻獬豸。威風凜凜的獬豸在這裡不僅具辟除邪魅的作用，更增添了墓室的神秘氣氛。[58]

圖十三　陝西神木大保當1號墓左門扉・獬豸

<hr>

58 韓偉主編、王煒林副主編；陝西省考古研究所編：《陝西神木大保當漢彩繪畫像石》（重慶市：重慶出版社，2000年），圖15。

除畫像外，亦有做
成墓中的明器者，如在
甘肅省博物館中藏有一
隻西漢的木獬豸，造型
特殊，獨角前刺，尖尾
朝天，獨角和直尾呈九
十度，呈奮力前衝的姿

圖十四　甘肅省博物館藏西漢木獬豸

勢，全身則佈滿色彩鮮
艷的彩繪。（圖十四）
另在山東諸城市前涼臺
村孫琮墓中還出土了一
件「銅獬豸」，這隻銅
獬豸作弓首翹尾狀，三
隻腳蹬地，一隻腳向前
伸，作躍躍欲試狀。其
頭頂上有一角，項背部

圖十五　山東諸城市前涼臺村孫琮墓出土銅獬豸

的鬃毛則像三支利角，
銳角前突，刺向不同的方
向，兩側耳朵亦似兩支前刺的長矛。（圖十五）[59]

到了明清時期，皇家的陵墓也將獬豸當作鎮墓獸，以為辟邪之用，如南
京明孝陵、北京明十三陵的鎮墓獬豸。人們相信獬豸可辟邪、震懾邪魅的
侵擾。

此外，在中國古代建築物的屋頂垂脊亦多見以獬豸作裝飾，如在北京故
宮太和殿的殿頂上岔脊前端有一排栩栩如生的琉璃小獸，就包括有獬豸。[60]

59　王恩田：〈諸城涼臺孫琮畫像石墓考〉，《文物》1985年3期。
60　因中國古代建築大都為土木結構，屋脊是由木材上覆蓋瓦片構成的。簷角最前端的瓦

人們認為這些走獸除有消災滅禍、逢凶化吉的作用外，還寓有翦除邪惡、主持公道之意。

神獸「獬豸」除了隨時代的演變，不斷被賦予新的意涵外，後來更隨著漢文化的向外傳播，而出現在朝鮮半島及日本、越南等東亞地區，並在與中國地理相連的朝鮮半島，發展出獨具特色的「獬豸文化」。

自古以來，朝鮮半島與中國之間一直有著密切的交往，文化的交流亦甚多。早在兩漢時期，漢武帝即曾在朝鮮半島上設「漢四郡」，而朝鮮王朝的建立者李成桂，更與明朝關係密切。明成祖時期，曾賜予朝鮮國王稱號，並保持著往來聘使的關係。或因文化交流的關係，中國傳統的「獬豸文化」也隨著漢文化的傳播而影響了朝鮮半島的服制及民俗，如在《朝鮮王朝實錄》〈世宗實錄〉中即載有世宗八年（西元1426）時，朝鮮國王收到明太祖高皇帝所御賜的冠服（관복），皆依《洪武禮制》，「六品七品冠二梁，御史冠，上加獬豸……。」[61]裡面的御史冠亦有獬豸圖樣。另在《朝鮮王朝實錄》〈宣祖實錄〉中亦有：「夫獸有獬豸；草有指佞。」[62]朝鮮半島內的獬豸正義形象與能指出奸直之臣的「指佞草」並舉。

到了李氏朝鮮時期，宮廷與民間亦經常以「獬豸」作為鎮邪和消災的瑞獸，如在古朝鮮首都漢陽（今首爾市）的景福宮光化門前即有一獬豸像（경복궁해태같다）。（圖二）光化門前的獬豸像本來立於距目前位置八十公尺的朝鮮時期「六曹大街」上。按「六曹」指吏曹、禮曹、兵曹、工曹、刑曹、戶曹，是高麗和朝鮮王朝時期的官府衙門所在地。相傳朝鮮人相信獬豸愛「吃火」，故自新羅時代起便被置於皇宮內用以「震火」。一三九二年，朝

片因處於最前沿的位置要承受上端整條垂脊瓦片向下的壓力，如毫無保護措施易被大風吹落。因此，人們用瓦釘來固定住簷角最前端的瓦片，在對釘帽的美化上就採用了各種動物形象，其中的重要一員就是獬豸。還有建築物頂部的小獸也是屋頂的重要裝飾部件。

61 國史編纂委員會編：《朝鮮王朝實錄》（서울特別市：東國文化社，檀紀4288-4291年〔1955-1958〕），卷31，〈世宗實錄·八年二十六日〉，頁21-1。

62 國史編纂委員會編：《朝鮮王朝實錄》，卷20，〈宣祖實錄·十九年十月一日〉，頁11-2。

鮮太祖從開城遷都到漢城（現在的首爾市），於興建景福宮時，因發現附近的冠嶽山有火氣，為保護都城，便將能吞火的獬豸置於光化門兩側，當起守門獸來，以阻擋火災與災難，並服應風水。而這個獬豸像一鎮守就是近六百多年，更成為首爾市的的重要象徵。不過，光化門外的獬豸與中國傳統的獬豸在形象上仍有些差異。光化門外的獬豸頭上並沒有明顯突出的「一角」，而是在額上有一捲縮的小角，與明十三陵前的獬豸較為相似。此外，光化門外的獬豸在獸身後方有一對「翅膀」。（圖十六）與中國傳統沒有膀翅的獬豸，還是有些形象上的差別。

除了光化門廣場上有獬豸的石雕像外，為了化解景福宮的火光之災，在景福宮各處都有獬豸的雕像。在首爾市內亦到處可見到獬豸像，如在壽德宮橋及昌慶宮弘化門與明政殿間的玉川橋上，都可見到獬豸的蹤影。而大韓民國的第一家食品公司，更以「獬豸」命名。[63]

圖十六　光化門前的獬豸像

及至二〇〇八年，首爾市為提高首爾的城市競爭力和品牌價值，時任首爾市長的吳世勳於二〇〇八年五月十三日宣佈：在調查了市民的意見，遂從二十七個與首爾相關的歷史、文化和旅遊業相關的符號中，評選出「獬豸」作為象徵首爾的吉祥物。儘管當時南韓社會仍有許多聲音，甚至反對聲浪，[64]首爾市政府仍修訂《首爾特別市象徵物條例》第三條第三項「吉祥物」，將獬豸定為首爾市吉祥物，並於首爾市官網中架設了「獬豸主頁」。[65]

63　參 TheHaitai ConfectioneryandFoods co. Ltd.網頁 http://www.ht.co.kr/eng/introduceT。

64　當時吳世勳市長宣佈以獬豸為首爾市象徵動物時，也曾引起社會、學界一陣質疑，如當時高麗大學韓文學系教授金彥鐘，就曾考察獬豸來源，同時，也有社論認為「獬豸不應該成為首爾市的象徵」，認為首爾市長「指鹿為馬」。

65　參首爾市政府官方網站：https://www.seoul.go.kr/seoul/symbol.do。

據官網所言，獬豸除了能評判善惡並具有正義感外，還能抵抗火災和災難，為首爾市民帶來「夢想和希望」。[66]

其後，首爾市更於二〇〇九年三月二十五日，正式公布以天藍色為底色，並將丹青紅、南山綠、古宮褐等顏色融入到光化門獬豸獸身上，又加入了瓦灰色的首爾南山輪廓標誌，打造出首爾市的 LOGO 以及品牌標誌（BI）（圖十七），且將獬豸的形象卡通化，（圖十八）以樹立更鮮明的城市形象。卡通化的獬豸有著圓潤的臉龐、清晰的眼睛、大鼻子，可愛的牙齒和開朗的笑容，額頭上還有螺旋狀似角的眉毛，以象徵其「能辨是非」，另在獸頸上還繫有著類似「太極」的鈴鐺。在官網上，人們甚至可聽見獬豸的吼聲。此外，首爾市政府還以「HAECHI SEOUL」的名義作為商標、販售各式各樣的週邊商品，還在景福宮、光化門等觀光風景區設置「獬豸廣場」專門店。並製作了一部名為「내친구해치（My Friend Haechi，我的朋友獬豸）」的動畫，還找來了在亞洲以及國際都擁有廣大知名度的國民女團「少女時代」（소녀시대）為這部動畫演唱主題曲，大力宣傳首爾市的吉祥物—獬豸。中國古代傳說中能「觸不直者」的奇獸，到了二十一世紀的首爾市，竟成了帶來「夢想和希望」的吉祥物。

圖十七　HAECHI SEOUL LOGO

圖十八　卡通版 HAECHI SEOUL LOGO

---

66 參首爾市政府官方網站：https://www.seoul.go.kr/seoul/symbol.do。

　　除了韓國外，在日本的許多神社和寺院的入口或本殿前，都會在左右放置兩頭守護獸，其中，張著口的那隻一般是獅子；與獅子相反，閉著口的、頭上大多有角的則是「狛犬」（こまいぬ）。一般認為狛犬來自印度佛教，然由其頭上的「一角」來看，可能也是中國獬豸的變形，加上狛犬在沖繩多稱為「シーサー」（Shisa），其與「獬豸」音相近。日本皇室認為狛犬可能是神的使者或守護神，會保護日本天皇的。日治時期，日人在臺灣各地大量建造神社，也經常以狛犬作為臺灣神社或廟宇的守護神獸。（圖十九）

五　結語

　　通過以上對「獬豸」在歷代演變的梳理，以及由中國傳播到韓國、日本等地後意涵及功能轉化的考察可以發現，本來可能只是原始初民想像出來的上古奇獸「獬豸」，後來成了助獄為驗的「任法獸」。到了漢代以後，更衍生出彰顯司法精神的「獬豸冠」。及至唐宋以後，則成了象徵「司法公正」的神話符號，並成為御史服飾上的「圖案」以及明清官員補服的上識別標誌、憲兵的臂章。不過，其由想像的虛擬生物到冠帽官服上的「圖騰」，在形式上雖然有

圖十九　臺南市忠烈祠的青銅狛犬

極大的變化，然在文化意涵上，卻始終不脫最早「能辨曲直」的公正形象，這或許正能反映古代中國對於「法」之公平和正義的期盼與追求。不過，當此一文化符號傳播到了朝鮮半島，隨著不同民族間文化的挪借，又成了古漢陽城鎮守宮殿或法院，辟除火災與災難的祥瑞之物。到了二十一世紀的首爾市，它更隨著時代的需求與人們的期待不同，以及來自國家和民間的力量所進行的「有意識地」創造，又被塑造成能帶來「愛和希望」的吉祥物。首爾

市政府透過各種卡通化的形象塑造、功能的現代化和情感性的訴求，使得華夏民族的上古奇獸漸漸走進了首爾市民的世俗生活中，並成為一種標誌，充分地展現了傳統文化的「創新性」。

日本童謠詩人北原白秋的臺灣印象

吳翠華

元智大學應用外語系副教授

提要

　　日本大正時期以鈴木三重吉創辦兒童雜誌《赤鳥》（赤い鳥）為契機，揭開了以童心主義為主要精神，以童話、童謠為二大主軸的兒童文學運動的序幕，奠定了日本兒童文學的發展基礎。內掀起風潮，也對殖民地臺灣產生影響。北原白秋、野口雨情、西條八十日治時期日本政府為利用兒童歌謠推動「國語普及」政策，而曾派遣日本童謠運動三大旗手之一的北原白秋至臺灣巡島演講，推廣日本童謠的創作，並為臺灣兒童創作進行曲，以培育臺灣兒童的「愛國」心。北原白秋滯臺四十天，除了創作臺灣總督府交付的任務之外，也創作了數首以臺灣風物為主題的童謠，並將在臺灣見聞寫成《華麗島風物誌》。

　　《華麗島風物誌》記載了北原白秋初訪臺時受到的文化衝擊，此文化衝擊主要來自於北原白秋對於臺灣的「認識不足」，亦即真實的臺灣與其想像中臺灣的落差，本文透過《華麗島風物誌》北原白秋對於日治時期臺灣的國語普及政策的看法，以及日本統治下臺灣的社會的觀察及其印象，以了解日本統治下的臺灣的真實民間情況，以及總督府所推動的國語普及政策的問題。

關鍵詞：北原白秋　華麗島風物誌　童謠運動　日治時期

一 前言

　　日治時期書寫臺灣的「內地人」[1]作家，除了佐藤春夫、林芙美子、木村地平、坂口澪子、真杉靜枝等著名作家之外，日本童謠運動三大旗手的北原白秋、野口雨情也曾造訪臺灣，並以臺灣風物為題材創作童謠。與其他作家以個人身份訪臺不同，北原白秋是應臺灣總督府之邀來臺，肩負協助日本政府以兒童歌謠推動「國語普及」的政策，並為臺灣兒童創作進行曲，以培育臺灣兒童「愛國」心的任務而來。北原白秋滯臺四十天，除了完成臺灣總督府委託的「台灣青年歌」、「台灣少年歌」各一首，以及一首不帶情色的臺灣民謠之外，也創作了數首以臺灣風物為主題的童謠，並將在臺灣見聞寫成〈華麗島風誌〉連載於雜誌《改造》，但只寫了二回便中斷。[2]之後，北原白秋來臺結識並深交的臺北帝國大學教授矢野峰人，集結白秋所寫的紀行、詩篇，並附上其所記白秋訪臺情形的〈在台灣的北原白秋氏〉及〈後記〉成《華麗島風物誌》一書出版。

　　北原白秋在日本童謠發展史上佔有重要地位，不論是其創作的童謠、提倡的童心主義或童謠理論均具很大影響力，因此，白秋的初訪臺可說是內地人藝文界的一大盛事。又，北原白秋是一個觀察敏銳的詩人，他應臺灣總督府的招聘來臺，訪臺四十天遍歷臺灣各處演講，與政界、藝文界、教育界有密切的交流。雖然《華麗島風物誌》很可惜只寫了〈第一印象〉、〈城隍祭〉、〈台北白日素描〉、〈台北夜晴〉、〈關於台灣的旅行〉（台湾の旅行について）便中斷，但這些篇章記錄了他在文化衝擊中對臺北的印象，以及對於當時的國語教育問題的觀察，是了解日治時期殖民者——內地人和被殖民者——本島人並容在臺北的生活情形，以及日本在臺灣推動的國語普及政策的情形及問題的重要資料。

1　日治時期臺灣、朝鮮等殖民地稱日本為「內地」，日本人為「內地人」，臺灣人為「本島人」。

2　據藪田義雄〈台湾旅行と『華麗島風物誌』〉，《評伝北原白秋》（東京：玉山大學出版部，1978年），頁312。

目前有關《華麗島風物誌》的研究多著眼於北原白秋以統治者視點所呈現的臺灣觀，如邱若山（2002）、范淑文（2018）是佐藤春夫與北原白秋的比較研究，前者由臺灣旅遊論述佐藤春夫與北原白秋兩者間之關係及影響；後者透過佐藤春夫的《女誡扇綺譚》與北原白秋《台灣紀行》的比較，探討作品中的臺灣形象、作品中蘊含的臺灣情懷。增田周子（2008）概述西條八十、野口雨晴及北原白秋等提倡新民謠運動的作詞作曲家的創作情形，並對當時引起爭議的「臺北音頭」「臺灣音頭」的抄襲問題作考證。菅原克也（2009）以《華麗島風物誌》為研究主題，探討了北原白秋的臺灣觀；陳萱（2011）以北原白秋為徵用作家的視點分析《華麗島風物誌》北原白秋對於殖民地臺灣的情感。

北原白秋的來臺的確是被「徵用」，《華麗島風物誌》中也確實可以看到北原白秋以殖民統治者角度看殖民地的臺灣與他的想象不同而產生衝擊，但這衝擊也代表著在日本殖民的臺北存在著相當的「臺灣性」，或可說是臺灣與日本共生於臺北。如前所述，北原白秋是日本童謠運動的中堅，對童謠創作、童心主義推廣不移餘力，其來臺被賦予的主要任務為童謠創作巡臺演講，以及創作與臺灣有關的進行曲讓臺灣的孩童傳唱。北原白秋是停留在臺灣時間較長的內地作家，對於臺灣有較長的觀察。有關於北原白秋於臺灣的行腳，游珮芸（2007）有詳細的考查與精闢的論述；拙著（2008）也對其訪臺對臺灣的影響作研究。本論文擬參考以上先行研究，並以矢野峰人所編輯《華麗島風物誌》為主要研究資料，探討童謠作家北原白秋對於殖民時期總督府的國語普及政策的看法以及其臺灣印象。

二 北原白秋的訪臺及其對臺灣國語普及情況的觀察

（一）北原白秋對臺灣以童謠推動國語普及政策的看法

北原白秋（1885-1942）是日本近代童謠的開拓者，也是日本童謠運動

的中心人物。昭和九年（1934）其同鄉臺灣總督府文教局長安武直夫[3]，為達「以歌謠達成內臺融合及國語（日語）普及的精神」的目的而邀請北原白秋來臺。據〈台灣旅行和《華麗島風物誌》〉[4]記載：

> 對於已經旅遊過樺太、北海道，並去過滿蒙各地旅行的白秋而言，滿足他對南方嚮往的台灣全島一周的好機會來臨。應台灣總督府文教局及台灣教育會的聘請，受委託的工作是作台灣青年歌及台灣少年歌各一首、不具情愛色彩的新台灣民謠一首，以及巡迴全島各地作有關童謠及兒童自由詩的演講。因為文教局長安武直夫是同鄉（福岡縣出身），和他的弟弟鐵雄（Arusu 社長）也是好朋友，所以白秋二話不說就答應了。

北原白秋來臺灣被賦予三項任務：

1. 創作「台灣青年歌」及「台灣少年歌」各一篇
2. 沒有情愛色彩的臺灣民謠一篇
3. 環島作有關童謠及兒童自由詩的演講

對於安武直夫的要求北原白秋欣然允諾，而於昭和九年六月二十八日從東京車站出發，隔天從神戶港搭上蓬萊丸，經過四天三夜的航行，七月二日由基隆港上陸，開始為期四十天的臺灣之旅。[5]

北原白秋雖然接受臺灣總督府的邀聘，為創作國語普及政策宣傳歌而來臺灣，但心中仍有一些疑問。在他抵臺的當晚，即與文教局長安武直夫及社會課長王野代治郎在局長官舍針對國語普及政策作討論。北原白秋首先傳達其弟鐵雄認為安武直夫的國語普及政策過於高壓統治的看法：

> 民族不同，雖說是殖民政策，要台灣人及生蕃在學校之外，在家也要

3　一九三二年三月來臺，八月提出國語普及十年計劃，九月推動皇民化運動，一九三五年四月離臺。

4　藪田義雄〈台灣旅行と『華麗島風物誌』〉，《評伝北原白秋》，頁 311。

5　原預計訪臺三十天但因遇到颱風而延期。其臺灣之旅詳見游珮芸《日治時期臺灣的兒童文化》（臺北市：玉山社出版公司，2007 年），頁 82-83。

說日語太嚴苛了，這是好的統治嗎？[6]

對此意見，安武直夫及王野代治郎認為是鐵雄「認識不足」，他們在殖民地統治時認識到：

> 在談愛、談理解時，遇到因語言不通而引起的隔閡，是毫無解決辦法的。可怕的錯誤、曲解與紛擾，都是由此而起，而變得進退兩難。而且即就從統治政策來看，就無窮的皇統、國體的尊嚴、國相的完善，乃至於皇道與天業的民族真精神，都應該先從國語開始教化。二為使了解近代日本的金剛力、威信、耀眼的產業，也應以誠心的思想及情感的疏通為首要。[7]

語言不通不但會造成內地人與本島人之間的隔閡、誤解與紛擾，而且無法使本島人了解日本的精神及國力，因此強力的國語普及政策對於臺灣、對於國家都是必須的。安武和王野的說法輕易地說服了北原白秋，尤其在走訪過臺灣後，發現國語的普及情形與他的預期落差過大，更加認為國語普及是有必要的。首先，對於臺灣人對「國語」的態度，白秋的想法是：

> 日本統治下的本島民眾，對我們的國語的無知、不遜，以及教化僅在少數的公學校子弟中施行，這點讓人很難接受。[8]

他認為不是英國殖民地的日本國民，都從小開始學英文、說英文，而作為殖民地的臺灣，「國語」的使用卻不到日本學習英文人數的一半，臺灣人對於「國語」的無知與不敬，讓他很難接受。除了臺灣人對國語的態度問題之外，北原白秋也很驚訝臺灣除了公學校的學生以及上流的知識份子以外，普遍知識程度低下。他認為要提高本島人的知識水準，必須讓本島人視國語為自身的語言，從日常生活上感到使用國語的重要，這才能夠提高本島人的讀

6　《華麗島風物誌》，頁332。
7　《華麗島風物誌》，頁62。
8　《華麗島風物誌》，頁63。

書能力及好學心。[9]但實際推行上卻有所困難：

> 甚至連誘導、薰習教化幼少年的公學校，都不是義務教育，更何況在
> 山地，這種情形我當時並不知道。……以此，透過其子弟而普及於其
> 家庭的本意，我現也有同感。不，我甚至認為這是最好的方法。[10]

　　除了本島人的問題之外，白秋認為政策推動者也有問題。北原白秋抵臺
當晚，臺灣總督文教局相關人員設宴大稻埕的臺灣料理餐廳江山樓為白秋洗
塵，席間請來二名藝妲作陪，其中一人名為梨花國語流暢，另一人玉蘭音調
有些不準但仍能通。二名藝妲據社會課的王野課長的介紹，都是內地公學校
優秀的學生，但出口一連串「よういわんわ」（真受不了）、「どうかと思う
ね」（是這樣嗎）、「失礼しちゃうわ」（真不好意思）[11]不合時宜的流行用語，
文教局人員也依然應答，北原白秋認為這是和普及「正確國語」教育的精神
相矛盾。[12]

　　北原白秋清楚認識到透過學校教育推動國語教育的困難，以及日本內地
童謠、兒童自由詩雖發展至極盛時期，但漸失去純真性，多為鄙俗之作，淪
為兒童漫畫式流行歌曲。北原白秋作品雖普及於全國小學，但因指導者詮釋
或過於浮誇，或一知半解誤解其精神，而使自由詩的「自由」形式流於放
恣。北原白秋認為臺灣仍是創作童謠的未被開墾的處女地，希望像趕水牛般
由臺灣將新童謠的精神重新傳回日本。[13]因此而認同文教局透過兒童歌謠來
對兒童施予國語教育，並以此影響其家人，而達到國語普及的作法。

9　《華麗島風物誌》，頁63。
10　《華麗島風物誌》，頁63。
11　「よういわんわ」京都腔的口語用法，三個用詞都是普通體，一般正式場合不
　　會使用，也不用於下對上。
12　《華麗島風物誌》，頁87。
13　《華麗島風物誌》，頁82。

（二）國語宣傳歌的問題

北原白秋拜訪局長官邸的當晚，在談到殖民地高壓式的國語政策時，為提供北原白秋創作的參考，安武直夫播放了三首臺灣教育會教育部所徵選入選的三首國語普及歌。第一首：

一、もしもあなたが往來で	如果你在路上
たれかにものをたづねられ	有人問你事情
國語のわからぬそのために	卻因為不會國語
答へ出來ぬとしたならば	回答不出來
どんなに恥ずかしいことでせう	是多麼丟臉的事呀

二、もしもあなたが街に出て	如果你到街上
たれかに買ひたく思つても	想買些東西
國語のわからぬそのために	卻因為不會國語
買ひたい品を買へぬなら	買不到想買的東西
どんなに困ることでせう	是多麼傷惱筋的事呀

三、めらくに杖がいるやうに	就像瞎子要有拐杖
人にも言葉が大切よ	語言對人很重要喲
同じ日本の民なれば	既然同樣是日本的國民
ともに國語ではなしあひ	就一起用國語交談
こころたのしくくらしませう	心情愉快地生活吧

第二首：

一、國語オボエテ	如果學會國語
「オハヤウ」イヘバ	說聲「早安」
クライココロモアカルクナツテ	鬱悶的心情也會變開朗
ケフノ一日がタノシククレル	讓我們一天都很愉快

二、國語オボエテ　　　　　　　如果學會國語
　　「サヨナラ」イヘバ　　　　　說聲「再見」
　　ヒルノツカレモサラリトワスレ　白天的疲勞也會忘光光
　　タノシイ明日のユメミテネムル　可以夢想快樂的明天入睡

第三首

二、立派な國に生まれたに　　　出生在偉大的國家
　　國の言葉を知らぬのは　　　卻不會國家的語言
　　この上もない恥だから　　　沒有比這個更可恥的
　　一生懸命習ひせう　　　　　努力學習吧

三、覺えた國語歸つたら　　　　學會的國語回到家後
　　親兄弟にも教へませう　　　也教父母兄弟吧
　　朝晚かはす挨拶も　　　　　早晚打招呼時
　　みんな國語でいたしませう　大家也用國語吧

四、國語はなせば臺灣の　　　　如果會說國語的話就可以和
　　人は誰でもお話が　　　　　所有的臺灣人說話
　　出來て親しく暮せます　　　相親相愛地生活

這三首很明顯的是以兒童為對象的國語普及宣傳歌，北原白秋對於這些國語普及歌曲的內容有很多的意見。第一首的歌詞以不會國語的丟臉及不方便，來突顯國語的重要，再以此要大家一起學習國語；第三首除了強調不會國語是可恥的事之外，還教導孩童在家、在生活上推廣國語的方法，以及國語普及能使得內臺融和、生活融洽的好處。對於這樣宣傳歌，北原白秋批評道：

即使說是宣傳歌，這種缺乏詩趣的功利性強迫式概念，一直都是枯燥無味，和以往的小學唱歌同是禍害。（中略）只是在宣傳理義，完全沒有唱到發自至純的童心的表現。因此，情感無法被帶動而高漲。[14]

14　《華麗島風物誌》，頁 67。

他認為這樣的宣傳歌缺乏詩趣、枯燥無味，只重理義教說，而不是從童心出發，無法感動人心，和小學唱歌一樣，都是一種災難。接著他再深入談到這些宣傳歌的問題在：

> 臺灣的當地風俗、自然，特別是漢民族及蕃人的兒童的特質、日常生活的一面，都沒有勾畫、沒有被歌詠。[15]

白秋認為，要把臺灣的風俗、自然、兒童的特質、生活等，如編織、串珠般交織、串連其中，才是詩，才是童謠，才是童曲，才能自然呈現出國語的魅力。

對於第二首，北原白秋認為雖然比第一、三首單純，而「早安」、「再見」等用詞也比較適合兒童，但歌詞中的「鬱悶的心情也會變開朗」、「白天的疲勞也會忘光光」，在情感上表現的完全不是幼兒的，而是大人的情感。白秋認為：

> 國語的美，有必要更本質地、韻律地、感覺地，從童心、他們的風俗習慣、季節、環境和生活，錚錚奏響。自然而然地將音聲傳達給他們，使他們自然而然地歌唱。我們不是應該給這樣的詩、童謠、歌曲嗎？[16]

應該為臺灣的兒童、民眾創作具有日語優美音韻，從童心、臺灣人的風俗習慣、熟悉的自然環境取材，創作自然打動人心的作品。

由上述，可以歸納出北原白秋認為宣傳歌的問題主要在：

1. 缺乏童心：內容過於說教而無趣，同時沒有關照到兒童的情感、心情、生活，也沒有表現出兒童純真的情感，因此無法打動兒童的心。
2. 忽略臺灣風土：沒有關注到臺灣社會、風土、生活、自然環境，不具本土性而無法取得臺灣人的共鳴。

15　《華麗島風物誌》，頁 67。
16　《華麗島風物誌》，頁 68。

為了創作臺灣民謠，文教局長曾命人至街頭搜購北原白秋的唱片，但只有找到北原白秋作詞、山田耕筰作曲的〈松島音頭〉。〈松島音頭〉雖是最早的「日本近代」音頭，但屬於聲樂的藝術歌謠，而非流行音頭，當時在臺灣全島流行的是配合日本舞蹈的〈東京音頭〉及〈櫻音頭〉，特別是在臺北，北原白秋看到臺灣人不拘曲調、不在意歌詞的隨著音頭樂曲熱鬧跳著舞，而認為臺灣有臺灣的民謠，要跳的話應該跳臺灣音頭才合情理。因此，對於詩歌北原白秋是非常重視符合當地風土，這也是他的童心主義的重要精神。

忽略臺灣本島風土，而使得歌謠難以被接受傳唱，無法達到教育的功效這點，也是唱歌教育者發現的問題。明治二八年（1895）五月，日本唱歌的推手伊澤修二以學務部長的身分來臺，他為了施行國語教育而將日本的唱歌教育引入臺灣，隔年即將唱歌列入國語學校付屬學校（小學校）的修習課程。二年後（1898）各地設立公學校，唱歌成為必修課程，初期所使用的唱歌教材，幾乎與內地相同。對於以內地的唱歌教材教育本島的學童，多名臺灣總督府國語學校第一附屬學校的教員表示不合適。如加藤忠太郎（1904-1908在職）即指出唱歌歌詞不適合之處：

1. 兒童很難想像：如「雁」和「烏鴉」在臺灣不是平常看得到的，而〈過年〉（お正月）的歌詞中的「過年打毽球拍球」的情景，對於本島人的兒童而言很難想像。

2. 不適合兒童的程度：即使用〈廣瀨中佐〉、〈勇敢的水兵〉、〈勸學之歌〉、〈大國民唱歌〉等歌來教導本島人的學童，也會不能理解其意義，而無法達到歌詞的目的。[17]

因此，多位教員在《台灣教育雜誌》中建議應為本島學童改作適合他們的唱歌。直至大正四年（1915）三月臺灣總督府才為公學校出版第一本唱歌教科書《公學校唱歌集》（一冊46曲），一直到十九年後（1934）在臺灣教育會的推動下，才再編輯出版《公學校唱歌》（六冊）。在此期間，民間教育團體、

---

17 參見劉麟玉《植民地下の台湾における学校唱歌教育の成立と展開》（東京：雄山閣，2005 年），頁 96。

研究會，有鑑於臺灣唱歌教材的缺乏，而陸續出版了以臺灣本島兒童為對象，適合本島兒童的唱歌集。[18]

　　唱歌、童謠被認為是推行國語普及教育的有效工具，但不論是唱歌、童謠或宣傳歌，都只是直接地鼓吹說國語的重要，沒有考慮到兒童的心理，以及本島兒童的生活、情感。也許因為用詞簡單，音律諧調，兒童會願意歌唱，但這樣的歌曲很難影響家中大人，發揮國語普及教育的目的。文教局要求北原白秋為在臺灣作童謠、兒童自由詩創作巡迴演講的目的，應該就是希望透過北原白秋的演講，能夠給學校、兒童文化界童謠創作的指導及鼓勵，使更多內地人投入童謠創作，並創作出受本島人歡迎的童謠，取代兒童所歌唱的本島童謠，加速國語的普及化。

　　北原白秋基於：（1）國語普及可消彌隔閡及發揚國威；（2）本島人對國語的無知與不遜；（3）本島人知識水準低下，而學校教育不普及，而認為利用童謠進行國語普及教育，以達到內臺融合是最好的方式。其實這是違反北原白秋的童心主張的，他曾在〈童謠私觀〉中說：

> 我將童心作為童心來尊重，同時將童謠的價值視為藝術的價值。創作童謠最重要的應該是發自自己的童心，自然而成的真純的歌謠。在這種情形下，童謠既不是教育的工具，也不該是為了其他的目的而作。[19]

他視純真之心為童心，將童謠的價值視為藝術的價值，他認為童謠是由自己的童心自然成就的純真歌謠，不能作為教育的工具，也不能是為其他的目的。顯然白秋對於殖民地的臺灣，有不同的標準。誠如菅原克也在〈北原白秋的台灣訪問〉中所言，白秋是「站在宗主國殖民者的角度，對作為「國語」的日語抱持絕對的態度」。[20]因此，童謠在殖民地臺灣，並不是為豐富

18　如一條慎三郎編《小学校公学校唱歌教材集》（1923），正榕會編《標準唱歌学習帖》（1927），日本教育唱歌研究會編《新定児童唱歌》（1930）。參見劉麟玉《植民地下の台湾における学校唱歌教育の成立と展開》，頁 117-123。

19　《白秋全集》20（東京：岩波書店，1986 年），頁 45。

20　《臺大日本語文研究》第九期（2009 年），頁 1。

兒童的生活，讓兒童感到快樂而創作，而是殖民教育的一項利器。

三　北原白秋的臺灣印象

北原白秋將其訪臺紀行題名為《華麗島風物誌》，並在〈第一印象〉中強調取名「華麗島」並非只描述此南島的秀麗風光，也在實際觀察民俗及情感的實際狀況後，對於臺灣認識不足的反省。[21]北原白秋的「反省」，也可說是他對臺灣、臺北的真實印象，反映出當時臺灣、臺北的實況。

未曾到訪過臺灣的北原白秋，對臺灣有美好的憧憬，他想像中的臺灣是「朱砂和嫩草的鮮綠、耀眼的白雲、透明如青磁般的天空、比藍天更深的碧藍海水」，是一座常夏的美麗南島。[22]北原白秋出發前在神戶與的記者聚會中在被問到對臺灣的印象時，他開玩笑地說：

> 是一個什麼都長得像蕃薯的島，椰樹葉搖曳。總督巍然聳立，然後台灣人、生蕃亂七八糟，還有瘧疾蚊、傷寒桿菌，這是不可抗力，實際上是在拼命，我老婆和小孩都來和我訣別。[23]

北原白秋想像中的臺灣是一個日本完全統治的美麗而生活落後的島，對此，在場記者都笑他「認識不足」，這點在他抵達臺灣後很快就有深切的「認識」。如前所述，北原白秋訪臺是應臺灣總府招聘，為協助以歌謠推動內臺融合政策而來，他很開心能夠來到嚮往中的臺灣，甚至為此添購了新鞋，一身叢林冒險裝扮來臺。但從他記錄初抵臺灣前幾日的紀行〈城隍祭〉、〈台北白日素描〉、〈台北夜情〉中，可以看到白秋很多想像的破滅，對於臺灣當時民情、風俗不太能忍受，不斷的出現「支那臭」的形容，這除了陳萱（2011）、范淑文（2018）中所指出是站在「統治者」角度之外，應該還有「認識」的問題。

21　《華麗島風物誌》，頁 25。
22　《華麗島風物誌》，頁 25。
23　《華麗島風物誌》，頁 95。

〈關於台灣旅行〉（台湾旅行について）[24]中，北原白秋綜述了他的訪臺行程，除了羅列他在臺灣所看到的景物、風俗之外，特別記下了在四重溪遇到臺風而受困蕃社牡丹灣，放晴後坐著轎子上山，聽蕃童唱他所寫的童謠、欣賞蕃童為他跳舞的感動，文末更表示期待能夠再次訪臺，表現出對於臺灣的好印象。實際上，由上列的三篇紀行除了可以看到白秋記錄的臺灣風俗景象外，也可看到白秋很多的不滿，這些不滿主要來自於他的「認識不足」。

（一）臺灣人的態度

根據矢野峰人〈在台灣的北原白秋〉（台湾に於ける北原白秋）記載，北原白秋抵臺灣後的前二天住在臺北車站前的「鐵道飯店」（鉄道ホテル）[25]，是當時臺灣第一間也是最高級的西洋式飯店，食器、用品都自英國進口。但白秋在進入飯店後，首先覺得鐵道飯店有著華麗的建築，但室內陳設缺乏品味，尤其服務生服務欠佳。白秋多次以來臺搭乘的「蓬萊丸」的船艙服務作比較，並向服務生抱怨要求改進，臺灣人的服務生條理而冷淡的回覆白秋他無法提供如「蓬萊丸」般一對一的服務，讓白秋感到與臺灣人無法相合。

「蓬萊丸」是日治時期航行臺日之間的三大商輪之一，北原白秋在日本相當知名，來臺又是應總督府之邀，在屬於日本的商輪上定受到相當規格的接待，但在總督府經營的第一高級飯店，白秋沒有得到他期待的「日本式」服務讓他感到不滿。

24　《華麗島風物誌》，頁 101-102。

25　之後換到龍口街教育會館別館，最後搬到教育會館草山別館，在臺灣期間除了環島演講之外都是住在草山別館，即使到臺北參加宴會再怎麼晚也會回到草山。（《華麗島風物誌》，頁 15）

（二）臺灣式的祭典

北原白秋在抵臺第二天，文教局人員帶他去「官幣大社台灣神社」參拜，完全日本式的神社、參拜行儀，讓信奉日本古神道的北原白秋不禁感動落淚，成為他「終身的光耀」。相對於此，他對於臺灣式的祭典很無法忍受。北原白秋抵臺的第四天，他跟著文教局長一起去參加大稻埕的城隍祭，對於城隍遊境，北原白秋原本的理解是「就像內地的擡神轎」[26]，眾人擡著莊嚴的神轎繞境。但到了大稻埕後看到的景象是：

> 本島人市街的大稻埕大道極為雜鬧，已經開始的遊境五彩幢幡及旌旗照眼，陽光照耀，滿滿的群眾，不管是街道、亭仔腳都擠滿了人，人潮雜沓。[27]

招待他們的是大稻埕的富商陳天來，好不容易擠到陳天家的亭仔腳，看到亭仔腳上擺著幾張桌子，「桌子上擺滿了啤酒、汽水的杯子，三三五五先到的紳士及帶著小孩的太太靠著椅子談笑、拍手，像在看喜劇。而且，花肖華麗的行列還繞進不是街道的地方，極為吵鬧。」[28]接著「慶珍醬油」等商家的旗子及隊伍一個接著一個，金線繡旗一面比一面豪華，這讓北原白秋覺得不可思議，全都是商家廣告，每個閣臺的樂鼓隊都非常華麗而吵鬧，就像日本的行動廣告人一樣和神明繞境有何相關。尤其是城隍爺陣出現的時候，在范、謝將軍之後跟著一群戴著枷鎖的懺悔隊伍，最讓白秋無法忍受，他認為繞境應該就是跟在神明前後面，以敬畏之心手舞足蹈，而不是像這樣的滑稽廣告行列。北原白秋對臺灣以這種華艷低俗的遊行方式贖罪的風俗很不以然，受不了這樣的國民性，讓他懷疑為什麼來到臺灣。雖然和北原白秋同坐的臺灣人都能講著流利的日語，但歡樂欣賞著繞境的這些臺灣人應該讓北原白秋覺得他們心中並沒有日本。

---

26 《華麗島風物誌》，頁 39。
27 《華麗島風物誌》，頁 40。
28 《華麗島風物誌》，頁 40。

（三）「日本」在臺灣的存在感

北原白秋在感動的神社參拜後，俯瞰臺北盆地及回飯店路上，他發現放眼所看到的豪宅都不是日本人所有，臺北站前只有總督府、三道路一帶感覺是日本，他發現臺灣人比日本人富裕很不合理。

此外，他在接待的人帶他去咖啡店和酒吧時，他發現一半以上的地方不說國語，而且不管是到餐廳或酒吧，都嗑著瓜子，店內播放的是〈東京音頭〉、〈櫻音頭〉等當時的流行音樂及爵士樂，隨著臺灣本島客人一批接著一批入店，開始北管喧騷，胡弓咽泣，麻將牌飛來飛去，他所聽到的全是臺灣話，但唱機仍然不斷地播放著日本音頭、爵士樂，當唱機傳來以「國語」唱著的「大和心八重一重」時，北原白秋提出了臺灣人沒在聽，卻一直播著內地唱片的疑問時，同行的朋友以日本人看美國電影、聽俄國唱片作比喻，讓北原白秋認識到聽日語歌對臺灣人而言只是「流行」，臺灣真正的日常，可以看出日本在臺灣存在感的想像落差讓白秋受到很大的衝擊。

北原白秋的「不滿」也可以說是他對臺灣現況的認識，他懷著到日本的海外國土推廣國語的熱忱來到臺灣，到了臺灣的臺北體驗讓他發現日本在臺灣的存在感很薄弱，臺灣人能說著流利的日語，但心中並沒有日本，臺灣人仍以臺灣人的方式舉行祭典、過著生活，很難馴化。

四　北原白秋創作的臺灣童謠

北原白秋在檢視臺灣國語普及宣傳歌時，提出缺乏「童心」及「臺灣風土」二點。他除了創作總督府所要求的〈台灣少年進行曲〉（台湾少年行進曲）、〈台灣青年之歌〉（台湾青年の歌），以及民謠「林投節」之外，還寫了六首有關臺灣風物的童謠：〈開朗的白頭哥〉（朗らかペタコ）、〈紗帽山〉、〈水牛〉、〈山地門〉（サンテイモン）、〈生蕃之子〉（生蕃の子）、〈孔子廟〉、〈蕃童〉。其中，〈水牛〉是與臺灣約定而作的童謠：

『水牛のをぢさん、
　　　　なにしてる。』
『首だけ出してる、
　　　　つかつてる。』
　　　　　　トコトロリコ、トントロリ。

『水牛のをぢさん
　　　　すずしいの。』
『あついよ、プールも、
うだつてる。』
トコトロリコ、トントロリ。

『水牛のをぢさん、
　　　　なに見てる。』
『とろんと、白鷺
　　　　ながめてる。』
　　　　　　トコトロリコ、トントロリ。

『水牛のをぢさん
　　　　どうしたの。』
『たぷりよ、たぷりよ、
　　　　よういはん。』
　　　　　　トコトロリコ、トントロリ。

『水牛のをぢさん
　　　　ねむたそね。』
『ねむいよ、ねむいよ、
　　　　おねむいよ。』
　　　　　　トコトロリコ、トントロリ。

『水牛伯伯，
　　　　您在做什麼？』
『只有伸出頭，
　　　　正在工作。』
　　　　　　多扣多漏里扣，咚多漏里。

『水牛伯伯，
　　　　涼爽嗎？』
『好熱喔！連水池也
滾燙的。』
多扣多漏里扣，咚多漏里。

『水牛伯伯，
　　　　您在看什麼？』
『半睜著眼睛，看著
　　　　白鷺鷥。』
　　　　　　多扣多漏里扣，咚多漏里。

『水牛伯伯，
　　　　你怎麼了？』
『滿滿的，滿滿的，
　　　　我也不會說
　　　　多扣多漏里扣，咚多漏里。

『水牛伯伯，
　　　　您好像很睏耶』
『好睏！好睏！
　　　　真得好睏！』
　　　　　　多扣多漏里扣，咚多漏里。

童謠試圖站在兒童立場，用兒童的眼來觀察，以小孩子與水牛的問答，來詮釋牛的動作、反應，詩中的水牛呈現出一種閑情。又如〈開朗的白頭翁〉：

朗らかペタコ	開朗的白頭翁
お山は夏よ。	山裡是夏天。
硫黄の湯気も	硫黃的熱氣讓
谷間にしろい。	山谷間白茫茫。
朗らかペタコ	開朗的白頭翁
お空も晴れる。	天空也很晴朗。
林間學校、	林中的學校、
お窓を開ける。	打開了窗戶。
朗らかペタコ	開朗的白頭翁
飛べ飛べペタコ	飛吧！飛吧！白頭翁
七星山も	七星山也
後にあをい	在後頭藍藍的。
朗らかペタコ	開朗的白頭翁
啼け啼けペタコ	叫吧！叫吧！白頭翁
すずしい風も	涼爽的風也
みんなみんな通る。	都將穿過。

白頭翁是只有在臺灣及沖繩可以看得到的鳥類，在臺灣隨處可見並不稀奇，但有著如戴著白帽般的白色頭頂的白頭翁，對於日本人而言是可愛而新奇的鳥類，因此，不只是北原白秋，野口雨情來訪臺灣時也曾以牠為題材寫了著名的童謠〈白頭翁〉。北原白秋童謠中的白頭翁，在天空、林間優雅飛翔的形象，與會食果實造成農夫困擾的形象完全不同，是北原白秋以日本人的觀點、旅人的觀點對臺灣特色的書寫。

五　結語

　　負著推廣國語教育目的而來臺的北原白秋，將在臺灣看到的國語政策問題，以及日本統治下的臺灣的臺灣風情記錄於《華麗島風物誌》，不同於一般的日本文學家的紀行的浪漫殖民地遊記，也不同於民俗學家的民俗記錄，他記錄了他對臺灣的風俗、社會的狀況、感受以及問題，以及臺灣島內日本存在感薄弱的實況，這應該也是總督府決定改變強硬統治的原因。除了對於臺灣現狀的認識之外，《華麗島風物誌》中對於臺灣藝妲、閣臺等有很詳細的描述，如同以筆寫真，也可作為了解臺灣當時風俗細節的參考，將留作日後的課題。

「順天命邱二娘」的傳說與小說
——從閩南到南洋的傳衍[*]

柯榮三

雲林科技大學漢學應用研究所副教授

提要

邱二娘（1833-1855），原名「邱真」，咸豐三年（1853）福建永春地方有林俊（1828-1857）響應太平天國起事反清。林杯（邱二娘表兄）、邱二娘也在惠安北部筆架山高明王宮起兵，後林杯身亡，邱二娘以「順天命邱娘娘」為旗號繼續活動。咸豐五年（1855）因遭密告，邱二娘被捕，於泉州南校場凌遲處死，死後受惠安、晉江、仙遊民眾奉為「仙姑媽」、「遊路夫人」、「庄腳媽」，塑像膜拜。

一九八五年，福建惠安作家陸昭環曾以邱二娘事蹟為題材，創作長篇歷史小說《烈女哀鴻》（1985），全書內容共分十章及一尾聲，「繪聲繪色地描寫了邱二娘義軍活動的全過程，也描寫了邱二娘本身的愛情悲劇」，同時「有濃郁的地方色彩」。嗣後，又有另一位惠安作家劉秋興的短篇小說〈血染桐花〉（2003），也是寫邱二娘故事。事實上，若以小說而言，最早將邱二娘事蹟改寫為小說之作，不在閩南而在南洋，係由原籍福建南安，後於一九五三年移居馬來西亞麻坡的作家黃桐城（1924-1980）所寫，黃氏之作並未公開發表，從目前所見的四份手稿內容來看，亦未終篇。陸昭環、劉秋興、黃桐城三位作家，分居閩南、南洋兩地，筆下的邱二娘故事，除了起兵抗清

---

* 本文為科技部專題研究計畫「閩南民間傳說在南洋——馬來西亞作家黃桐城（老杜）作品的調查、整理與研究」（108-2410-H-224-030-）部分研究成果。

失敗的主題相同,角色人物、內容情節大有不同,頗有值得取之相互比較之處。本文首先說明文獻史料,以及地方傳說、歌謠中的「邱二娘」,其次介紹閩南、南洋兩地,三位作家筆下「邱二娘」小說內容概況,最後指出邱二娘事件,對於閩南來說除了有反抗強權的意義以外,其所帶領的民變事件失敗,也成為閩南先民移居至南洋的推力之一,「邱二娘」可謂是聯繫起閩南與南洋之間一段重要的歷史記憶。

關鍵詞:邱二娘　血染桐花　烈女哀鴻　黃桐城　惠安　太平天國

一　前言

　　邱二娘（1833-1855），原名「邱真」[1]，咸豐三年（1853）福建永春地方有林俊（1828-1857，太平天國封為「烈王」）率領「紅線會」響應太平天國起事反清。林杯（邱二娘表兄）、邱二娘、胡熊等人也在筆架山（惠安北部）的半嶺高明王宮，擒殺一名徐姓糧胥，祭旗起義，旗上大書「順天命邱二娘」[2]。義軍領導人除了林杯、邱二娘、胡熊以外，還有張爐（義軍陣中軍師，原為惠安團練局副局長王忠禎府內雇工）、王文岳（義軍陣中軍醫，邱二娘義父王掌之子）、楊信（原為挑販）、陳秋甫（原為秀才）等。義軍活躍於惠安、晉江、仙遊三縣交界之偏遠山區，在官溪、半嶺、驛坂等地大敗清軍。咸豐四年（1854），林俊部隊從永春轉戰南安，命邱二娘、胡熊、林杯進攻惠安城以為呼應，不料邱二娘軍攻城當日大霧瀰漫，各路義軍舉火為號無法得見，未能相互助戰，兼以走漏消息，惠安縣城團練早有準備，邱二娘軍攻城行動失利，潰敗而散。事後，清軍四處懸賞緝拿邱二娘義軍。咸豐五年（1855）因遭密告，邱二娘被捕，於泉州南校場處以剮刑，壯烈犧牲，死後受惠安、晉江、仙遊民眾塑像奉祀，尊為「仙姑媽」、「遊路夫人」、「庄腳媽」[3]。

1　邱國權：〈巾幗英雄邱二娘〉，收入中華邱氏大宗譜福建（清源）泉州市區分譜編委會編：《中華邱氏大宗譜》《福建（清源）泉州市區分譜》（廣州市：白雲大金彩印廠，2008年10月），頁80。邱二娘為「六桃公屬下二房」七十八世孫，父「邱柳仙」，母「蘇于」，詳見同前揭書，頁118。

2　陳祖禹、蔡景崧、潘僑萃、楊昆鶴、曾紀琛、潘鏡高蒐集材料，陳書濤整理：〈邱二娘及其抗清鬥爭〉，中國人民政治協商會議福建省惠安縣委員會文史資料工作組編：《惠安文史資料》第1輯（內部資料，惠安印刷廠印刷，1983年6月，原刊於1962年5月《惠安文史資料》第1輯，原題〈邱二娘的革命史〉），頁1-7。按，據清人沈儲在咸豐四年（1854）四月二十六日的記事，邱二娘旗號為「順天命邱娘娘」，沈儲撰，吳輝煌校注，廈門市圖書館編：《舌擊編》卷3（廈門大學出版社，〔1859〕2014年10月），頁85。

3　何清峰：〈邱二娘〉，收入泉州市地方志編纂委員會編：《泉州市志人物傳稿第四輯：近現代人物專輯》（泉州市地方志編纂委員會，1991年11月），頁4-6。

一九六〇年，王冬青（王松齡，1917-1973）曾取材民間流傳的邱二娘傳說，改編成泉州高甲戲劇本，由泉州市高甲戲劇團演出[4]。一九八五年，福建惠安作家陸昭環（1942-2006）曾以邱二娘事蹟為題材，創作長篇歷史小說《烈女哀鴻》（1985），全書內容共分十章及一尾聲，「繪聲繪色地描寫了邱二娘義軍活動的全過程，也描寫了邱二娘本身的愛情悲劇」，同時「有濃郁的地方色彩」。嗣後，又有另一位惠安作家劉秋興（1954-）的短篇小說〈血染桐花〉（2003），也是寫邱二娘故事。事實上，若以小說而言，最早將邱二娘事蹟改寫為小說之作並不在閩南，而是在南洋，係由原籍福建南安，後於一九五三年移居馬來西亞麻坡的作家黃桐城（1924-1980）所寫，黃氏之作並未公開發表，從目前所見的四份手稿內容來看，亦未終篇。陸昭環、劉秋興、黃桐城三位作家，分居閩南、南洋兩地，筆下的邱二娘故事，除了起兵抗清失敗的主題相同，角色人物、內容情節大有不同，頗有值得取之相互比較之處。本文即將著眼於此，從邱二娘的傳說（兼及歌謠）開始談起，進一步再介紹及討論陸昭環、劉秋興、黃桐城三種小說的內容，盼祈方家，不吝指正。

二　邱二娘的傳說

目前所知閩南地區流傳的邱二娘傳說，有〈邱二娘重舉義旗〉（1982）一則，敘邱二娘在攻打惠安城失利後，隱居輞川一帶秘密活動，準備重舉「順天命」大旗，為了聚集餘部，命何忠漢在輞城埔開設粥棚為聯絡據點。某日邱二娘親至粥棚，召集義軍。此時，何忠漢女兒珠妹來店鋪哭述，云丈夫程秋（原為義軍部將）在惠安兵敗之後，沈迷飲酒嫖賭，浪蕩成性，欲將珠妹賣掉。邱二娘、何忠漢雖斥責程秋，但仍給銀兩希望他能振奮精神。奉

4　〈邱二娘〉，中國戲曲志編輯委員會編：《中國戲曲志·福建卷》（北京市：文化藝術出版社，1993年12月），頁126。關於王冬青的生平事蹟，可見於王范強供稿，楊清江撰寫：〈王冬青〉，收入泉州市地方志編纂委員會編：《泉州市志人物傳稿第五輯──現代人物專輯》）（泉州市地方志編纂委員會，1991年11月），頁56-61。

命鎮守輞川的莊姓游擊適往粥棚而來，眼見邱二娘、珠妹兩人，心中生疑，何忠漢假稱邱二娘亦為自己的女兒，係為何忠漢祝壽而返家，要兩女向游擊大人敬酒：

> 游擊哪裡知情，見有女人向他施禮，便哈哈大笑，定睛一看，忽然心中疑惑：
> 「這位好面熟，似曾相見……」
> 這時何忠漢怕被他看出破綻，忙掩飾地說：
> 「唔，游擊大人好記性，上次你來店小飲，她向游擊敬過酒。」
> 邱二娘知是何忠漢的暗示，接著說：
> 「爹爹，代女兒敬酒一杯。」
> 何忠漢便斟滿一杯敬上，莊游擊呵呵地傾杯飲下。何老漢見游擊已有幾分酒意，想借此再給他多灌幾杯，好讓他醉酒吐言。誰知他決意不肯再飲了，說是邱二娘神出鬼沒，又有分身之法，撒豆成兵之術，今公務在身，恐酒醉出事。邱二娘見游擊認不出她，便以邱二娘為話題，探出「破溪驛坂（惠安城北）把兵調往楓亭」的軍事機密。游擊才知失言。這時一個團丁來對莊游擊附耳低語說：
> 「有人密告邱二娘，伸手要領償白銀。」
> 邱二娘、何忠漢、珠妹耳靈，一聽大驚失色，知是有人暴露邱二娘行蹤。但午飯時分來此聚會重展義旗之命已傳，各義軍肯定會按時來此，要怎麼辦？究竟是什麼人密告，必須弄清楚，才能定出克敵制勝之策。[5]

酒過三巡之際，忽然傳來有人密告邱二娘行蹤的消息。團丁帶告密者至莊游擊面前，眾人一看才知竟是程秋！眼看義軍聚集時刻將到，何忠漢手起刀落，砍殺女婿程秋，莊游擊亦被打癱倒地，團丁抱頭鼠竄，邱二娘聚集各路

5　郭佩環、周谷川：〈邱二娘重舉義旗〉，收入惠安縣文化館編：《惠安民間故事（第1集）》（惠安縣文化館，1982年10月），頁30-33。

義軍，殺向兵力單薄的驛坂，取道陳田、黃田和半嶺會師，前往仙遊、楓亭接應烈王林俊去也。這則傳說另有至少三種異文，流傳於惠安地區[6]。

　　傳說邱二娘有「分身之法」，蓋源於邱二娘軍中有一群生死姊妹，眾女將士為掩護邱二娘，都與邱二娘一樣的打扮衣裝，一旦被捕獲，都自稱是邱二娘，寧死不屈[7]。又傳說邱二娘能撒豆成兵、剪紙為馬，則可見於清人沈儲的《舌擊編》（1859）中。按，咸豐三年（1853），沈儲（字粟山，浙江會稽人）因閩南小刀會在海澄起事，避亂於泉州，獲泉州知府馬壽祺聘為幕賓，在防剿分局參與剿辦閩南小刀會、林俊軍事活動機宜；咸豐七年（1857）沈儲又受時任補興泉永道的司徒緒之邀，襄理軍務，出謀劃策。《舌擊編》卷三記咸豐四年（1854）四月二十六日事云：

> 嗣據惠邑稟，賊首胡熊暨妖婦邱氏，糾匪千餘人，分兩路撲城。該縣督率壯勇登陴抵禦，城廂及四鄉團練紳耆各帶義勇，內外夾擊，斃賊甚多，拿獲偽軍師張爐、頭目許安等二十餘名，賊匪逃散。並查邱氏，本係娼婦，交結匪類，詭稱能用豆人紙馬，煽惑愚民，旗上偽書「順天命邱娘娘」字樣。聞欲嫁與逆俊，逆俊令其攻擾惠安。[8]

「妖婦邱氏」、「本係娼婦」、「交結匪類」、「煽惑愚民」，乃是站在清廷官府立場之語；所謂「詭稱能用豆人紙馬」云云，若從反面觀之，無疑代表著當

6　這則傳說另有三則異文：一、郭佩環講述，黃炳瑜紀錄（採錄時間：1988年11月）：〈邱二娘重舉義旗〉，收入惠安縣民間文學集成編委會編：《中國民間故事集成》〈福建卷‧惠安縣分卷〉（惠安縣民間文學集成編委會，1992年7月），頁179-181。二、翁森階搜集，許世聰整理：〈邱二娘輞川起義〉，收入輞川鎮民間文學集成編委會編：《輞川鎮民間文學集成》（惠安教育印刷廠印刷，1993年1月），頁73-76。三、郭佩環講述，黃炳瑜、劉三森整理：〈邱二娘除奸脫險〉，收入《泉港民間故事》（北京市：中國文史出版社，2002年2月），頁119-122。

7　陸昭環、張國琳、潘孤鵬、林魁英：〈邱二娘〉，收入張國琳編著：《惠安歷史人物新編》（廈門市：鷺江出版社，2011年10月），頁324。

8　沈儲撰，吳輝煌校注，廈門市圖書館編：《舌擊編》卷3（廈門市：廈門大學出版社，〔1859〕2014年10月），頁85。

時民間必當盛傳邱二娘善使「豆人紙馬」之術的傳說，無怪乎能「糾匪千餘人」從之。

附帶一提，民間歌謠又流傳有〈邱二娘造反〉（1984），歌云：

> 邱氏二娘有計數，殺官攻城發官庫，
> 全望後坑、峰崎來相助，誰知二鄉失約來相誤。[9]

這首歌謠說的是因為後坑、峰崎兩地義軍無法支援接應，導致邱二娘進攻惠安城失敗。另有一首〈邱二娘起義暗號歌〉云：

> 放囉放瓜子[10]，放到正月二月止[11]，開後門種瓜子[12]。
> 南嚇戶，北嚇戶，一支香，點葫蘆，葫蘆搖水嘻嘩嘩[13]。
> 花無花，柳無柳[14]，三百黑烟一出酒[15]，喔喔喔[16]。

這是邱二娘義軍相互聯絡時之暗號的歌謠，流傳於惠北一帶。

誠如本文前言所述，史載邱二娘率軍攻惠安城失利，肇因於大霧瀰漫，阻擋了義軍彼此間舉火為號的聯繫，但除此天候因素外，更重要的影響是攻城行動事先走漏風聲，讓惠安城內的團練兵勇早有警戒防備。至於咸豐五年

9　陳鄭煊編：《閩南方言歌謠（初稿）》「舊社會民謠」（自印本，1984年5月），頁4。陳鄭煊此作後來改題《閩南歌謠》，由廈門市群眾藝術館於一九八五年七月正式出版，〈邱二娘造反〉列於「革命歌謠」內（頁9）。

10　演唱者：陳校景，採錄者：陳宣珠，採錄時間：1988年10月，收入惠安縣民間文學集成編委會編：《中國歌謠集成福建卷：惠安縣分卷》（1993年5月），頁342-343。按，此句原文有注：「以播種瓜子來比喻革命起義」。

11　同前揭，此句原文有注：「指起義籌備工作要在正月至二月為止」。

12　同前揭，此句原文有注：「指起義工作要秘密進行，往來聯繫要悄悄從後門出入。」

13　同前揭，此三句原文有注：「這幾句是指每個義軍應在家門口掛一個葫蘆，葫蘆裡插著香，肚裡裝些水，搖起來嘩嘩聲響。這樣，以便作為相互聯絡時的憑記等作用。」

14　同前揭，此句原文有注：「指起義進攻惠安城時，每個義軍應打扮樸素，不穿戴花花綠綠。」

15　同前揭，此句原文有注：「這句是指以點火起濃烟為號，開始進攻惠安城。」

16　同前揭，此句原文有注：「這句也就是說，要在黎明前，公雞報曉時開始進攻惠安城。」

（1855）邱二娘被捕的原因，存有兩種說法。一說，邱二娘在後坑涵內活動，住在陳秋甫家，陳秋甫貪功圖利，出賣邱二娘；邱二娘遭剮刑後，陳秋甫良心不安在家中塑邱二娘神像供奉跪拜，祈求恕罪。二說，邱二娘攻打惠安城時，義軍中有陳大、陳橋、陳潮等人，暗中妄想乘機搶掠邱二娘。攻城失敗後，因為邱二娘纏足跑不動，由陳大背負而逃，當時官府懸賞一千五百大洋捉拿邱二娘，三人利慾薰心，密謀出賣邱二娘[17]。從攻城失敗到被官府所捕，在這些講述邱二娘無法「順天命」的敘事中（無論史料文獻所載或民間傳說所述），我們可以發現邱二娘之所以失敗，並非本身能力不足，其無法完成「順天命」大業的關鍵，在於邱二娘遭身邊之人背叛（攻城行動走漏風聲、被陳秋甫／陳氏三人出賣）。戴冠青指出，邱二娘在傳說中的形象是一位反抗強權，率領義軍英勇奮戰的綠林好漢、女中豪傑[18]，邱二娘遭人出賣而無法「順天命」的敘事，正可謂正合乎了民間對於這類亡命好漢（或女豪傑）、草莽英雄（或女英雄）人物，遭逢失敗結局的想像[19]。

---

17 以上兩說，詳見陸昭環、張國琳、潘孤鵬、林翹英：〈邱二娘〉，收入張國琳編著：《惠安歷史人物新編》（廈門市：鷺江出版社，2011年10月），頁324。

18 戴冠青：《想像的狂歡──作為文化鏡像的閩南民間故事研究》（廈門市：廈門大學出版社，2012年9月），頁36。

19 霍布斯邦（Eric J. Hobsbawm）歸納出「俠盜」（nobel robber）形象的九項特點，頗值得參考，這九點分別是：

「首先，俠盜生涯的開始，都不是因為他犯了罪，而是受到不公欺凌的結果，也可能是因為他從事一些當地鄉鄰不以為意，卻被當局視為觸犯法網的行為而遭到追索。

其二，他『矯枉去惡，糾正錯誤』。

其三，他『劫富濟貧』。

其四，他『除了出於自衛或報仇，絕不殺人』。

其五，如果他有幸不死，必定回歸故里，成為地方上受人敬重的一員。事實上，他從來不曾真正離開家園。

其六，他的同胞敬他、助他、擁戴他。

其七，他的死，都是因為被出賣，而且一定是因為被出賣。因為鄉裡哪一位正直人會幫當局來對付他呢。

其八，他神出鬼沒、刀槍不入──至少在理論上係如此。

其九，他並不是國王陛下或皇上的敵人，因為帝王是公義之源。他只是反對地方上的士紳、教士，以及其他各種壓制者而已。」

三　邱二娘的小說

　　閩南民間流傳邱二娘的史話、傳說，也是劇作家、小說家編寫創作時取材的對象。一九六〇年，王冬青便曾編寫泉州高甲戲《邱二娘》。二〇〇二年，郭佩環創作的布袋戲《邱二娘》、《惠安英豪邱二娘》，亦榮獲多種演出獎項肯定[20]。

　　在小說作品方面，福建惠安籍作家陸昭環曾以邱二娘事蹟為題材，創作長篇歷史小說《烈女哀鴻》（1985），全書內容共分十章及一尾聲，筆者將全書內容情節，簡要整理如下：

章節	內容概要
第一章 泉州遺恨	咸豐三年（1853），永春林俊起義。胡熊、林杯、邱二娘欲與林俊聯繫，不料遭官兵埋伏，林杯罹難。林杯與邱二娘早已定情，二娘眼見林杯死於懷裡，誓為林杯報仇。泉州胭脂巷花魁「病西施」王玉美處，乃義軍刺探情報據點，二娘等人藉玉美及棺材店張戀掩護，運送林杯遺體出城。
第二章 半嶺義旗	林杯死後，義軍聚集在半嶺，安營於半嶺宮。軍師張爐建請邱二娘取出太平天國天王黃牒豎起「順天命邱娘娘」大旗。二娘命陳秋甫搜捕官溪惡劣戶房（稅吏）徐龍，殺徐龍祭旗起義。
第三章 初下官溪	義軍首仗，由女將秀珠率娘子軍出征官溪，在從官溪惡霸徐虎家中逃出的秀花帶路下，順利攻破徐家大宅，旗開得勝。
第四章	泉州知府師爺沈粟山、惠安團練局局長莊志謙，在王玉美處飲

　　詳見霍布斯邦（Eric J. Hobsbawm）著，鄭明萱譯：《盜匪：從羅賓漢到水滸英雄》，第三章〈高義俠盜〉（臺北市：麥田出版公司，1998年4月），頁48-49。

20　二〇〇二年，郭佩環創作的布袋戲歷史劇《邱二娘》參加福建省第二十二屆、泉州市第二十八屆戲劇匯演，榮獲組織獎、劇目獎、演出獎、優秀劇本獎、導演獎、音樂設計獎。二〇〇三年九月，郭佩環又以布袋戲新編歷史劇《惠安英豪邱二娘》赴廣州參加金獅獎第二屆全國（廣州）木偶皮影比賽，榮獲銀獎，詳見蘇清發：〈惠安縣掌中木偶戲春秋記事〉，中國人民政治協商會議福建省惠安縣委員會文史資料委員會編：《惠安文史資料》第17輯（2003年12月），頁155。

章節	內容概要
驛坂奇兵	酒，討論置辦軍火預防義軍來襲的軍機，義軍楊信到王玉美處取回情報。邱二娘命胡熊、陳秋甫留守大營，張通在撲船山安營，防清軍來襲。楊信率眾在驛坂攔截軍火。團練局副局長王忠禎被殺得措手不及，狼狽而逃。邱二娘軍進佔驛坂。
第五章 二打紫山	咸豐三年（1853）十月中，胡熊、陳秋甫駐紮紫山白花宮。十一月總兵鍾寶三與團練人馬來攻，被義軍殺退。胡熊、張爐趁年底突襲紫山團練，紫山民眾遂流傳「娘娘撒豆成兵」之說。然義軍諸將漸有驕傲散漫風氣，其中尤以張通（張坑人，原為草寇，張戀族兄）為最，剛愎自用，後張通因與程春（剃頭匠）賭博，程春竟要以妻子償還賭債，事聞於二娘處，二娘大怒，以張通不遵軍紀、敗壞民風，有辱義軍旗號，拔除軍權。
第六章 螺陽暮色	惠安縣令王佑慶擔心邱二娘來攻，與團練局長莊志謙商議對策。張通密囑程春，向莊志謙表達願在邱二娘進攻惠安時，作為內應，並將進攻惠安行動的所有機密，告訴莊志謙。
第七章 古城悲歌	咸豐四年（1854）四月二十三日，邱二娘進攻惠安城，但因為軍機早已洩漏，楊信戰死、張爐被俘，只得下令撤退。胡熊攻城行動亦失敗。張通倒戈叛變，襲擊陳秋甫部，陳秋甫中箭，棄義軍不顧而逃。張爐被俘後遭私刑斬殺。
第八章 淨峰獨峙	咸豐四年（1854）四月底到五月，清軍藉進剿邱二娘殘部，大肆蹂躪惠安山區、黃田、陳田、田船、半嶺等地。邱二娘殘部，只剩百餘人在身邊，其中一半以上為女兵。咸豐五年新春，邱二娘在淨山重建據點，在淨峰寺密會。義軍趁夜殺進莊志謙在涂厝的宅院，無奈莊志謙卻已逃走。後莊志謙率一千團練兵踏平淨峰寺，邱二娘急遣散義軍。
第九章 輞川風雨	邱二娘僅帶五、六名姊妹，決意到輞川刺殺張通（受莊志謙之薦，任輞川汛記名把總）。邱二娘至輞川見故人何仲，何仲與林杯情同父子。昔日張通曾娶何仲之女為妻，但何女過門後即身亡，丈人女婿甚少往來，後何仲投身義軍，開設惠生藥鋪為密會據點。張通探知何仲與邱二娘密會，欲要活捉二娘領三千兩賞銀，卻反遭何仲設計引至藥鋪，被邱二娘與眾女將團住。何仲親手殺卻女婿張通。邱二娘了結張通事，往後坑尋陳秋甫而去。陳

章節	內容概要
	秋甫兵敗後，精神恍惚地在後坑老家，後坑團練中有原為義軍叛變者，認出騎馬來村內者為邱二娘眾人，大聲叫喊。邱二娘等七人寡不敵眾，邱二娘與兩名姊妹被擒，其餘四人壯烈犧牲。陳秋甫竟被官府認為是投案歸家，協助緝拿邱二娘有功，由莊志謙出面作保，赦免放回後坑老家。陳秋甫歸家後心神不寧，為邱二娘立牌位早晚跪拜，半年後抑鬱而亡。
第十章 血染刺桐	咸豐五年（1855）四月，邱二娘被捕押送到惠安縣城，再解送泉州。六月，奉命回籍督辦團練的御史陳慶鏞，接到福建巡撫王懿德批示邱二娘剮刑，訂於六月十四日在泉州南教場行刑，邱二娘臨刑前放聲大笑，劊子手不寒而慄，向邱二娘一拜後方才下手。一代英豪邱二娘血濺桐花，年僅二十三歲。是夜，惠安縣令王佑慶到胭脂巷王玉美處尋花問柳，於檀床錦被中被玉美刺殺後割首，事後以王佑慶行為不端結案，玉美不知去向。幾天後，洛陽橋西小尼庵裡出現一名貌美尼姑，號為「靜庵姑」，塑了一尊「仙娘媽」，又叫「遊路夫人」，靈驗不已，香火不絕，尼姑庵變成娘媽廟。
尾聲	三十年後，邱二娘遇害三十週年忌日，王玉美（靜庵姑）與昔日義軍女將秀珠在洛陽江邊相會，彼此互問三十年來風霜。秀珠、王秀美見到新塑的娘娘金身，心情激動不已，熱血上湧而死，王玉美亦於同日身亡，娘娘身邊又分塑兩名女將。

陸昭環自言，本書內容「繪聲繪色地描寫了邱二娘義軍活動的全過程，也描寫了邱二娘本身的愛情悲劇」，同時「有濃郁的地方色彩」[21]。

二〇〇三年，又有另一位惠安籍作家劉秋興的短篇小說〈血染桐花〉，也是寫邱二娘故事，內容以咸豐五年（1855）六月十四日，邱二娘於泉州南校場受剮刑的場景開篇，後以倒敘方式，述咸豐四年（1854）二月初三，邱二娘攜子小虎子，以及部下何珠妹到惠安北部蓮石山山頭寺，為攻打惠安事請「活佛」陸傲法師指引，法師道出「潮淹大橋，天道舛差；乙卯歲兇，滿

---

21 陸昭環：〈內容提要〉，《烈女哀鴻》（廈門市：鷺江出版社，1985年11月），封面內頁。

城桐花」偈語,並有「眼下前程迷霧重重」之言。邱二娘回到軍中與眾將士
參議,軍師張爐建議從長計議,但眾將認為攻城大計已定,不可再改,仍於
四月廿四日起事。攻城之戰慘烈,義軍潰敗而逃,大霧瀰天,各地義軍無法
互通聲息,應驗陸俶法師「迷霧重重」之語。邱二娘脫困後再上山頭寺,法
師避而不見。下山時路過輞川居仁村,想探視寄養在村內(由何珠妹與父親
何忠照顧)的兒子小虎子,不料遇見埋伏清軍,邱二娘因陣中陳潮、程進普
(何珠妹之夫)反叛,受傷就捕。何珠妹發現丈夫竟向泉州團練局督辦陳慶
鏞密告,痛心疾首,欲趁程進普酒醉殺之,混戰之間,何忠下手斬殺程進
普。何氏父女護小虎子逃亡,不料被陳潮、陳大率團勇發現,何珠妹慘死,
何忠與陳潮同歸於盡,小虎子被捉。陳慶鏞升堂審問邱二娘,二娘寧死不願
供出太平天國烈王林俊行蹤,陳慶鏞命人準備油鍋,又將小虎子帶上大堂,
作勢要將小虎子扔入油鍋,要脅二娘。堂上莊守備竟真將小虎子扔進油鍋,
陳慶鏞大怒,亦將莊守備推入油鍋,邱二娘當堂昏厥。死牢中,邱二娘丈夫
阿角暗中前來探視,得知小虎子之死,痛不欲生,阿角悲憤,亦一頭撞死在
石柱上。時序回到咸豐五年(1855)六月十四日,邱二娘昂然走上刑場接受
剮刑,泉州百姓含淚焚香,「遙祭被朝廷視為『妖婦』的邱二娘」,邱二娘仰
天長嘯:「邱二娘是殺不死的,替天行道的大旗是不會倒下的」,從容就義[22]。

　　事實上,最早將邱二娘事蹟改寫為小說之作並不在閩南,而是在南洋,
係由原籍福建南安,一九五三年移居馬來西亞麻坡的作家黃桐城(筆名「老
杜」)所寫。關於黃桐城及其作品,筆者曾撰兩文討論之,一者為〈南馬作
家老杜(黃桐城)對閩南民間傳說的演繹──以小說〈詹典嫂告御狀〉為
例〉(2019),該文述及「詹典嫂告御狀」這個源自泉州安溪的傳說,在閩
南、臺灣各地,曾被改編為俗曲及戲劇以外(例如閩臺歌仔冊、潮州歌冊、
臺灣歌仔戲、福建高甲戲),但唯一一部小說作品,乃是由身居馬來西亞的
黃桐城所改編創作,文中討論了黃桐城如何以篇幅較長的小說體裁,重新塑

---

22 劉秋興:〈血染桐花〉,收入惠安文化叢書編委會編:《當代文學》(福州市:福建人民
　出版社,2003年3月),頁233-248。

造故事中的人物形象與互動關係，黃氏對於小說的經營與佈局，也展現了有別於傳說內容的趣味筆法[23]。二者為〈馬來西亞作家黃桐城先生的民間文學書寫〉（2019），該文主要指出黃桐城對於閩南民間傳說的書寫之作，其素材來源既有參考閩南民間傳說出版品者，亦有聞自旅居馬來西亞的福建鄉親所口述者。在傳播路徑上，則是發現了有原本出自於閩南的傳說（例如惠安青山公的傳說），在經由黃氏巧手改寫之後，竟反倒又回流至閩南而被接受且發生影響的現象[24]。

　　為了更加瞭解黃桐城其人其作，二〇一八年八月四日，筆者至馬來西亞麻坡拜訪黃桐城家屬，在黃桐城家屬協助下，掌握了從黃氏故居意外發現之剪報資料本以及手稿一批。在這批手稿中，有一種黃氏未曾發表過（亦未完結終篇）的長篇手稿「邱二娘傳奇」。就目前所見，黃桐城手稿「邱二娘傳奇」共有四份，題目名稱、內容長短不一，分別作「閩南民間傳說——太平天國女將邱二娘」、「太平天國女將邱二娘傳奇——血染桐花」、「血染桐花——『順天命』邱二娘傳奇」三個題目；因有二份手稿同題，筆者逐將四份手稿分為一稿、二稿、三稿、四稿，表列如下：

手稿題目	回目
閩南民間傳說——太平天國女將邱二娘（一稿）	楔子 第一回　華亭村柳仙行醫，大厝刊劉生九娶婦[25] 第二回　毆糧胥邱柳仙遭難，獲欽犯劉生九娶妻[26] 第三回　高明廟英雄聚義，驛坂橋清兵喪師
太平天國女將邱二娘傳	楔子

---

23 柯榮三：〈南馬作家老杜（黃桐城）對閩南民間傳說的演繹——以小說〈詹典嫂告御狀〉為例〉，收入廖文輝主編：《2019年馬來西亞華人民俗研究論文集》（〔馬來西亞〕加影市：新紀元大學學院，2019年1月），頁67-88。

24 柯榮三：〈馬來西亞作家黃桐城先生的民間文學書寫〉，「2019『民俗與文學』國際學術研討會」（嘉義縣：南華大學文學系，2019年5月3-4日），頁1-20。

25 按，手稿有多處塗改，「行醫」原作「行道」，「劉生九娶婦」原作「劉家取媳」。

26 按，手稿有多處塗改，「毆糧胥」原作「泉州府」，「柳先遭難」原作「柳先坐牢」，「獲欽犯」原作「大厝刊」。

手稿題目	回目
奇──血染桐花（二稿）	第一回　梧洋村柳仙行道，華亭里戶房逞兇 第二回　華亭鄉邱柳仙逃難遇難，大厝刊劉生狗得妻失妻[27] 第三回　高明廟英雄聚義，驛坂橋剝皮喪師[28]
血染桐花──「順天命」邱二娘傳奇（三稿）	楔子 第一回　梧洋村柳仙行道，華亭里戶房逞兇 第二回　華亭里邱柳仙逃難遇難，峰美鄉劉生狗得妻失妻[29] 第三回　高明廟英雄聚義，驛坂橋剝皮喪師 第四回　殺戶房邱二娘祭旗，聯烈王順天命起義 第五回　攻縣城提督調兵，走涵內二娘中計 第六回　巧施毒刑王佑慶心狠手辣，面對凌遲邱二娘視死如歸
血染桐花──「順天命」邱二娘傳奇（四稿）	楔子 第一回　梧洋村柳仙行道，華亭里戶房逞兇 第二回　華亭里邱柳仙逃難遇難，峰尾鄉劉生狗得妻失妻 第三回　高明廟英雄聚義，驛坂橋剝皮喪師 第四回　殺戶房邱二娘祭旗，聯烈王順天命起義

　　據各份手稿〈楔子〉中所敘，黃桐城原定寫成八回（編寫動機詳見下文），「三稿」是四份手稿中內容最多者，共有六回，唯第六回末，有「若欲知後事如何，且聽下回分解」之語[30]，故事明顯未完。比對各手稿內容，「一稿」當為最初之作，後修訂為「二稿」，再發展為「三稿」；雖然「三

---

27 按，手稿有多處塗改，「華亭鄉」原作「毆糧差」，「逃難遇難」原作「逃難」，「大厝刊」原作「獲欽犯」，「得妻失妻」原作「娶妻」。

28 按，此稿第三回僅有回目、回目詩，無正文。

29 按，「峰美鄉」在正文中寫作「峰尾鄉」，回目作「峰美鄉」或係黃桐城尚未統一地名用字所致。

30 黃桐城：〈血染桐花──「順天命」邱二娘傳奇〉（三稿）手稿，頁62。

稿」的內容最多，但「三稿」中許多刪改劃記處，皆反映在「四稿」內，且「四稿」字跡明顯較「三稿」工整，故可知「四稿」應是「三稿」的整理本。「三稿」前四回刪改處不多，與「四稿」前四回的文字大同小異，不過「三稿」第五回、第六回中仍有幾處大篇幅刪去以及大段落改寫的痕跡，料想「四稿」之所以缺第五回、第六回，應是「三稿」第五回、第六回文字尚未寫定所致。以下且以「三稿」內容為主，簡述〈血染桐花──「順天命」邱二娘傳奇〉內容情節概要：

章節	內容概要
楔子	說明寫作動機及緣由。
第一回 梧洋村柳仙行道 華亭里戶房逞兇	敘邱二娘出身背景。父親邱柳，精通山、醫、命、卜、相五術，以及祖傳武術「邱家拳」，受人尊稱「邱柳仙」（邱柳先）。邱柳醫術高明，替富人診治必要大轎來擡、收取診金，但替窮人看病完全分文不取。二娘又有大哥邱大，孔武有力。同村有土豪劣紳劉戇，向邱柳說親，欲讓兒子劉生狗娶二娘為妻，遭邱柳拒絕，懷恨在心。時有惡劣糧差徐博，人稱「徐剝皮」者，因收租中暑暫憩劉戇家，劉戇陰險設計讓徐博請邱柳來診治，邱柳當然不肯，此舉惹怒徐博。後徐博至邱家問罪，邱柳以煙袋桿打走徐博，但自知難逃徐博報復，遂毀家攜子女而逃。
第二回 華亭里邱柳仙逃難遇難 峰美鄉劉生狗得妻失妻	邱柳父子三人逃亡，卻仍遭徐博帶人捉拿，邱大被亂石擊死，邱柳、二娘就縛，帶回劉戇宅院囚禁。劉生狗見意中人邱二娘被綁至家中，雖不知原因，卻也意亂情迷，邱二娘以言語哄騙劉生狗為自己鬆綁，並以邱柳「法術」放出青霧，趁隙逃亡。徐博見犯人走脫，威脅劉戇要負連帶罪責，劉戇遂召集私蓄的長工護院，擒回邱柳。
第三回 高明廟英雄聚義	邱柳以己身被捕，換取邱二娘逃出生天。二娘逃走後遇見表哥林懷，由林懷帶回家中，與林懷嫂以刺

章節	內容概要
驛坂橋剝皮喪師	繡過活。此時林懷已加入太平天國，四處招募兄弟，以高明王廟為聚會所，二娘因而結識「賽諸葛」張爐、「大刀」胡熊、「神醫」王文岳、大頭「楊信」、闊嘴「張通」、賽魏延「陳秋浦」、「大炮」陳火炮、「大肚」陳凸、「蛀鼻仔」何凹等江湖好漢。二娘與眾人相處日久，有感眾義士熱誠，將父親所傳「法術」，依專長職責分別傳授之。徐博以清剿反逆為藉口，搜刮華亭鄉民，放火燒盡全村廢棄房舍，熊熊火光引來高明王廟眾人注意，二娘倡議應前往援救。眾人出師，由二娘巧使計謀，擊潰清軍兵勇，生擒徐博回高明王廟。
第四回 殺戶房邱二娘祭旗 聯烈王順天命起義	眾義出師擒回徐博，但因林懷出外不在，推舉邱二娘為首。二娘遂封軍師張爐、軍醫王文岳、前部先鋒官胡熊，以及五虎將：楊信、張通、陳秋浦、陳凸、何凹，自命「順天命統兵大元帥」，殺徐博祭旗，正式豎起反清義旗。此時有張大戀帶來林懷在泉州意外身亡的消息，眾人悲痛不已，舉義旗出征，誓為林懷復仇。大隊人馬進佔官溪，募集義軍達二、三千人，與驛坂、半嶺、東坪等村成犄角之勢，仍以高明王廟為發號司令處。
第五回 攻縣城提督調兵 走涵內二娘中計	太平天國烈王林俊對邱二娘深切嘉許，要二娘率領所部合力攻打惠安縣城。二娘命陳火炮回竹坑鄉策反鄉民，陳秋浦亦自願回涵內鄉策反。不料，陳秋浦本性善變巧詐，昔日係被宗族逐出涵內，重回涵內後被族長陳必洪發現，捉拿審訊，被發現與邱二娘軍有關後，供出自己為義軍策反機密，被利誘收買為內應。陳秋浦得六月廿四日晚，視玳瑁山火起為號的進攻密令，命人以二娘所傳煙霧之法，在廿四日晚焚燒藥物造出大霧瀰天，阻隔義軍聯繫。二娘雖不見火號，仍出兵援助張大戀，大隊人馬果中埋伏，潰敗四散。胡熊、張爐、王文岳護二娘而

章節	內容概要
	走，途遇陳秋浦帶回涵內暫避，但實乃將眾人上手鐐腳銬，押解進惠安縣城。
第六回 巧施毒刑王佑慶心狠手辣 面對凌遲邱二娘視死如歸	惠安縣令王佑慶升堂審問邱二娘等，二娘當堂痛罵王佑慶，眾人雖遭嚴刑加身，皆絲毫不屈。因恐刑求過度致死，只好下令暫停，還押大牢。

　　黃桐城自言將邱二娘傳說改寫成章回小說的動機在於：

　　　　邱二娘的傳說，聽說十年前泉州文化界人士，曾把它編為梨園戲劇
　　　　目，在泉州各大戲院演出，劇名「血染桐花」，分為八折，每折由詩
　　　　人吳少源作詩一首，以紀其事。筆者雖未能看到此劇演出，但卻在朋
　　　　友處，看到了此劇的「本事」及其八首詩。因此在腦海中便存在了一
　　　　個念頭，認為倘若以這八首詩作為回目，再依據「本事」，把它演為
　　　　章回小說，似乎也不至於屬於完全沒有意義的事吧！我想。[31]

是以可知黃桐城〈血染桐花──「順天命」邱二娘傳奇〉之創作，乃係受到
泉州「梨園戲劇目」之「本事」及吳少源八首紀事詩的啟發[32]，而這個「梨
園戲劇目」之「本事」的來歷，也許即是本小節一開始所提到，由泉州劇作

---

31 黃桐城：〈血染桐花──「順天命」邱二娘傳奇（三稿）〉手稿。
32 泉州詩人吳少源所作八首詩，其一「邱家傑出女英雄，生長梧洋尚有莊。遺恨名聲沉
　　百載，而今社會始褒揚。」其二「糧脊壓迫避他鄉，母死家亡劇可傷。痛恨官東深切
　　齒，誓驅胡滿出邊疆。」其三「義軍響應集群材，大隊山區組織來。暮夜斷橋軍器
　　奪，英雄一出展奇才。」其四「重光日月展旗旌，娘子軍興佐太平。四面農民齊奮
　　臂，嚇他鞋虜盡心驚。」其五「城攻螺邑三軍壯，血染桐花萬古榮。一語差堪相告
　　慰，中華豪傑已亡清。」其六「赫赫名聲震似雷，出師未收實堪哀。備嘗五毒心如
　　鐵，視死如歸志不灰。」其七「捨生取義掃羶腥，巾幗英雄是典型。凜烈英靈千古
　　在，至今憑吊有餘馨。」其八「闡揚節義藉文人，吟詠篇章當藻蘋。愧我竟無詩史
　　筆，盡將軼事勒貞珉。」詳見陸昭環、張國琳、潘孤鵬、林翹英：〈邱二娘〉，收入張
　　國琳編著：《惠安歷史人物新編》（廈門市：鷺江出版社，2011年10月），頁325。

家王冬青編寫的泉州高甲戲。

　　從傳說到小說之間，我們見到一條從閩南向南洋流動的軌跡，遠在馬來西亞的黃桐城選擇以邱二娘事蹟作為小說素材，除了受到「梨園戲劇目」之「本事」與吳少源八首紀事詩啟發以外，是否尚有其他原因呢？回到本文前言所述，我們知道邱二娘係在惠安地區，打出「順天命」旗號，率領農民起義的女英雄，壯烈犧牲後，受惠安、晉江、仙遊民眾塑像奉祀，尊為「仙姑媽」、「遊路夫人」、「庄腳媽」。昔日「下南洋」移居到南洋地區的惠安人，其實並沒有忘記邱二娘，惠安鄉親之所以對邱二娘始終銘記在心，還有一個原因可能是當年邱二娘攻打惠安城失敗後，迫使部分惠安百姓逃向海外：

> 清咸豐三年（1853），境內發生了邱二娘領導的反清農民起義，後來，許多貧苦農民、城市手工業者被迫遠渡重洋，到異國謀生。[33]

清軍在惠安城擊潰邱二娘軍後，大肆惠安黃田、東坪、陳田，以及晉江涪洋等地展開清鄉剿捕，由於邱二娘、胡熊等義軍首領隱匿難捉，清軍以清剿餘黨為藉口，大肆下鄉劫掠破壞[34]，這個歷史事實成為迫使惠安人向海外移居的推力[35]，「邱二娘」也成為海外惠安人代代相傳的歷史記憶[36]。

---

33 張省民主編，惠安縣僑務辦公室、惠安縣歸國華僑聯合會合編：《惠安縣華僑志》（惠安縣地方志編寫委員會，1990年7月），頁13。

34 廖淵泉、黃天柱：〈惠安反清女英雄邱二娘〉，收入新加坡惠安公會六十周年編輯委員會編：《新加坡惠安公會六十年紀念特刊（1923-1984）》（新加坡惠安公會，1984年4月），頁B71。

35 按，張省民另有〈惠安華僑發展簡史〉一文云：「清咸豐三年（1853年），惠安曾發生過以邱二娘為首的規模宏大的農民起義，一八五五年六月起義失敗後，有的起義者也逃往海外求生」，收入黃引輝、劉浩然、莊文華、鄭南松、龔良秀、郭景雲、楊文泉等編：《抗日戰爭和世界反法西斯戰爭勝利五十周年暨泉州市菲律賓歸僑聯誼會成立五周年紀念特刊（1945-1995，1990-1995）》（泉州市菲律賓歸國華僑聯誼會編印，1995年9月），頁79。

36 例如，馬來西亞檳城惠安公會刊行的《檳榔嶼惠安公會五十周年紀念刊》（1963）中，即收錄了潘孤鵬、林魁英：〈惠安歷史人物：女英雄邱二娘〉（頁24-25），以及吳少源〈咏惠安女英雄邱二娘〉八首紀事詩（頁27）。

四　結語

　　歷史上邱二娘事件的出現來自於吏治貪腐、官逼民反，起義的結局終歸於失敗，令人遺憾。從文獻紀錄來看，邱二娘能使分身術、撒豆成兵、剪紙為馬，當時必是民間盛行的傳說。關於邱二娘率軍攻打惠安城失敗後，傳說有貪圖懸賞者向官府舉報密告，所幸邱二娘機靈巧變，化險為夷。不過，史載邱二娘最終仍因遭背叛而被捕就義，但是出賣邱二娘者究為何人，卻存有不同異說，與其追問出賣邱二娘者究為何人，不如將其視為一種「傳說」敘事，因為民間傳說中對於亡命好漢（或女豪傑）、草莽英雄（或女英雄）之所以遭逢失敗，向來不會歸咎於英雄人物本身能力不足，而會以英雄受到身邊的告密者背叛所出賣，寄予同情與無奈的解釋，邱二娘的傳說正符應了這樣的想像。

　　在小說方面，黃桐城、陸昭環、劉秋興，在南洋、閩南兩地三位作家筆下，圍繞著邱二娘傳奇而構思的小說作品，情節人物各自不同，以邱二娘這位主角而言，黃桐城描摹的邱二娘，是一位智勇雙全，可以獨當一面指揮義軍作戰的奇女子。陸昭環則是將邱二娘、林杯兩人寫成一對戰火烽煙下的革命情侶，邱二娘投身義軍，為民挺身而出，對抗虎狼般的貪官污吏，但同時也夾雜有要為林杯之犧牲復仇的個人情緒在內。劉秋興在小說中則安排了邱二娘心繫幼子，身為人母的邱二娘，眼見小虎子遭惡毒手段（油鍋）所害，營造出一股強烈絕望與萬般無力的情感衝擊（如此情節安排手法，是否有煽情之嫌，容或再論）。若是把邱二娘放在從閩南到南洋的文化傳播脈絡下來看，可以發現「邱二娘」對於閩南人來說，除了反抗強權、可歌可泣的意義以外，當年邱二娘率領起義失敗後，官兵清鄉剿捕，造成時局動盪不安，也成為閩南人移居至南洋的推力之一，可見「邱二娘」當是一段深自聯繫著閩南與南洋之間的重要歷史記憶。

潮州女書：新加坡秋瑩及其潮州歌冊
《金鳳緣》創作[*]

黃文車

屏東大學中國語文學系副教授

提要

　　二〇一九年正值新加坡開埠二〇〇週年，在這個「南去天涯盡」的「南洋第一埠頭」島國，曾是十九、廿世紀以來過番客前仆後繼爭相前往「度難關」的所在。這些過番華人來自閩粵地區居多，包括福建、潮州、廣府、客家和海南五大方言群。

　　本論文將在過去過番歌研究基礎上，以田調經驗與口述訪談為方法，探討新加坡少見的潮州歌謠唸唱者秋瑩女士，並從其生命史發展過程探析其現代文學與潮州歌冊創作及唸唱；進而思考南來第一代女性如何透過歌冊創作去記寫其生命經歷和寄託想像。在過去東南亞華人研究多以男性菁英仕紳階層為主的成果中，難得的潮州女書代表的其實正是傳統社會的女性透過公開場合的說唱表演，利用戲曲歌仔中人物情節的悲歡離合，投射個人、群體共同情感及宣洩苦悶的過程。

關鍵詞：新加坡　秋瑩　金鳳緣　潮州　歌冊　彈詞

---

*　本文為筆者執行一〇七年科技部專題研究計畫「海外覓鄉音：馬來西亞閩南歌謠與歌曲的傳播與記憶」之部分成果論文。

一 新馬地區所見之潮州歌冊概述

二○一九年正值新加坡開埠二○○週年紀念，在島上各處大肆慶祝之餘，二○○年的新加坡在國家經貿、城市觀光等現代科技與國際無縫接軌甚至超前的同時，真正屬於新加坡的文化記憶又有哪些？這些「文化」和當地華人的身份與認同息息相關，但真正能被政府或民間重視的又有哪些？也許新加坡河口的方言群苦力早已離開碼頭，新加坡河畔景觀也轉變了好幾個輪迴，但對當地華人而言，那些跟隨著祖輩而來的傳統華人文化如何在新加坡被創發與改造進而形成所謂的「新加坡派」特色？

本文將觀察新加坡傳統華人文化中的潮州歌冊作品，並聚焦於秋瑩女士的文學書寫與潮州歌冊創作。潮州歌冊是潮州民間說唱文學，保有韻散夾雜的特點，唱白兼用、語言通俗。潮州歌冊的唱詞，基本上是七字句、四句一組，每組押韻，藉以連串情節，或簡述情節概要。潮州歌冊流行於潮汕地區，包括潮州、汕頭和揭陽，以及汕尾的海陸豐，福建的東山、詔安、雲霄，梅州的豐順、大埔及海外潮人地區。[1]潮州歌冊盛行的時間約從清朝到民國，晚清以後有木板刻印，對於歌冊的銷售普及更有一定的影響。據馬風考證，目前可知最早的潮州歌冊出版商應該清同治年間的李萬利，其餘如吳瑞文堂、陳財利堂等則多在清末民初，但印刷數量也多達二千多本。潮州歌冊能廣泛流傳的主要原因在於具有豐厚的群眾基礎，尤其以婦女佔多數，從其大量印刷和銷量上，可見一斑。[2]

---

1 二○○七年，潮州歌冊被列入第二批中國國家級非物質文化遺產保護名錄。郭創永：〈潮州歌冊概述〉，《神州》2012年8月（下旬刊），頁34。關於潮州歌冊的說法，張吉安也曾紀錄提到：在馬來西亞被稱為「七字歌」，主要是七字一句為主，有時也會穿插四句或五句形式。唸唱時沒有樂器伴奏，於是形成潮州歌冊的說和唱是隨著字面和故事起伏轉折來詮釋，潮州話的八度音正好成為唸唱時的抑揚頓挫準則，配合著潮州方言，潮州歌冊變成婦女生活的「彈詞」。張吉安，《鄉音考古：採集‧行為‧民俗‧演祭》（馬來西亞：GEMERLANG PUBLICATIONS SDN. BHD.，2010年6月），頁126-131。

2 吳奎星：〈潮州歌冊溯源〉，《潮學研究》（汕頭市：汕頭大學出版社，1993年），頁233。

　　潮州歌冊與歌謠原唱自潮汕地區，隨著過番南來的潮州人分散於新馬兩地，更在馬來西亞的海濱潮人地區流傳著，我們不禁思考這樣的原鄉古調唱到大馬吉膽和巴生後，究竟出現怎樣的變化？唱的人是誰？潮州歌謠有怎樣的特色趣味？有人說潮州歌冊是「女書」，因為演唱者和聽眾幾乎清一色都是女性，據余亦文的回憶所及：

> 每當夕陽西下，晚飯已畢，外婆家的小小天井就擠滿了人，這些人都是鄰居姐妹，大姆大嬸，婆媳妯娌，有的把繡花規、刷紙架也搬來了，邊聽唱，邊幹活，好不熱鬧……說到傷心事件，已個個淚眼汪汪，低低哭泣之聲可聞；說到奸賊計害人，一個個咬牙切齒，「短命無好死」之聲回起；大團圓了，或惡人伏法了，大家喜上眉梢，盡興而散。[3]

　　引文中說的是潮汕地方聽歌冊說唱的情況，可以發現聽唱者都是「安家」的婦人女性，說潮州歌冊是「女人書」也非無因由。這樣的聽歌情況，其實正是傳統社會的庶民百姓（尤其是女性）透過公開場合的戲曲說唱表演，利用戲曲歌仔中人物情節的悲歡離合，投射個人情感與集體宣洩苦悶的過程。

　　目前新馬地區會館或私人收藏尚有許多潮州歌冊，例如《海濱潮鄉：雪隆潮州人研究》一書內提到二〇一四年吉膽島謝松鎮的女兒謝若芸將其母親謝亞勿（松鎮嫂）的歌冊收藏捐給雪隆潮州會館，該書「附錄五」載有謝亞勿（松鎮嫂）所收藏的歌冊共有二二三本，共計六十多種故事主題，其中十卷以上的計有《五虎平西珍珠旗》、《雙太子紅羅衣》、《初集鍾無艷娘娘全本》、《狄青上棚包公出世》、《射錦袍孟麗君全歌》、《雙白燕全歌》、《粉妝樓》和《隋唐演義右調彈詞》等。這些歌冊的出版商包括潮州李萬利、老萬利、萬利春記、萬利生、吳家瑞文堂、五福堂、王家友芝堂、王生記、進文堂、廣州五桂堂等等，多是晚清時期印製和發行。較為特別的是，其中還有一歌冊名為潮州歌曲，實際上內容全是潮戲劇目，共有八十六小則故事組

3　引自肖少宋：〈潮州歌冊中的女性形象〉，《廣東藝術》2012年第1期，頁13。

成，匯集成冊。[4]

　　本文將探討新加坡百年來難得一見的潮州彈詞歌冊創作作品《金鳳緣》，兼及作者秋瑩女士及其文學書寫，觀察其創作《金鳳緣》之背景、作品內容及其蘊含的特色價值。

二　秋瑩女士及《破塵集》作品概述

（一）秋瑩生平概述

　　秋瑩，本名為劉有娟，一九二七年出生於中國廣東省潮安縣，現為新加坡公民。一九三六年（九歲）的她開始在潮安縣鄉下一所私塾學校讀書，她還記得第一課的內容只有「小紅上學去」五個字；那時還得用毛筆寫書法，寫的通常就是「人、手、足、刀、尺、山、水、田、牛、羊」等基本國字。在潮州鄉下學習潮語二個月後，就隨著母親南來新加坡定居，而其父親早在秋瑩五歲時就到南洋謀生了。[5]一九三九年（十二歲）才進入植哲小學就讀，那時小學的學費每個月是新幣二元，但那時其父的薪金每月才僅有廿五新元，扣每月的房租五元、家用十四元，每個月還得寄五元回唐山家鄉給祖母，在這樣的情況下，其父必須從大坡到小坡去招徠生意，來回步行，連二文錢的電車費都不捨得用。但即便如此，每晚從小坡回來，其父也要教秋瑩一課書，現代體也好，文言尺牘也罷，都嚴格地要求她必須讀熟、牢記在心；每課讀完後就必須默寫，若錯一個字就罰面壁思過五分鐘。無非是想讓她多認識幾個字，不至於成為文盲，但想不到卻也因此成就秋瑩的文字基底，她在文章中每每感嘆：「六、七十年前讀過的書，竟然還記得這麼清楚，現在身邊的大小瑣事，卻是一轉眼就全部忘記了。」（頁319）。

4　詹緣端、徐威雄、童敏薇著：《海濱潮鄉：雪隆潮州人研究》（吉隆坡：華社研究中心、雪隆潮州會館，2016年4月），頁259。

5　有關秋瑩的生平資料，參考秋瑩：〈學習過程：父親的教導和入校讀書三年〉、〈為何回潮州，在潮州的情形〉等文，《破塵集》（新加坡：新加坡文藝協會，2015年11月），頁317-320、頁320-322。

　　半年後的一九四〇年，義安女子學校創建，考慮植哲小學是男女同校，於是秋瑩的父親便讓她轉學到義安女子學校，成為該校第一屆的學生。然而入學僅三年的她便因第二次世界大戰爆發，日軍入侵新馬而輟學，那時她才僅有十五歲。一九四五年年僅十八歲的秋瑩完成終生大事。一九四八年五月，二十一歲的秋瑩帶著未滿周歲的長子回到中國家鄉省親，而《金鳳緣》唱本便是在其回到中國開始創作，直至一九五〇年四月其回到新加坡，《金鳳緣》才於次年（1951）年完成初稿，然而並未出版。

　　秋瑩以其小學私塾的文學根柢作為基礎，於義安女子學校就讀的三年期間，大量閱讀古籍和唱本，靠著自己的自修與多方努力，古典文學造詣深厚；再加上其母親擅長吟唱彈詞，秋瑩受其母親的影響，也深愛唱本文學。此外，秋瑩更熱愛寫作，自一九五一年起便以短篇小說和散文等體裁，常在當時的《民報》和《新報》之「文藝副刊」上投稿並獲刊載，其主要創作的現代文學作品有短篇小說如〈中彩記〉、〈失足〉、〈借錢〉等，散文如〈中秋佳節〉、〈離汕之夜〉等，記事文如〈家裡駐軍追憶記〉、〈母親的死〉等；此外，秋瑩更擅長創作古典詩，例如〈悲夫萱慈一病竟成不起風木之傷令人欲絕苦茨悲余賦此聊寄哀思〉、〈失陷後聞聯軍第一次反攻有感〉、〈月夜〉、〈春思〉等等，此些作品多收錄於秋瑩的《破塵集》[6]一書當中。

（二）《破塵集》（2015）

　　新加坡文藝協會理事長成君先生為《破塵集》寫序時提到：

> 她在閒餘時，還有創作其他作品，尤其在四、五十年代，也留下古詩、小說、記事文和散文，雖然不是經典之作，卻能讓人感受到當時的時代氣息。……《破塵集》可說是秋瑩一生的經歷，她的經歷是與時代接軌的。[7]

6　按：下文若提及《破塵集》內容，為求行文簡潔，將只註明頁碼。

7　成君：〈破塵而來，留存文苑〉，《破塵集》序文，頁1。

《破塵集》共收錄秋瑩古典詩作二十九首，記事文七篇，散文五篇，小說二篇等共四十三篇古典與現代創作作品；此外，更有《金鳳緣》創作訪談錄，以及《金鳳緣》迴響等數篇文章。

誠如成君所言，《破塵集》記錄秋瑩女士一生的點滴記憶，記事文〈母親的死〉脫稿於一九四三年，這是她生平第一篇文章，記述母親產後得了「腰只病」不斷受病魔折磨的歷程，文章用語質樸，然而感情卻真切動人。一九五二年完成的〈家裡駐軍追憶記〉內容記錄其回中國家鄉時巧遇一九四九年國民黨某軍團撤軍南下準備前往臺灣前，在潮安縣斗文鄉若禧居逗留借住將近一個月那段慌亂心驚的往事。之後完成的〈一波三折求簽證〉和〈離汕之夜〉[8]則是真實地記錄她一九五○年四月如何於一波三折的險境中突圍回返新加坡的過程。

收錄於《破塵集》中的兩篇小說〈失足〉和〈中彩記〉描寫的是一九五○年代的社會現實，內容是作者根據真人真事及所見所聞加以創作而成。這兩篇小說在形式上有共同的特點，即是作者皆以「十」個段落完成，而〈中彩記〉十個段落各有「標題」如「一、一樓同居相親愛」、「二、中彩票一躍成富翁」、「三、人情冷暖驚世態」、「四、淒涼環境復罹災」、「五、怨憤難填責愛子」、「六、家庭風波難避開」、「七、海濱絮語兩心照」、「八、昏夜密室受飛災」、「九、拼將薄命酬知己」、「十、往事如煙恨無涯」等，頗具傳統古典小說回目標題之特色，由此可見秋瑩也將其擅長的彈詞歌冊體運用於現代小說創作中。

除了現代文學創作外，秋瑩也擅長古典詩書寫，這和她愛好閱讀古籍和唱本藉以培養自我的古文功力有一定的關係。《破塵集》中收有她二十九首古典詩作，內容主題包括：一、回憶故里，如〈憶故鄉〉；二、個人感懷，如〈偶題〉、〈失陷後聞聯軍第一次反攻有感〉、〈隨感題〉、〈雨夜〉、〈傷老〉；三、悼念故友，如〈悼惜閨亡友〉、〈送大姑出殯至萬禮火化場有感〉；四、記寫時事，如〈獻詞─敬祝新報週年紀念〉、〈國慶鑼鼓鬧聲喧─慶祝建

8　按：〈離汕之夜〉原刊載於《新報》「新園版」，1953年4月9日。

國五十週年〉；五、城市生活，如〈新華文學館〉等。

秋瑩的古典詩多有詩人感時多愁的婉約情態，例如一九四四年完成的〈偶題〉寫到：「苦雨淒風長迫人，身心如在愁城中。嗟無長江黃河水，滌我胸中萬種愁。耳畔怕聽杜鵑語，瘦骨難禁落葉風。解愁還把黃卷看，又恐中有斷腸人。」（頁16）又或如二〇一〇年完成的〈傷老〉：「揮毫不能成文章，擲筆無言只自傷。耄耋之年難為事，只盼早日上九天。」（頁36）但若書寫時事或城市生活，則有積極正面語氣，例如〈新華文學館〉（2013年）中有「文筆犀利正直語，學無止境知行難」（頁39）；或如〈國慶鑼鼓鬧聲喧—慶祝建國五十週年〉（2015年）中所言：「國慶鑼鼓鬧聲喧，全民同慶喜欲狂。建國五十周年日，金禧紀念更非凡。……四顧茫茫土地小，輾轉獨立為國家。全民刻苦同奮發，方得轉危而為安。更有建國眾前輩，齊心合力挽狂瀾。……」（頁41-42）從秋瑩的古典詩作品中也可以發現詩人的兩種心情世界，以積極之筆寫現代城市生活，用婉約文字傳達感傷多愁情緒。

三 《金鳳緣》[9]的創作背景與主題內容

二戰結束那年（1945），劉有娟（秋瑩）正好十八歲，也在那年步入婚姻，並於婚後第二年產下長子。日本佔領新加坡三年八個月期間，秋瑩與潮州親友間完全音訊不通，因此就在長子十一個月時，連同其先生大嫂、大姊，和兩家男女及一位親戚共十四人，搭乘輪船返回潮汕家鄉，只留其先生及其大伯兩人在新加坡苦撐著自家經營的餅乾廠生意。爾後，秋瑩便在潮汕家鄉待了二年，也在這段期間開始她的《金鳳緣》潮州歌冊創作生涯。

---

9 秋瑩：《金鳳緣》（新加坡：新加坡文藝協會，2012年5月）。按：下文若提及《金鳳緣》內容，為求行文簡潔，將只註明頁碼。

（一）《金鳳緣》的創作動機背景

　　待在潮汕家鄉期間，秋瑩知道自己的家婆最愛聽人唱「潮音七字歌冊」，還花錢買了許多歌冊讓人唱給她聽，但自從家中進賊三次後，這些歌冊也就不知道掉失到哪裡去了。於是她想起幼時最喜歡聽母親唱潮州七字歌冊，據其回憶：

> 我的母親從前在家鄉的時候，每次回到娘家小住數天時，就要唱歌給我外祖母聽。外祖母也是最愛聽唱歌的人，不但外祖母愛聽，附近的左鄰右舍，老嬸阿姆等，不管是下午或晚上，只要聽到母親要唱歌，也都歡歡喜喜的來，坐滿一條小巷，聚精會神的靜聽。[10]

這樣的情景正如余亦文提及的潮汕地方聽歌冊說唱的情況，左鄰右舍的老嬸阿姆這些「安家」的女性總會在秋瑩母親準備要唱歌時，扶老攜幼前來聆聽；另一方面也可確定秋瑩母親唱歌冊的音色與功力應該是村莊裡有名的。這樣的女性說唱歌冊場所，也就成為一個地方的集體記憶。

　　秋瑩想起小時候也很喜歡七字歌冊，既然家婆喜歡聽，自己何不也來嘗試寫七字歌冊？雖然自己略識一二，不過彈詞和通俗歌冊都常閱讀，更喜歡研究彈詞的優雅文字。她想：老人家很愛聽女扮男裝的故事，或者落難書生中狀元的故事，而且要有悲歡離合，要好人有好報，有頭有尾有結局的故事。因此為了迎合家婆的歡心，秋瑩憑著平時所看坊間的歷史小說記憶，編排構思了《金鳳緣》這個長篇故事。

　　秋瑩自己提到：「在提筆寫的時候，我只是略作構思，並沒有想要怎樣安排情節，只是隨想隨寫。」（頁324）正因為她自己喜歡閱讀稗官野史、彈詞小說類的書籍，因此加以模仿轉化進行創作。不過，秋瑩也提到：

> 平時所看的小說，所描寫的皇帝，都是偏聽偏信，酒色昏庸的君主，所以我就想寫一個與之相反的，多情多義的皇帝。又因為那時世局動

10　秋瑩：《破塵集》，頁323。

蕩不安，盜賊叢生，各處拐賣孩童的事，時有所聞。我也就以今喻古，把這些不幸情景寫進了故事裡。（頁324）

由此可見秋瑩的歌冊創作除了延續其對七字彈詞的興趣及母親教授的歌冊記憶，還有為了取悅家婆歡心等原因外，如何透過歌冊的內容主題傳達其關懷理念，以及女性的浪漫想像情懷等，全都放入了《金鳳緣》這篇故事中。

然而這篇故事尚未寫完，書名也還沒確定時候，中國卻開始了翻天覆地的文化大革命時代。秋瑩潮汕老家接到的第一個指令就是要繳交八十擔粟，名為「累進捐」，其意乃指他們是地主之家，平時剝削佃農，累積多時的罪過，現在都要一次還清。當時中共的政策雷厲風行，不容妥協；各處都有紅衛兵在破除「舊思想、舊文化、舊風俗、舊習慣」，不時有不利地主的傳言流竄，令人聞之膽戰心驚。秋瑩家婆擔心最後家業被抄、人員不安，於是痛下決心要秋瑩和其大姆等回返新加坡，那時因為秋瑩等仍被視為「歸國華僑」，且有海外護照，只要護照尚未過期都可以持照出國。

回到新加坡後，她雖然把《金鳳緣》寫到將近完結，但因中國動盪不安，始終未能把完稿寄回潮汕家鄉給親友閱讀。這時情緒煩亂、心情不佳的秋瑩停筆將近一年，直至回新加坡產下第二個孩子後，才陸陸續續把全書寫完。據她回憶，這部長篇歌冊初稿花了將近三年的時間，後來又將全書重新謄抄並且修改情節，大約又花了兩年的光陰。然而這樣的傳統古典歌冊，若寄回中國家鄉一定又被視為封建遺物，秋瑩擔心會再連累潮汕親友，因此靜靜將《金鳳緣》收藏將近一甲子的歲月後，才由新加坡文藝協會協助出版。但就如她所感嘆的：遺憾的是這本彈詞故事，是要唱給家婆聽的，可是她老人家一句都沒有聽到。而那幾位愛她的長輩都已經作古，而她也已是皤然老婦，行將就木之人。（頁327）此正如秋瑩在《金鳳緣》書中結尾處所提到的：

回憶此書初起日，迄今已易幾度秋。歲月催人事多變，紅顏轉眼將白頭。

人生自是多缺憾，幾曾美滿如所求。收拾閑情歸彤管，換出鏡花解無聊。（頁326）

一甲子的人生感歎莫過如此，只好將情感愁緒轉化成文字，生成鏡花世界解憂！

（二）《金鳳緣》的主題及思維

　　秋瑩女士所創作的《金鳳緣》潮州七字歌冊原稿共有八卷，新加坡文藝協會理事長成君先生[11]於二〇〇九年一次拜訪她的時候，見她從房內捧出一疊舊稿本，便是這八卷《金鳳緣》手抄本（請見圖一，原書頁1），那也是秋瑩六十年來第一次對外人公布這部潮州彈詞唱本。成君以為：

> 《金鳳緣》在創作六十年後終於被發現，這在新華文學發展歷程中，可說是稀有的，我們不能讓它隨著歲月流逝而埋沒在塵埃中，不然，這將是新華文學的一大損失。因為在新華文學史上，彈詞文體創作是一項壯舉，可說是空前。[12]

《金鳳緣》作者手稿

圖一　《金鳳緣》作者手稿

　　於是成君立即將《金鳳緣》被發現與期待將之付梓一事告訴當時新加坡文藝協會的會長駱明先生，並立即得到允許。於是《金鳳緣》的出版工作，便在劉有珍女士的協助之下，於二〇一一年三月開始進行打字、建檔、註釋、編輯等工作，期間更與秋瑩女士共同校對與修訂，該書乃於二〇一二年

11　按：成君，本名為成泰忠，一九五一年出生於新加坡，祖籍廣東省番禺縣，畢業於新加坡南洋大學歷史學系，現任新加坡文藝協會會長。成君先生的內人劉有瑛女士，便是秋瑩的三妹。

12　成君：〈《金鳳緣》出版緣由及其他〉，引自《金鳳緣》，頁8。

五月順利出版。

1 《金鳳緣》的體制格式

　　《金鳳緣》原稿最初只有五卷，最初的書名其實是《金鳳雙定緣》，如秋螢自述提到：「由於當時物資匱乏，每晚在忙完一天的家務後，只能在一盞微弱的土油燈下，以毛筆在泛黃的紙張上書寫，並且盡量把字寫得小一點，密一些以節省紙張。」後來因為朋友送他一些本子，她才把《金鳳雙定緣》進行情節修改並改書名為《金鳳緣》，最後成了目前可見的八卷本。[13]本書每卷有一〇四頁，每頁十行，每行四句，每句七字，共計二十二萬四千二百餘字。二〇一二年五月由新加坡文藝協會出版的《金鳳緣》全書共三一五頁，由秋螢妹劉有瑛女士進行文字繕打、校對、整理、修訂及注釋，[14]新出版的《金鳳緣》以 A4 格式呈現，每頁計有三十行，總數約八千行；每行四句，每句七字，故每頁內容共八四〇字。

　　《金鳳緣》書前有序文三篇，依次為當時的新加坡文藝協會會長駱明所寫的〈一幅承載歷史的畫卷—寫在《金鳳緣》出版前〉，成君所寫的〈《金鳳緣》出版緣由及其他〉，以及秋螢的自序〈六十載存稿付梓時〉；此外，另有「《金鳳緣》人物關係表」一張（原書頁11），如圖二所示。

13　劉有瑛：〈《金鳳緣》編輯絮語——盼得金鳳展翅飛，了卻秋螢畢生願〉，《破塵集》，頁342-343。

14　據劉有瑛提到：其計畫以六個月的時間完成文字輸入電腦，其餘半年時間來進行校對、整理「人物關係表」，加入「註釋」和修訂工作，這份工作從二〇一一年三月十五日，每晚十一時開始。然而開始進行文字輸入時才發現秋螢《金鳳緣》手抄稿內湧了許多古字難辭，須查索字典、辭典才能完成輸入工作。有時更需要求助秋螢進行解釋，而秋螢自言她在用這些詞語時，想到就用，從來沒有去查字典，這也說明舊時的古典文學基底對秋螢的創作有很大的助益。參考劉有瑛：〈《金鳳緣》編輯絮語——盼得金鳳展翅飛，了卻秋螢畢生願〉，頁343。

圖二 《金鳳緣》人物關係圖

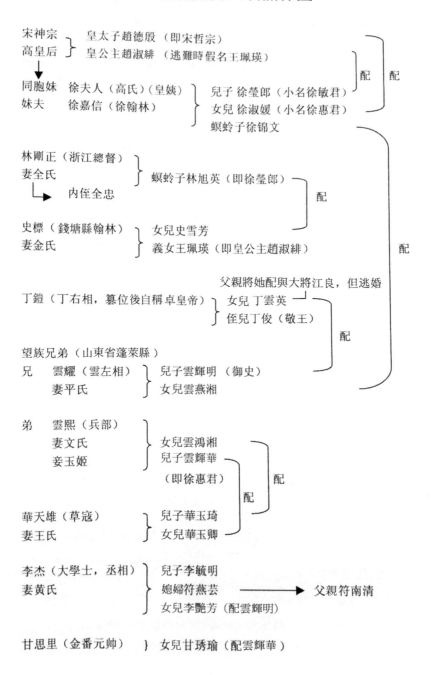

　　《金鳳緣》共有四十五回，每回回目以八字聯對呈現。從第一回「慶聖壽金鳳雙訂婚祭祖瑩墓園失愛子」到四十五回「無可奈何返本歸真月圓花好完結鳳緣」共計廿二萬二千多字（回目請見附錄一）。秋瑩全以潮州方言創作，因此也能以潮州話念唱；全篇七字一句，四句一段，如此疊唱，終成長篇，如此看來《金鳳緣》應屬潮州歌冊之通俗文學唱本，然而筆者訪談秋瑩本人或成君於該書序言介紹都稱此書屬於「彈詞」一類。「彈詞」又稱「評彈」，盛行於中國南方的說唱藝術，故又稱為「南詞」，可用三弦、琵琶彈奏，內容屬於韻文和散文之綜合體。其文字可分成「說白」與「唱詞」兩部分，前者為散體，後者則以七言韻文為主，偶爾穿插三言句；至於使用的語言可分成白話和方言兩種，內容多以第三人稱敘述，文字淺白，渲染力強。據知明朝萬曆年間已有人刻板過元朝末年楊維楨的《四遊記彈詞：俠遊、仙遊、冥遊、夢遊》，此乃「彈詞」一詞最早出現於古籍之紀錄；換言之，最遲於元末時期已有「彈詞」出現。（頁9）其中女性作家創作作品尤為長篇巨構，文字典雅清麗，明顯以閱讀為主要考量，學界稱其為「彈詞小說」。這些作品往往環繞著女性因緣巧合離家並女扮男裝，考取功名，進而於官場或沙場建功立業的英雄主題，反映傳統女性面對生活空間的限制時，進而在文學創作的世界中發揮奇想、表達欲念的心靈活動傾向。[15]

　　中國古代文學史中屬於女性文學創作作品只佔極少部分，其中又多屬三種類型：（1）閨閣文學，作為男性文學的附屬品，如《紅香小冊》、《翠閣吟稿》等；（2）班昭、班婕妤一類，作品維護封建禮教；（3）蔡文姬、李清照、朱淑真一類，具有女性意識的文學。[16]作為明清說唱曲藝一派的彈詞小

15　其中，說書人若為男性稱先生，女性則稱作女先生或女先兒，他們往往扮演文化傳遞與大眾娛樂的雙重角色。彈詞的表演場所稱為「書場」，但不適合走出閨門的大戶閨秀，則可聘請女性說書人到府演出。引自科技部人文沙龍團隊：〈秘密花園——清代女性敘事文學中的幽隱空間與心靈世界〉，《人文與社會科學簡訊》第20卷2期（2019年3月），頁131。

16　參考李玲：《中國現代文學的性別意識》（臺北市：秀威資訊科技股份有限公司，2011年4月），頁122。

說，主要以女性創作者書寫的女性主題並只提供給女性閱讀之特點，傳統以來也多被視為「閨閣文學」系統，然而這些彈詞女書是否只能囿於「閨閣」，難道真無女性自主思維呢？

　　我們先仔細觀察《金鳳緣》一書，可以發現內容確實出現韻散夾雜、三七穿插的情況，就「韻散夾雜」而言，故事敘述主要以七言四句為基本句式的韻文體呈現或唸唱，不過當故事敘述者（Narrator）在文本交代過程中需要「說明」或「補述」情節時，多會以散文體呈現；又或者故事中出現「書信」、「祭文」及「聖旨」內容時，同樣會用散文體表達，例如三十九回「金鑾殿上大封功臣論功行賞將士開顏」中提到雲輝華降金風光歸來後哲宗論功行賞一段：

> 聽朕誥封有功臣，眾人領旨齊俯伏。白玉階前聽聖音，內侍高捧龍御詔。
> 朗聲宣讀在金鑾：
> 奉天承運皇帝詔曰：咨爾雲輝華智勇雙全，精忠衛國，既剪內亂，又平外侮；運籌帷幄，寢食未安，為國辛勞，萬眾共仰，論功行賞，應受殊勳。茲賜封為衛國忠英王，妻封衛國王妃，祿享千鐘，榮及五代。……（頁273）

待唸完聖旨內容，才轉回韻文七言體敘述。至於「七三夾雜」則是故事韻文體呈現或唸唱時候，當故事劇情緊湊或人物對話時，敘述者或故事人物就會以三、七句式、三、三、七句式或三、三、四句式呈現，想來是用快板形式唸唱，也能傳達情節之緊張。例如二十回「中詭計雲熙困絕崖驚噩耗輝華暈咯血」中提到雲輝華胞弟林旭英身份曝光時的緊湊劇情時也用了三、三、七快板句式：

> 她本是，天家貴，皇氏公主趙淑緋。與姑爺，是表親，兼在幼年已聯姻。
> 公子爺，本性徐，親生父親徐翰林。洞房裡，訴衷曲，表明身世知前情。
> 那知道，牆有耳，消息傳入惡奸人。有全忠，心腸險，姑姪同謀做不仁。
> 到衙門，去出首，說到公子藏犯人。頃刻間，來皂隸，押去估耶夫婦身。
> ……（頁137）

最後林旭英為輝華堂兄雲輝明所救，帶回見哲宗時驚覺與輝華容貌相似，因此在二十三回「擁大軍興師討叛逆哲宗帝深宮戲大臣」中有哲宗借醉酒故意戲弄雲輝華一段：

> 雖感個郎情意重，更驚此刻露真形。當此國家多事日，身負重任職不輕。
> 若被識破如何好？必須要，強顏恫嚇做不情。這都是，剎那心念千萬轉。
> 頃刻間，一頓烏靴立起身。陛下呀，語出荒唐不正經。（頁156）

至於十八回「惡陳瑞獻計害書生林旭英死裡慶重生」提到旭英為陳瑞逼迫投江前所唸唱文字如「林旭英，在江邊，悲憤哀啼。舉頭來，望明月，哭叫皇天。命運乖舛誰似我？料不到，於今宵，屆喪少年。自髫齡，遭顛沛，骨肉流離。無端歹徒施奸計。……」（頁121）等三、三、四句式的快板更讓主人翁心情陳述透顯無奈慌亂。如此可知，打散七言模式讓彈詞唸唱更具張力，以三、七或三、三、七或三、三、四句式反而能透顯故事劇情的緊湊性或懸疑度，這當也是彈詞小說的形式特色之一。如胡曉真教授所言，彈詞中「夾插自敘」是其寫作的重要傳統及有趣運用，如在《筆生花》與《金魚緣》中皆有呈現，內容由季節風光、寫作歷程、心情感觸、個人經歷乃至家庭瑣事皆可包含在內。[17]

可見，《金鳳緣》應該就是一本以潮州方言創作的潮州彈詞，但要而言之，其內容概以七言四句為主體，更以潮州方言創作，屬於通俗說唱文本，故也可以算是廣義的潮州歌冊範圍。

2 《金鳳緣》的內容主題

《金鳳緣》作者秋瑩以四十五回共廿二萬多字內容，用以描述宋神宗高皇后之同胞妹徐夫人（高氏）和其夫婿徐嘉信（徐漢林）所生之一對兒女徐瑩郎（小名徐敏君）與徐淑媛（小名徐惠君，即女扮男裝的雲輝華）二人，

---

17 科技部人文沙龍團隊：〈秘密花園——清代女性敘事文學中的幽隱空間與心靈世界〉，頁132。

本已得宋神宗歡喜要將其子（後來的哲宗）與公主（趙淑緋）賜婚兩兒，誰知後來遇上拐賣兒童盜匪，終與親人失散；後來徐瑩郎為浙江總督林剛正收養成為其螟蛉子，改名為林旭英，而其姐徐淑媛（小名徐惠君）陰錯陽差則被女扮男裝賣進山東省蓬萊縣望族雲家，假裝時任兵部的雲熙之子雲輝華身份繼而奮鬥一生的故事。過程中宋室被丁鍇篡位，宋哲宗出逃，藉著雲輝華的保護到貴州另立偏安；之後輝華娶妻畢玉卿，其兄畢玉琦則取輝華胞姐雲湘鴻，如此更是親上加親。因此玉琦乃與其母共同勸服其父畢天雄歸順宋室，玉琦也協助雲輝華征討偽君丁鍇，終將之擒服，斬首碎屍，並擁哲宗恢復宋室。爾後，雲輝華更領軍北討金兵與金番元帥甘思里對戰，過程中甘女琇瑜為輝華傾倒，主動來降，輝華因此立下降金大功，受封「衛國忠英王」，並與幼年失散的胞弟和父母得以重逢相聚。無奈輝華本想讓甘琇瑜嫁入皇室以完成金鳳良緣，故將金鳳釵交予琇瑜，誰知為哲宗發現有異，最後徐母高皇姨入宮吐露真相，雲輝華實為徐淑媛的女性身份才意外曝光。故事結局乃是徐淑媛連同原妻畢玉卿和甘琇瑜三女共侍宋哲宗，如《金鳳緣》最後所寫道：

> 惠君與了兩妃子，三人同心共事君。一般恩愛情不渝，恭奉太后盡孝誠。
> ……
> 禮待秋雯賢義婢，也為擇配適才郎。月圓花好當停筆，就此結束金鳳緣。
> （頁325）

「金鳳良緣」、「月圓花好」，可謂是傳統文學中必須出現的「圓滿大結局」。但這樣的才子佳人、帝王美妾故事雖是古典通俗文學中的常客，秋瑩的《金鳳緣》卻掌握了「女書」及「女歌」的特色，在傳統多為男性發聲的文學界為潮州歌冊此「女人書」做了最好的註腳。

秋瑩透過敏銳的情感與細膩的文字，加上完整豐富的情節，講述了一段女扮男裝、伴君救國的宋代奇女子故事，這樣的題材或許在歷史通俗小說中偶有可見，但故事的情節設計和安排均來自秋瑩的創作，無形中也加入了作者過去的閱讀元素和個人想像。雲輝華雖是徐惠君所扮，然而其文能治國、

武可安邦；有俊才、重情義。故事裡特別安排兩段她的同性之情，其一是元
配妻子畢玉華（草寇畢天雄之女），當時迫於雙親壓力無奈娶了她，雖無周
公之禮，但卻也盡了丈夫該盡的責任，呵護備至，情意有加。另外則是無意
闖入兩人婚姻的第三者甘琇瑜（金番元帥甘思里之女），因為輝華對琇瑜有
救命之恩，半年相處下琇瑜更是愛之有加。無奈輝華不可一錯再錯，因此只
能編出謊言、讓出鳳釵，讓甘琇瑜心甘情願嫁給皇上，如此既可退回皇家定
親信物，又可切斷皇帝想要找回徐淑媛的念頭，最後雲輝華則可以男子的身
份繼續生活下去。[18]然而人算不如天計，最後雲輝華還是恢復女兒身，並且
嫁給皇帝，成就了中國傳統通俗文學中的大團圓結局。這樣的故事或許結合
古典文學中女扮男裝、才子佳人、英雄美人等經過百災千難最後終於能團圓
美滿的想望，有情人終成眷屬的結局。

　　但從女書與女歌的創作書寫角度來觀察，或許會感嘆這樣不讓鬚眉的奇
女子最後仍不免全於傳統世俗眼光，委實有其可惜之處。然而瑕不掩瑜的
是，秋瑩女士以三年創作、二年重抄等五年光陰完成廿二萬多字的《金鳳
緣》潮州彈詞此一歌冊巨著，又藏珍自隱該書冊一甲子歲月，直至二〇一一
年才將此歌冊公諸於世，於是我們終得讀見新加坡潮州奇女子秋瑩女士所完
成的潮州歌冊，而且需肯定其在新加坡或華文文壇中獨樹一幟少見的潮州女
書之歌冊創作成就。

3 《金鳳緣》的思想特色

　　一般而言，彈詞的作者多以女性居多，內容也多以女性故事為主，但也
因為如此，彈詞在文學領域中，無論就生活環境或精神慰藉都給女性作家開
闢了一條女性創作的專線。[19]《金鳳緣》的素材來自作者從小聆聽母親說唱
的潮州歌冊，還有其自己喜愛的古典文學作品閱讀，因此秋瑩這部潮州彈詞
傳承女歌、女書創作；雖然夾有近代語句，但卻不失古早風味。

---

18 參考姚燕雪：〈讀秋瑩婆婆《金鳳緣》的感想〉，《破塵集》，頁340-341。

19 參考姚燕雪：〈一樹桃花金鳳鳴──讀秋瑩彈詞著作《金鳳緣》隨思錄〉，《破塵集》，
　　頁334。

　　秋瑩的《金鳳緣》內容以奇女子徐惠君（雲輝華）的人生與情感發展為
主，因此閱讀起來很快便能抓住作者如何刻畫一女子女扮男裝為宋皇室／宋
哲宗／愛人奮鬥的主題思維。從此部彈詞故事中我們可以發現圍繞在雲輝華
身邊的女性多顯賢良堅貞、忠義明理，相對而言主要男子則多霸氣狂傲、自
慢自大。總括而言，我們大概可以將《金鳳緣》中的重要女性形象概分成以
下幾個類型：

　　（1）堅貞賢良的女性：傳統女性的堅貞賢良，一女不事二夫的絕對思
維，這一類型約莫可以雲輝華的原配畢玉卿和早與林旭英有婚約而違背其父
的史雪芳等。例如十回「避奸禍闔家投山寨憐淑女筵前定婚姻」中畢玉卿本
意為父親報仇，誰知「但見當前好個人，曠世難逢之儀表」、「端坐馬上顏如
玉，威中帶袖若書生。分明生平眼未見，這般男子世難尋。」（頁73）於是
一生為雲輝華傾倒，即便最後知道輝華原是女兒郎，仍言「一女豈堪再兩
嫁，玉卿不願遺臭名」（頁315）表達忠貞觀念；又或如父親早訂婚盟的史雲
英，後因其父史標貪慕富貴竟想張冠李戴，把雲英改嫁給丁俊，雲英不從更
言「恕女不孝違父命，須知節義重千金。從一而終女之志，刀斧林投不變
心。」（頁108）最後雲英趁丁俊酒醉時將之刺殺，始知其為「巾幗女英傑，
貞名永播傳古今」（頁130），甚至連雪芳之母金氏也斥罵其夫「太不仁」，對
於史雪芳如此堅貞表現，哲宗皇帝特別嘉許之「堅貞永烈世難尋」。（頁
169）

　　（2）忠義叛親的女性：這些女性可能為愛與家庭反目，但故事將家國
忠義置之於前，於是出現忠孝無法兩全的難題。一如前文所提的畢玉卿為輝
華傾倒，得知其父反叛宋室，與其母王氏商議去從問題，孰知王室許其配雲
家，因此玉卿乃言「女願從母不改移，父命母命皆一般。終身既許雲家兒，
生死便是雲家婦。」（頁82）此外，偽皇卓皇帝丁鍇的女兒丁雲英深感雲輝
明「正義凜然威不屈」，信知「如此郎君世難尋」，於是與乳娘商討，卻被乳
娘笑言：「娘你平素極聰明，遇事當機能立斷。今何進退不自明？終身大事
須自決。」（頁52）如此話語從身旁服侍女性口中說出，其實也反映出雲英
的想法，更透顯本彈詞想要傳達的「女性自主」思維。此外，更不能忽略的

是金番元帥的女兒甘琇瑜，和玉卿一樣為父出戰，結果三十五回「只管相思病倒琇瑜無可奈何輝華用計」中提及琇瑜初見輝華之情景：「觀之不覺頓成呆，馬上人兒如冠玉。神采照人態翩翩，金盔耀眼襯俊臉」、「此時呆了琇瑜女，渾忘當前是敵人」。（頁237）其「一意只念陣上人」，更「欲效紅拂私投李，看他卻是了無情。」（頁239）最後竟患上相思病。所幸有婢女香蓮協助，始得與輝華相見。

（3）盡忠侍主之婢女：《金鳳緣》中除了主要女性角色外，更有一群圍繞在其身邊的忠義婢女，為女主的人生大事奔走計量，這可以史雲英的婢女秋雯和甘琇瑜的婢女香蓮為代表。故事十七回「史雪芳忍辱嫁奸王小秋雯暗裡通消息」中特別交代婢女秋雯暗送消息至監牢並為旭英請醫看病，甚至千里奔波找林剛正傳遞消息，真有忠義之心的「賢義婢」！另外，金番元帥公主甘琇瑜因愛慕雲輝華俊秀而因相思病倒，此時有其婢女香蓮為之奔走，先是稟告甘思里元帥言小姐思雲生，「一見鍾情致染恙。心病還需心藥治，懇求老爺念骨肉。修好宋室熄戰爭，將娘許配雲公子。」（頁240）香蓮以一介婢女能直接諫言金兵元帥實是匪夷所思；再者其更度過重重守衛得見宋軍主帥雲輝華，提到甘琇瑜「相思一病竟垂危」，希望能「同賦好逑結鴛盟」。取得輝華「錦箋」為信物，香蓮始返。故事中這些忠義的婢女，其實便如《西廂記》中的紅娘角色，串起故事男女主人翁的鵲橋工作。

細觀《金鳳緣》故事中這些女英雄們其實都有自我的本事，如畢玉卿、甘琇瑜等皆可為父出征，實如「代戰公主」那樣不讓鬚眉的的英勇；然而同樣的落入通俗小說或戲曲的刻板情節，見到宋軍主帥英姿煥發，文武兼備俊貌，卻全為之傾倒，於是可以為愛背叛父親／國家而去投靠對方。此時傳統的「忠孝不能兩全」思維便很容易的植入為故事中的女性解套，也為小說故事的發展提供最能堵住攸攸之口的理由，然而其背後更是父權／男性／漢人中心主義的思維操控。文化起源論述中總以父權「建制化」（institutionalization）價值為標準，所以文化創建過程中自然會出現父權中心（phallocentric）的傾向，相對的所有被壓抑的價值也就自然被視為「女性」。[20]然而身處大時代下的女性創作者未必能自覺這樣在傳統父權體制下被掌控不變的題材與情節議題。

但也如胡曉真教授所言：

> 這些出身名門閨秀的女作家提筆創作彈詞時，多預設私密性為婦德的重要元素，亦即文字同屬於女性主體的延伸，是不容許他人窺視的。但這必然與小說創作與閱讀的公眾性衝突，於是女作家往往透過四種說法為自我辯護：其一，創作彈詞小說只為抒發心志，不求作品為人所見、求取名利，因此是完全私人性的；其二，作品只為略盡孝道、娛樂母親，其他人等不在考慮範圍；其三，作品雖有所傳抄，但僅限於家族女性間流傳；其四，作品雖流傳到家族以外的讀者間，但仍僅限於女性共賞。[21]

秋瑩的《金鳳緣》也繼承這樣的「閨閣文學」書寫原則，最初創作動機只為讓其家婆可以閱讀；不求為人所見，才把這部長篇巨著收藏六十年之久。可是潮州女書傳到新加坡，即便帶著閨閣書寫，卻也出現了易地變異，秋瑩透過成君的新加坡文藝協會將這部四十五回廿多萬字的潮州彈詞重編出版，作品不再僅限家族女性流傳，也不限女性讀者閱覽，如此更能看見這部《金鳳緣》從清代「閨閣文學」系統中傳承而來，但易地至南洋另一個社會場域，又有其必須適應在地的轉變。

然而即便如此，透過女書和女歌，秋瑩還是藉著《金鳳緣》彈詞創作，去完成她想為潮汕親戚或鄉親唸唱的心願，或是更廣大的女性閱聽者；尤其是在那個父命難違、禮教嚴明的傳統年代，潮州彈詞正好是說書女性、聽書

---

20 參考廖咸浩：《愛與解構：當代臺灣文學評論與文化觀察》（臺北市：聯合文學，1995年10月），頁141。

21 引自科技部人文沙龍團隊：〈秘密花園——清代女性敘事文學中的幽隱空間與心靈世界〉，頁132。

女性用以宣洩情緒或交流情感的最佳管道之一吧！[22]

四　潮州歌冊：海外華人的女書

> 蓬山少雁音問少，弱水無魚尺素罄。桑梓何日話重陽？可憐做了百勞禽。[23]

劉有娟（秋瑩）這首〈憶故鄉〉寫於一九四五年三月，其實正好是她從潮汕故鄉回到新加坡的時間，而對於原鄉及家鄉親人的依戀，尤其是從小聽母親唸唱潮州歌冊的記憶，讓她決定創作《金鳳緣》，這不僅是對母親的追念，更是對當時親人的承諾。於是經過三年書寫，二年修改重抄，最後完成《金鳳緣》四十五回八卷本，這本潮州彈詞也在秋瑩自藏一甲子歲月後於二〇一二年由新加坡文藝協會出版。

　　《金鳳緣》透過女書與女歌的方式去描述一位女扮男裝的徐惠君（雲輝華）如何在雲家奮力精進，解救宋哲宗並助之偏安，爾後連結草莽家族合力對抗偽朝，助哲宗復位；後又為國與金兵對戰，最後凱旋歸來受封的通俗彈詞故事。此故事中蘊藏作者母親唸唱潮州歌冊的記憶，也有其自我閱讀的基底，因此充滿傳統通俗文學作品的光影片段。雖然故事最後仍不免落入「三女共侍一君」之父權社會制式思維，甚至更有許多費人疑猜的不合理處，例如國醫為雲輝華診治兩次卻未發現其是女身？婢女秋雯能千里傳訊，香蓮更能如入無人之境的踏入守備森嚴之宋軍營帳拜見主帥雲輝華？但整體而言，創作者運用細膩文字與豐富情感去建構一篇彈詞巨著，勾勒出宋朝年代想像

---

22 秋瑩在《金鳳緣》「自序」中提到：我的家鄉是離潮州城頗遠的一個小村莊。在六十年前的這個小村莊，依然存著傳統的禮教世俗，交通甚不方便，就想要買一份報紙，也需步行到數里外的小市集浮洋市，才可買得到。居住在村裡的婦女們，都沒有什麼可以消閒解悶的，在那個時候，最流行的就是一些可以吟唱的七字長篇故事歌冊。頁10。

23 秋瑩：〈憶故鄉〉七律摘錄，《破塵集》，頁20。

的奇女子徐惠君之豐富精彩的人生故事；從才子佳人、女扮男裝情節而來，
卻也能不落俗套，如其將皇帝塑造成「只望娶得賢淑婦，兩相廝守到白頭」
（頁282）此專一癡情的形象，或許更是完成所謂的民間想像。

　　潮州歌冊的演唱者和聽眾幾乎多是女性，所以有人說潮州歌冊是「女
書」或是「女人書」，唸唱者和閱聽者同處一個空間，聽唱潮汕故事或通俗
戲曲，這樣的女性說唱，也就成為一個地方的集體記憶；至於這個說唱空
間，也如法國的皮埃爾・諾哈（Pierre Nora）在其研究地方與空間時所提到
的：「記憶的場所是任何重要的東西，不論它是物質或非物質的，由於人們
的意願或者時代的洗禮（the work of time）而變成一個群體的記憶遺產中標
誌性的元素。」[24]一個「記憶的場所」在集體記憶中具有很大的影響性。再
者，這樣的聽歌情況，其實正是傳統社會的庶民百姓（尤其是女性）透過公
開場合的戲曲說唱表演，利用戲曲歌仔中人物情節的悲歡離合，投射個人與
群體情感或集體宣洩苦悶的過程。

> 貴客來自新加坡，鄉音盈耳鄉情多。金鳳緣結潮州夢，難忘瑩姐一冊
> 歌。[25]

　　正如秋瑩妹婿成君積極為出版《金鳳緣》奔走時所言：在新華文學史
上，彈詞創作是一項壯舉。（頁9）而秋瑩的《金鳳緣》其實更是海外華文文
壇極少見的潮州女書創作。或許在開埠二〇〇年今時今日的新加坡，未必能
說空前；但在華文書寫與創作逐漸式微的情況下，很有可能是絕後了！

---

24 Nora, Pierre：From lieux de mémoire to realms of memory. 1996: XVII.
25 潮州文化研究中心特約研究員李英群贈與秋瑩的詩作，潘岳鴻書，2015年。引自《破
　塵集》，頁348-349。

附錄一　《金鳳緣》四十五回回目（引自《金鳳緣》，頁 3-4）

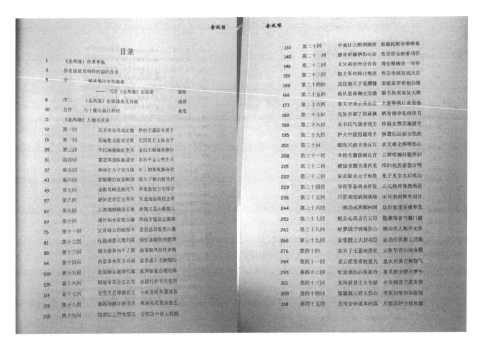

附錄二　相關照片（引自《金鳳緣》，頁 2）

作者于潮州斗文乡的故居 —— 若禧居

摄于 1949 年，风华正茂的作者

越南河內洪福寺後佛碑及其它碑銘研究

林珊妏

宏國德霖科技大學通識教育中心教授

提要

「後佛碑」為越南立後文化中，最大宗的「後碑」類型，具有民間信仰的宗教意義，又為村社多元混融的奉祀代表。《漢喃銘文拓片總集》保存河內省懷德府壽昌縣行炭庸洪福寺四十九面拓片，包括二十七面後佛碑，八面寄忌碑，一面配享碑，十一面功德供養碑，兩面塔碑，這批數量相當可觀的碑銘，正為越南佛寺奉祀現象之代表，極具研究價值。本文將洪福寺四十九面拓片整理成兩單元：首先是功德碑、供養祝禱碑、塔碑、崇修記事碑、寄忌配享碑等拓片內容分析，藉以說明洪福寺的世系傳承和信仰概況，以為後佛奉祀的佛教背景反映。再從后家二十七碑，即洪福寺之後佛碑，進行越南後佛奉祀情形的詳細解說。最後，針對越南後佛碑的內涵意義進行揭示：後佛碑可以補足洪福寺的法系傳承記錄，可與中國功德墳寺進行比對，藉以呈現越南立後文化的預立後事特色。研究越南洪福寺碑銘，足以了解越南民間的祭祀文化與供奉現象，作為越南佛教發展歷程的參佐例證，以為中越文化影響脈絡之具體呈現。

關鍵詞：越南漢文獻　越南曹洞宗　後佛碑　奉祀文化　洪福寺

一　前言

　　《漢喃銘文拓片總集》三萬拓片中，數量最多、比例最高的碑銘類型，當屬佛教傳入越南所發展的立後文化之「後碑」[1]，而總集第一冊的第一碑，即為北寧省嘉林縣臨遊社月光寺的「后佛碑記」[2]。查索《漢喃銘文拓片總集》可得數量相當可觀的「後佛碑」題名；再針對非屬佛寺、非為「後佛碑」題名之拓片，進行銘文內容的審閱，又可查索到更多的「後佛」語詞，普遍現於各式「後碑」內文中。所謂的「後佛」，根據越南《安南風俗冊》對於「后伩」的說明：「寄忌於伩寺，忌日由僧尼辨（辦）禮，供於寺前曰后伩。」[3]阮文原對於越南立後文化的「後」字解釋為：「死後受到公共集體奉祀忌禮的人」[4]，故「後佛」的「後」有：死後受到大眾共同供拜的意義。

　　檢閱總集中的眾多佛寺碑銘，不僅有後佛碑，也有功德碑、塔碑、寄忌碑、後神碑等各式立碑，若能藉由寺院各式拓片內容的檢視，作為佛寺歷史源由、時代背景、奉祀發展等背景資料的完整建構，方能呈現詳盡的越南後佛奉祀現象。因此本文進行越南後佛碑的奉祀現象研究時，將同一座寺廟的系列碑銘全納入研究對象。《漢喃銘文拓片總集》第一冊第一集的河城（河內省懷德府壽昌縣，昇龍城之槐街坊）行炭庯洪福寺，共有多達四十九面碑

1　越南學者皆認為後碑的數量，約佔碑銘總數量的一半左右。譚志詞，〈清初廣東籍僑僧元韶禪師之移居越南及相關問題研究〉（《華僑華人歷史研究》第2期，2007年6月，頁53-58），頁57註44，轉引〔越〕陳氏金英：〈越南的后碑〉資料（《漢喃雜志》2004年第3期），此說亦為〔越〕阮文原：〈越南銘文及鄉村碑文簡介〉（《2007東亞漢文學與民俗文化國際學術研討會論文集》，臺北市：樂學書局，2007年12月，頁463-471），頁468所述及。

2　《漢喃銘文拓片總集》（河內市：越南漢喃研究院出版，2005年），第1冊第1集，編號1，頁1。

3　〔越〕梅園段展：《安南風俗冊》，越南維新戊申二年（1908年），漢喃研究院圖書館藏書，編號：VHv.2665，頁38，「忌后」條。

4　〔越〕阮文原：〈越南銘文及鄉村碑文簡介〉（《2007東亞漢文學與民俗文化國際學術研討會論文集》，臺北市：樂學書局有限公司，2007年12月，頁463-471），頁469。

銘，屬於總集中同一座佛寺之數量可觀的後佛碑銘。洪福寺的後佛碑有二十
七面，寄忌碑有八面，配享碑一面，功德供養碑十一面，塔碑兩面。觀察這
些銘文內容，有一方拓片出現兩種或兩種以上的奉祀性質，也有並未具題
名，需自行斷定其碑銘種類的拓片，如編號289的「洪福寺古文碑記」[5]，既
敘寺院源起功德，又有寄忌性質，將其列為寄忌碑；以及編號292[6]雖以「後
佛功德」稱之，但仍歸為後佛碑。此批拓片的內容相當多元豐富，在奉祀意
義上又極具代表性，足為極佳的越南後佛奉祀之研究對象。以下先將五組拓
片的碑文內容進行詳解，藉以說明洪福寺的世系傳承和信仰概況，反映後佛
奉祀的佛教背景；再從后家二十七碑，即洪福寺之後佛碑，進行越南後佛奉
祀現象分析。

二　洪福寺五組碑銘之宗教背景析論

　　「洪福寺」為河內省懷德府壽昌縣槐街坊上，一座創建自十七世紀的著
名曹洞宗寺院，「宗演真融」為後黎朝熙宗時，享有「御前之君」美譽的越
南高僧。越南佛教的興盛時期，為十到十四世紀之間的丁、前黎、李、陳
朝。到了十五到十八世紀的後黎朝（1428-1789），因其主要政策為抑佛崇
儒，故佛教無比崇高的政治地位已然走入歷史。宗演真融可以成為黎熙宗的
「侍講」，讓熙宗接受佛教信仰，取消鎮壓佛教的成命，並且受賜封為大慧
禪師[7]，可見其影響和地位。根據譚志詞「水月得法後，於一六六七年回
國。和他的嗣法弟子宗演真融和尚（？-1709）在北方傳播曹洞宗。十七世
紀末到十八世紀，曹洞宗在越南北方影響很大，但其傳承關係尚不十分清
楚。」[8]之語，可知宗演真融對於曹洞宗發展的貢獻。藉由洪福寺中的編號

5　《漢喃銘文拓片總集》，第1冊第1集，編號289，頁292。

6　同上，編號292，頁295。

7　馮超：〈越南曹洞宗的江南禪系源流與17-18世紀中越佛教交流〉（《延邊大學學報（社
　　會科學版）》，2013年4月，第46卷第2期，頁54-56），頁55。

8　譚志詞：〈17、18世紀越南佛教復興的背景及特點〉，《閩南佛學》，2011年3月4日。

334左塔無碑題之「大南傳曹洞正宗洪福寺派流諱日」拓片內文[9]，可以清楚看到宗演真融之後的洪福寺住持之承襲紀錄，故編號334左塔碑既為洪福寺傳承的文獻，又屬越南北方曹洞宗的傳承依據。

　　根據阮賢德的《鄭阮紛爭時期的越南佛教史》，有宗演曾說服黎熙宗取消鎮壓佛法的命令，得到熙宗的賜「御前之君」和錦袍，後來回到洪福寺，「重修寺院，擴大規模，使之成為越南曹洞宗的祖庭。」「宗演將衣鉢傳給弟子慈山靜覺禪師主持洪福寺，性祝禪師接管寺院住持後，進一步發展了曹洞禪法，主張『三教一源』」[10]。此段介紹，明確說解宗演真融與洪福寺的關係。

　　《漢喃銘文拓片總集》中的洪福寺碑銘共計四十九面，右側手寫的碑址文字，一律先冠上「河城行炭庯洪福寺俗號和佳」字樣，再下列「外前堂」、「內前堂」、「寺前第一庭」等位置，以及碑面次序等其它相關資料。「河城」為河內之城，即今日的河內省；「行炭庯」為其所在的區域地名，至於小字註寫的「俗號和佳」，為「洪福寺」在拓片搜集時，已成「和佳寺」之俗稱。黎氏垂莊博論中對於洪福寺確實另有「槐街寺」[11]俗稱之記載，由此可知，文獻記載雖對越南北方曹洞宗的祖庭，僅以洪福寺記載，但此寺在不同時期，當地民眾對於寺院實有不同的稱說方式[12]。所以「洪福寺」之名，在拓片搜集之時，已被取代為「槐街寺」或「和佳寺」，兩者之間在字形上的相似程度，透露著越南對於漢字解讀和存寫狀況的因果關係，構成寺院的名稱演變。

　　這四十九面碑銘中，位於「后家」的拓片共有二十七面，其中十三面為

9　《漢喃銘文拓片總集》，第1冊第1集，編號334，頁337。

10　馮超：〈越南曹洞宗的江南禪系源流與17-18世紀中越佛教交流〉（《延邊大學學報（社會科學版）》，2013年4月，第46卷第2期，頁54-56），頁55。

11　黎氏垂莊：《越南南河地區十六至十九世紀中國禪宗的傳播和發展及相關文獻的考察》（華東師範大學，中國古典文獻學，2014年博士論文），頁67。

12　范文俊：《十七世紀閩南與越南佛教交流之研究》（臺南市：成功大學中國文學研究所博士論文，2015年7月），頁124，介紹清化省澤林寺時，也有「越南人常叫村名代替禪寺的名字」之語，因此原本的「慶光禪寺」會隨著澤林村之地名，有「澤林寺」之稱。

局部拓片，另外十四面為全文拓片，有關后家之後佛碑部分，留待下單元再加以論述。因為漢喃研究院搜集碑銘拓片時，不時有順序錯置、甚至編碼跳號的情形，故得先判讀碑面註寫的年代和內容，再依時間順序將碑銘所記載的洪福寺與真融和尚之相關資料，整理成五組碑文內容[13]：一、一六九八年編號289-290、一七〇三年編號275-276的一方四面拓片[14]；二、一七〇二年編號338-339、344、340[15]的一石柱四面拓片；三、一八一四年編號334、1846年編號333[16]的左右塔碑拓片；四、一八九九年編號291、288、292、287[17]；五、一八一一年編號293、一八五〇年編號272、一八六三年編號274、一九一〇年編號273[18]。五組碑文中的第二組屬祝禱文，第三組為洪福寺的世系流派表，因兩組內容可為相互對照參看，故將這兩組碑文置於同一單元以為介紹。以下進行真融禪師與洪福寺相關資料之評述介紹，以為越南曹洞宗的傳衍情形和信仰概況說明，作為後佛奉祀的宗教背景呈現。

（一）第一組的洪福寺功德碑：

編號 289-290（1698 年），編號 275-276（1703 年）[19]

第一組碑銘中的編號289「洪福寺古文碑記」[20]，為寺院在正和十九年（1698）重修時的功德誌事。當時洪福寺已有六十多年的歷史，佛像金身和建築物本身皆已殘舊破敗，由坊里望族的阮氏判（號慈裕）老婦人，倡議重建寺院，成為當年功德誌事的首功者。等到舊址重建的奠基工程完成，以報

---

13 原將五組碑文整理成附錄一，列出重排次序後的拓片內容，唯數量多達五頁，約五千多字，只能暫刪除之。

14 《漢喃銘文拓片總集》，第1冊第1集，編號289-290、275-276，頁292-293、289-290。

15 同上，編號338-339、344、340，頁341-342、347、343。

16 同上，編號334、333，頁337、336。

17 同上，編號291、288、292、287，頁294、291、295、290。

18 同上，編號293、272、274、273，頁296、275、277、276。

19 同上，編號289-290、275-276，頁292-293、289-290。

20 同上，編號289，頁292。

請官錢方式，出資購買大木。當時尚屬沙彌身份的真融和尚，肩負起號召善男信女的籌募事務，進行洪福寺的修建工程，陸續完成正殿、前後堂、左右廊等。事成之後，請戊辰科（正和9年，1688）進士何宗穆[21]撰寫重修碑記以及背面銘文。雖然此面拓片的主文結束時，有「以上重刻前功德及事情以下後功德若干列計于後」字樣，但功德記載部分僅能看到「十」之數字，以及左側的：

> 又供銀十元
>
> 大利坊信主阮文俚妻梁氏安號芳妙為供銀五十元，寄薦□女原青威縣知縣黃公正室阮貴氏諱貴號慈淑之靈八月十一日忌
>
> 新開村信主鄭氏樂號妙心供銀十五元，寄薦顯考鄭貴公字純□，顯妣次室阮氏信

拓片有許多模糊不清的部分，甚至在功德名單位置上，已明顯地遭到削除抹滅，僅留上述兩行文字，而這兩行保留的寄薦內容，可判斷此段為寄忌奉祀的註寫，包括捐貲金額和寄忌者的忌日銘刻；相當微妙的，可受供為寄忌者，並不包括重建洪福寺的首功之人：阮氏判，僅從編號290銘文[22]可再看到對於阮氏判（號慈裕），以「阮氏令婆」稱之，並對其有「緊姆之心，天地可暴；緊姆之功，丹青可錄；姆之聲名，姆之子孫，可繼可續」之稱揚，但其它碑銘內文中皆未再見阮氏判（號慈裕）之名。

　　譚志詞、馮超和黎氏垂莊論著所提及的真融和尚，多以宗演或宗演真融稱之。編號275[23]拓片述及宗演的俗家名字：

> 勑真定縣香艾社住持中都洪福寺僧和尚蔣廷科字真融，係能出家奉佛，日夜焚香，密祝聖壽

---

21 〔越〕《鼎鍥大越歷朝登科錄》（漢喃古籍文獻典藏數位化計畫，http://lib.nomfound ation.org/collection/1/volume/494/NLVNPF-0573-02 R.115），卷3，頁31。

22 《漢喃銘文拓片總集》，第1冊第1集，編號290，頁293。

23 同上，編號275，頁278。

延長，宗社永久。再奉侍講有功，頗能稱旨推恩，特許應陞為慧融和
尚大慧禪師，寶禪輔國。故

敕

正和二十四年（1703）十二月二十一日

此段文字敘述真融因侍講黎熙宗有功，受到皇上賜封為大慧禪師，與馮超所
引用的阮賢德資料：宗演說服黎熙宗取消鎮壓佛教的成命，讓熙宗接受佛教
信仰，因而獲賜「御前之君」和錦袍的榮耀[24]，僅熙宗欲鎮壓佛教部分並未
提及，其餘則大致吻合。編號338有「洪福寺住持僧字真融及道場眾等恭焚
寶香」字樣（1702）[25]；更早的編號289「洪福寺古文碑記」（1689）[26]則有
「又請緇流沙彌字真融，同會福緣，□張其事」文字，記錄著真融還是沙彌
階段的助修洪福寺事蹟。前三碑資料未見真融的宗演之名，到了一八一四年
編號334即有「南無妙光塔真融和尚法諱宗演大慧祖師」[27]，可知宗演為其
法諱名字。所以碑銘記載著越南曹洞宗北方重要傳承者：真融和尚的完整名
諱資料。

（二）第二組的供養祝禱碑和第三組的左右塔碑：

編號 338-339、344、340（1702 年）[28]，編號 334（1814 年）、編號
333（1846 年）[29]

第二組為寺前第一庭石柱上的四面拓片[30]，為一七〇二年真融以洪福寺

---

24 馮超：〈越南曹洞宗的江南禪系源流與17-18世紀中越佛教交流〉（《延邊大學學報（社
會科學版）》，2013年4月，第46卷第2期，頁54-56），頁55。

25 《漢喃銘文拓片總集》，第1冊第1集，編號338，頁341。

26 同上，編號289，頁292。

27 同上，編號334，頁337。

28 同上，編號338-339、344、340，頁341-342、347、343。

29 同上，編號334、333，頁337、336。

30 同上，編號338-339、344、340，頁341-342、347、343。

住持身份，率領道場僧眾施行供養法會的祝禱文。第三組為一八一四年編號334和一八四六年編號333[31]的寺前第一庭之左右二塔碑文。左塔是越南曹洞宗洪福寺的世系傳承記錄，以達摩為第一祖師，陳仁宗（1258-1308）為第二位祖師，再來即為水月禪師和宗演和尚。水月禪師（1636-1704）的俗家名字為鄭登甲，號為通覺，左塔碑文以「南無靈光塔法諱通覺道南祖師」記載，可以看到水月禪師完整的名字號。再者，根據馮超所引據的阮賢德論著，宗演之後的洪福寺傳為：「慈山靜覺禪師」、「性祝禪師」，而左塔則記載宗演之下為「南無圓明塔僧統淨覺大和尚法諱慈山行一祖師」和「南無靈巖塔特製本來大和尚法諱性燭道週祖師」，可以觀察出在人名的用字寫法上，有「靜覺」和「淨覺」之差，以及「性祝」和「性燭」之不同[32]。越南的漢文用字原較為寬鬆隨興，碑銘文字常見同一人的不同字號寫法，於此再添一例。由此可見編號334確為洪福寺法系傳承的重要參考依據，屬於宗演之後的洪福寺住持承襲紀錄。

范文俊介紹越南臨濟宗和曹洞宗的融合現象，曾提及曹洞宗的真融宗演與臨濟宗合作，內文中提及真融宗演接下來的傳人：慈山行一（1681-1737），從小向宗演參學，而有曹洞宗「慈山行一」之偈派名字，等到一七〇九年宗演圓寂後，慈山行一改到廣寧省瓊林寺臨濟宗的真源禪師處參學，而有臨濟宗「如山」之偈派名字，回到佛跡寺修行，也主持「升龍京都曹洞宗鴻福禪寺」，所以慈山行一同時來往於臨濟曹洞兩宗的兩座禪寺[33]。根據一八一四年編號334[34]所刻寫的「南無圓明塔僧統淨覺大和尚法諱慈山行一祖師」，曹洞宗洪福寺中的如山，不僅法諱為「慈山行一」，塔名也另為「圓明塔」。如此一來，可見雖然越南臨濟宗和曹洞宗在經文、禮懺上並無不

31 同上，編號334、333，頁337、336。

32 馮超：〈越南曹洞宗的江南禪系源流與17-18世紀中越佛教交流〉（《延邊大學學報（社會科學版）》第46卷第2期，2013年4月，頁54-56），頁55。

33 范文俊：《十七世紀閩南與越南佛教交流之研究》（臺南市：成功大學中國文學研究所博士論文，2015年7月），頁106。

34 《漢喃銘文拓片總集》第1冊第1集，編號334，頁337。

同，對於禪師的名號和塔名，卻有明顯的區別[35]，此屬判讀越南佛教史料時的難處，而透過碑銘資料正可引為判讀資料時的認知依據。

（三）第四組的修建功德碑：編號291、288、292、287（1899年）[36]

第四組為洪福寺在嗣德和成泰年間的兩次修建記事，應該屬於功德碑性質的銘文，編號291列出近九十位的供銀金額，編號292也是列出百餘位的人名，編號288、287為此方碑石的兩邊側面，也是人名及捐貲金額的羅列。比較特別的是編號292，首行為「中都奉天府廣德縣槐街坊洪福寺各後佛功德姓名開陳于后」[37]，出現「後佛功德」一詞，其中有許多身份地位崇高人士：「王府侍內宮嬪昭容枚氏進號妙昇義山縣石泉社郡主□氏王佺號妙光康福縣□山……」。從名字列入後佛功德碑的人物，其身份地位多屬王府親眷、內廷官宦人士，明顯地較一般功德主之地位崇高。如此一來，可推知在「功德」前冠上「後佛」之詞，應有對於捐貲功德者，以「後佛」詞語作為與一般功德主的區別手法，具有更進一層的推崇用意。

（四）第五組的崇修記事碑和寄忌配享碑：

編號293（1811年），1 編號272（850年），編號274（1863年），編號273（1910年），編號350（1843）[38]

第五組是一八一一年編號293的崇修記事碑，一八五〇年編號272、1863年編號274、1910年編號273三面的寄忌配享碑。此組位於洪福寺內前堂的左

---

35 范文俊：《十七世紀閩南與越南佛教交流之研究》（臺南市：成功大學中國文學研究所博士論文，2015年7月），頁107。

36 《漢喃銘文拓片總集》，第1冊第1集，編號291、288、292、287，頁294、291、295、290。

37 同上，編號29，頁295。

38 《漢喃銘文拓片總集》，第1冊第1集，編號293、272、274、273，頁296、275、277、276，頁350。

邊，依碑面註記的時間，另排順序加以說明。編號293[39]為洪福寺曹洞宗世系表中列名「南無淨光塔勅賜僧統道原和尚清朗比丘法諱寬翌普照祖師圓明菩薩」的寬翌禪師所撰寫，內文提及的第二祖師事跡，應指宗演真融禪師的重修洪福寺事功；接下來的四世祖，按照推算應為「南無靈巖塔特製本來大和尚法諱性燭道週祖師」的性燭禪師，馮超介紹性燭禪師為洪福寺住持，對於曹洞禪法發展的三教一源[40]具有重要的影響。再來的後繼禪師法名，則因拓片文字模糊，無法辨識，但可看到此位禪師對於洪福寺的修繕工程頗具建功，而其弟子就是一八四六年編號333中的「南無圓通塔六和沙門法諱覺林明了禪師化身菩薩禪座下」[41]的覺林禪師。覺林禪師之名尚可見於一八二七年編號341[42]、一八二八年編號295[43]編的後佛碑，前碑僅言覺林禪師，後碑則明指覺林為洪福寺的住持僧。一八五○年編號272提及的「住持僧比丘清如照字道□」[44]，即為一八四六年編號333中「南無弘蘊塔清如昭比丘法諱道生光瓘明達禪師虛空身菩薩禪座下」[45]的道生禪師；一九一○年編號273內文中提及的住持僧正秉禪師[46]，又可藉由一八九九年編號291述及正秉僧在辛卯（成泰3年，1893）[47]被保舉為洪福寺監寺之內文，足以了解當時洪福寺的承繼情形。

39 同上，編號291，頁294。

40 馮超：〈越南曹洞宗的江南禪系源流與17-18世紀中越佛教交流〉（《延邊大學學報（社會科學版）》第46卷第2期，2013年4月，頁54-56），頁55。

41 《漢喃銘文拓片總集》，第1冊第1集，編號333，頁336。

42 同上，編號341，頁344。

43 同上，編號295，頁298。

44 同上，編號272，頁275。

45 同上，編號333，頁336。

46 同上，編號273，頁276。

47 同上，編號291，頁294。

三 洪福寺「后家二十七碑」之「後佛碑」分析——「河城行炭庸洪福寺俗號和佳后家」碑題的第一到二十九碑[48]

根據《漢喃銘文拓片總集》拓片側邊手抄題寫的「河城行炭庸洪福寺俗號和佳后家」字樣，以其間提示的碑址和面次文字，簡稱本單元的銘文為：「后家」二十七碑，重新整理其編次情形，可概分為兩組：第一組為局部拓印的銘文形式，正和十九年（1698）的銘文有十三面，其中有三面雖無時間註記，但觀察其中兩面應屬上述十三面銘文中的三面之放大版，故將此三面銘文列入此組；此組碑面首行皆有「洪福禪寺後佛造碑記」字樣，可知確實屬於後佛碑。第二組則為一八二七年到一八四四年之間的立碑，除了兩面題名寄忌碑，一面題名「洪福寺碑記」的寄忌碑，其餘全屬後佛碑，因為年代相近，可視為同組判讀的整體對象。以下即從這兩組進行評述分析。

（一）局部拓文的第一碑到第十三碑

此組碑銘共計十三面，以局部方式定格放大內文，而且版面格式相當固定，具有一定的模式性。碑文首行皆為「洪福寺後佛造碑記」題名，再為「正和十九年五月穀日」時間，接下來的內容或僅人名條列：

> 段氏玉號□□，曲貴公道曰公正，阮二娘號慈通，枚二娘號慈仁，……[49]

或人名前冠上「會主」：

> 一會主建昌府真定縣良富社范世盛、妻武氏薦，范世事何氏邦……[50]

---

48 《漢喃銘文拓片總集》，第1冊第1集，編號320-332，頁323-335，第14碑（1843，編號347、頁350），第17碑（1808，編號349、頁352）。

49 同上，編號323，頁326。

50 同上，編號326，頁329。

或可見「後佛」之標示：

> 一會主靖嘉府玉山縣石內社信娓後佛阮氏□號妙淨，養孫蘇文菊。又
> 會主後佛貫在國威府慈廉縣敬主社信娓阮氏重號妙……[51]

又可見寄薦對象的註記：

> 寄與顯考黃貴公字福輝號謙達，祖字福成號德□，妣號美泰號慈惠[52]

雖僅為拓片的局部內文，但可看到來自各地人士的後佛名單，縱使未列出後佛一詞，或只看到「寄薦」詞的註寫，但因拓片首行題名皆為「洪福寺後佛造碑記」，可暫訂為後佛奉祀。唯未有全文內容，對於其間差異或共通點，無法更進一層。

　　這種局部拓片之例，在總集中並不多見，而正和十九年（1698）為上單元述及的第一組「洪福寺古文碑記」之正面記事和背面銘文[53]年代，因此當屬重修功德碑豎立時，同時豎立這二十七面的後佛碑。重修功德碑的功德人名已無法辨識，後佛碑又因屬於局部內容，無法對於這兩類碑文的捐貲情形、奉祀現象進行精細比對，實屬可惜之處。不過，從這組後佛碑的數量實在眾多，又冠上「后家」之名，推測此組後佛碑或有特定的建築，或是特別的奉祀區域，以為後佛奉祀的場域區隔。如此一來，雖然這組後佛碑可供參考的內容不多，卻可作為後佛碑的極佳佐證。再者，重修功德碑與後佛碑之間的明確區別，在此亦得到明證。

（二）一八二七年到一八四四年之間的後佛寄忌碑（第十五碑、第十七到二十九碑）

　　此組後佛碑的宗教背景，與第二單元中五組的洪福寺碑銘相同，兩者時

---

51 同上，編號325，頁328。

52 同上，編號320，頁323。

53 《漢喃銘文拓片總集》，第1冊第1集，編號289-290，頁292-293。

代上也頗相當，故可將前者詳述的碑銘宗教概況，作為此組碑銘內文的內涵依據和宗教意義。本單元詳析碑銘內文之前，先將這十四面碑銘要項整理成表格，據以說明這組後佛碑的內文特色：

移居於懷德府，皈依洪福寺

頁碼	編碼	碑題	時間	立後類型	立後人	後者奉祀者	原籍地	現居懷德府	捐貲金額	助修事蹟
340	337	寄祖先碑	無	寄忌	阮氏清妥阮氏矜	祖先	興安省快洲府東安縣自牊坊			
344	341	后仟碑記	明命八年（1827）	後佛	阮正	阮氏和	驪州河華府奇華縣香裔社	▲	二十貫	助修前堂
339	336	后仟碑記【洪福寺修造僧堂碑記】	明命九年（1828）	後佛	阮氏蹇	阮氏蹇	國威府慈廉縣東鄂社		六十貫	造作僧堂
338	335	洪福寺后□（佛）牌記	明命十年（1829）	寄忌	阮氏春	寄忌與家先顯考…妣…先靈	綏都府南唐縣寺池社菩提村	∨	一百貫	
316	313	洪福寺后□（佛）牌記	明命十年（1829）	後佛	陳氏兌	良夫阮功正妣等	海陽鎮寧江府唐安縣	▲	一百貫	建全臺之景
319	316	洪福寺后□牌記	明命十年（1829）	後佛	陳氏秋	明忌多人先靈	河內省懷德府壽昌縣後蕭總美立村		一百貫	建全臺之景
317	314	後佛碑記	明命十四年（1833）	後佛	裴氏□	家先、夫陳廷成等	懷德府壽昌縣左蕭總澄清上村下甲	▲	六十貫	
318	315	洪福寺后佛碑記	明命十八年（1837）	後佛	陳氏副夫黎文彬	顯考妣	興安省快洲府金洞縣赤騰社	∨	二十貫	
346	343	洪福寺后佛碑記	明命二十一年（1840）	後佛寄忌	武氏陳氏遠	父母祖先	河內省常信府青池縣定功社		六十貫	
315	312	後佛碑記	紹治元年（1841）	後佛	陳氏該武氏□范氏寧范氏等	父母與祖先等	山西省廣威府□壽縣		每人二十貫	

頁碼	編碼	碑題	時間	立後類型	立後人	後者奉祀者	原籍地	現居懷德府	捐賞金額	助修事蹟
312	309	后佛碑記	紹治三年（1843）	後佛	裴氏坦	顯考妣	山西省永祥府安朗縣天祿總莊越社㯑村	✓		
313	310	洪福寺寄忌碑	紹治三年（1843）	寄忌	阮氏文壻子李王即妻杜氏芳	顯考妣、祖姑、親舅六位	南定省義具府豐瀛縣□樂社懿安村	✓	一百貫	
314	311	寄忌日碑	紹治三年（1843）	寄忌	高氏粘、女子武氏東全家、范氏紀等	祖先高福僚等靈、逝子……等	河內省懷德府永順縣上總槐街坊			
350	347	寄祖先碑	紹治三年（1843）	寄忌	武誠德妻邵氏壬	顯祖考……顯祖妣……曾祖考……曾祖妣	寧平省安慶府安謨縣天池村宣光省安平府安縣三期庸		六十貫	
345	342	洪福寺碑記	紹治四年（1844）	後佛	阮氏鳳裴氏妙明	寄薦家先……妣……顯祖考……等	山西省永祥府安朗縣天祿總莊越社□村		二十貫	

　　上表中共有十四位後佛人物，只有兩位屬於洪福寺所在的河內省懷德府壽昌縣之本地人士，一位僅算是河內省人士，故有高達十一位的非懷德府地區之外地人士。若將第一組局部拓文的十三面碑銘內文納入參考，其中可供辨識的後佛人士之原籍，也多屬外地人士，後來移居到懷德府壽昌縣，或是如上表中所顯示的外地人士，來到洪福寺皈依，遂在寺院立為後佛。因此洪福寺具有無法歸葬故里的異鄉人之香火供祀場所功能，如此一來，後佛奉祀即有明顯的中國功德墳寺概念。至於越南後佛碑與中國功德墳寺兩者之間的關連與異同，留待下單元內涵分析時，再進行詳細析論。

　　洪福寺後佛碑中提及助修寺院的功德部分並不多，僅兩面有明確的捐賞

金額以為修繕寺院建築之說明，如一八二七年編號341[54]「前堂年久頹敝，禪修葺而新之」的前堂修建工程，一八二八年編號336[55]碑面首行有「洪福寺修造僧堂碑記」題名，再從此碑中的部分文字：

> 念洪福古跡於寺禪規矩軒昂，致風撞改，於昔時智慧道人，基圖規盡，庶禪門曜日，風光歡麗，現形於今日，爰此□諸善老共護，思惟誰能廣發私財，必舉名為后佛。[56]

與一八二九年編號313[57]、編號316[58]，另外兩面後佛碑的部分文字進行比對：

> 念有緣洪福於上方，雨撼風撞，致莊嚴頹改，於昔時智慧道人，凡革故鼎新，庶禪門□日，靈光敘莊麗，見形於今日，爰此叶和檀信會護福緣，誰能廣發資財，必舉標為魁首。[59]

> 念宿緣洪福於上方，雨撼風撞，致莊嚴頹改，於昔時智慧道人，凡革故鼎新，庶禪門□日，靈光敘壯□，見形於今日，爰此叶和檀信會護福緣，誰能廣發資財，必舉標為魁首。[60]

可見相同格式的套用寫法，皆採取以修繕功德之名，進行立後佛的捐貲之實。雖然後佛碑的功德作用，就本表格所示，已明顯地淡薄和形式，足見越南寺院在此時期的發展，確實區隔了後佛碑與功德碑之間的特色，但藉由上述後佛碑所存留的功德之語，仍可見到其間的淵源和關連，具有突顯兩者現象特色之表徵意義。

　　至於後佛的立後場域與供祀時間，從一八二七年編號341[61]後佛阮氏和之

54　《漢喃銘文拓片總集》，第1冊第1集，編號341，頁344。
55　同上，編號336，頁339。
56　同上，編號336，頁339。
57　同上，編號313，頁316。
58　同上，編號313，頁316。
59　同上，編號313，頁316。
60　同上，編號313，頁316。
61　同上，編號341，頁344。

後佛碑，內文有立置於寺中「後堂之靜邊」字樣，並載明忌日和供祀儀式：

> 一后佛阮氏和號妙好遞年拾壹月初壹日忌河華府奇華縣香喬社□□
>
> 一齋盤壹具金銀等物置供在碑前，凡朔望並有齋供如儀是為記

碑文提及堂姐阮氏和先前已皈於洪福寺，「歸來松院，恪守禪心」，希望積陰功以「超升於彼岸」。後來阮氏和辭世，阮正基於「乏於寄後，何以慎終」的理念，替堂姐安排寄忌於洪福寺。

後佛碑的忌祭作用，本屬立後佛最主要的立碑功能，但隨著立後風氣的普及，後碑類型的多樣化，洪福寺順隨捐貲者的需求和狀況，漸有歧異的各式形式和供奉方法。例如一八三三年編號314[62]拓片雖以「後佛碑記」為題名，但內文並未出現「後佛」一詞，僅以「配享」、「寄薦」用語稱之，而且觀察全文並無任何忌日註寫，未特別註明何時配享或寄薦，但令人聯想到一八四六年編號294[63]的法會功德碑，以四月初八佛誕會及十一月十七日的會忌，作為一定時間的統一供祭，並未在忌日時施行供祭。不過，編號312[64]的「後佛碑記」則出現雖未有「後佛」之詞，卻仍刻寫出每位寄薦者的忌日時間；一八四三編號310[65]的「洪福寺寄忌碑」也有列出寄薦者的忌日。所以後佛和寄忌之詞語混用情形十分普遍，後佛碑不一定於忌日施行供祭，但寄忌碑必於忌日供祭。

四　後佛碑的內涵意義

洪福寺後佛碑內涵意義之揭示，將透過以下三方面以為論述：首先，洪福寺的住持傳承情形，可藉由後佛碑內文，補充編號334[66]洪福寺世系表以

62　《漢喃銘文拓片總集》，第1冊第1集，編號314，頁317。

63　同上，編號294，頁297。

64　同上，編號，頁。

65　同上，編號310，頁313。

66　《漢喃銘文拓片總集》，第1冊第1集，編號334，頁337。

後的接續情形。再者，中國獨特發展的功德墳寺，與越南後佛立碑原因，具有微妙的關連性；故從中國功德墳寺的概況，推究越南後佛奉祀之可能源起，再分析兩者之間的差異性，以此作為中越奉祀文化的特色比較。最後針對後佛碑的預立後事之安排特點，說明越南獨特的奉祀文化。

（一）洪福寺的傳承紀錄

編號293「崇修洪福寺碑記」中描述洪福寺歷經多年、數任住持的經營，終於一八一一年完成整修工程，由寬翌禪師交付弟子覺林撰述銘文的任務[67]。但此碑未指出覺林為寬翌之後的住持禪師，而一八一四年編號334[68]的洪福寺世系表中又明載寬翌禪師之後的住持僧為：寬仁、覺通、覺本、覺道禪師，未見覺林繼任主持的記載。不過一八四六年編號333[69]的三位禪師靈位碑文中，確實可見覺林禪師之名。雖然一八二七年編號341[70]中僅以「禪師字覺林」稱之，一八二八年編號295[71]則見明確的住持僧覺林稱呼。但根據一八二七年編號341[72]的立後佛內容：驪州河華府奇華縣香裔社阮正，替堂姐阮氏和捐貲二十貫，作為洪福寺「前堂年久頹敝，禪修葺而新之」的費用，並且作為堂姐「忌臘之需」。當時阮正拜詣覺林禪師，面談「堂姐寄忌梵家」事，由此推測覺林當時應該已是洪福寺的住持僧，方能決定立後佛之事。因此透過總集的後佛碑內容分析，足以考察出編號293[73]洪福寺曹洞宗世系表之後的部分禪師傳承情形，以為洪福寺日後的發展情形。

67　《漢喃銘文拓片總集》，第1冊第1集，編號291，頁294。

68　《漢喃銘文拓片總集》，第1冊第1集，編號334，頁337。

69　《漢喃銘文拓片總集》，第1冊第1集，編號333，頁336。

70　《漢喃銘文拓片總集》，第1冊第1集，編號341，頁344。

71　《漢喃銘文拓片總集》，第1冊第1集，編號295，頁298。

72　《漢喃銘文拓片總集》，第1冊第1集，編號341，頁344。

73　《漢喃銘文拓片總集》，第1冊第1集，編號291，頁294。

（二）與中國「功德墳寺」之對比意義

　　中國的功德墳寺又稱功德寺、功德院、功德墳、香火院、香燈院、家山墳寺等，屬於一種性質特殊的佛寺，原為附設於墳塚旁的僧寺、道觀或庵堂。功德墳寺本屬特定人物或專有家族的祭享祭掃安排之寺院，日後演變成若有人日後無力或不願替墳塚特別設寺庵，白文固的〈宋代的功德寺和墳寺〉一文以寺院職能，分成「墳寺類寺院」和「功德類寺院」兩種。前者為守護先祖墳墓而設置的寺院，按建立者身份有陵寺、皇家墳寺、貴戚勛臣墳寺及庶民墳庵；後者為宗祖作功德祈福而建立的寺院，依建立者政治地位而有神御殿座落寺、皇家功德和貴戚勛臣功德寺。[74]功德寺的祠堂設置和奉祀方式，推究其內容，與越南「後佛碑」之設立頗為相似。中國「功德墳寺」與越南「後佛碑」同樣的都是透過捐貲或捐田地，取得受到供祭的資格，如黃敏枝介紹李心傳撰寫的烏程縣南林「報國寺碑」內文時，曾對其中張儒人卜氏的施田和金錢，以為親人們的功德齋會費用加以說明[75]。在捐貲或捐田以為供祭的費用方式上，與越南後佛碑的立碑模式和功能性極其相似，令人想到其間存在的微妙傳承關係，以及中越文化的影響層面。

（三）預立奉祀的身後事安排

　　洪福寺的後佛碑之預立奉祀安排，在四十九面碑銘中，僅有三面：一、一八二九年編號316[76]的後佛陳氏秋，文中稱陳氏秋為沙彌，文末又以「后伕沙彌」稱之，因為未見忌日註寫，暫歸為生前預立。二、一八三七編號315[77]的「洪福寺后佛碑記」為陳氏副婦人捐貲二十貫，作為自己和丈夫日後的奉祀碑，碑末可見顯考姚的追記名字。從顯考姚皆為阮姓，與陳氏婦人

74　白文固：〈宋代的功德寺和墳寺〉，《青海社會科學》，2000年第5期，頁76-80。

75　黃敏枝：〈宋代的功德墳寺〉（《食貨月刊》第15卷第9-10期，頁395-434），頁407。

76　《漢喃銘文拓片總集》，第1冊第1集，編號273，頁276。

77　《漢喃銘文拓片總集》，第1冊第1集，編號315，頁318。

和黎姓夫婿並不相同，雖然內文未見說明，可推測陳氏副的此番安排，頗有替過繼前的父母尋求香火奉祀之意。三、一九一〇年編號273[78]的寄忌碑主阮氏參，從碑末僅具其夫的忌日刻寫，阮氏參未見忌日註記、僅列名其後，可見在立碑時阮氏參仍在世，日後也未如其它碑銘，將奉祀者的忌日加記追刻其上。觀察洪福寺後碑中出現最多的奉祀對象，當屬祖先親眷們。檢視四十九面所列出的表格，除上述三面後佛個人的奉祀安排，以及功德誌事碑、塔碑、靈位碑等，幾乎全屬顯考妣家先之親族供祀。由此可看出洪福寺在當地的奉祀類型和宗教功能。

五　結論

越南學者阮文原對於越南立後風俗的說明為：

> 「立後」習俗的形成過程，最初是出於信從佛教國家施主對僧侶供養，對佛供進奉祀禮物和捐獻資財修建佛寺。施主的功德，特別對佛寺建設，重修捐獻資助時，常得到佛家紀下功德，有時還在寺院建造或重修碑上刻名表揚。[79]

而其對於《漢喃銘文拓片總集》碑銘主題的分類說明，皆與寺廟、僧侶或禪師有關，足見越南立後文化具有極為濃厚的佛教成分。越南立後文化盛行自十五世紀始，正為越南後黎時代，後黎朝（1428-1789）因為政策傾向為抑佛崇儒，故佛教無比崇高的政治地位已然走入歷史，成為平民氣息濃厚的民間宗教，故後佛碑銘所反映的宗教現象，即為非正統佛教發展下的民間信仰樣貌，具有相當獨特的越南在地特質。而本文所引據的十二面十七世紀、兩面十八世紀、二十一面十九世紀、一面二十世紀之碑銘，適足以反映越南立

78　《漢喃銘文拓片總集》，第1冊第1集，編號273，頁276。

79　〔越〕阮文原：〈越南銘文及鄉村碑文簡介〉（《2007東亞漢文學與民俗文化國際學術研討會論文集》，臺北市：樂學書局有限公司，2007年12月），頁469。

後盛況的發展情形，也對譚志詞所謂的後碑「這種現象至十七世紀以後得到迅猛發展」之說[80]有所印證。

關於「寄忌」一詞，越南《安南風俗冊》「寄忌於仸寺，忌日由僧尼辨（辦）禮，供於寺前曰后仸」[81]此段文字，可以觀察到寄忌與後佛的關係，就佛寺而言，一開始兩者並無差別。「後佛」必於忌日由佛寺加以供祭，「寄忌」也是忌日奉祀受託於佛寺，若無忌祭功能，捐貲動機必蕩然無存，但洪福寺卻出現未見供忌作用的獨特之後佛碑：編號314「後佛碑記」[82]，內文中未見到忌日的註寫，而且在其拓片內文僅以「配享」稱之。另外，「配享」無忌祭的例子，又可見於一九一〇年編號273[83]寄忌碑的「配享二位亡孫」之例，配享者並未有忌日刻寫的記載，就僅在祭祀所謂的「寄忌者」時，一併隨祭在次，未再另行奉祀祭拜。所以越南立後的奉祀情形頗為複雜，一旦深究祭拜細節，不乏特例或例外的情形，足見民間隨興變通的靈活彈性度。

本文基於洪福寺在越南北方曹洞宗祖庭上的重要地位，故以洪福寺的背景說明作為論述要點之一。越南的後佛奉祀就本文第四單元的分析，可概分為兩大類型：一為已逝親者的忌日供祀安排，二為未逝者的預立奉祀安排。前者在碑面刻寫上必有明確的忌日註寫，後者則無。另外，有些忌日時間，可判讀為日後追刻，如此即符合後佛死後的忌祭，確實獲得遵守的明證。但仍有相當多的後佛碑，並無任何忌日註寫的補刻，似乎當年的忌祭約定，多年後已煙消雲散，原本刻寫碑銘以為永誌無違的香火期待，隨著人世變化的無常，長留久存只為虛渺的幻夢罷了。

---

80 譚志詞：〈清初廣東籍僑僧元韶禪師之移居越南及相關問題研究〉（《華僑華人歷史研究》第2期，2007年6月，頁53-58），頁57。

81 〔越〕梅園段展：《安南風俗冊》，越南維新戊申二年（1908年），漢喃研究院圖書館藏書，編號：VHv.2665，頁38，「忌后」條。

82 《漢喃銘文拓片總集》，第1冊第1集，編號314，頁317。

83 《漢喃銘文拓片總集》，第1冊第1集，編號273，頁276。

越南南部華人麵攤車的
《三國演義》圖畫初探

阮清風

越南胡志明市國家大學所屬安江大學越南文學系主任

提要

在越南南部各地都很容易見到裝飾大量明清小說圖畫的麵攤車。這些麵攤車很早就有，在二十世紀上半葉幾乎都由華人做主，後來由越人逐漸喜歡，故訂購回來作為飲食營業的工具。華人遷居到南部以後，因為過於熱愛明清小說，且想要將小說情節與人物圖畫展現在日常生活之中，故將小說重要情節都畫上自己日夜工作的麵攤車上面。在每一臺車通常都裝置四到十二幅畫，將明清小說將近一百個最重要的情節分別揭示，並用兩種華越文字，針對華越觀眾說明故事內容，其中最多乃是《三國演義》情節。這些圖畫不僅作為攤車的裝飾，而且也將故事內容廣傳越南南部，使原本熱愛《三國演義》的南部居民更加有深刻的印象。筆者在南部胡志明市各郡、安江省龍川市與朱篤市、同塔省沙瀝市等地進行田野調查，並解答關於這些圖畫在華人記憶中的許多問題。由此，我們更能了解，為何華人麵攤車被譽稱為「會移動的明清小說」，亦被認為是南部華人的獨特文化標誌。

關鍵詞：越南華人　明清小說　《三國演義》　三國圖畫　麵攤車

一 裝飾圖畫的麵攤車：西貢街頭華人生活的標誌

二〇一九年七月中旬，筆者幸有機會參加「馬來西亞檳城文史研習營」。在張弼士故居參訪之時，忽然在庭院裡看到一臺上面用越南文標名「順利」（Thuận Lợi）兩字的麵攤車。可能這臺非常眼熟的麵攤車跟越南有關，筆者將此事詢問本地導覽者，並得知法國導演 Régis Wargnier 於一九九二年前在張弼士故居拍攝 Indochine（印度支那）電影[1]之時，為了使此背景更加濃郁越南二十世紀初街頭的生活景觀，故特別從西貢（Saigon）運回檳城（Penang）兩種東西，一是一臺麵攤車，二是幾輛黃包車（人力車、東洋車）。黃包車早期亞洲各地都有，當然越南黃包車跟其他國家稍微不同，可是麵攤車僅在越南南部華人聚居眾多地方才有。

從什麼時候，這種裝滿明清小說情節圖畫的麵攤車，在世界文藝界眼中，已經成為西貢華人街頭生活的標誌？這種麵攤車及其豐富多彩的圖畫，在各代越南南部人記憶中留下怎麼樣的印象？這些圖畫從哪而來，由誰製作，與華人生活有什麼樣的關係？圖畫內容是什麼，跟文學作品有何關係，取材與選題問題有何特點？這些納悶催促久已關心了解南部華人明清小說圖畫的筆者，好奇不已地在各地進行田野調查，包括胡志明市若干郡、安江省龍川市與朱篤市、同塔省沙瀝市等，企圖解答以上有趣的所有問題。

這種麵攤車什麼時候在南部出現，目前還沒有看到確切的記載。但是從一些根據可以判斷出來大概開始出現的年代。這種麵攤車以來在越人稱謂中，都並加「中國人」或「華人」幾個字，即是「xe hủ tiếu Tàu」或「xe mì Tàu」，中譯是「中國人麵攤車」或「華人麵攤車」。這意味在越人觀念中，這種車是由華人創造與使用的，其分佈地方主要是在華人居住眾多的市區，

---

1 Indochine（印度支那）是一部法國電影，由 Régis Wargnier（華格尼爾）導演拍攝，並於一九九二年首次上映，榮獲一九九二年奧斯卡最佳外語片大獎。這部電影以一九三〇至一九五四年間越南被法國殖民統治的社會為背景，描述戰爭動盪環境下一位法國橡膠樹農場女主人的愛情故事。關於拍攝地點，除了主要在越南之外，電影團還在檳城張弼士故居進行拍攝。

尤其是胡志明市第五、六、十、十一等郡，以及各省市的大都市。筆者在田調過程中，發現幾乎所有華人家傳麵館都曾使用過這種車，一些麵館因歲月長久攤車被損壞故不再使用，另一些麵館仍保留及維修攤車至今作為營業工具。胡志明市各郡的有名麵館如辰記（Dìn Ký）、新海雲（Tân Hải Vân）、海記麵家（Hải Ký mì gia）、紹記（Thiệu Ký）、良記麵家（Lương Ký mì gia）、文記（Văn Ký）、游記麵家（Du Ký mì gia）、游記麵館（Hù tiếu mì Du Ký）、誠記麵家（Thành Ký mì gia）等全都由華人做主，特別是原籍廣東的華人。久而久之，麵攤車逐漸成為各地華越人飲食的營業工具，且又涵蓋了家傳的、高等品質的、優良服務的品牌。

因此，這種攤車的出現，必定要在西貢華人聚落眾多之後，以及在都市化過程中市井生活達到某程度上的繁榮之後。眾所周知，連續從十七世紀初至二十世紀上半葉，中國商人及難民陸續南移到東南亞沿海各國通商貿易及定居。其中一部分華人留在越南南部，主要是來自漳州、福州、泉州、瓊州、潮州、廣州、寧波等七府的人士。特別是籍貫廣東的華人，善於飲食買賣的生意，故將原鄉的湯麵帶到南部當做謀生之計。當初，由於南部人零散雜居，開店鋪須有相當大的成本，故販賣者主要挑擔沿路出賣。自從法國來越統治之後，西貢市區逐漸被規劃成形，挑擔販賣的習慣逐漸改成街頭固定發賣，可能麵攤車從此而有。現今，若再看法國人於二十世紀初拍攝的老照片，仍能看到西貢華人販賣湯麵的挑擔及攤車的兩種方式。可以判斷，二十世紀初的一九一〇至一九二〇年代就是麵攤車在西貢街頭開始出現的時期。

一九〇〇年代前後南部華人挑擔販賣湯麵（網上取材）

一九〇〇年代南部華人挑擔販賣湯麵（網上取材）

一九三〇年代西貢街頭的華人麵攤車
（網上取材）

一九三〇年代西貢街頭的華人麵攤車
（網上取材）

一九四〇年代西貢街頭的華人麵攤車
（網上取材）

一九四〇年代西貢街頭的華人早餐車
（網上取材）

一九七〇年代西貢街頭的越人飲料車
（網上取材）

現今的華人麵攤車（網上取材）

　　這篇文章的重點不在於談到麵攤車，而是關心了解裝在麵攤車上面的鏡子圖畫，尤其是轉載明清小說情節的圖畫。觀察以上的麵攤車，可以知道這些圖畫早已被用來作為攤車的裝飾品，製作時間可能也是在一九二〇年代。

筆者在各地調查之時，發現許多老舊木材的攤車上都標名「曾富造車／新華製片」（Tăng Phú tạo xe／Tân Huê lắp kiếng）的廣告[2]，另一些用白鐵製造的新型攤車，都寫上「誠興」（Thành Hưng）及其電話號碼的廣告。這表明過往「新華」（Tân Huê）鏡片行曾是西貢製作攤車鏡子圖畫最大的商行，後來逐漸被沒落了，且已被「誠興」商行所取代。由特別微妙的機緣，筆者田調西貢時幸運遇到梁志鵬（Lương Chí Bằng, 1945）先生，他就是開創「新華」商行主人的兒子，亦是商行圖畫的主要創作者，並曾繼承家庭商業，以及見證家業走到沒落的境況。

據梁先生所述，他父親姓名梁建民，於一九三〇年代由中國戰亂，故攜帶家人從廣東遷往越南避難。當時越南南部很流行各種各樣的鏡子圖畫，以作為禮節、慶壽、開張、新家等事的贈送禮品。因他父親自身有畫畫的才藝，故想要詢師學畫以作為謀生之計。當時，在香港出版的明清小說被西貢華人進口，並在各地書坊發賣。這些書籍有的被插圖，有的完全是漫畫，深受在地華人的歡迎。梁父在空閒時間常拿書閱讀，並深切欣賞《三國演義》、《水滸傳》、《五虎平西》、《西遊記》等小說情節與人物的圖畫。由於濃厚的興趣，他想出將這些小說裡的情節及人物畫在鏡面上，並與造車行相合作，將連環畫片裝上攤車作為飾品。他的試驗特受觀眾的歡迎，各地麵館陸續前來訂買，「新華」製片商行由此從一九四二年成立。梁父模仿書籍裡頭的圖畫，依照比例將之擴大地畫上鏡面，並配合各種不同的顏色，當時沒有依賴任何機械的技術，一切都用手工製作為主。隨著顧客攤車的大小而定適應的圖畫數量與尺寸，平均一套十幅連環畫一人要花十天左右的時間，製作者都很謹慎作業，將自己心情都擺放在圖畫上面。因此，「新華」製出的圖畫特別精美，深受觀眾的歡迎，訂單越來越多，一九四〇～一九五五及一九六三～一九七五時段營業相當盛旺，西貢各地都知名。當時有人離廠開自己

---

2 「新華」製片商行原位於西貢第五郡 Paris 街，於一九五五年改名為馮興街（đường Phùng Hưng），後由生意不佳移到「白鐵街市」（Chợ Thiếc）附近，地址「三十五號巷內鄧明謙橫街醫生街」，今日是鄧明謙街（đường Đặng Minh Khiêm）及副奇調街（đường Phó Cơ Điều）交接口。

商行，也製作鏡子圖畫謀生，但是由「新華」製作的圖畫仍佔百分之九十（90%）左右。一九七〇年代末梁父去世，梁志鵬先生維持家業到一九九〇年代，當時印刷業發達，許多人採用先進技術，提升製作速度及降低成本，且觀眾對畫品的欣賞需求又轉變，商行碰到種種困難，最後雖捨不得但也只好放棄。[3]

西貢華人梁志鵬先生及其畫作[4]

梁先生離藝後留下許多鏡子圖畫作為紀念

梁先生製作的〈燒赤壁周郎用兵〉

梁先生製作的〈許褚裸衣戰馬超〉

3　筆者向梁志鵬先生訪問的部分成果，採訪日期：2019年8月26日。

4　此表格裡頭的圖畫都取自「勞動者」網報，網址：https://nld.com.vn/dia-phuong/thu-vi-voi-nhung-tranh-kieng-tuong-tich-tren-xe-mi-tau-20190716121552204.htm，取材日期：2019年8月20日。

梁先生製作的〈張翼德怒鞭督郵〉　　　梁先生製作的〈董太師大鬧鳳儀亭〉

梁先生製作的〈宴桃園豪傑三結義〉　　　　　　梁先生製作的
　　　　　　　　　　　　　　　　　　〈擒龐德關雲長水淹七軍〉

梁先生製作的〈刺董卓孟德獻刀〉　　　梁先生製作的〈諸葛亮七擒孟獲〉

二　南部華人麵攤車圖畫的文學取材與選題

　　正如以上所述，麵攤車的圖畫幾乎都取材自中國明清小說。具體而言，
這些圖畫是模仿香港出版的明清小說書籍裡頭的插圖而成。從十八到二十世

紀七〇年代，華南商船經常來往越南南部通商貿易，許多華南書籍，包括明清小說在內，隨著商船跨海南來，在南部各大都市發賣，因此對於西貢華人來說，明清小說書籍絕非難以取得。明清小說的漢文版，一定曾是不少華人喜愛的書，從喜愛到創作或再創作新的文藝品，是必定產生的事情。因此，從明清小說的文本，到明清小說書面上的圖畫，以至於明清小說鏡片上的圖畫，是一個文學作品被傳播與影響的繁衍常態。西貢麵攤車明清小說圖畫，已然是受到明清小說影響而來。

哪幾部明清小說被取材製成鏡片圖畫？筆者在南部各地搜集到二十臺麵攤車的一五〇幅鏡子圖畫，經辨認圖畫上的情節與人物，後歸類於以下幾部小說：

小說序號	小說名稱	情節序號	情節中文與越文名稱	出現次數
1	《三國演義》	1	〈許褚裸衣戰馬超〉 Hứa Chử lõa y chiến Mã Siêu	14
		2	〈趙子龍攔江奪斗〉 Triệu Tử Long chặn sông đoạt A Đẩu	13
		3	〈潼關馬超追曹操〉 Đồng Quan Mã Siêu truy Tào Tháo	9
		4	〈虎牢關三英戰呂布〉 Hổ Lao quan tam anh chiến Lữ Bố	6
		5	〈呂布火燒洛陽城〉 Lã Bố hỏa thiêu Lạc Dương thành	6
		6	〈華容道關公義釋曹操〉 Huê Dung đạo Quan Công nghĩa thích Tào Tháo	8
		7	〈呂布殺丁原投董卓〉 Lữ Bố giết Đinh Nguyên để đầu Đồng Trác	4
		8	〈張飛截追兵〉 Trương Phi cản truy binh	3

小說序號	小說名稱	情節序號	情節中文與越文名稱	出現次數
		9	〈關雲長義釋黃漢升〉 Quan Vân Trường phóng thích Hoàng Hán Lăng	7
		10	〈常山趙子龍〉 Mãnh tướng Triệu Tử Long	3
		11	〈呂布張飛戰古城〉 Cổ Thành Trương Phi đại chiến Lữ Bố	1
		12	〈孫堅越河打劉表〉 Tôn Kiên vượt sông đánh Lưu Biểu	1
		13	〈關雲長刮骨療毒〉 Quan Công mổ tay trị độc	2
		14	〈美髯公千里走單騎〉 Mỹ Diêm Công thiên lý tẩu Đơn Ký	1
		15	〈屯土山關公約三事〉 Đồn Thổ Sơn Quan Công hẹn tam tranh	1
		16	〈關雲長單刀赴會〉 Quan Công đơn đao phó hội	3
		17	〈曹孟德喝酒論英雄〉 Tào Mạnh Đức uống rượu luận anh hùng	1
		18	〈呂溫侯私會鳳儀亭〉 Lữ Bố lén đến Phụng Nghi Đình	2
		19	〈宴桃園豪傑三結義〉 Tam hào kiệt kết nghĩa đào viên	2
		20	〈刺董卓孟德獻刀〉 Giết Đổng Trác Tào Tháo hiến đao	6
		21	〈燒赤壁周郎用兵〉 ThiêuXíchBíchChâu Du dùngbinh	2
		22	〈張翼德怒鞭督郵〉 Thiêu Xích Bích Châu Du dùng binh	4

小說 序號	小說名稱	情節 序號	情節中文與越文名稱	出現 次數
		23	〈董太師大鬧鳳儀亭〉 Đổng Thái sư đại náo Phụng Nghi Đình	5
		24	〈擒龐德關雲長水淹七軍〉 Quan Vân Trường thủy quân cầm Bàng Đức	9
		25	〈諸葛亮七擒孟獲〉 Khổng Minh thất cầm Mạnh Hoạch	1
		26	〈劉皇叔過江招親〉 Lưu Hoàng Thúc qua sông cưới vợ	3
		27	〈會古城關公斬蔡陽〉 Hội Cổ Thành Quan Công trảm Sái Dương	2
		28	〈劉皇叔躍馬過檀溪〉 Lưu Hoàng Thúc cưỡi ngựa vượt Đàn Khê	2
		29	〈貂蟬拜月〉 Điêu Thuyền bái nguyệt	1
2	《萬花樓》	1	〈佘太君保領焦廷貴〉 Xà Thái Quân bảo lãnh Tiêu Đình Quý	1
		2	〈御校場狄青斬王天化〉 Ngự giáo trường Địch Thanh hạ Vương Thiên Hóa	1
		3	〈狄青大戰子牙猜〉 Địch nguyên soái đánh bại Nha Lý Ba	2
3	《五虎征西》 （又稱《五虎 平西》、《續萬 花樓》）	1	〈狄元帥大敗牙里波〉 Địch nguyên soái đánh bại Nha Lý Ba	1
		2	〈報夫仇飛龍公主圖殺狄青〉 Trả thù chồng Phi Long công chúa ám sát Địch Thanh	3
		3	〈花山老祖法擒狄青〉 Hoa Sơn Lão Tổ phép cầm Địch Thanh	2
		4	〈白鶴關狄青斬黑利〉 Bạch Hạc quan Địch Thanh trảm Hắc Lợi	1

小說序號	小說名稱	情節序號	情節中文與越文名稱	出現次數
		5	〈仁宗皇試驗真旗〉 Nhơn Tôn Hoàng nghiệm duyệt cờ Trân Châu	1
		6	〈雙陽公主陣上幸情〉 Song Dương công chúa gặp nhau Địch Thanh	1
		7	〈遵師命詐死埋名〉 Tuân sư mệnh Địch Thanh giả tử mai danh	1
		8	〈西遼王貢獻珍珠旗〉 Liêu Vương ân cống cờ Chân Châu	1
		9	〈雙陽公主捉華山老祖〉 Song Dương công chúa bắt Hoa Sơn Lão Tổ	1
4	《岳飛全傳》	1	〈岳飛槍挑小梁王〉 Nhạc Phi cầm giáo chọc tức Tiểu Lương Vương	1
5	《薛丁山征西》	1	〈薛丁山法破楊藩〉 Tiết Đinh Sơn phép phá Dương Phàn	1
		2	〈樊梨花法戰楊藩〉 Phàn Lê Huê phép chiến Dương Phàn	1
		3	〈渡韓江丁山遇水戰〉 Độ Hàn Giang Đinh Sơn ngộ thủy chiến	1
		4	〈薛丁山初會樊梨花〉 Tiết Đinh Sơn Phàn Lê Huê gặp nhau	2
		5	〈梨花大破白虎關〉 Lê Huê đại phá Bạch Hổ quan	1
		6	〈梨花用法捉丁山〉 Lê Huê dùng phép bắt Đinh Sơn	1
6	《包公奇案》	1	〈包公夜審郭槐〉 Bao Công dạ thẩm Quách Hòe	4

　　據以上列表，這偶然取得的一五〇幅鏡片圖畫，可歸納於《三國演義》、《萬花樓》、《五虎征西》、《岳飛全傳》、《薛丁山征西》、《包公奇案》等六部明清小說。另據梁志鵬先生回憶，早期除了以上小說情節之外，還有《水滸傳》、《西遊記》、《封神演義》、《漢楚爭雄》等小說情節的圖畫，可能由於時間過久，那些車子都損壞，所以相當罕見。除了上列情節，還有一些被當時見證者所述，但筆者未能尋到如〈趙雲解救幼主〉、〈關公護送二嫂〉、〈呂布戲貂蟬〉、〈項羽別虞姬〉、〈孫悟空三借芭蕉扇〉等。在這一五〇幅畫之中，《三國演義》情節已佔一二二幅（81.3%），比任何其他小說更多。這在某一程度上證明《三國演義》在南部華人心中有深遠的影響。此現象與梁先生的記憶相呼應：「我爸爸特別喜歡明清小說，幾乎有了哪一部，他都認真閱讀，並從中取出壯麗迷人的情節。他特別愛慕《三國演義》，其他小說他僅僅取出十個以下的情節與人物，可是《三國演義》剛好例外，整部多達四十多個情節。因為這故事內容生動誘人，人物性格多樣，圖畫又生動又有精美的佈局，很適合仿製成鏡片圖畫。」[5]

　　考察《三國演義》各情節的出現頻率，可以看到出現多達十次以上的情節有二幅（〈許褚裸衣戰馬超〉、〈趙子龍攔江奪斗〉），出現從五次到九次的情節有八幅（〈潼關馬超追曹操〉、〈擒龐德關雲長水淹七軍〉、〈華容道關公義釋曹操〉、〈關雲長義釋黃漢升〉、〈刺董卓孟德獻刀〉、〈虎牢關三英戰呂布〉、〈呂布火燒洛陽城〉、〈董太師大鬧鳳儀亭〉），出現從二次到四次的情節有十二幅（〈呂布殺丁原投董卓〉、〈張翼德怒鞭督郵〉、〈張飛截追兵〉、〈常山趙子龍〉、〈關雲長單刀赴會〉、〈劉皇叔過江招親〉、〈關雲長刮骨療毒〉、〈呂溫侯私會鳳儀亭〉、〈宴桃園豪傑三結義〉、〈燒赤壁周郎用兵〉、〈會古城關公斬蔡陽〉、〈劉皇叔躍馬過檀溪〉），剩下來七幅只有單次出現（〈呂布張飛戰古城〉、〈孫堅越河打劉表〉、〈美髯公千里走單騎〉、〈屯土山關公約三事〉、〈曹孟德喝酒論英雄〉、〈諸葛亮七擒孟獲〉、〈貂蟬拜月〉）。情節出現頻率的差距應出於以下幾種原因：

5　筆者向梁志鵬先生訪問的部分成果，採訪日期：2019年8月26日。

（1）關於製片者的原因。明顯可見，圖畫題材是由製片者選擇和提供，當然他們最有興趣的情節會排在首位，若顧客沒有選題的意願，製片者會依照自己欣賞傾向、自己對人物的感情、以及製作的習慣與方便擁有決定權。據梁志鵬先生所述，他爸爸特別喜歡劇情高潮的交爭景象，故經常選擇馬上英雄出征的畫面，以及蜀國猛將對抗敵軍立成大功的畫面。因此，這種情節的圖畫出現頻率相當高，基於此也能看到華人讀者如同傳統民間對於蜀國的支持立場。

（2）關於訂購者的原因。大部分顧客訂購攤車之時會親自選題，基於攤車構築而選擇四到十二幅畫。因訂購者早期都是華人，他們對於《三國演義》特別熟悉，故選題一事也涵蓋其中的意義。又據梁先生說，顧客們選題都優先選擇顏色燦爛華麗的畫面，一邊能為攤車裝飾，一邊能吸引路上食客的關注。另一個很重要的因素是訂購者自身的安全感。站在街頭販賣湯麵的攤主，偶爾也會碰到各種無辜的困境如流氓擾亂、食客弄怪、警員趕走等，因此麵攤車能帶來給他們安全感，尤其是上面裝滿蓋世英雄人物的麵攤車。此時，訂購者傾向於選擇擁有威勇正氣的關帝、趙子龍、張飛等人的圖畫。

（3）關於食客的原因。食客雖然不如製片者及訂購者擁有選題的權限，但是他們欣賞圖畫的趨向，也就是製片者及訂購者選題時總要考慮的根據。食客成分相當多樣，包括華越兩族居民，他們對明清小說包括《三國演義》在內的了解亦深淺有別。因此，選題之時有考慮到混合幾部明清小說情節的畫面，也有考慮到選擇同一部小說的熟悉情節與人物，並在裝置時也依照故事演變所發生情節的順序。

又從以上情節出現的頻率，我們更能看出南部華人讀者欣賞《三國演義》的多種焦點與趨勢：

（1）欣賞者對於人物的正義行為持有支持的態度。例如出現四次的〈張翼德怒鞭督郵〉圖畫描繪第二回張飛得知督郵對劉備傲慢無禮，且倚勢索取賄賂不成，便逼迫縣吏誣告劉備害民，故大怒拖督郵縛在縣衙前馬樁上鞭打。這情節雖是不甚重要，但多次被取材，顯示讀者對張飛嫉惡如仇的剛烈性格之同情，同時顯示貧民對當世生活正義挽回的渴求。

（2）欣賞者對於立成非凡戰功英雄的仰慕。這種情節佔比重最高的，亦是《三國演義》最迷人、最有吸引力的主軸情節，包括〈趙子龍攔江奪斗〉、〈許褚裸衣戰馬超〉、〈潼關馬超追曹操〉、〈擒龐德關雲長水淹七軍〉、〈虎牢關三英戰呂布〉、〈呂布火燒洛陽城〉、〈張飛截追兵〉、〈關雲長單刀赴會〉、〈燒赤壁周郎用兵〉、〈諸葛亮七擒孟獲〉等情節。

（3）欣賞者對於個別英雄人物品格的讚譽。其中，關公仁、義、勇的美德顯示於〈華容道關公義釋曹操〉、〈關雲長義釋黃漢升〉、〈關雲長刮骨療毒〉、〈會古城關公斬蔡陽〉、〈關雲長單刀赴會〉、〈屯土山關公約三事〉等情節。張飛正直、英勇、暴躁的品格顯示於〈張翼德怒鞭督郵〉、〈張飛截追兵〉、〈呂布張飛戰古城〉等情節。呂布勇猛、多情、立場異動的品格顯示於〈呂布殺丁原投董卓〉、〈呂布張飛戰古城〉、〈呂溫侯私會鳳儀亭〉、〈虎牢關三英戰呂布〉、〈呂布火燒洛陽城〉等情節。除外，劉備、曹操、董卓、趙子龍、諸葛亮、馬超、孫堅、貂蟬等重要人物都被取材。

觀察這些圖畫，觀眾不難發現同題材多畫面、同人物多視角的現象。我們並不意外，這是藝術創作的常態，不同製片商行、不同畫畫藝人、不同質料與技術，會造出精美或粗拙不同的畫面。每臺麵攤車最多僅有十二幅圖畫，與一二〇回的《三國演義》小說的長度及細節度比起非常有限。雖然圖片上加註漢字的旁邊也有越南文，企圖使不懂漢字的越南食客都能看懂故事內容，可是對於未曾讀過《三國演義》的客人而言，圖畫難以引發興趣的情懷，因此圖畫的作用主要顯現在熟知這部小說內容的讀者。麵攤車鏡片上的對聯也吐露營業者的願望及服務精神：「德業興隆財源廣、記展鴻圖吉慶夢」、「友善真誠迎顧客、熱情周到待嘉賓」；同樣道理，攤車上圖畫的取材與選題，亦能呈現許多市井讀者對明清小說的熱愛。

三 南部觀眾對麵攤車鏡子圖畫欣賞的嬗變

裝鏡子圖畫的麵攤車，在一九二〇年代一出現，就引起南部居民的關注，並逐漸存在於南部各地。當初，主要是華人訂買這種攤車，原因是他們

本身對明清小說特別興趣，並對圖畫的情節甚為了解，更重要的是他們有充實的本錢。攤車因用貴重的木材，其耐久度相當高，能利用幾十年之久，而且製作特別功夫，手工圖畫仔細精美，故付出的成本比一般不裝圖畫的攤車更高。因此，對於本錢欠缺的販賣者，雖然也喜歡裝飾更多圖畫，但總考慮不裝圖畫或只裝四到六幅畫而已。可以說，從麵攤車的外貌，顧客亦能判斷出其主人的經濟條件。後來，麵攤車逐漸被附上華人家傳湯麵的象徵，各地華人及越人開新的麵館亦訂買回來作為營業工具，包括越南北中部人。麵攤車明顯帶給店主不僅有安全感，而且有親切感、期待感。

不僅飲食營業界訂購，這種圖畫也吸引了熱愛明清小書的各地人士。據梁先生所述，曾經屢次有河內、峴港、廣義、歸仁等地的客人訂買《三國演義》連環鏡片，他們不要裝上攤車，只要裝在畫框，以便掛在客廳日夜欣賞。甚至也有人訂買有關公的畫面回家奉祀。從特意製作給麵攤車的圖畫，逐漸成為日常使用的裝飾圖畫。另外，演藝界在拍電影時，也很在乎利用麵攤車作為西貢往日的街頭生活背景。

麵攤車的鏡子圖畫，應是南部華人特有的畫品。它不僅吸引了南部華人及越人的趣味，而且還吸引了一些住在越南的外國人。據梁志鵬先生說，過往有些外國人向他訂製連環畫，包括外國領事館官員，作為禮物寄回印度、日本、義大利等國。他們都認為這種圖畫很精美，有巨大魅力，且其他國家沒有，因而買回贈送親友。梁先生猜測他們應該對明清小說也很熟悉。

梁先生沉思地回憶過往家業，在他十幾歲之時，由聽父親的話，就放棄學業在家裡商廠向父親學藝，廠內也有幾位工人。他們廠業盛衰有時，特別在吳廷琰（Ngô Đình Diệm）總統執政期間（1955-1963），因政府管轄街頭很嚴格，許多攤車販賣者無法在街頭營業，故影響製片生意。直至一九七〇年代末梁父去世後，他夫妻倆繼承家業，到一九九〇年代末才放棄。放棄的主要原因是傳統欣賞圖畫的方式已經改變。以前都是手工製作，人工製片花費很多時間與精力，顧客對圖畫的要求很嚴格，製片不精美絕不驗收，因此有時候畫完又擦又修改。製片者不僅有審美眼光，且必定要細心與忍耐，一天每人僅能畫一幅左右，因此製作的成本相當高。一九九〇年代初，影視技

術開始發達，大家的眼光轉移到影視品，顧客逐漸轉用印刷圖畫，他們對圖畫的要求不高，而且成本降低，促使梁家廠業日趨蕭條。

梁先生對現今製作的圖畫甚不滿意：「他們不在乎傳統畫品的邏輯。陽光如何照射，城池顏色如何，戰馬姿勢如何，路邊楊柳如何，都要遵守畫理，不能隨便放筆。畫人物也是如此，要了解人物性格，以及情節演變的境況，才能劃出人物的出神時刻。狄青、樊梨花、武松、諸葛亮、關公、張飛、呂布等人物，各個的性格都不一樣，因此圖畫也須顯示出來。因為以前我親自閱讀文本，故很了解人物境況；現今他們都依照圖畫，稀少探尋故事，且過度利用技術，因而失去藝術品的審美價值。現在如要訂買畫片，仍有人製作，可是畫面無有絲毫差異，證明已經運用複製技術了。」[6]以上的陳述無形中揭露南部觀眾對麵攤車鏡子圖畫欣賞的嬗變。

回想二十世紀初，明清小說在南部被大量翻譯，並連續在報紙刊載，引發南部各界的賞讀熱潮。明清小說文本從早期主要是華人閱讀，到譯本面世後才被普羅大眾欣賞。這樣的傳播氛圍促使更多改編作品產生，鏡片圖畫乃是其中的一種形式。在眾所周知的明清小說情節與人物的環境下，麵攤車的鏡片圖畫能受到熱烈歡迎乃是理所當然的事情。因此，這種圖畫的出現應該往前推到欣賞熱潮的稍後，即是一九一〇至一九二〇年代。在早期文盲相當普遍的環境中，書籍版量相當有限，圖畫在文學作品傳播過程中更發揮巨大的作用。

四　南部華人的再創造精神

文學與繪畫是兩種緊密聯繫的藝術類型。文學總是提供題材給畫家，並激發創作的興趣，尤其是詩歌作品。若畫品以筆畫條紋和顏色作為原料，文學就以語言與聲韻作為原料。文學與繪畫的結合，可以互補優劣，促成一種新的接受方式。中國移民華人遷往越南後，常採用明清小說情節與人物形象

6　筆者向梁志鵬先生訪問的部分成果，採訪日期：2019年8月26日。

作為畫題，並刻畫在住宅、房屋、廟宇、墓園、用具、麵攤車等處，更表露後人對前人文化財產的新解讀。

明清小說的彩繪畫在中國各地非常盛行，特別是在古老建築物及廟宇。通過彩繪畫這種普通易懂的載體，明清小說作品的情節和人物都能再現，並且彰顯畫家對文學作品的接受態度。彩繪畫的種類非常多樣，若根據製作原料可分成木板畫、石版畫、紙面畫、鏡面畫等，若根據製作目的可分成奉祀畫、鑒賞畫、裝飾畫、說明畫等，若根據置放處所可分為壁畫、樑畫、匾額畫、用具畫等，若根據畫品數量會分成連環畫、單幅畫、雙幅畫、四屏畫等。很趣味的是，由華人畫的彩繪畫仍能濃厚地保留中國風格，可是由越人畫的就很高度被越南化，甚至是被南部化，表現在於畫面背景、人物服飾、人樣姿態等方面。

在南部，華人的美食在此區域的飲食文化圖上佔有很重要的席位。許多華南各地的美食，隨著移民華人帶來越南，逐漸成為在地眾所周知的美味。許多西貢家傳的麵館，三十年、四十年、甚至七十年的家業續傳，已都成為飲食營業的著名商行。除了作為營業工具，麵攤車也是轉載文化文學的載體。在許多南部人記憶中，品嘗華人的湯麵與欣賞小說的圖畫，似乎皆能同時進行，各有其中的樂趣。因此，回憶西貢往日的生活，不少人馬上想到街頭麵攤車的景象。

歲月日逐，早期用木頭製造的麵攤車，今已採用白鐵取代；原先手工創作的圖畫，今已改為印刷畫快速製成。麵攤車在現代人心中雖已不具吸引力，但其文化轉載意義仍在，販賣湯麵者對它的安全感仍在，食客對圖畫的欣賞興趣仍在，那明清小說當然仍繼續在越南南部流傳與影響。

附錄

與會貴賓暨學者名單

依姓氏筆畫順序排列

大西磨希子	日本佛教大學佛教學部教授
山本孝子	日本關西大學東西學術研究所非常勤研究員
王三慶	國立成功大學名譽教授
王秋桂	國立清華大學榮譽講座教授
王偉勇	國立成功大學中國文學系退休教授
王祥穎	南華大學文學系助理教授
王晴慧	亞洲大學通識教育中心暨數位媒體設計學系副教授
朱玉麒	北京大學歷史學系暨中國古代史研究中心教授
朱鳳玉	國立嘉義大學中國文學系教授
何美珍	廣西財經學院副教授
余　欣	上海復旦大學歷史系教授
吳福春	府城觀興文化藝術基金會執行長
吳翠華	元智大學應用外語系副教授
李立信	香港珠海學院文史研究所專任教授
李姿瑩	閩南師範大學文學院助理教授
李淑如	國立成功大學中國文學系專案副教授
李進益	國立東華大學華文文學系教授
李曉紅	廣州中山大學中國語言文學系副教授
汪　娟	銘傳大學應用中國文學系教授
阮清風	胡志明市國家大學所屬安江大學越南語文學系主任

周西波	國立嘉義大學中國文學系副教授
林仁昱	國立中興大學中國文學系副教授
林珊妏	宏國德霖科技大學通識教育中心教授
林登順	國立臺南大學國語文學系教授
林耀潾	國立成功大學中國文學系副教授
邱彩韻	國立雲林科技大學漢學應用研究所博士後研究員
金瀅坤	首都師範大學歷史學院教授
侯明福	府城觀興文化藝術基金會會長
柯榮三	國立雲林科技大學漢學應用研究所副教授
洪集輝	國立金門大學學術副校長
范文俊	越南社會科學翰林院所屬漢喃研究院研究員
郝春文	首都師範大學歷史學院教授
高田時雄	復旦大學歷史學系特聘教授
高美華	國立成功大學中國文學系教授兼系主任
康世昌	國立嘉義大學中國文學系副教授
梁麗玲	銘傳大學應用中國文學系教授
許　結	南京大學文學院教授
陳玉女	國立成功大學文學院院長
陳海茵	國立高雄科技大學兼任助理教授
陳益源	國立成功大學中國文學系特聘教授
陳淑萍	長榮中學專任教師、國立臺南大學國語文學系兼任助理教授
傅想容	鹽城師範學院文學院副教授
彭衍綸	國立東華大學中國語文學系教授
湯家岳	國立彰化師範大學國文研究所博士班研究生
黃文車	國立屏東大學中國語文學系副教授
黃志輝	香港珠海學院亞洲研究中心副研究員
楊明璋	國立政治大學中國文學系副教授
董就雄	香港珠海學院中國文學系副教授

詹杭倫	馬來西亞南方大學學院中文系教授
劉 屹	首都師範大學歷史學院教授
劉家幸	中央研究院中國文哲研究所博士後研究員
劉惠萍	國立東華大學中國語文學系教授
鄭阿財	南華大學文學系退休教授兼敦煌學研究中心榮譽主任
鄭炳林	蘭州大學敦煌學研究所教授
謝瑞隆	明道大學中國文學系教授兼主任
鍾鳳鳴	香港珠海學院文史研究所退休助理教授
魏迎春	蘭州大學歷史文化學院教授
羅景文	國立中山大學中國文學系副教授
蘇慧霜	國立彰化師範大學國文學系教授兼系主任

工作人員名單

秘書組：李慧苹、莊秋君
議事組：邱文彬、鄭垂莊、許哲豪、何庭毅、柯宜彤
事務組：張培哲、楊翔智、阮福安、陳佳杰
總務組：廖凱蘋、史欣儀

學術論文集叢書　1500014

漢學與東亞文化研究——王三慶教授七秩華誕祝壽論文集

主　　編　陳益源
責任編輯　呂玉姍

發 行 人　林慶彰
總 經 理　梁錦興
總 編 輯　張晏瑞
編 輯 所　萬卷樓圖書股份有限公司
　　　　　臺北市羅斯福路二段 41 號 6 樓之 3
　　　　　電話 (02)23216565
　　　　　傳真 (02)23218698

發　　行　萬卷樓圖書股份有限公司
　　　　　臺北市羅斯福路二段 41 號 6 樓之 3
　　　　　電話 (02)23216565
　　　　　傳真 (02)23218698
　　　　　電郵 SERVICE@WANJUAN.COM.TW
香港經銷　香港聯合書刊物流有限公司
　　　　　電話 (852)21502100
　　　　　傳真 (852)23560735

ISBN 978-986-478-329-8
2020 年 7 月初版
定價：新臺幣 920 元

如何購買本書：

1. 劃撥購書，請透過以下郵政劃撥帳號：
　　帳號：15624015
　　戶名：萬卷樓圖書股份有限公司
2. 轉帳購書，請透過以下帳戶
　　合作金庫銀行 古亭分行
　　戶名：萬卷樓圖書股份有限公司
　　帳號：0877717092596
3. 網路購書，請透過萬卷樓網站
　　網址 WWW.WANJUAN.COM.TW

大量購書，請直接聯繫我們，將有專人為
您服務。客服：(02)23216565 分機 610

如有缺頁、破損或裝訂錯誤，請寄回更換

國家圖書館出版品預行編目資料

漢學與東亞文化研究──王三慶教授七秩華誕
祝壽論文集 / 陳益源主編. -- 初版. -- 臺北
市：萬卷樓, 2020.07
　　面；　　公分. -- (學術論文集叢書；1500014)

ISBN 978-986-478-329-8(平裝)

1.漢學　2.學術研究　3.文集

030.7　　　　　　　　　　　　　　109007284